TODAS AS CRÔNICAS

Clarice Lispector

TODAS AS CRÔNICAS

Prefácio
MARINA COLASANTI

Organização
PEDRO KARP VASQUEZ

Posfácio
PAULO GURGEL VALENTE

Pesquisa textual
LARISSA VAZ

Copyright © 2019 by Paulo Gurgel Valente

Prefácio: Marina Colasanti

Organização e posfácio: Pedro Karp Vasquez

Pesquisa textual: Larissa Vaz

Direitos desta edição reservados à
EDITORA ROCCO LTDA.
Rua Evaristo da Veiga, 65 – 11º andar
Passeio Corporate – Torre 1
20031-040 – Rio de Janeiro – RJ
Tel.: (21) 3525-2000 – Fax: (21) 3525-2001
rocco@rocco.com.br
www.rocco.com.br

Printed in Brazil/Impresso no Brasil

CIP-Brasil. Catalogação na fonte.
Sindicato Nacional dos Editores de Livros, RJ.

L753t	Lispector, Clarice, 1920-1977 Todos as crônicas/Clarice Lispector; prefácio de Marina Colasanti; organização de Pedro Karp Vasquez; pesquisa textual de Larissa Vaz. – 1ª ed. – Rio de Janeiro: Rocco, 2018.
	ISBN 978-85-325-3121-6 ISBN 978-85-8122-749-8 (e-book)
	1. Crônicas brasileiras. I. Colasanti, Marina. II. Vasquez, Pedro Karp. III. Vaz, Larissa. IV. Título.
18-50076	CDD – 869.8 CDU – 82-94(81)

Meri Gleice Rodrigues de Souza – Bibliotecária CRB-7/6439

O texto deste livro obedece às normas
do Acordo Ortográfico da Língua Portuguesa.

PREFÁCIO

Nem uma vírgula

Aquela sexta-feira 18 de agosto de 1967 foi especialmente tensa na redação do Caderno B. Pesava sobre nós uma dupla responsabilidade, inaugurar na manhã seguinte a presença do suplemento aos sábados e apresentar Clarice Lispector como cronista.

Ela disse logo a que vinha. Rompendo a tradição da crônica corrida, ocupou seu espaço na segunda página com vários textos curtos, uma verdadeira amostra daqueles que seriam seus temas centrais ao longo dos próximos seis anos: a relação mãe-filho, a revolta contra a resignação, a busca do eu, os desvãos do pensamento e a transformação do fato cotidiano em pura metafísica.

Desde o princípio Clarice me foi entregue. O editor do Caderno parecia ter medo dela, mas era uma reverência que se confundia com falta de jeito. Achou mais tranquilo me incumbir de recebê-la quando viesse eventualmente ao jornal, de fazer-lhe as comunicações necessárias, de atender o telefone quando ela ligava.

E, sobretudo, de receber seus textos e responsabilizar-me por eles.

Feliz fiquei eu com esse encargo. Desde a adolescência a admirava, e agora, textos semelhantes àqueles que eu havia lido na sua seção "Children's Corner" na revista *Senhor*, eram entregues em minhas mãos.

Não creio que Clarice tenha se lembrado que já nos conhecíamos, ou melhor, que eu já a conhecia. Era ainda novata no

Jornal do Brasil, no dia em que nosso amigo comum, o jornalista Yllen Kerr, me disse que ia visitá-la, e perguntou se eu queria ir junto. Fomos. A empregada abriu a porta, sentamos na sala em penumbra. Clarice demorou justo o tempo para ser desejada. E veio.

 Talvez por eu estar sentada, pareceu-me ainda mais alta do que era. Tinha presença imponente. E estava consciente do impacto provocado por sua estranha beleza. Nada nela era casual, tudo havia sido escolhido com cuidado – nos anos seguintes, jamais a veria sem maquiagem. A conversa aconteceu só entre ela e Yllen, uma conversa cheia de pausas, tateante, como se os dois estivessem andando sobre um fio. Ela fazia pausas que ele não se atrevia a interromper ou que interrompia exatamente quando ela retomava o discurso, então os dois paravam por instantes esperando o próximo passo. Eu, muda, a observava, acompanhando os gestos das mãos, reparando na escolha das pulseiras sem brilho, como se antigas ou rústicas, na roupa escura que se fundia na sala escura, só um abajur aceso. Não foi uma visita longa nem íntima, mas inesquecível para mim.

E porque Alberto Dines, editor-chefe do *Jornal do Brasil*, a havia convidado a colaborar no Caderno B, eis que aquela escritora estupenda me pedia para ter cuidado com seus textos. Como se o contrário fosse possível.

 No princípio da sua colaboração, veio à redação algumas vezes. Depois, nunca mais. Mandava os textos por uma funcionária, em um envelope grande de papel pardo, sempre igual, subscritado com aquela letra difícil, a única letra permitida pelo incêndio que havia lhe abocanhado a mão direita.

 E cada vez, ao estender-me o envelope, a funcionária repetia a recomendação feita por Clarice, que eu tivesse cuidado com seus textos, porque precisava deles e não tinha cópia. Mas não era a voz da funcionária que eu ouvia, era a dela, que tantas vezes ao telefone havia me dito, com aquele seu modo de moer os "erres" na garganta, da sua impossibilidade de usar papel-carbono, porque "o carbono frrranze". Eu repetia o "frrranze" na cabeça e redobrava os cuidados.

Determinamos que uma caixa separada junto à mesa da editoria receberia só a colaboração semanal de Clarice. E levei a funcionária até aquela espécie de ninho, para que transmitisse a Clarice o carinho especial com que seu trabalho era tratado.

Assim mesmo, a funcionária continuou repetindo o mantra, que mais servia para tranquilizar a própria Clarice do que para nos pôr em alerta.

Anos depois, encontrando alguns daqueles textos de que havia sido íntima transferidos para o contexto de um ou outro romance, entendi ainda mais fundamente por que o fato de não ter cópia deixava Clarice tão ameaçada. Qualquer frase podia tornar-se insubstituível no futuro, nenhuma podia se perder.

Como secretária de texto do Caderno B, cabia-me o privilégio de ler Clarice antes que o texto fosse baixado para a oficina. Fazia mínimas correções dos erros de datilografia, não mais do que isso. Nem teria sido necessário. Entretanto, outro dos seus pedidos constantes era que recomendássemos aos revisores para não mexer em suas vírgulas. "Minha pontuação", disse ela mais de uma vez, "é a minha respiração." E durante todos os anos que durou sua presença no Caderno B, Clarice pôde respirar tranquila, nem uma vírgula foi tirada do lugar.

MARINA COLASANTI

Jornal do Brasil

AS CRIANÇAS CHATAS

Não posso. Não posso pensar na cena que visualizei e que é real. O filho está de noite com dor de fome e diz para a mãe: estou com fome, mamãe. Ela responde com doçura: dorme. Ele diz: mas estou com fome. Ela insiste: durma. Ele diz: não posso, estou com fome. Ela repete exasperada: durma. Ele insiste. Ela grita com dor: durma, seu chato! Os dois ficam em silêncio no escuro, imóveis. Será que ele está dormindo? – pensa ela toda acordada. E ele está amedrontado demais para se queixar. Na noite negra os dois estão despertos. Até que, de dor e cansaço, ambos cochilam, no ninho da resignação. E eu não aguento a resignação. Ah, como devoro com fome e prazer a revolta.

A SURPRESA

Olhar-se ao espelho e dizer-se deslumbrada: Como sou misteriosa. Sou tão delicada e forte. E a curva dos lábios manteve a inocência.

Não há homem ou mulher que por acaso não se tenha olhado ao espelho e se surpreendido consigo próprio. Por uma fração de segundo a gente se vê como a um objeto a ser olhado. A isto se chamaria talvez de narcisismo, mas eu chamaria de: alegria de ser. Alegria de encontrar na figura exterior os ecos da figura interna: ah, então é verdade que eu não me imaginei, eu existo.

BRINCAR DE PENSAR

A arte de pensar sem riscos. Não fossem os caminhos de emoção a que leva o pensamento, pensar já teria sido catalogado como um dos modos de se divertir. Não se convidam amigos para o jogo por causa da cerimônia que se tem em pensar. O melhor modo é convidar apenas para uma visita, e, como quem não quer nada, pensa-se junto, no disfarçado das palavras.

Isso, enquanto jogo leve. Pois para pensar fundo – que é o grau máximo do hobby – é preciso estar sozinho. Porque entregar-se a pensar é uma grande emoção, e só se tem coragem de pensar na frente de *outrem* quando a confiança é grande a ponto de não haver constrangimento em usar, se necessário, a palavra *outrem*. Além do mais exige-se muito de quem nos assiste pensar: que tenha um coração grande, amor, carinho, e a experiência de também se ter dado ao pensar. Exige-se tanto de quem ouve as palavras e os silêncios – como se exigiria para sentir. Não, não é verdade. Para sentir exige-se mais.

Bom, mas, quanto a pensar como divertimento, a ausência de riscos o põe ao alcance de todos. Algum risco tem, é claro. Brinca-se e pode-se sair de coração pesado. Mas de um modo geral, uma vez tomados os cuidados intuitivos, não tem perigo.

Como hobby, apresenta a vantagem de ser por excelência transportável. Embora no seio do ar ainda seja melhor, segundo eu. Em certas horas da tarde, por exemplo, em que a casa cheia de luz mais parece esvaziada pela luz, enquanto a cidade inteira estremece trabalhando e só nós trabalhamos em casa, mas ninguém sabe – nessas horas em que a dignidade se refaria se tivéssemos uma oficina de consertos ou uma sala de costuras – nessas horas: pensa-se. Assim: começa-se do ponto exato em que se estiver, mesmo que não seja de tarde; só de noite é que não aconselho.

Uma vez por exemplo – no tempo em que mandávamos roupa para lavar fora – eu estava fazendo o rol. Talvez por hábito de dar título ou por súbita vontade de ter caderno limpo como em escola, escrevi: rol de... E foi nesse instante que a vontade de não ser séria chegou. Este é o primeiro sinal do *animus brincandi*, em matéria de pensar – como – hobby. E escrevi esperta: rol de sentimentos. O que eu queria dizer com isto tive que deixar para ver depois – outro sinal de se estar em caminho certo é o de não ficar aflita por não entender; a atitude deve ser: não se perde por esperar, não se perde por não entender.

Então comecei uma listinha de sentimentos dos quais não sei o nome. Se recebo um presente dado com carinho por pessoa de quem não gosto – como se chama o que sinto? A saudade que se tem de pessoa de quem a gente não gosta mais, essa mágoa e esse rancor – como se chama? Estar ocupada – e de repente parar por ter sido tomada por uma súbita desocupação desanuviadora e beata, como se uma luz de milagre tivesse entrado na sala: como se chama o que se sentiu?

Mas devo avisar. Às vezes começa-se a brincar de pensar, e eis que inesperadamente o brinquedo é que começa a brincar conosco. Não é bom. É apenas frutífero.

COSMONAUTA NA TERRA

Extremamente atrasada, reflito sobre os cosmonautas. Ou melhor, sobre o primeiro cosmonauta. Quase um dia depois de Gagarin, nossos sentimentos já estavam atrasados em contraposição à velocidade com que o acontecimento nos ultrapassava. Agora, então, é atrasadíssima que repenso no assunto. É um assunto difícil de se sentir.

Um dia desses um menino, advertido de que a bola com que brincava cairia no chão e amolaria os vizinhos de baixo, respondeu: ora, o mundo já é automático, quando uma mão joga a bola no ar, a outra já é automática e pega-a, não cai não.

A questão é que nossa mão ainda não é bastante automática. Foi com susto que Gagarin subiu, pois se o automático do mundo não funcionasse a bola viria mais do que transtornar os vizinhos de baixo. E foi com susto que minha mão pouco automática tremeu à possibilidade de não ser rápida bastante e deixar o "acontecimento cosmonauta" me escapar. A responsabilidade de sentir foi grande, a responsabilidade de não deixar cair a bola que nos jogaram.

A necessidade de tornar tudo um pouco mais lógico – o que de algum modo equivale ao automático – me faz tentar criteriosamente o bom susto que me pegou:

– De agora em diante, me referindo à Terra, não direi mais indiscriminadamente "o mundo". "Mapa mundial", considerarei expressão não apropriada; quando eu disser "o meu mundo", me lembrarei com um susto de alegria que também meu mapa precisa ser refundido, e que ninguém me garante que, visto de fora, o meu mundo não seja azul. Considerações: antes do primeiro cosmonauta, estaria certo alguém dizer, referindo-se ao próprio nascimento, "vim ao mundo". Mas só há pouco tempo nascemos para o mundo. Quase encabulados.

– Para vermos o azul, olhamos para o céu. A Terra é azul para quem a olha do céu. Azul será uma cor em si, ou uma questão de distância? Ou uma questão de grande nostalgia? O inalcançável é sempre azul.

– Se eu fosse o primeiro astronauta, minha alegria só se renovaria quando um segundo homem voltasse lá do mundo: pois também ele vira. Porque "ter visto" não é substituível por nenhuma descrição: ter visto só se compara a ter visto. Até um outro ser humano ter visto também, eu teria dentro de mim um grande silêncio, mesmo que falasse. Consideração: suponho a hipótese de alguém no mundo já ter visto Deus. E nunca ter dito uma palavra. Pois, se nenhum outro viu, é inútil dizer.

– O grande favor do acaso: estarmos ainda vivos quando o grande mundo começou. Quanto ao que vem: precisamos fumar menos, cuidar mais de nós, para termos mais tempo e viver e ver um pouco mais; além de pedirmos pressa aos cientistas – pois nosso tempo pessoal urge.

♦ ♦ ♦

VITÓRIA NOSSA

O que temos feito de nós e a isso considerado vitória nossa de cada dia.
    Não temos amado, acima de todas as coisas. Não temos aceito o que não se entende porque não queremos ser tolos. Temos amontoado coisas e seguranças por não nos termos nem aos outros. Não temos nenhuma alegria que já tenha sido catalogada. Temos construído catedrais e ficado do lado de fora, pois as catedrais que nós mesmos construímos tememos que sejam armadilhas. Não nos temos entregue a nós mesmos pois isso seria o começo de uma vida larga e talvez sem consolo. Temos evitado cair de joelhos diante do primeiro que por amor diga: teu medo. Temos organizado associações de pavor sorridente, onde se serve a bebida com soda. Temos procurado salvar-nos, mas sem usar a palavra salvação para não nos envergonharmos de ser inocentes. Não temos usado a palavra amor para não termos de reconhecer sua contextura de amor e de ódio. Temos mantido em segredo a nossa morte. Temos feito arte por não sabermos como é a outra coisa. Temos disfarçado com amor nossa indiferença, disfarçado nossa indiferença com a angústia, disfarçado com o pequeno medo o grande medo maior. Não temos adorado por termos a sensata mesquinhez de nos lembrarmos a tempo dos falsos deuses. Não temos sido ingênuos para não rirmos de nós mesmos e para que no fim do dia possamos dizer "pelo menos não fui tolo", e assim não chorarmos antes de apagar a luz. Temos tido a certeza de que eu também e vocês todos também, e por isso todos sem saber se amam. Temos sorrido em público do que não sorrimos quando ficamos

sozinhos. Temos chamado de fraqueza a nossa candura. Temo-nos temido um ao outro, acima de tudo. E a tudo isso temos considerado a vitória nossa de cada dia.

TANTO ESFORÇO

Foi uma visita. A antiga colega veio de São Paulo e visitou-a. Recebeu-a com sanduíches e chá, aperfeiçoando como pôde a visita, a tarde e o encontro. A amiga chegou linda e feminina. Com o correr das horas começou pouco a pouco a se desfazer, até que apareceu uma cara não tão moça nem tão alegre, mais intensa, de amargura mais viva. Raspou-se em breve a sua beleza menor e mais fácil. E em breve a dona da casa tinha diante de si uma mulher que, se era menos bonita, era mais bela, e que discursava como antigamente o seu ardente pensamento, confundindo-se, usando lugares-comuns do raciocínio, tentando provar-lhe a necessidade de se caminhar para a frente, provando que "cada um tinha uma missão a cumprir". Nesse ponto a palavra *missão* deve ter-lhe parecido usada demais, não para si mesma, mas para a dona da casa que fora uma das inteligentes do grupo. Então corrigiu: "missão, ou o que você quiser." A dona da casa mexeu-se na cadeira, perturbada.

Quando a visita saiu, estava com o andar feio, parecia tomada por aquele cansaço que vem de decisões prematuras demais em relação ao tempo de ação: tudo o que ela decidira, demoraria anos até poder alcançar. Ou até nunca alcançar. A dona da casa desceu de elevador com a visita, levou-a até a rua. Estranhou ao vê-la de costas: o reverso da medalha eram cabelos desfeitos e infantis, ombros exagerados pela roupa mal cortada, vestido curto, pernas grossas. Sim. Uma mulher maravilhosa e solitária. Lutando sobretudo contra o próprio preconceito que a aconselhava a ser menos do que era, que a mandava dobrar-se. Tanto, tanto esforço, e os cabelos caindo infantis. Ao seu lado, na rua, passavam criaturas que certamente se haviam dificultado menos, e que seguiam para um destino mais imediato. A dona da casa sentiu no peito o peso de uma compreensão constrangida: como ajudá-la? Sem que jamais pudesse transformar a compreensão em um ato.

O PROCESSO

— Que é que eu faço? Não estou aguentando viver. A vida é tão curta, e eu não estou aguentando viver.
— Não sei. Eu sinto o mesmo. Mas há coisas, há muitas coisas. Há um ponto em que o desespero é uma luz, e um amor.
— E depois?
— Depois vem a Natureza.
— Você está chamando a morte de natureza?
— Não. Estou chamando a natureza de Natureza.
— Será que todas as vidas foram isso?
— Acho que sim.

✦ ✦ ✦

AMOR IMORREDOURO

Ainda continuo um pouco sem jeito na minha nova função daquilo que não se pode chamar propriamente de crônica. E, além de ser neófita no assunto, também o sou em matéria de escrever para ganhar dinheiro. Já trabalhei na imprensa como profissional, sem assinar. Assinando, porém, fico automaticamente mais pessoal. E sinto-me um pouco como se estivesse vendendo minha alma. Falei nisso com um amigo que me respondeu: mas escrever é um pouco vender a alma. É verdade. Mesmo quando não é por dinheiro, a gente se expõe muito. Embora uma amiga médica tenha discordado: argumentou que na sua profissão dá sua alma toda, e no entanto cobra dinheiro porque também precisa viver. Vendo, pois, para vocês com o maior prazer uma certa parte de minha alma – a parte de conversa de sábado.

Só que, sendo neófita, ainda me atrapalho com a escolha dos assuntos. Nesse estado de ânimo estava eu quando me encontrava na casa de uma amiga. O telefone tocou, era um amigo mútuo. Também falei com ele, e, é claro, anunciei-lhe que minha função era escrever todos os sábados. E sem mais nem menos perguntei: "o que mais interessa às pessoas? Às mulheres, digamos." Antes que ele pudesse responder, ouvimos do fundo da enorme sala a minha amiga respondendo em voz alta e simples: "O homem." Rimos, mas a resposta é séria. É com um pouco de pudor que sou obrigada a reconhecer que o que mais interessa à mulher é o homem.

Mas que isso não nos pareça humilhante, como se exigissem que em primeiro lugar tivéssemos interesses mais universais. Não nos humilhemos, porque se perguntarmos ao maior técnico do mundo em engenharia eletrônica o que é que mais interessa ao homem, a resposta íntima, imediata e franca, será: a mulher. E de vez em quando é bom lembrarmo-nos dessa verdade óbvia, por mais encabulante que seja. Hão de perguntar: "mas em matéria de gente, não são os filhos o que mais nos interessa?" Isto é diferente. Filhos são, como se diz, a nossa carne e o nosso sangue, e nem se chama de interesse. É outra coisa. É tão outra coisa que qualquer criança do mundo é como se fosse nossa carne e nosso sangue. Não, não estou fazendo literatura. Um dia desses me contaram sobre uma menina semiparalítica que precisou se vingar quebrando um jarro. E o sangue me doeu todo. Ela era uma filha colérica.

O homem. Como o homem é simpático. Ainda bem. O homem é a nossa fonte de inspiração? É. O homem é o nosso desafio? É. O homem é o nosso inimigo? É. O homem é o nosso rival estimulante? É. O homem é o nosso igual ao mesmo tempo inteiramente diferente? É. O homem é bonito? É. O homem é engraçado? É. O homem é um menino? É. O homem também é um pai? É. Nós brigamos com o homem? Brigamos. Nós não podemos passar sem o homem com quem brigamos? Não. Nós somos interessantes porque o homem gosta de mulher interessante? Somos. O homem é a pessoa com quem temos o diálogo mais importante? É. O homem é um chato? Também. Nós gostamos de ser chateadas pelo homem? Gostamos.

Poderia continuar com esta lista interminável até meu diretor mandar parar. Mas acho que ninguém mais me mandaria parar. Pois penso que toquei num ponto nevrálgico. E, sendo um ponto nevrálgico, como o homem nos dói. E como a mulher dói no homem.

Com a minha mania de andar de táxi, entrevisto todos os choferes com quem viajo. Uma noite dessas viajei com um espanhol ainda bem moço, de bigodinho e olhar triste. Conversa vai, conversa vem, ele me perguntou se eu tinha filhos. Perguntei-lhe se ele também tinha, respondeu que não era casado, que jamais se casaria. E contou-me sua história. Há catorze anos amou uma jovem espanhola, na terra dele. Morava numa cidade pequena, com poucos médicos e recursos. A moça adoeceu, sem que ninguém soubesse de quê, e em três dias morreu. Morreu consciente de que ia morrer, predizendo: "Vou morrer em teus braços." E morreu nos braços dele, pedindo: "Que Deus me salve." O chofer durante três anos mal conseguia se alimentar. Na cidade pequena todos sabiam de sua paixão e queriam ajudá-lo. Levavam-no para festas, onde as moças, em vez de esperar que ele as tirasse para dançar, pediam-lhe para dançar com elas.

Mas de nada adiantou. O ambiente todo lembrava-lhe Clarita – este é o nome da moça morta, o que me assustou porque era quase meu nome e senti-me morta e amada. Então resolveu sair da Espanha e nem avisar aos pais. Informou-se de que só dois países na época recebiam imigrantes sem exigir carta de chamada: Brasil e Venezuela. Decidiu-se pelo Brasil. Aqui enriqueceu. Teve uma fábrica de sapatos, vendeu-a depois; comprou um bar-restaurante, vendeu-o depois. É que nada importava. Resolveu transformar seu carro de passeio em carro de praça e tornou-se chofer. Mora numa casa em Jacarepaguá, porque "lá tem cachoeiras de água doce (!) que são lindas". Mas nesses catorze anos não conseguiu gostar de nenhuma mulher, e não tem "amor por nada, tudo dá no mesmo para ele". Com delicadeza o espanhol deu a entender que no entanto a saudade diária que sente de Clarita não atrasa sua vida, que ele consegue ter casos e variar de mulheres. Mas amar – nunca mais.

Bom. Minha história termina de um modo um pouco inesperado e assustador.

Estávamos quase chegando ao meu ponto de parada, quando ele falou de novo na sua casa em Jacarepaguá e nas cachoeiras de *água doce*, como se existissem de água salgada. Eu disse meio distraída: "Como gostaria de descansar uns dias num lugar desses."

Pois calha que era exatamente o que eu não devia ter dito. Porque, sob o risco de enveredar com o carro por alguma casa adentro, ele subitamente virou a cabeça para trás e perguntou-me com a voz carregada de intenções: "A senhora quer mesmo?! Pois pode vir!" Nervosíssima com a repentina mudança de clima, ouvi-me responder depressa e alto que não podia porque ia me operar e "ficar muito doente"(!). Dagora em diante só entrevistarei os choferes bem velhinhos. Mas isso prova que o espanhol é um homem sincero: a saudade intensa por Clarita não atrasa mesmo sua vida.

O final dessa história desilude um pouco os corações sentimentais. Muita gente gostaria que o amor de catorze anos *atrasasse* e muito a sua vida. A história ficaria melhor. Mas é que não posso mentir para agradar vocês. E além do mais acho justo que a vida dele não fique totalmente atrasada. Já basta o drama de não conseguir amar ninguém mais.

Esqueci de dizer que ele também me contou histórias de negócios comerciais e de desfalques — a viagem era longa, o tráfego péssimo. Mas encontrou em mim ouvidos distraídos. Só o que se chama de *amor imorredouro* tinha me interessado. Agora estou me lembrando vagamente do desfalque. Talvez, concentrando-me, eu me lembre melhor, e conte no próximo sábado. Mas acho que não interessa.

✦ ✦ ✦

PRECE POR UM PADRE

Uma noite gaguejei uma prece por um padre que tem medo de morrer e tem vergonha de ter medo. Eu disse um pouco para Deus, com algum pudor: alivia a alma do Padre X..., faze com que ele sinta que Tua mão está dada à dele, faze com que ele sinta que a morte não existe porque na verdade já estamos na eternidade, faze com que ele sinta que amar é não morrer, que a entrega de si mesmo não significa a morte, faze com que ele sinta uma alegria modesta e diária, faze com que ele não Te indague demais, porque a resposta seria tão misteriosa quanto a pergunta, faze com que ele se lembre de que também não há explicação por que um filho quer o beijo de sua mãe e no entanto ele quer e no entanto o beijo é perfeito, faze com que ele receba o mundo sem medo, pois para esse mundo incompreensível nós fomos criados e nós mesmos também incompreensíveis, então é que há uma conexão entre esse mistério do mundo e o nosso, mas essa conexão não é clara para nós enquanto quisermos entendê-la, abençoa-o para que ele viva com alegria o pão que ele come, o sono que ele dorme, faze com que ele tenha caridade por si mesmo, pois senão não poderá sentir que Deus o amou, faze com que ele perca o pudor de desejar que na hora da sua morte ele tenha uma mão humana para apertar a sua, amém. (Padre X... tinha me pedido para eu rezar por ele.)

NÃO SENTIR

O hábito tem-lhe amortecido as quedas. Mas sentindo menos dor, perdeu a vantagem da dor como aviso e sintoma. Hoje em dia vive incomparavelmente mais sereno, porém em grande perigo de vida: pode estar a um passo de estar morrendo, a um passo de já ter morrido, e sem o benefício de seu próprio aviso prévio.

IR PARA

Esta noite um gato chorou tanto que tive uma das mais profundas compaixões pelo que é vivo. Parecia dor, e, em nossos termos humanos e animais, era. Mas seria dor, ou era "ir", "ir para"? Pois o que é vivo vai para.

DAQUI A VINTE E CINCO ANOS

Perguntaram-me uma vez se eu saberia calcular o Brasil daqui a vinte e cinco anos. Nem daqui a vinte e cinco minutos, quanto mais vinte e cinco anos. Mas a impressão-desejo é a de que num futuro não muito remoto talvez compreendamos que os movimentos caóticos atuais já eram os primeiros passos afinando-se e orquestrando-se para uma situação econômica mais digna de um homem, de uma mulher, de uma criança. E isso porque o povo já tem dado mostras de ter maior maturidade política do que a grande maioria dos políticos, e é quem um dia terminará liderando os líderes. Daqui a vinte e cinco anos o povo terá falado muito mais.

Mas se não sei prever, posso pelo menos desejar. Posso intensamente desejar que o problema mais urgente se resolva: o da fome. Muitíssimo mais depressa, porém, do que em vinte e cinco anos, porque não há mais tempo de esperar: milhares de homens, mulheres e crianças são verdadeiros moribundos ambulantes que tecnicamente deviam estar internados em hospitais para subnutridos. Tal é a miséria, que se justificaria ser decretado estado de prontidão, como diante de calamidade pública. Só que é pior: a fome é a nossa endemia, já está fazendo parte orgânica do corpo e da alma. E, na maioria das vezes, quando se descrevem as características físicas, morais e mentais de um brasileiro, não se nota que na verdade se estão descrevendo os sintomas físicos, morais e mentais da fome. Os líderes que tiverem como meta a solução econômica do problema da comida serão tão abençoados por nós como, em comparação, o mundo abençoará os que descobrirem a cura do câncer.

✦ ✦ ✦

PRIMAVERA AO CORRER DA MÁQUINA

Os primeiros calores da nova estação, tão antigos como um primeiro sopro. E que me faz não poder deixar de sorrir. Sem me olhar ao espelho, é um sorriso que tem a idiotice dos anjos.

Muito antes de vir a nova estação já havia o prenúncio: inesperadamente uma tepidez de vento, as primeiras doçuras do ar. Impossível! impossível que essa doçura de ar não traga outras! diz o coração se quebrando.

Impossível, diz em eco a mornidão ainda tão mordente e fresca da primavera. Impossível que esse ar não traga o amor do mundo! repete o coração que parte sua secura crestada num sorriso. E nem sequer reconhece que já o trouxe, que aquilo é amor. Esse primeiro calor ainda fresco traz: tudo. Apenas isso, e indiviso: tudo.

E tudo é muito para um coração de repente enfraquecido que só suporta o menos, só pode querer o pouco e aos poucos. Sinto hoje, e também mordente, uma espécie de lembrança ainda vindoura do dia de hoje. E dizer que nunca, nunca dei isto que estou sentindo a ninguém e a nada. Dei a mim mesma? Só dei na medida em que a pungência do que é bom cabe dentro de nervos tão frágeis, de mortes tão suaves. Ah, como quero morrer. Nunca ainda experimentei morrer — que abertura de caminho tenho ainda à frente. Morrer terá a mesma pungência indivisível do bom. A quem darei a minha morte? que será como os primeiros calores frescos de uma nova estação. Ah, como a dor é mais suportável e compreensível que essa promessa de frígida e líquida alegria da primavera. É com tal pudor que espero morrer: a pungência do bom. Mas nunca morrer antes de realmente morrer: pois é tão bom prolongar essa promessa. Quero prolongá-la com tal finura. Eu me banho, nutro-me da vida melhor e mais fina, pois nada é bom demais para me preparar para o instante dessa nova estação. Quero os melhores óleos e perfumes, quero a vida da melhor espécie, quero as esperas as mais delicadas, quero as melhores carnes finas e também as pesadas para comer, quero a quebra de minha carne em espírito e do espírito se quebrando em carne, quero essas finas misturas — tudo o que secretamente me adestrará para aqueles primeiros momentos que virão. Iniciada, pressinto a mudança de estação. E desejo a vida mais cheia de um fruto enorme. Dentro desse fruto que em mim se prepara, dentro desse fruto que é suculento, há lugar para a mais leve das insônias que é a minha sabedoria de bicho acordado: um véu de alerteza, esperta apenas o bastante para apenas pressentir. Ah, pressentir é mais ameno do que o intolerável agudo do bom. E que eu não esqueça, nessa minha fina luta travada, que o mais difícil de se entender é a alegria. Que eu não esqueça que a subida mais escarpada, e mais à mercê dos ventos, é sorrir de alegria. E que por isso e aquilo é que menos tem cabido em mim: a delicadeza infinita da alegria. Pois quando me demoro demais nela e procuro me apoderar de sua levíssima vastidão, lágrimas de cansaço me vêm aos olhos: sou fraca diante da beleza do que existe e do que vai existir. E não consigo, nesse adestramento contínuo, me apoderar do primeiro regozijo da vida.

Conseguirei captar o regozijo infinitamente doce de morrer? Ah, como me inquieta não conseguir viver o melhor, e assim poder enfim morrer o melhor. Como me inquieta que alguém possa não compreender que morrerei numa ida para uma tonta felicidade de primavera. Mas não apressarei de um instante a vinda dessa felicidade – pois esperá-la vivendo é a minha vigília de vestal. Dia e noite não deixo apagar-se a vela – para prolongá-la na melhor das esperas. Os primeiros calores da primavera... mas isso é amor! A felicidade me deixa com um sorriso de filha. Estou toda bem penteada. Só que a espera quase já não cabe mais em mim. É tão bom que corro o risco de me ultrapassar, de vir a perder a minha primeira morte primaveril, e, no suor de tanta espera tépida, morrer antes. Por curiosidade, morrer antes: pois já quero saber como é a nova estação.

Mas vou esperar. Vou esperar comendo com delicadeza e recato e avidez controlada cada mínima migalha de tudo, quero tudo pois nada é bom demais para a minha morte que é a minha vida tão eterna que hoje mesmo ela já existe e já é.

❖ ❖ ❖

PARA OS RICOS QUE TAMBÉM SÃO BONS

Para a minha honra, recebi um recado do Dr. Abraão Akerman, um dos maiores neurologistas do mundo: ele queria fazer uso de minha coluna.

Anteriormente já tinha recebido um recado dele: gostaria de me dar uma entrevista cujo assunto seria o homem e a mulher, o que certamente significa amor. Quando recebi o segundo recado pensei que chegara a hora da entrevista. Perguntei, ele mandou dizer que não: que ele só daria se eu quisesse. Claro que quero, mesmo que seja sobre o homem e a mulher sob o ponto de vista neurológico.

Fui, pois, visitá-lo numa tarde de domingo. Dr. Akerman é um homem total: além de ser um mestre no campo da neurologia, está a par do que melhor existe em literatura, mandando inclusive buscar livros na Europa. E tem discoteca selecionadíssima.

Depois de conversarmos um pouco — e o que conversamos daria uma entrevista interessantíssima — depois de conversarmos um pouco, passamos ao assunto que ocupa a coluna de hoje. E que envolve quem tem dinheiro, envolve ciência, imposto de renda, pessoas com coração bom e sobretudo ativo. Estou enigmática? Tudo se esclarecerá quando eu transmitir o que o próprio Dr. Akerman me disse:

— Eu e várias pessoas que trabalham isoladamente, pesquisando e ensinando, necessitamos, para prosseguir nas pesquisas e descortinar novos horizontes, de uma ajuda eficiente que não seja ocasional apenas. Acreditando nas possibilidades infinitas do Brasil e de sua nova geração, eu gostaria que essa iniciativa partisse de brasileiros; sem que se precisasse de recorrer à ajuda de estrangeiros.

Novas leis dos últimos dois anos facilitam isso aos grandes possuidores de bens, já que, como em inúmeros países estrangeiros, sobretudo nos Estados Unidos, o imposto de renda é descontado dessa generosidade. Essa mesma generosidade poderá beneficiar outras atividades importantes para o nosso povo, custeando orquestras, museus etc.

Prosseguindo, fiquei sabendo que foi há pouco tempo doada ao Serviço de Neurologia da Santa Casa de Misericórdia, dirigido pelo Dr. Akerman, uma aparelhagem aperfeiçoadíssima de eletroencefalografia, no valor de cinquenta mil cruzeiros novos (cinquenta milhões de cruzeiros antigos). É evidente que essa doação não foi feita sem uma avaliação criteriosa do que o aparelho poderia render.

As doações particulares são atualmente raras porque poucos são os capazes de utilizá-las, as doações, isto é, a pleno rendimento. Os grandes industriais e os professores estrangeiros que nos visitam ficam surpreendidos com o excessivo material moderno existente nas organizações públicas – sem vislumbre de utilização. Simplesmente não sabem empregar o material. São solicitações dispendiosíssimas, feitas em concorrência pública, de aparelhos que não têm técnicos para utilizá-los.

No entanto o frequente bom aproveitamento de instrumentos científicos por organizações particulares é de todos conhecido.

Infelizmente o país é muitas vezes um patrão muito abstrato, e, chegando o aparelho, este é abandonado com desprezo do sacrifício público.

Dr. Akerman acrescentou:

– Façamos votos para que o estímulo à atividade privada, que em nada faz concorrência ao ensino oficial, se repita frequentemente, dignificando os que desejam que o nosso país alcance o nível científico que merece.

Dr. Akerman citou Mellon, grande banqueiro, que doou enormes quantias a museus norte-americanos. E disse:

– Os ricos têm que se acostumar a dar. Está na hora de dar.

✦ ✦ ✦

DOS PALAVRÕES NO TEATRO

Eu própria não uso palavrões porque na minha casa, na infância, não usavam e habituei-me a me exprimir através de outro linguajar. Mas o palavrão – aquele que expressa o que uma palavra não faria – esse não me choca. Há peças de teatro, como *A volta ao lar* (Fernanda Montenegro, excelente) ou *Dois perdidos numa noite suja* (Fauzi Arap e Nelson Xavier, excelentes), que simplesmente não poderiam passar sem o palavrão por causa do ambiente em que se passam e pelo tipo dos personagens. Essas duas peças, por exemplo, são de alta qualidade, e não podem ser restringidas.

Além do mais, quem vai ao teatro em geral já está pelo menos ligeiramente informado, por rumores até, da espécie de espetáculo a que assistirá. Se o palavrão lhe dá mal-estar ou o escandaliza, por que então comprar a entrada?

E mais ainda: as peças de teatro têm censura de idade, e o mais comum é só permitir a entrada de menores a partir de dezesseis anos, o que é uma garantia. Embora mesmo antes dessa idade os palavrões sejam conhecidos e usados pela maioria da juventude moderna.

Qual é então o problema que o uso do palavrão adequado a um texto poderia suscitar? E sem falar que, agrade ou não, o palavrão faz parte da língua portuguesa.

CHACRINHA?!

De tanto falarem em Chacrinha, liguei a televisão para seu programa que me pareceu durar mais que uma hora.

E fiquei pasma. Dizem-me que esse programa é atualmente o mais popular. Mas como? O homem tem qualquer coisa de doido, e estou usando a palavra *doido* no seu verdadeiro sentido. O auditório também cheio. É um programa de *calouros*, pelo menos o que eu vi. Ocupa a chamada *hora nobre* da televisão. O homem se veste com roupas loucas, o calouro apresenta o seu número e, se não agrada, a buzina do Chacrinha funciona, despedindo-o. Além do mais, Chacrinha tem algo de sádico: sente-se o prazer que tem em usar a buzina. E suas gracinhas se repetem a todo o instante – falta-lhe imaginação ou ele é obcecado.

E os calouros? Como é deprimente. São de todas as idades. E em todas as idades vê-se a ânsia de aparecer, de se mostrar, de se tornar famoso, mesmo à custa do ridículo ou da humilhação. Vêm velhos até de setenta anos. Com exceções, os calouros, que são de origem humilde, têm ar de subnutridos. E o auditório aplaude. Há prêmios em dinheiro para os que acertarem através de cartas o número de buzinadas que Chacrinha dará; pelo menos foi assim no programa que vi. Será pela possibilidade da sorte de ganhar dinheiro, como em loteria, que o programa tem tal popularidade? Ou será por pobreza de espírito de nosso povo? Ou será que os telespectadores têm em si um pouco de sadismo que se compraz no sadismo de Chacrinha?

Não entendo. Nossa televisão, com exceções, é pobre, além de superlotada de anúncios. Mas Chacrinha foi demais. Simplesmente não entendi o fenômeno. E fiquei triste, decepcionada: eu quereria um povo mais exigente.

◆ ◆ ◆

DIES IRAE

Amanheci em cólera. Não, não, o mundo não me agrada. A maioria das pessoas estão mortas e não sabem, ou estão vivas com charlatanismo. E o amor, em vez de dar, exige. E quem gosta de nós quer que sejamos alguma coisa de que eles precisam. Mentir dá remorso. E não mentir é um dom que o mundo não merece. E nem ao menos posso fazer o que uma menina semiparalítica fez em vingança: quebrar um jarro. Não sou semiparalítica. Embora alguma coisa em mim diga que somos todos semiparalíticos. E morre-se, sem ao menos uma explicação. E o pior – vive-se, sem ao menos uma explicação. E ter empregadas, chamemo-las de uma vez de criadas, é uma ofensa à humanidade. E ter a obrigação de ser o que se chama de apresentável me irrita. Por que não posso andar em trapos, como homens que às vezes vejo na rua com barba até o peito e uma bíblia na mão, esses deuses que fizeram da loucura um meio de entender?

E por que, só porque eu escrevi, pensam que tenho que continuar a escrever? Avisei a meus filhos que amanheci em cólera, e que eles não ligassem. Mas eu quero ligar. Quereria fazer alguma coisa definitiva que rebentasse com o tendão tenso que sustenta meu coração.

E os que desistem? Conheço uma mulher que desistiu. E vive razoavelmente bem: o sistema que arranjou para viver é ocupar-se. Nenhuma ocupação lhe agrada. Nada do que eu já fiz me agrada. E o que eu fiz com amor estraçalhou-se. Nem amar eu sabia, nem amar eu sabia. E criaram o Dia dos Analfabetos. Só li a manchete, recusei-me a ler o texto. Recuso-me a ler o texto do mundo, as manchetes já me deixam em cólera. E comemora-se muito. E guerreia-se o tempo todo. Todo um mundo de semiparalíticos. E espera-se inutilmente o milagre. E quem não espera o milagre está ainda pior, ainda mais jarros precisaria quebrar. E as igrejas estão cheias dos que temem a cólera de Deus. E dos que pedem a graça, que seria o contrário da cólera.

Não, não tenho pena dos que morrem de fome. A ira é o que me toma. E acho certo roubar para comer. – Acabo de ser interrompida pelo telefonema de uma moça chamada Teresa que ficou muito contente de eu me lembrar dela. Lembro-me: era uma desconhecida, que um dia apareceu no hospital, durante os quase três meses onde passei para me salvar do incêndio. Ela se sentara, ficara um pouco calada, falara um pouco. Depois fora embora. E agora me telefonou para ser franca: que eu não escreva no jornal nada de crônicas ou coisa parecida. Que ela e muitos querem que eu seja eu própria, mesmo que remunerada para isso. Que muitos têm acesso a meus livros e que me querem como sou no jornal mesmo. Eu disse que sim, em parte porque também gostaria que fosse sim, em parte para mostrar a Teresa, que não me parece semiparalítica, que ainda se pode dizer sim.

Sim, meu Deus. Que se possa dizer sim. No entanto neste mesmo momento alguma coisa estranha aconteceu. Estou escrevendo de manhã e o tempo de repente escureceu de tal forma que foi preciso acender as luzes. E outro telefonema veio: de uma amiga perguntando-me espantada se aqui também tinha escurecido. Sim, aqui é noite escura às dez horas da manhã. É a ira de Deus. E se essa escuridão se transformar em chuva, que volte o dilúvio, mas sem a arca, nós que não soubemos fazer um mundo onde viver e não sabemos na nossa paralisia como viver. Porque se não voltar o dilúvio, voltarão Sodoma e Gomorra, que era a solução. Por que deixar entrar na arca um par de cada espécie? Pelo menos o par humano não tem dado senão filhos, mas não a outra vida, aquela que, não existindo, me fez amanhecer em cólera.

Teresa, quando você me visitou no hospital, viu-me toda enfaixada e imobilizada. Hoje você me veria mais imobilizada ainda. Hoje sou a paralítica e a muda. E se tento falar, sai um rugido de tristeza. Então não é cólera apenas? Não, é tristeza também.

♦ ♦ ♦

POTÊNCIA E FRAGILIDADE

E de repente aquela dor intolerável no olho esquerdo, este lacrimejando, e o mundo se tornando turvo. E torto: pois fechando um olho, o outro automaticamente se entrefecha. Quatro vezes no decorrer de menos de um ano um objeto estranho entrou no meu olho esquerdo: duas vezes ciscos, uma vez um grão de areia, outra um cílio. Das quatro vezes tive que procurar um oftalmologista de plantão. Da última vez perguntei ao Dr. Murilo Carvalho, cirurgião dos Oculistas Associados, e também um artista em potencial que realiza sua vocação através de cuidar por assim dizer de nossa visão do mundo:

— Por que sempre o olho esquerdo? É simples coincidência?

Ele respondeu não; que, por mais normal que seja uma vista, um dos olhos vê mais que o outro e por isso é mais sensível. Chamou-o de "olho diretor". E, por ser mais sensível, disse ele, prende o corpo estranho, não o expulsa.

Quer dizer que o melhor olho é aquele que mais sofre. É a um só tempo mais poderoso e mais frágil, atrai problemas que, longe de serem imaginários, não poderiam ser mais reais que a dor insuportável de um cisco ferindo e arranhando uma das partes mais delicadas do corpo.

Fiquei pensativa.

Será que é só com os olhos que isso acontece? Será que a pessoa que mais vê, portanto a mais potente, é a que mais sente e sofre. E a que mais se estraçalha com dores tão reais quanto um cisco no olho.

Fiquei pensativa.

SIM

Eu disse a uma amiga:

– A vida sempre superexigiu de mim.

Ela disse:

– Mas lembre-se de que você também superexige da vida.

Sim.

UM FATO INUSITADO E UM PEDIDO

Recebi uma carta bem datilografada, sem erros de português, sem floreados, embora excessivamente respeitosa: sou o tempo todo chamada de Vossa Senhoria.

A carta é de Fernando Bernardes, que me pede desculpas por "ocupar vossa ilustre pessoa". Diz: "Sou homem modesto ocupando o cargo de vigia de obras, em período noturno, e faço da leitura dos livros os companheiros para atravessar insone as horas do meu trabalho." Continuando, diz que um amigo emprestou-lhe um livro meu, "excelente", embora não mencione qual deles. E por isso lembrou-se de me perguntar se eu não poderia enviar-lhe alguns livros usados pois "percebo pequeno salário, e o meu ganho não dá para a compra dos mesmos".

A carta me surpreende e comove. Por que esse homem é vigia de obras?

Falei pelo telefone com o escritor Umberto Peregrino, diretor do Instituto Nacional do Livro, contei-lhe o caso, e ele prontamente mandou enviar uma seleção de livros ao vigia de obras.

Posso fazer um pedido aos leitores? Que também mandem livros usados para Fernando Bernardes, dando-lhe uma alegria. Seu endereço é: Rua Imarui, 124, Bangu. Obrigada.

O LIVRO DE MEU VIZINHO

Mandaram-me um livro contendo uma carta. O livro é de contos, chama-se *Jornada em círculos*, e o autor é José Luís Janot. Pela carta vim a saber que ele mora quase defronte de mim: de meu pequeno terraço pude ver, seguindo sua descrição, o fundo de seu apartamento: "paredes brancas, escadinha, porta e janelas azuis." Diz que, na noite do incêndio na minha casa, viu "a fumaça abundante, adivinhei que era o seu apartamento e desci correndo as escadas". Mais adiante: "naquela noite horrível, quando menos esperava – instintivamente – rogava a um deus qualquer para que nada de irremediável lhe acontecesse." Obrigada, meu vizinho, pela prece e pelo livro.

Li os contos. E são bons. A orelha do livro informa que se trata de uma primeira publicação. Não parece. Sente-se uma segurança que não é de principiante. Aliás, a orelha diz que o autor, embora estreante, não é absolutamente um neófito. "Sofreu todo um processo de amadurecimento interior antes que se sentisse apto a enfrentar o público." Tivesse eu a capacidade de fazer crítica, entraria provavelmente em detalhes. Mas não sou crítica. Só posso dizer que *Jornada em círculos* é bom e que gostei de lê-lo.

✦ ✦ ✦

SUÍTE DA PRIMAVERA SUÍÇA

Inverno de Berna em túmulo a se abrir – e eis o campo, eis mil ervas. Folhas novas, folhas, como vos separar do vento. Um espirro e depois outro, espirros da primavera, resfriada e atenta atrás da vidraça. Fios de aranha nos dedos, o poço revelado no jardim – mas que perfume de aço novo vem das miúdas flores amarelas e amarelinhas. Folhas, folhas, como vos separar da brisa. Onde me esconder nesta aberta claridade? Perdi meus cantos de meditação. Mas se ponho vestido branco e saio... na luz ficarei perdida – e de novo perdida – e no salto lento para o outro plano de novo perdida – e como encontrar nesta minha ausência a primavera? Rosa, passa a ferro o meu vestido mais negro. Nestes planos da calma sucessiva – e mais no outro – e mais no outro – serei o único eu possível, apenas móvel num século e no outro século e no outro século desta limpidez silenciosa, oh inóspita primavera. Ou talvez corra por esta nova época – atravessando esse novo mundo sem caminhos – com mil espirros brilhantes e mil ervas. Pararei ofegante só onde me bater o coração, único marco no teu vazio, primavera: eu de preto e tu de ouro, eu com uma flor no cabelo, tu com mil flores nos cabelos e assim nos reconheceremos. Ainda para nos reconhecermos, segurarei um livro na mão e na outra tanta hesitação, sou alta e resfriada: me reconhecerás pelo lenço e pelos espirros. E no meio deste odioso céu vazio, que respiro, que respiro – te reconhecerei pelo teu cego vento e pela minha orgulhosa floração de espirros.

Nesta dormente primavera, no campo o sonho das cabras. No terraço do hotel o peixe no aquário. E nas colinas o fauno solitário. Dias, dias, dias e depois – no campo o vento, o sonho impudente das cabras, o peixe oco no aquário – tua súbita tendência primaveril ao roubo, e o fauno já corado em saltos solitários. Sim, mas até que venha o verão e amadureçam para o outono cem mil maçãs.

Como a fruta e jogo fora a metade, nunca tive piedade na primavera. Bebo água direto na fonte da rua, não enxugo a boca com o lenço, perdi o lenço e perdi o inverno, nada lamento, nunca tive piedade na primavera. De algum modo olho pelo buraco da fechadura e vou visitar-te na hora sagrada de teu sono, nunca tive piedade na primavera. Quanto à piscina, fico horas na piscina, estremecendo aos últimos frios do inverno estremecendo aos primeiros frios das folhas. Olha só a piscina! Olho, áspera. Nunca tive piedade na primavera.

A insônia levita a cidade mal-iluminada, não há porta fechada nem janela sem luz. Que esperam? Esperam. Os cinemas já quentes estão vazios. Em torno das lâmpadas das ruas a germinação. A última neve há tanto tempo se derreteu. A margem do rio, a invasão dos casais sentados junto a mesas, algumas crianças sonolentas no colo, outras adormecidas na dureza da calçada. As conversas são cansadas. O pior é essa leveza desperta, as lanternas das ruas de Berna zumbindo de pernilongos. Ah, como, mas como andamos. Poeira nas sandálias, nenhum destino. Não, não está ficando bom. Ah, eis enfim a Catedral, o abrigo, a escuridão.

Mas a Catedral está quente e aberta.

Cheia de mosquitos.

✦ ✦ ✦

AS GRANDES PUNIÇÕES

Foi no primeiro dia de aula do Jardim de Infância do Grupo Escolar João Barbalho, na Rua Formosa, em Recife, que encontrei Leopoldo. E no dia seguinte já éramos os dois impossíveis da turma. Passamos o ano ouvindo nossos dois nomes gritados pela professora – mas, não sei por quê, ela gostava de nós, apesar do trabalho que lhe dávamos. Separou nossos bancos inutilmente, pois Leopoldo e eu falávamos lá o que falávamos em voz alta, o que piorava a disciplina da classe. Depois passamos para o primeiro ano primário. E para a nova professora também éramos os dois alunos impossíveis. Tirávamos boas notas, menos em comportamento.

Até que um dia apareceu na classe a imponente diretora que falou baixo com a professora. Vou contar logo o que realmente era, antes de narrar o que realmente senti. Tratava-se apenas de fazer o levantamento do nível mental das crianças do estado, por meio de testes. Mas quando as crianças eram, na opinião da professora, mais *vivas*, faziam o teste em ano superior, porque no próprio ano seria fácil demais. Tratava-se apenas disso.

Mas depois que a diretora saiu, a professora disse: Leopoldo e Clarice vão fazer uma espécie de exame no quarto ano. E levei uma das dores de minha vida. Ela não explicou mais nada. Mas os nossos dois nomes de novo citados juntos revelaram-me que chegara a hora da punição divina. Eu, apesar de alegre, era muito chorona, e comecei a soluçar baixinho. Leopoldo imediatamente passou a me consolar, a explicar que não era nada. Inútil: eu era a culpada nata, aquela que nascera com o pecado mortal.

E de repente eis-nos os dois na sala do quarto ano primário, com crianças grandalhonas, professora desconhecida e sala desconhecida. Meu pavor cresceu, as lágrimas me escorriam pelo rosto, pelo peito. Sentaram-nos, Leopoldo e eu, um ao lado do outro. Foram distribuídas folhas de papel impresso, ao mesmo tempo que a severa professora dizia essa coisa incompreensível:

– Até eu dizer *agora!*, não olhem para o papel. Só comecem a ler quando eu disser. E no instante em que eu disser *chega!*, vocês param no ponto em que estiverem.

Recebemos as folhas. Leopoldo tranquilo, eu em pânico maior ainda. Além do mais eu nem sabia o que era exame, ainda não tinha feito nenhum. E quando ela disse de repente "agora", meus soluços abafados aumentaram. Leopoldo — além de meu pai — foi o meu primeiro protetor masculino, e tão bem o fez que me deixou para o resto da vida aceitando e querendo a proteção masculina — Leopoldo mandou eu me acalmar, ler as perguntas e responder o que soubesse. Inútil: a essa hora meu papel já estava todo ensopado de lágrimas e, quando eu tentava ler, as lágrimas me impediam de enxergar. Não escrevi uma só palavra, chorava e sofria como só vim a sofrer mais tarde e por outros motivos. Leopoldo, além de escrever, ocupava-se de mim.

Quando a professora gritou "Chega!", minhas lágrimas ainda não chegavam. Ela me chamou, eu não expliquei nada, ela me explicou sem severidade que as crianças mais vivas de uma turma etc. Só fui entender dias depois, quando sarei. Nunca soube do resultado do teste, acho que nem era para sabermos.

No terceiro ano primário, mudei de escola. E no exame de admissão para o Ginásio Pernambucano, logo de entrada, reencontrei Leopoldo, e foi como se não nos tivéssemos separado. Ele continuou a me proteger. Lembro-me de que uma vez usei uma palavra qualquer de gíria, cuja origem maliciosa eu ignorava. E Leopoldo: "Não diga mais essa palavra." "Por quê?" "Mais tarde você vai entender", disse-me ele.

No terceiro ano de ginásio, minha família mudou-se para o Rio. Só vi Leopoldo mais uma vez na vida, por acaso, na rua, e como adultos. Passáramos agora a ser dois tímidos que viajaram na mesma condução sem quase pronunciar uma palavra. Éramos impossíveis de outro modo.

Leopoldo é Leopoldo Nachbin. Eu soube que no primeiro ano de engenharia resolveu um dos teoremas considerados insolúveis desde a mais alta Antiguidade. E que imediatamente foi chamado à Sorbonne para explicar o processo. É um dos maiores matemáticos que hoje existem no mundo.

Quanto a mim, choro menos.

✦ ✦ ✦

A FAVOR DO MEDO

Estou certa de que através da idade da pedra fui exatamente maltratada pelo amor de algum homem. Data desse tempo um certo pavor que é secreto.

Ora, em noite cálida, estava eu sentada a conversar polidamente com um homem cavalheiro que era civilizado, de terno escuro e unhas corretas. Estava eu, como diria Sérgio Porto, posta em sossego e comendo umas goiabinhas. Eis senão quando diz o Homem: "Vamos dar um passeio?"

Não. Vou dizer a verdade crua. O que ele disse foi: "Vamos dar um *passeíto?*"

Por que *passeíto* jamais tive tempo de saber. Pois que imediatamente, da altura de milhares de séculos, rolou em fragor a primeira pedra de uma avalancha: meu coração. Quem? Quem já me levou na idade da pedra para um *passeíto* do qual nunca mais voltei porque lá morando fiquei?

Não sei que elemento de terror existirá na delicadeza monstruosa da palavra *passeíto*.

Rolado o meu primeiro coração, engolida atrozmente a goiabinha – estava eu ridiculamente assustada diante de um improvável perigo.

Improvável digo eu hoje, muito da assegurada que estou pelos brandos costumes, pela polícia áspera, e por mim mesma fugidia que nem a mais mimética das enguias. Mas bem queria saber o que eu outrora diria, na idade da pedra, quando me sacudiam, quase macaca, da minha frondosa árvore. Que nostalgia, preciso passar uns tempos no campo.

Engolida, pois, a minha goiabinha, empalideci sem que a cor civilizadamente me abandonasse o rosto: o medo era vertical demais no tempo para deixar vestígios na superfície. Aliás não era o medo. Aliás era o terror. Aliás era a queda de todo o meu futuro. O homem, este meu igual que me tem assassinado por amor, e a isto se chama de amar, e é.

Passeíto? Assim também diziam para Chapeuzinho Vermelho, que esta só mais tarde cuidou de se cuidar. "Vou é me acautelar, por via das dúvidas debaixo das folhas hei de morar" – de onde me vinha essa toada? Não sei, mas boca de povo em Pernambuco não erra.

Que me desculpe o Homem que talvez se reconheça neste relato de um medo. Mas nem tenha ele dúvida de que "o problema era meu", como se diz. Não tenha dúvida de que eu deveria tomar o convite pelo que ele na verdade devia ser, igual a ter me mandado antes rosas: uma gentileza, a noite estava tépida, ele tinha carro à porta. E nem tenha dúvida de que – na simplória divisão a que os séculos me obrigaram entre o bem e o mal – sei que ele era Homem Bom Caverna Direita Só Cinco Mulheres Não Bate Nenhuma Todas Contentes. E por favor me entenda – apelo para o seu bom humor – sei que homem de fronteira, como ele, usa com simplicidade a palavra *passeíto*, o que para mim, no entanto, teve a terrível ameaça de uma doçura. Agradeço-lhe exatamente essa palavra que, por ser nova para mim, veio me dar o bom escândalo.

Expliquei ao Homem que não podia dar o *passeíto*, fina que sou. Séculos adestraram-me, e hoje sou uma fina entre as finas, mesmo como no caso, sem necessitar, por via das dúvidas debaixo das folhas hei de morar.

O Homem, esse não insistiu, se bem que não me pareça poder dizer com verdade que ele se agradou. Defrontamo-nos por menos de um átimo de segundo – com o decorrer dos milênios, eu e o Homem fomo-nos compreendendo cada vez melhor, e hoje menos de um átimo de segundo nos chega –, defrontamo-nos, e o *não*, apesar de balbuciado, ecoou escandalosamente contra as paredes da caverna que sempre favoreceram mais as vontades do Homem.

Depois que o Homem imediatamente se retirou, eis-me salvaguardada e ainda assustada. Por um triz um *passeio* onde eu talvez perdesse a vida? Hoje em dia sempre se perde a vida à toa.

Retirando-se o Homem, percebi então que estava toda alegre, toda vivificada. Oh, não por causa do convite ao passeio, nós todas temos sido durante milênios continuamente convidadas a passeios, estamos habituadas e contentes, raramente açoitadas. Estava alegre e revolucionada – mas era pelo medo.

Pois sou a favor do medo.

Então certos medos – aqueles não mesquinhos e que têm raiz de raça inextirpável – têm-me dado a minha mais incompreensível realidade. A ilogicidade de meus medos me tem encantado, dá-me uma aura que até me encabula. Mal consigo esconder, sob a sorridente modéstia, meu grande poder de cair em medos.

Mas no caso deste medo particular, pergunto-me de novo o que me terá acontecido na idade da pedra? Algo natural não foi, ou eu não teria conservado até hoje esse olhar de lado, e não me teria tornado delicadamente invisível, assumindo sonsa a cor das sombras e dos verdes, andando sempre do lado de dentro das calçadas, e com falso andar seco. Algo natural não terá sido, posto que, sendo eu por força e sem escolha uma natural, o natural não me teria assustado. Ou já então – na própria idade das cavernas que ainda hoje é o meu mais secreto lar – ou já então eu fiz *uma neurose* sobre o natural de um *passeio*?

É, mas ter um coração de esguelha é que está certo: é faro, direção de ventos, sabedoria, esperteza de instinto, experiência de mortes, adivinhação em lagos, desadaptação inquietantemente feliz, pois descubro que ser desadaptada é a minha fonte. Pois bem se sabe que vai chover muito quando os mosquitos anunciam, e cortar minha cabeleira em lua nova dá-lhe de novo as forças, dizer um nome que não ouso traz atraso e muita desgraça, amarrar o diabo com linha vermelha no pé do móvel tem pelo menos amarrado os meus demônios. E sei – com meu coração que por nunca ter ousado expor-se no centro, e há séculos, mantém-se em sombra à esquerda –, bem sei que o Homem é um ser tão estranho a si mesmo que, só por ser inocente, é natural.

Não, quem tem razão é este meu coração indireto, mesmo que os fatos me desmintam diretamente. *Passeíto* dá morte certa, e a cara espantada fica de olho vidrado olhando para a lua cheia de si.

✦ ✦ ✦

UM ENCONTRO PERFEITO

Quando Maria Bonomi esteve no Rio, almoçamos juntas num restaurante, e com um vinho tinto bem encorpado que me fez dormir horas de sono pesado, sem pesadelo. Enquanto eu dormia, ela tomava o avião para São Paulo, onde mora com Antunes, seu marido, um dos melhores diretores teatrais que temos, e Cássio, meu afilhado. Cássio andou um tempo reclamando de mim: todos tinham madrinha à mão e ele era obrigado a se relacionar comigo através de retratos em jornais de São Paulo. Soube que já teve duas namoradas e que rompeu com a segunda porque esta bateu nele. Isso não: homem é quem bate em mulher. Resolvi, a conselho de uma amiga, dar-lhe de presente uma metralhadora, das que chispam fogo e fazem muito barulho: para que ele liberte sua agressividade masculina, tão ofendida pela namorada. E um dia desses irei a São Paulo, especialmente para me dar a meu afilhado. Não quero conversar com ninguém, só com ele. Bem, também porque receio que Antunes procure convencer-me a escrever para teatro, para ele dirigir, assim como no Rio, Martim Gonçalves faz. O mais impossível ainda é escrever roteiro para filme, como Khouri queria, como Maurício Ritner queria. Um dos argumentos é que o que escrevo é muito visual. Mas se é, é de um modo inconsciente. Do momento em que eu conscientemente tivesse que ter como meta a visão, atrapalhar-me-ia toda.

Mas voltemos a Maria Bonomi Antunes, minha comadre e amiga. Conheci-a em Washington ou Nova York? Era a mesma de hoje: mais do que bonita, com um ar livre, olhos risonhos que se tornam logo mais graves quando se fala em sua arte. Maria é um misto de lucidez e instinto, o que a torna um ser completo. Meu encontro com ela foi tão encontro mesmo que, na hora da despedida, Maria disse "até amanhã". Eu me renovei em Maria, espero que ela se tenha renovado um pouco em mim, embora não precise.

De início pusemo-nos a par de nossas vidas cotidianas. Depois perguntei pelo seu trabalho. Mal dá conta de tanto trabalhar e vender, e o sucesso a está atrapalhando. Até secretário foi obrigada a ter. Entendi. O meu pequeno *sucesso* exterior às vezes me faz perder a intimidade com a máquina. Não tenho secretário porque meus negócios são pequenos: resumem-se em telefonar para editores, quando é o caso, e em adiar indefinidamente respostas a cartas de editores estrangeiros. Discutimos o *sucesso*. Maria acha que, em se chegando a esse impasse, a única solução é profissionalizar-se. Sempre fui uma amadora, amadora compulsiva, é verdade, mas amadora. E tenho receio de uma profissionalização. A Maria esta não perturbou: está em plena fase de pesquisa.

Quanto ao meu trabalho, pensa que meu último livro é prematuro no sentido de adiantado, inclusive em relação a mim mesma; que eu o escrevi cedo demais, tentando finalmente dar a volta completa do círculo.

Falamos também no nosso mútuo astigmatismo, que nos obriga a ler com óculos, ao passo que cada vez vemos melhor o que está longe. O que não deixa também de ser simbólico.

Estou pensando agora em me profissionalizar. Não é mau. Chegou a hora séria de pôr os pontos nos is: será um modo de me assumir, e com dificuldade.

Desconfio que Maria perdeu o avião, de tanta conversa que tivemos: deveria estar no aeroporto às três horas da tarde, e foi às três que me deixou à porta de casa. Antunes ia ficar furioso: esperava-a com a urgência da saudade. E mais: Antonio Callado estava hospedado em casa deles, e Antunes queria que Maria voltasse para ser dona de casa e recebê-lo. Falamos então no problema de ser dona de casa, exatamente no momento em que se está em pesquisa em matéria de arte. Como conciliar? Mas mulher termina conciliando, é o jeito.

Falamos de como é importante comer e dormir. Talvez por isso eu tenha dormido tanto depois. O que atrapalhou o meu telefonema para Otto Lara Resende: era sábado, eu telefonava e ele estava dormindo, ele me telefonava de volta e era eu quem estava dormindo. A pergunta que eu precisava fazer terminei fazendo-a a Helena, mulher de Otto. Só o consegui ao telefone às dez e meia da noite, e ainda por cima atrapalhando sua visita à casa de Hélio Pellegrino. Queixamo-nos com o maior prazer de nosso sono. Mas às dez e meia da noite eu estava bem acordada: acabava de ter visto o filme de Khouri, *Corpo ardente*. Iria de qualquer modo porque se tratava de filme dele. Mas dessa vez acrescentava-se mais um motivo: Marly de Oliveira, minha afilhada de casamento, e Maria Bonomi haviam-me dito que Barbara Laage, a atriz do filme, parecia-se extraordinariamente comigo. Maria acrescentou: com você, mas parada, não móvel. A moça é mesmo parecida comigo, em bonito, é claro. Uma amiga disse que a parte da boca e do queixo não se parece, que em mim é bem mais suave. Deu-me um pouco de aflição ver-me na tela. Mas cobicei as roupas da atriz como se a isso eu tivesse direito, já que nos parecíamos. Gostei mesmo foi do cavalo preto do filme. Tem uns movimentos de libertação do longo pescoço e da cabeça manchada de branco que são uma beleza. O fato é que me identifiquei mais com o cavalo preto do que com Barbara Laage. Inclusive eu costumava ter um jeito de sacudir os cabelos para trás que significava exatamente isso: uma tentativa de libertação. Hoje felizmente não preciso mais do gesto. Não, às vezes preciso.

Mas eu estava falando do bom encontro com Maria. Até comer bem comemos, embora sem prestar muita atenção: nosso encontro nos absorvia. Maria, você afinal perdeu ou não o avião das três e meia? E deu meu recado a Antonio Callado? Se ele não souber que foi de brincadeira, vai ficar zangado comigo. Bom, Maria, até breve. Irei a São Paulo ver Cássio. E, se puder, mando antes a metralhadora que lhe servirá de justa vingança.

✦ ✦ ✦

QUANDO CHORAR

Há um tipo de choro bom e há outro ruim. O ruim é aquele em que as lágrimas correm sem parar e, no entanto, não dão alívio. Só esgotam e exaurem. Uma amiga perguntou-me, então, se não seria esse choro como o de uma criança com a angústia da fome. Era. Quando se está perto desse tipo de choro, é melhor procurar conter-se: não vai adiantar. É melhor tentar fazer-se de forte, e enfrentar. É difícil, mas ainda menos do que ir-se tornando exangue a ponto de empalidecer.

Mas nem sempre é necessário tornar-se forte. Temos que respeitar a nossa fraqueza. Então, são lágrimas suaves, de uma tristeza legítima à qual temos direito. Elas correm devagar e quando passam pelos lábios sente-se aquele gosto salgado, límpido, produto de nossa dor mais profunda.

Homem chorar comove. Ele, o lutador, reconheceu sua luta às vezes inútil. Respeito muito o homem que chora. Eu já vi homem chorar.

A MINEIRA CALADA

Aninha é uma mineira calada que trabalha aqui em casa. E, quando fala, vem aquela voz abafada. Raramente fala. Eu, que nunca tive empregada chamada Aparecida, cada vez que vou chamar Aninha, só me ocorre chamar Aparecida. É que ela é uma aparição muda. Um dia de manhã estava arrumando um canto da sala, e eu bordando no outro canto. De repente – não, não de repente, nada é de repente nela, tudo parece uma continuação do silêncio. Continuando pois o silêncio, veio até a mim a sua voz: "A senhora escreve livros?" Respondi um pouco surpreendida que sim. Ela me perguntou, sem parar de arrumar e sem alterar a voz, se eu podia emprestar-lhe um. Fiquei atrapalhada. Fui franca: disse-lhe que ela não ia gostar de meus livros porque eles eram um pouco complicados. Foi então que, continuando a arrumar, e com voz ainda mais abafada, respondeu: "Gosto de coisas complicadas. Não gosto de água com açúcar."

A VIDENTE

A cozinheira é Jandira. Mas esta é forte. Tão forte que é vidente. Uma de minhas irmãs estava visitando-me. Jandira entrou na sala, olhou sério para ela e subitamente disse: "A viagem que a senhora pretende fazer vai-se realizar, e a senhora está atravessando um período muito feliz na vida." E saiu da sala. Minha irmã olhou para mim, espantada. Um pouco encabulada, fiz um gesto com as mãos que significava que eu nada podia fazer, ao mesmo tempo que explicava: "É que ela é vidente." Minha irmã respondeu tranquila: "Bom. Cada um tem a empregada que merece."

AGRADECIMENTO?

Esta mesma Jandira – que Deus a conserve, pois cozinha bem –, no dia em que lhe paguei o salário com o aumento prometido, ficou contando o dinheiro e eu parada, esperando para ver se estava certo. Quando acabou de contar, não disse uma palavra, inclinou-se e beijou meu ombro esquerdo. Eu, hein!

"A COISA"

Mas, a outra que eu tive não era de brincadeira. Eu dizia: "Ivone." Ela continuava a varrer, de costas para mim. Eu repetia: "Ivone." Ela, nada. Eu dizia: "Ivone, quer fazer o favor de responder?" Então ela se virava de um só golpe e dava um verdadeiro berro: "Chega!!!"

Até que, o tempo passando, chegou uma manhã qualquer, a *coisa* se repetiu na hora de eu lhe dar dinheiro para compras, e eu reagi. Não sei por que reagi com tanta calma. Disse-lhe: "Hoje quem diz chega sou eu. Quero que você procure outro emprego e que seja muito feliz na nova casa." Ao que ela respondeu inesperadamente com voz bem fininha, a mais melosa, humilde e enjoativa que se possa imaginar: "Sim, senhora." E depois que saiu de casa já me telefonou várias vezes e outras vezes vem pessoalmente visitar-me.

◆ ◆ ◆

POR DETRÁS DA DEVOÇÃO

Não sei se vocês se lembram do dia em que escrevi sobre minha empregada Aninha: disse que era uma mineira que mal falava, e quando o fazia era com voz abafada de além-túmulo. Falei também que ela inesperadamente, enquanto arrumava a sala, me pediu com voz mais abafada ainda para ler um de meus livros, que eu respondi que eram complicados demais, ao que ela retrucou com o mesmo tom de voz que era disso que gostava, não gostava de água com açúcar.

Pois bem, ela se transformou. Como se desenvolveu aqui em casa! Até puxa conversa, e a voz agora é muito mais clara. Já que eu não queria lhe dar livro meu para ler, pois não desejava atmosfera de literatura em casa, fingi que esqueci. Mas, em troca, dei-lhe de presente um livro policial que eu havia traduzido. Passados uns dias, ela disse: "Acabei de ler. Gostei, mas achei um pouco pueril. Eu gostava era de ler um livro seu." É renitente, a mineira. E usou mesmo a palavra "pueril".

Aliás naquela mesma coluna mencionei minha estranha tendência de chamá-la de Aparecida. Acontece que nunca tive empregada chamada Aparecida, nem nenhuma amiga ou conhecida com esse nome. Um dia distraí-me e sem nem sequer sentir chamei: "Aparecida!" Ela me perguntou sem o menor espanto: "Quem é Aparecida?" Bom, havia chegado a hora de uma explicação que nem era possível. Terminei dizendo: "E não sei por que chamo você de Aparecida." Ela disse com sua nova voz, ainda um pouco abafada: "É porque eu apareci." Sim, mas a explicação não bastava. Foi a cozinheira Jandira, a que é vidente, quem se encarregou de desvendar o mistério. Disse que Nossa Senhora Aparecida estava querendo me ajudar e que me "avisava" desse modo: fazendo-me sem querer chamar pelo seu nome. Mais do que explicar, Jandira aconselhou-me: eu devia acender uma vela para Nossa Senhora Aparecida, ao mesmo tempo em que faria um pedido. Gostei. Afinal de contas não custava tentar. Perguntei-lhe se ela própria não poderia acender a vela por mim. Respondeu que sim, mas tinha que ser comprada com meu dinheiro. Quando lhe dei o dinheiro, avisou-me que era a hora de fazer o pedido. Este já estava feito há muito tempo, foi só rememorar com fervor. Nossa Senhora Aparecida, me atenda, o que estou pedindo é justo e urgente, estou esperando há tempo demais.

Por falar em empregadas, em relação às quais sempre me senti culpada e exploradora, piorei muito depois que assisti à peça *As criadas*, dirigida pelo ótimo Martim Gonçalves. Fiquei toda alterada. Vi como as empregadas se sentem por dentro, vi como a devoção que às vezes recebemos delas é cheia de um ódio mortal. Em *As criadas*, de Jean Genet, as duas *sabem* que a patroa tem de morrer. Mas a escravidão aos donos é arcaica demais para poder ser vencida. E, em vez de envenenar a terrível patroa, uma delas toma o veneno que lhe destinava, e a outra criada dedica o resto da vida a sofrer.

Às vezes o ódio não é declarado, toma exatamente a forma de uma devoção e de uma humildade especiais. Tive uma empregada argentina que era assim. Pseudamente me adorava. Nas piores horas de uma mulher – saindo do banho com uma toalha enrolada na cabeça – ela me dizia: como *usted* é linda. Bajulava-me demais. E quando eu lhe pedia um favor, respondia: "Como não! *Usted* vai ver o que vale uma argentina! Faço tudo o que a senhora pede." Empreguei-a sem ter referências. Terminei entendendo: antes trabalhava em hotéis suspeitos e seu trabalho consistia em arrumar as camas, em trocar os lençóis. Não podia mesmo dar referências. Também já tinha trabalhado no teatro. Fiquei com pena: tive a certeza de que seu papel no palco era o de criada mesmo, o de aparecer e dizer: "O jantar está pronto, madame." Mas Tônia Carrero, a quem ela serviu um café e a quem contei que se tratava de uma *coleguinha* sua, teve uma ideia: ela devia ser uma das contratadas por Walter Pinto para o teatro de rebolado. A sua conversa curta com Tônia foi estranha. Tônia: "Você então é argentina." A outra: "Sou, e me desculpe." Tônia: "Desculpe nada, fui muito bem recebida pelos argentinos e gosto muito deles." Comentário – posterior de Carmen – Maria del Carmen era o seu nome: "*Pero que muchacha linda e simpática!*" Dessa vez não era bajulação, era admiração sincera. Del Carmen era extremamente vaidosa. Comprou cílios postiços, mas como não lhes aparou as extremidades, o resultado é que parecia ter olhos de boneca rígida. Terminou indo embora sem me avisar.

Uma outra, que foi comigo para os Estados Unidos, por lá ficou depois que vim embora, para casar-se com um engenheiro inglês. Quando em 1963 estive no Texas para fazer uma conferência de vinte minutos sobre literatura brasileira moderna, telefonei para ela, que mora em Washington. Só faltou desmaiar, e já falava em português americanizado. "A senhora *deve* vir me ver!" Respondi que nem dinheiro eu tinha para uma viagem tão longa. Insistiu: "Pois eu pago sua passagem!" Claro que não aceitei, além de que nem tempo tinha.

E a empregada que tive e não posso dar seu nome por uma questão de segredo profissional? Fazia análise, juro... Duas vezes por semana ia ver uma Dra. Neide. Telefonava-lhe nos momentos de angústia. No começo não disse que saía para ser psicanalisada, dava outros pretextos. Até que um dia contou que a Dra. Neide achava que eu ia compreender e que ela devia falar a verdade. Compreendi, mas terminei não suportando. Quando ela não estava bem, o que acontecia com frequência, era malcriada demais, revoltada demais, embora depois caísse em si e pedisse desculpas. Só trabalhava com rádio de pilha ligado ao máximo, e acompanhado pelo seu canto de voz aguda e altíssima. Se eu, já infernizada, pedia-lhe que fizesse menos barulho, aí é que aumentava o rádio e alteava a voz. Suportei, até que não suportei mais. Despedi-a com muito cuidado. Uma semana depois telefonou-me para desabafar: não conseguia emprego porque quando dizia às futuras patroas que fazia análise, elas tinham medo. Como era sozinha no Rio, não tivera onde ficar, e dormira duas noites no banco de uma praça, sofrendo frio. Senti-me culpada. Mas não havia jeito: não sou analista, e pouco podia ajudar num caso tão grave. Consolei-me pensando que ela se tratava com a Dra. Neide, médica muito simpática, com quem falei uma vez por telefone para saber que atitude eu deveria tomar. Mas o pior não eram os seus inesperados altos e baixos: era a sua voz. Sou muito sensível a vozes, e se continuasse a ouvir aquele trinado histérico quem terminaria se socorrendo na Dra. Neide seria eu.

◆ ◆ ◆

UMA COISA

Eu vi uma coisa. Coisa mesmo. Eram dez horas da noite na Praça Tiradentes e o táxi corria. Então eu vi uma rua que nunca mais vou esquecer. Não vou descrevê-la: ela é *minha*. Só posso dizer que estava vazia e eram dez horas da noite. Nada mais. Fui porém germinada.

LIÇÃO DE PIANO

Meu pai queria que as três filhas estudassem música. O instrumento escolhido foi o piano, comprado com grande dificuldade. E professora mais gorda não podia ser. Era literalmente obesa e tinha mãos minúsculas. Era certo o seu nome: Dona Pupu. Para mim as lições de piano eram uma tortura. Só duas coisas eu gostava das lições. Uma era um pé de acácia que aparecia empoeirado a uma curva do bonde e que eu ficava esperando que viesse. E quando vinha – ah como vinha. A outra: inventar músicas. Eu preferia inventar a estudar. Tinha nove anos e minha mãe morrera. A musiquinha que inventei, então, ainda consigo reproduzir com dedos lentos. Por que no ano em que morreu minha mãe? A música é dividida em duas partes: a primeira é suave, a segunda meio militar, meio violenta, uma revolta suponho. Quando Dona Pupu tocava Chopin me enjoava, Chopin de quem eu gosto. O que não acontecia quando ela me dava doces para comer porque ela comia mesmo. Para estudar eu tinha tanta, mas tanta preguiça que pedia a uma de minhas irmãs para tocar no fininho enquanto eu tocava no grosso ou normal mesmo. E ainda tive sorte: imaginem se meu pai quisesse que eu estudasse violino fino. Eu também tocava de ouvido. Mas uma de minhas irmãs tinha talento verdadeiro. Mudou de Dona Pupu para o maestro Ernani Braga, do Conservatório de Música de Recife. E ele lhe perguntou se ela gostaria de se tornar pianista. Não sei por que ela não quis. Meu pai de noite pedia para tocarmos. Lembro-me de uma tarde, ele estava dormindo, acordou com o rádio e perguntou emocionado que música era aquela. Era Beethoven. Uma de minhas irmãs ainda tem um presente de Dona Pupu: uma boneca de porcelana forrada de seda para se espetarem alfinetes. De nós três é a mais conservadora. Certas coisas eu peço para ela conservar para mim. De Dona Pupu guardo sobretudo as acácias amarelas. Quem morava naquela casa? Isso me interessava mais que as lições de piano. Como eu errava. Ficava pensando em outras coisas. E na própria Dona Pupu. Como é que uma pessoa tão obesa tinha mãos tão delicadas e pequenas, e que voavam no piano. Já deve ter morrido. E que caixão largo devem ter comprado. Ela era casada. Como é que pode? Na minha ignorância genuína devia ser um dos problemas que me preocupavam durante as lições. Na casa de Dona Pupu tinha uma escadaria de entrada onde eu brincava antes da aula. Acho que não tenho mais nada a dizer. Eu também passei para Ernani Braga que disse que eu tinha dedos frágeis. Prefiro calar-me: este também morreu. E meus dedos não são frágeis. Eu tenho uma força, eu sei. E minha força está na suavidade de meus dedos frágeis e delicados.

BOLINHAS

Não tomo bolinhas. Quero estar alerta, e por mim mesma. Fui convidada para uma festa onde na certa tomavam bolinha e fumavam maconha. Mas minha alerteza me é mais preciosa. Não fui à festa: disseram que eu não conhecia ninguém, mas que todos queriam me conhecer. Pior para mim. Não sou domínio público. E não quero ser olhada. Eu ia ficar calada. Maria Bethânia me telefonou, querendo me conhecer. Conheço ou não? Dizem que é delicada. Vou resolver. Dizem que fala muito de como é. Estou fazendo isso? Não quero. Quero ser anônima e íntima. Quero falar sem falar, se é possível. Maria Bethânia me conhece dos livros. O *Jornal do Brasil* me está tornando popular. Ganho rosas. Um dia paro. Para me tornar tornada. Por que escrevo assim? Mas não sou perigosa. E tenho amigos e amigas. Sem falar de minhas irmãs, das quais me aproximo cada vez mais. Estou muito próxima, de um modo geral. É bom e não é bom. É que sinto falta de um silêncio. Eu era silenciosa. E agora me comunico, mesmo sem falar. Mas falta uma coisa. Eu vou tê-la. É uma espécie de liberdade, sem pedir licença a ninguém.

✦ ✦ ✦

DAS DOÇURAS DE DEUS

Vocês já se esqueceram de minha empregada Aninha, a mineira calada, a que queria ler um livro meu mesmo que fosse *complicado* porque não gostava de "água com açúcar". E provavelmente já esqueceram que, sem saber por quê, eu a chamava de Aparecida, e que ela explicou: "É porque eu apareci." O que eu não disse talvez foi que, para ela existir como pessoa, dependia muito de se gostar dela.

Vocês a esqueceram. Eu nunca a esquecerei. Nem sua voz abafada, nem os dentes que lhe faltavam na frente e que por instância nossa botou, à toa: não se viam porque ela falava para dentro e seu sorriso também era mais para dentro. Esqueci de dizer que Aninha era muito feia.

Um dia de manhã aconteceu que demorou demais na rua para fazer compras. Afinal apareceu e tinha um sorriso tão brando como se só tivesse gengivas. O dinheiro que levara para compras estava amassado na mão direita, e do punho da esquerda dependurava-se o saco de compras.

Havia uma coisa nova nela. O quê, não se adivinhava. Talvez uma doçura maior. E estava um pouco mais "aparecida", como se tivesse dado um passo para a frente. Essa alguma coisa nova fez com que perguntássemos em desconfiança: e as compras? Respondeu: eu não tinha dinheiro. Surpreendidas, mostramos-lhe o dinheiro na mão. Ela olhou e disse simples: ah. Alguma outra coisa nela fez com que olhássemos para dentro do saco de compras. Estava cheio de tampinhas de garrafa de leite e de outras garrafas, fora pedaços de papel sujo.

Então ela disse: vou me deitar porque estou com muita dor aqui – e apontou como uma criança o alto da cabeça. Não se queixou, só disse. Ali ficou na cama, horas. Não falava. Ela que me dissera não gostar de livro "pueril", estava com uma expressão pueril e límpida. Se falássemos com ela, respondia que não conseguia se levantar.

Quando dei fé, Jandira, a cozinheira vidente, tinha chamado a ambulância do Rocha Maia "porque ela está doida". Fui ver. Estava calada, doida. E doçura maior nunca vi.

Expliquei à cozinheira que a ambulância a chamar era a do Pronto-Socorro Psiquiátrico do Instituto Pinel. Um pouco tonta, um pouco automaticamente, telefonei para lá. Também eu sentia uma doçura em mim, que não sei explicar. Sei, sim. Era de tanto amor por Aninha.

Enquanto isso vinha a ambulância do Rocha Maia. Foi examinada, já sentada na cama. O médico disse que clinicamente não tinha nada. E começou a fazer perguntas: para que tinha juntado as tampinhas e o papel? Respondeu suave: para enfeitar meu quarto. Fez outras perguntas. Aninha com paciência, feia, doida e mansa, dava as respostas certas, como aprendidas. Expliquei ao médico que já havia chamado outra ambulância, a apropriada. Ele disse: é mesmo caso para um colega psiquiatra.

Esperamos a outra ambulância. Enquanto esperávamos, estávamos pasmas, mudas, pensativas. Veio a ambulância. O médico não custou a dar o diagnóstico. Só que internada ela não podia ficar, apenas pronto-socorro. Mas ela não teria onde ficar. Então telefonei para um médico amigo meu que falou com o colega do Pinel, e ficou estabelecido que ela ficaria internada até meu amigo examiná-la. "A senhora é escritora?" – perguntou-me de súbito aquele que vim a saber ser o acadêmico Artur. Gaguejei: "Eu..." E ele: "É porque seu rosto me é familiar e seu amigo disse pelo telefone seu primeiro nome." E naquela situação em que eu mal me lembrava de meu nome, ele acrescentou simpático, efusivo, mais emocionado comigo do que com Aninha: "Pois tenho muito prazer em conhecê-la pessoalmente." E eu, boba e mecanicamente: "Também tenho."

E lá se foi Aninha, suave, mansa, mineira, com seus novos dentes branquíssimos, brandamente desperta. Só um ponto nela dormia: aquele que, acordado, dá a dor. Vou encurtar: meu amigo médico examinou-a e o caso era muito grave, internaram-na.

Nessa noite passei sentada na sala até de madrugada, fumando. A casa estava toda impregnada de uma doçura doida como só a desaparecida podia deixar.

Aninha, meu bem, tenho saudade de você, de seu modo *gauche* de andar. Vou escrever para sua mãe em Minas para ela vir buscar você. O que lhe acontecerá, não sei. Sei que você continuará doce e doida para o resto da vida, com intervalos de lucidez. Tampinhas de garrafa de leite são capazes mesmo de enfeitar um quarto. E papéis amarrotados, dá-se um jeito, por que não? Ela não gostava de "água com açúcar", e nem o era. O mundo não é. Fiquei sabendo de novo na noite em que asperamente fumei. Ah! com que aspereza fumei. A cólera às vezes me tomava, ou então o espanto, ou a resignação. Deus faz doçuras muito tristes. Será que deve ser bom ser doce assim? Aninha tinha uma saia vermelha estampada que alguém lhe dera, muito mais comprida do que seu tamanho. Nos dias de folga usava a saia com uma blusa marrom. Era mais uma doçura sua, a falta de gosto.

– Você precisa arranjar um namorado, Aninha.
– Já tive um.

Mas como? Quem a quereria, por Deus? A resposta é: por Deus.

DE OUTRAS DOÇURAS DE DEUS

Eu tinha escrito sobre Aninha logo que ela adoeceu. Passou-se um tempo e eis que ela bate à minha porta. Por meio segundo assustei-me, mas logo vi que estava melhor. Ela mesma lembrara-se de nossos nomes e endereço, e pedira para visitar-nos e buscar o dinheiro que eu lhe devia. Ainda não recebeu alta, mas deixaram-na sair como teste. Está mais bonitinha, à custa de ter engordado com tantos soros, e tomou três choques elétricos. Achou meus filhos crescidos, e comoveu-me quando perguntou: "a senhora ainda está escrevendo?" Dei-lhe o dinheiro, e a cozinheira-vidente disse: "Conte para mostrar que você sabe contar." Contou direito, e mais: notou que eu lhe pagara o mês todo e agradeceu. Agora diz que quer ter um namorado e mesmo ir para um programa de televisão que arranja casamento. No hospital descobriram as potências de Aninha, e, depois que tiver alta, vai ficar lá trabalhando por uns tempos. Nossa casa estava alegre.

✦ ✦ ✦

O CASO DA CANETA DE OURO

Chamo este de *o caso da caneta de ouro*. Na verdade é sem mistérios. Mas meu ideal seria escrever alguma coisa que pelo menos no título lembrasse Agatha Christie.

Acharam por bem dar-me de presente uma caneta de ouro. Sempre escrevi com lápis-tinta ou, é claro, à máquina. Mas se me veio uma caneta de ouro, por que não? Ela é bonita e de boa marca. Tive logo um problema ao qual também não dei importância. O probleminha era: com caneta de ouro devem-se escrever coisas de ouro? Teria que escrever frases especiais porque o instrumento era mais precioso? E terminaria eu mudando de jeito de escrever? E se o jeito mudasse, na certa ele iria, por seu turno, me influenciar – e eu também mudaria. Mas em que sentido? Para melhor? Outra questão: com caneta de ouro eu cairia no problema do Rei Midas, e tudo o que ela escrevesse teria a rigidez faiscante e implacável do ouro?

A esses probleminhas, como eu disse, não dei importância maior: estou habituada a não considerar perigoso pensar. Penso e não me impressiono.

O que veio depois, sim, foi problema maior. O caso é que tenho uma só caneta de ouro e dois filhos. Mas estou-me precipitando, devo começar pelo início.

Meu filho menor, ao ver a caneta de ouro, sofreu uma transformação fisionômica realmente notável. Não disse uma palavra, depois de examiná-la. Seu rosto porém era a verdadeira máscara da mais bela cobiça. A cobiça por uma coisa bonita. Os olhos brilhavam em silêncio. Entendi. Ele queria a caneta de ouro. Era tão simples.

Então ajudei: "Já sei o que você está pensando, está pensando que essa caneta vai terminar nas suas mãos." Silêncio dele. Luta entre o desejo e a culpa. Venceu a culpa, ele sugeriu sem nenhum entusiasmo: "Você poderia mandar gravar seu nome nela e usar." Eu disse: "Mas se eu fizer isso, você depois vai ter que usar uma caneta gravada com outro nome." Silêncio, reflexão profunda. Depois, com desânimo: "É, mas se eu usar agora ou roubam ou eu perco." Era mesmo. Então nós dois passamos a refletir juntos. Minha reflexão foi produtiva: tive uma ideia. "Olhe, a caneta será sua quando você terminar o ginásio, porque já estará mais crescido, não roubam você e você será mais cuidadoso." "Ah é." Mas ainda se sentia culpado, como se a caneta, me pertencendo, ele a estivesse tirando de mim. Mal sabendo como eu gosto que eles tirem coisas de mim.

Um dia depois já não havia sinal de culpa.

Eu não achara um lápis-tinta para anotar um recado, e havia recorrido à caneta de ouro. Foi quando ele entrou e surpreendeu-me em flagrante. "Ah essa não!", reclamou indignado. "Por quê?", perguntei, "não posso usar de vez em quando a tua futura caneta!" "Mas você vai terminar estragando, veja, ela já está até um pouco arranhada!" Tinha razão: a caneta ia ser dele e eu devia ter mais cuidado. Mostrei-lhe então onde ia guardá-la, e prometi que não a usaria.

Mas – tenho dois filhos. E por que o outro não havia pedido? Fiquei triste. Achava mais certo que houvesse uma disputa franca entre os dois a propósito da caneta de ouro, e não que um deles nem sequer pedisse.

Esperei um momento em que estivéssemos a sós, os dois. Contei-lhe então a história e terminei dizendo: "Se você tivesse pedido antes, eu teria dado a caneta a você." "Eu nem sabia que você tinha uma caneta de ouro." "Pois devia saber, você anda distraído, e não ouve as conversas de casa." Silêncio. Perguntei esperançosa: "Mas se você soubesse que eu tinha ganhado a caneta, pediria para você?" "Não." "Por quê?" "Porque é muito cara." "E você então não merece uma coisa cara?" "Você já teve outras coisas caras e eu não pedi." "Por quê?" "Senão você fica sem nenhuma." "Eu não me incomodo."

Ficamos em silêncio, num impasse total.

Afinal ele quis resolver de uma vez o assunto e disse: "Para mim não faz diferença. Contanto que a caneta escreva, qualquer uma serve."

A resposta era válida, inclusive para mim. Mas não gostei. Alguma coisa nessa conversa não estava bem. Preferia que fosse... Não sei. Sei lá. É. Mas não gostei, que é que posso fazer, não gostei e é isso mesmo.

De repente, descobri. Pouco estava importando a caneta de ouro. O que importava é que um filho pedia e o outro não pedia. Retomei a conversa: "Vem cá, por que é que você não me pede coisas?"

A resposta foi pronta e contundente: "Eu já pedi muitas e você não me deu nada."

A acusação era tão dura que fiquei estarrecida. Inclusive não era verdade. Mas, exatamente por não ser verdade, é que se tornava mais grave. Ele tinha uma queixa tão profunda que a transformara nessa inverdade.

"O que é que você pediu e eu não dei?" "Quando eu era pequeno eu pedi uma câmara, quer dizer, um desses tipos de pneus que servem de boia para eu ir à praia." "E eu não dei?" "Não." "Você quer que eu dê agora?" "Não, agora não preciso mais." "Que pena que eu não tenha dado."

Ele teve piedade de mim: "Mas você não se lembra. Não deu porque disse que era perigoso, que fica boiando nas ondas e as ondas levavam para longe no mar, e eu era muito pequeno, não sabia nadar." "Você sabe então que eu não queria arriscar a te perder no mar." "Sei." Mas ficara a mágoa.

A caneta de ouro nos levara longe. Achei melhor parar. E por aí ficamos. Nem sempre esmiuçar demais dá certo.

◆ ◆ ◆

A ENTREVISTA ALEGRE

Há pouco tempo uma moça me telefonou dizendo que era da Editora Civilização Brasileira e que Paulo Francis me pedia para dar uma entrevista a ser publicada num dos livros da série *Livro de cabeceira da mulher*. Não gosto de dar entrevistas: as perguntas me constrangem, custo a responder, e, ainda por cima, sei que o entrevistador vai deformar fatalmente minhas palavras. Mas tratava-se de um pedido de Paulo Francis, e não havia como negar. Marquei o dia. E depois fiquei furiosa, até com Paulo Francis. Como é então? O *Livro de cabeceira da mulher* vende como pão quente e eles ganham dinheiro. A moça entrevistadora ganha dinheiro. E só eu tenho amolação. Tentei telefonar para Paulo Francis e desmarcar. Mas como? Se sou, como todo o mundo, vítima do telefone. Este ou não dava linha, ou dava e não estabelecia ligação. Afinal resignei-me. Mas vou me vingar, pensei, de um modo ou de outro vou me vingar.

Só que não pude nem tive vontade. Na hora marcada, entra-me pela porta adentro uma moça linda e adorável, Cristina. Tem um desses rostinhos difíceis de retratar, porque, apesar dos traços exteriores serem bonitos, o que mais importa são os interiores, a expressão. Estabelecemos logo um contato fácil. O que a fez me informar: também trabalhava para um jornal e seus colegas, ao saberem que ia me entrevistar, tiveram pena dela. Disseram que eu era *fogo*, que mal falava. Cristina acrescentou: "Mas você está falando."

– Sim – falei – como resistir? O racionamento de luz começara, e Cristina, para ficar perto das duas velas que acendi, sentou-se no tapete, e já fazia parte da casa.

Suas perguntas eram inteligentes e complicadas, quase todas sobre literatura. Eu disse: mas pensei que o que interessaria à mulher de classe média seria se eu gosto de comer feijão com arroz. Respondeu tranquila: "chegaremos lá. Aquilo era apenas o começo."

E fui me encantando com Cristina. É noiva. Que pena, pensei. Gostaria que ela ficasse bem sentadinha esperando durante muitos anos que meus filhos crescessem para um deles se casar com ela. Mas ela não pode esperar, meus filhos estão custando a crescer. Me conforto em recomendá-la como entrevistadora.

A entrevista começou com bom humor. Rimos várias vezes. Uma das vezes foi quando ela perguntou o que eu achava do que o crítico Fausto Cunha escrevera. Escrevera – e eu não sabia – que Guimarães Rosa e eu não passávamos de dois embustes. Dei uma gargalhada até feliz. Respondi: não li isso, mas uma coisa é certa: embustes é que não somos. Podiam nos chamar de qualquer coisa, mas de embustes não. Ora essa, Fausto Cunha. Você, que conheci no casamento de Marly de Oliveira, é até simpático, mas que ideia. Veja se pensa um pouco mais no assunto. Acho que Guimarães Rosa também riria.

Cristina me perguntou se eu era de esquerda. Respondi que desejaria para o Brasil um regime socialista. Não copiado da Inglaterra, mas um adaptado a nossos moldes.

Perguntou-me se eu me considerava uma escritora brasileira ou simplesmente uma escritora. Respondi que, em primeiro lugar, por mais feminina que fosse a mulher, esta não era uma escritora, e sim um escritor. Escritor não tem sexo, ou melhor, tem os dois, em dosagem bem diversa, é claro. Que eu me considerava apenas escritor e não tipicamente escritor brasileiro. Argumentou: nem Guimarães Rosa que escreve tão brasileiro? Respondi que nem Guimarães Rosa: este era exatamente um escritor para qualquer país.

Cristina estava com tosse e eu também: mais um traço de união. A entrevista era entrecortada de acessos de tosse, e até isso serviu para quebrar a cerimônia. Além do mais nenhuma das duas estava tomando um xarope, e pelo mesmo motivo: preguiça.

Minha vingança resumiu-se em também entrevistar Cristina. Fiz-lhe várias perguntas, às quais respondeu com simplicidade e inteligência. Sob o pretexto de mostrar-lhe retratos que fizeram de mim, percorri com ela o apartamento quase todo: Cristina era uma das minhas, e tinha o direito de me conhecer através de minha casa. Casa é muito reveladora. Entrou num dos quartos onde um de meus filhos estava deitado lendo à luz de uma vela. Ele nem se incomodou, tão simples é a presença de Cristina. Meu outro filho ia ao cinema com um amigo. E ele, que está na idade de mostrar que é independente da mãe, também não se perturbou em me dar um beijo de despedida, na frente da moça. O outro filho não se importou de interromper-nos para pedir dinheiro para comprar *Manchete*: era o anoitecer de uma quarta-feira. Terminei tão à vontade que estirei as pernas em cima de uma mesa e fui descendo pelo sofá abaixo até estar quase deitada.

Cristina, você representa o melhor da juventude brasileira. Dá orgulho. Quero que meus filhos um dia venham a ser assim.

Aliás uma pergunta que me fez: o que mais me importava — se a maternidade ou a literatura. O modo imediato de saber a resposta foi eu me perguntar: se tivesse que escolher uma delas, que escolheria? A resposta era simples: eu desistiria da literatura. Nem tem dúvida que como mãe sou mais importante do que como escritora.

Cristina disse-me: "O crime não compensa. A literatura compensa?" De jeito nenhum. Escrever é um dos modos de fracassar. Cristina se surpreendeu, perguntou-me então por que eu escrevia. E eu não soube responder.

O engraçado é que a moça veio tão preparada para a entrevista que sabia mais sobre mim do que eu própria. Perguntou-me por que meus personagens femininos são mais delineados do que os masculinos. Protestei em parte. Tenho um personagem masculino que ocupa o livro inteiro, e que não podia ser mais homem do que era.

Cristina, um dia talvez eu a entreviste. Os estudantes universitários vão se identificar com você e quase todos pensarão em casamento. Que seu noivo tome cuidado. Também tenho um amigo que, se a conhecesse, ia se apaixonar do modo mais poético e real. Você é muito necessária ao Brasil. Muitos rapazes e moças como você, e o Brasil iria para a frente.

Percebo que afinal estou tendo a minha vingança: a moça escreve sobre mim, mas eu vou e escrevo sobre ela. Aliás, Cristina, você quer jantar uma noite dessas comigo? É só me telefonar. Você vai se casar com um diplomata, mas esse será um jantar não diplomático, na nossa copa provavelmente, pois continuo esquecendo de comprar uma campainha de chamar empregada e na certa não poderemos jantar na sala. Aliás, uma grande amiga dadivosa, mas distraída, disse que tinha mais de uma campainha e que me daria uma. Cadê? Distraio-me e não compro, ela se distrai e não me dá.

Perguntou-me o que eu achava da literatura *engajada*. Achei válida. Quis saber se eu me engajaria. Na verdade sinto-me engajada. Tudo o que escrevo está ligado, pelo menos dentro de mim, à realidade em que vivemos. É possível que este meu lado ainda se fortifique mais algum dia. Ou não? Não sei de nada. Nem sei se escreverei mais. É mais possível que não.

Perguntou-me o que eu achava da cultura popular. Eu disse que ainda não existe propriamente. Quis saber se eu a considerava importante. Eu disse que sim, mas que havia algo muito mais importante ainda: oferecer oportunidade de ter comida a quem tem fome. A menos que a cultura popular leve o povo a tomar consciência de que a fome dá o direito de reivindicar comida. Vide a nova encíclica que fala no recurso extremo à rebelião em caso de tirania.

Até breve, Cristina, até o nosso jantar. Você parece que também gostou de mim. O que é bom. Mas não sei por quê, depois que li a entrevista, saí tão vulgar. Não me parece que eu seja vulgar. E nem tenho olhos azuis.

1968

SAN TIAGO

Não, nem todo o tipo de lucidez é frieza. San Tiago Dantas, por exemplo, que era acusado de frieza. Mas o próprio Schmidt se contradizia a respeito.

Conheci San Tiago em Paris. Formamos logo um grupo. E não sei por que resolvemos que naquela noite iríamos percorrer os nightclubs de Paris. O que fizemos até o amanhecer. Onde os violinos cantavam finos demais e perto demais de nós, saíamos. Mas acontece que em noite longa bebe-se. E eu não sei beber. Se bebo, ou me dá sono ou choro um pouco. Mas se continuo a beber, começo a ficar brilhante, a dizer coisas. E não sei o que é pior. Nessa noite aconteceram ambas. San Tiago, se era de chorar, não demonstrava. Sua lucidez na verdade era um grande controle e não frieza.

Ah, quantos mortos já havia em potencial no grupo. Bluma, Schmidt, Wainer, San Tiago. Ninguém sabia. Ou sabíamos? Tanto que não suportávamos os finos violinos finos.

Havia uma dona de boate que também servia de caixa. Estava com os ombros decotados, ombros bem cheios e bem fortes. Falamos muito de ombros. Os meus ficaram frágeis. Que é que eu bebi? O que me deram, e misturei muito.

Até que começou a madrugar, a quase amanhecer devagar. Ninguém tinha sono mas era a hora. Fomos andando. E San Tiago descobriu nas esquinas de Paris as primeiras vendedoras de flores. Não posso dizer quantas rosas ele comprou para mim. Sei que eu andava pelas ruas sem poder carregar tantas, e à medida que eu andava as rosas caíam pelo chão. Se jamais fui bonita foi naquele amanhecer de Paris com rosas caindo de meus braços plenos. E um homem que enfeita uma mulher não tem lucidez fria.

O quarto do hotel ficou cheio de perfume fresco, fresco. Mais morri do que adormeci.

Ao meio-dia acordei e mal podia abrir os olhos de tanta ressaca. Acordei o meu então marido e pedi que tocasse a campainha chamando o garçom e encomendando o café mais forte que houvesse.

Em breve o garçom entrava. Mas não só com o café. Com braçadas de mais flores: San Tiago já as tinha mandado. E enquanto eu bebia o café tocava o telefone: era San Tiago querendo saber como eu estava. Eu estava péssima. Perguntou se podíamos almoçar todos juntos. Mas chega nesse ponto e não me lembro mais: parece-me que tínhamos de tomar o trem para Berna naquela hora e não podíamos.

Quando fui ver San Tiago de novo? No Rio. Fomos jantar na casa dele e de Edmeia. Mas aí ele me estranhou. Eu não tinha bebido, eu não chorava, eu não brilhava. Estava meio calada. Perguntou-me se eu estava triste. Respondi-lhe que eu era *isso*.

No meio do jantar falou-se do quadro de um museu italiano. San Tiago perguntou se eu gostara. Disse-lhe que não me lembrava. Respondeu com simplicidade: ah, é verdade que você é dos que só se lembram do que aconteceu antes de ter dez anos de idade.

Passou-se tempo. Quando ele ia a Washington dava-me a alegria de me telefonar na mesma hora. Jantava lá em casa, ficávamos conversando até mais de três horas da madrugada. E eu aprendia. O que aprendi, já esqueci, mas tenho a certeza de que de algum modo ficou em mim.

Uma vez jantamos num hotel em Washington. E ele falou muito de política comigo. Fiquei desconfiada: não se fala de política com mulher. Estaria eu ficando menos mulher? Perguntei-lhe com franqueza. Respondeu que pelo contrário, e que até tomasse cuidado. Então jantei melhor.

E muito depois a doença dele. Um dia recebo um convite impresso para um banquete com discurso político de San Tiago. Quem se lembraria de me convidar para isso, senão ele? Fui. Depois do banquete, levanta-se San Tiago, branco como uma folha de papel. Sua voz falhava. Então ele tomava um gole de água. E recomeçava como um herói de si mesmo, todo herói é um herói de si mesmo. Quem vence está-se vencendo.

Depois fui abraçá-lo, controlando minhas lágrimas. Eu abraçava a morte. E a morte lúcida. Ele aceitou a morte, tenho a certeza.

Esqueci de dizer que San Tiago tinha várias sobrinhas que ele muito amava. Uma delas era a preferida. E quando ela esteve em Washington, trouxe carta dele recomendando-a a mim. E mais: que eu tivesse uma conversa com ela. Tivemos várias. Jantava em casa à vontade.

E depois veio aqui no Rio o convite para o casamento dela. O noivo e a noiva tímidos e lindos. Sentei-me num dos bancos da igreja. Olhei San Tiago no outro. Ele estava morrendo sentado. Houve o casamento.

Quando todos se levantaram e cumprimentaram os noivos, encontrei-me com San Tiago. Quase não falava mais. Perguntou-me se eu estava escrevendo. Respondi-lhe que acabara de escrever um livro e que o nome era *A paixão segundo G. H.* E ele disse que gostava muito do nome.

Ia gostar desse livro, eu sei. Mas morreu antes da publicação. Não fui ao enterro. Porque nem todos morrem.

✦ ✦ ✦

CALOR HUMANO

Não, não fazia vermelho. Era quase de noite e estava ainda claro. Se pelo menos fosse vermelho à vista como o era intrinsecamente. Mas era um calor de luz sem cor, e parada. Não, a mulher não conseguia transpirar. Estava seca e límpida. E lá fora só voavam pássaros de penas empalhadas. Mas era um calor visível, se ela fechava os olhos para não ver o calor, então vinha a alucinação lenta simbolizando-o: via elefantes grossos se aproximarem, elefantes doces e pesados, de casca seca, embora molhados no interior da carne por uma ternura quente insuportável; eles eram difíceis de se carregarem a si próprios, o que os tornava lentos e pesados.

Ainda era cedo para acender as lâmpadas, o que pelo menos precipitaria uma noite. A noite que não vinha, não vinha, não vinha, que era impossível. E o seu amor que agora era impossível – que era seco como a febre de quem não transpira, era amor sem ópio nem morfina. E "eu te amo" era uma farpa que não se podia tirar com uma pinça. Farpa incrustada na parte mais grossa da sola do pé.

Ah, e a falta de sede. Calor com sede seria suportável. Mas ah, a falta de sede. Não havia senão faltas e ausências. E nem ao menos a vontade. Só farpas sem pontas salientes por onde serem pinçadas e extirpadas. Só os dentes estavam úmidos. Dentro de uma boca voraz e ressequida os dentes úmidos mas duros – e sobretudo boca voraz de nada. E o nada era quente naquele fim de tarde eternizada.

Seus olhos abertos e diamantes. Nos telhados os pardais secos. "Eu vos amo, pessoas", era frase impossível. A humanidade lhe era como uma morte eterna que no entanto não tinha o alívio de enfim morrer. Nada, nada morria na tarde enxuta, nada apodrecia. E às seis horas da tarde fazia meio-dia. Fazia meio-dia com um barulho atento de máquina de bomba de água, bomba que trabalhava há tanto tempo sem água e que virara ferro enferrujado. Há dois dias faltava água na cidade. Nada jamais fora tão acordado como seu corpo sem transpiração e seus olhos diamantes, e de vibração parada. E Deus? Não. Nem mesmo a angústia. O peito vazio, sem contração. Não havia grito.

Enquanto isso era verão. Verão largo como um pátio vazio nas férias da escola. Dor? Nenhuma. Nenhum sinal de lágrima e nenhum suor. Sal nenhum. Só uma doçura pesada: como a da casca lenta dos elefantes de couro ressequido. A esqualidez límpida e quente. Pensar no seu homem? Não, farpa na sola do pé. Filhos? Quinze filhos dependurados, sem se balançarem à ausência de vento. Ah, se as mãos começassem a se umedecer. Nem que houvesse água, por ódio não tomaria banho. Por ódio não havia água. Nada escorria. A dificuldade é uma coisa parada. É uma joia-diamante. A cigarra de garganta seca não parava de rosnar. E Deus se liquefez enfim em chuva? Não. Nem quero. Por seco e calmo ódio, quero isso mesmo, este silêncio feito de calor que a cigarra rude torna sensível. Sensível? Não se sente nada. Senão esta dura falta de ópio que amenize. Quero que isto que é intolerável continue porque quero a eternidade. Quero esta espera contínua como o canto avermelhado da cigarra, pois tudo isso é a morte parada, é a eternidade, é o cio sem desejo, os cães sem ladrar. É nessa hora que o bem e o mal não existem. É o perdão súbito, nós que nos alimentávamos da punição. Agora é a indiferença de um perdão. Não há mais julgamento. Não é o perdão depois de um julgamento. É a ausência de juiz e de condenado. E a morte, que era para ser uma única boa vez, não: está sendo sem parar. E não chove, não chove. Não existe menstruação. Os ovários são duas pérolas secas. Vou vos dizer a verdade: por ódio enxuto, quero é isto mesmo, que não chova.

E exatamente então ela ouve alguma coisa. É uma coisa também enxuta que a deixa ainda mais seca de atenção. É um rolar de trovão seco, sem nenhuma saliva, que rola mas onde? No céu absolutamente azul, nem uma nuvem de amor. Deve ser de muito longe o trovão. Mas ao mesmo tempo vem um cheiro adocicado de elefantes grandes, e de jasmim da casa ao lado. A Índia invadindo, com suas mulheres adocicadas. Um cheiro de cravos de cemitério. Irá tudo mudar tão de repente? Para quem não tinha nem noite nem chuva nem apodrecimento de madeira na água – para quem não tinha senão pérolas, vai vir a noite, vai vir madeira enfim apodrecendo, cravo vivo de chuva no cemitério, chuva que vem da Malásia? A urgência é ainda imóvel mas já tem um tremor dentro. Ela não percebe, a mulher, que o tremor é seu, como não percebera que aquilo que a queimava não era a tarde encalorada e sim o seu calor humano. Ela só percebe que agora alguma coisa vai mudar, que choverá ou cairá a noite. Mas não suporta a espera de uma passagem, e antes da chuva cair, o diamante dos olhos se liquefaz em duas lágrimas. E enfim o céu se abranda.

✦ ✦ ✦

INSÔNIA INFELIZ E FELIZ

De repente os olhos bem abertos. E a escuridão toda escura. Deve ser noite alta. Acendo a luz da cabeceira e para o meu desespero são duas horas da noite. E a cabeça clara e lúcida. Ainda arranjarei alguém igual a quem eu possa telefonar às duas da noite e que não me maldiga. Quem? Quem sofre de insônia? E as horas não passam. Saio da cama, tomo café. E ainda por cima com um desses horríveis substitutos do açúcar porque Dr. José Carlos Cabral de Almeida, dietista, acha que preciso perder os quatro quilos que aumentei com a superalimentação depois do incêndio. E o que se passa na luz acesa da sala? Pensa-

-se uma escuridão clara. Não, não se pensa. Sente-se. Sente-se uma coisa que só tem um nome: solidão. Ler? Jamais. Escrever? Jamais. Passa-se um tempo, olha-se o relógio, quem sabe se são cinco horas. Nem quatro chegaram. Quem estará acordado agora? E nem posso pedir que me telefonem no meio da noite pois posso estar dormindo e não perdoar. Tomar uma pílula para dormir? Mas e o vício que nos espreita? Ninguém me perdoaria o vício. Então fico sentada na sala, sentindo. Sentindo o quê? O nada. E o telefone à mão.

Mas quantas vezes a insônia é um dom. De repente acordar no meio da noite e ter essa coisa rara: solidão. Quase nenhum ruído. Só o das ondas do mar batendo na praia. E tomo café com gosto, toda sozinha no mundo. Ninguém me interrompe o nada. É um nada a um tempo vazio e rico. E o telefone mudo, sem aquele toque súbito que sobressalta. Depois vai amanhecendo. As nuvens se clareando sob um sol às vezes pálido como uma lua, às vezes de fogo puro. Vou ao terraço e sou talvez a primeira do dia a ver a espuma branca do mar. O mar é meu, o sol é meu, a terra é minha. E sinto-me feliz por nada, por tudo. Até que, como o sol subindo, a casa vai acordando e há o reencontro com meus filhos sonolentos.

GRATIDÃO À MÁQUINA

Uso uma máquina de escrever portátil Olympia que é leve bastante para o meu estranho hábito: o de escrever com a máquina no colo. Corre bem, corre suave. Ela me transmite, sem eu ter que me enredar no emaranhado de minha letra. Por assim dizer provoca meus sentimentos e pensamentos. E ajuda-me como uma pessoa. E não me sinto mecanizada por usar máquina. Inclusive parece captar sutilezas. Além de que, através dela, sai logo impresso o que escrevo, o que me torna mais objetiva. O ruído baixo de seu teclado acompanha discretamente a solidão de quem escreve. Eu gostaria de dar um presente a minha máquina. Mas o que se pode dar a uma coisa que modestamente se mantém como coisa, sem a pretensão de se tornar humana? Essa tendência atual de elogiar as pessoas dizendo que são "muito humanas" está-me cansando. Em geral esse "humano" está querendo dizer "bonzinho", "afável", senão meloso. E é isso tudo o que a máquina não tem. Nem sequer a vontade de se tornar um robô sinto nela. Mantém-se na sua função, e satisfeita. O que me dá também satisfação.

◆ ◆ ◆

QUE ME ENSINEM

Meu Deus, e eu que não sei rezar? Como viver então? Não é só para pedir por mim e por outros, mas para sentir, para agradecer, para de algum modo entrar num convento, logo eu que sou tão colérica e feroz.

Existe uma cartomante que me conheceu mocinha. E agora é ela quem me chama e não me cobra nada. Apesar de cartomante é profundamente católica. E tem ido à missa por mim. Obrigada por rezar o que eu não sei.

Oh Deus, eu já fui muito ferida. Mas a quanta gente tenho pelo que agradecer. Só não cito os nomes para não ferir o pudor de quem eu citasse. Tenho recebido olhares que valem por uma reza. E há quem já tenha feito promessa por mim.

E eu? Vou tentar rezar agora mesmo, despudoradamente em público. É assim: Meu Deus — não, é inútil, não consigo. Mas talvez dizer "Meu Deus" já seja uma reza. Há, porém, um pedido que posso fazer e farei agora mesmo: Deus, fazei com que os que eu amo não me sobrevivam, eu não toleraria a ausência. Pelo menos isso eu peço.

UM TELEFONEMA

O telefone tocou, eu atendi, chamaram por mim. Em geral pergunto quem é porque nem sempre estou disposta a ser chateada.

Mas dessa vez alguma coisa na voz, doce e tímida, me fez dizer que era eu mesma que estava ao telefone. Então a voz disse: sou uma leitora sua e quero que você seja feliz. Perguntei: como é seu nome? Respondeu: uma leitora. Eu disse: mas eu quero saber seu nome para poder dizê-lo ao desejar que você seja feliz. Mas foi inútil, ela não tinha sequer diante de mim a vontade de aparecer como pessoa que é. Era o anonimato completo. Mas para você, de quem nem ao menos sei o nome, quero que tenha alegrias e que, se já não é casada, que encontre o homem de sua vida. Peço também que não leia tudo o que escrevo porque muitas vezes sou áspera e não quero que você receba minha aspereza.

CHICO BUARQUE DE HOLANDA

Entrei num restaurante com uma amiga e logo deparei com Carlinhos de Oliveira, o que me deu alegria. Olhei depois em torno. E quem é que eu vejo? Chico Buarque de Holanda. Eu disse para Carlinhos: quando meus filhos souberem que eu o vi, vão me respeitar mais. Então Carlinhos, que se sentara na nossa mesa, gritou: Chico! Ele veio, fui apresentada. Para a minha surpresa, ele disse: e eu que estive lendo você ontem!

Chico é lindo e é tímido, e é triste. Ah, como eu gostaria de dizer-lhe alguma coisa – o quê? – que diminuísse a sua tristeza.

Contei a meus dois filhos com quem eu estivera. E eles, se não me respeitam mais, ficaram boquiabertos.

Então eu tive uma ideia e não sei se ela irá adiante; se for, contarei a vocês. Era chamar Chico e Carlinhos para me visitar em casa. Eu os verei de novo, e sobretudo meus filhos os verão. Falei dessa ideia e um de meus filhos disse que não queria. Perguntei por quê. Respondeu: porque ele é uma personalidade. Eu lhe disse: mas você também é, aos sete anos de idade ouvia tudo de Beethoven que tínhamos e pedia mais, tanto gostava e sentia e entendia.

Mas quero respeitar meu filho. Disse-lhe: se eu convidar Chico, se ele vier, você só aperta a mão dele e, se quiser, sai da sala.

Também achei Carlinhos triste. Perguntei: por que estamos tão tristes? Respondeu: é assim mesmo.

É assim mesmo.

AO LINOTIPISTA

Desculpe eu estar errando tanto na máquina. Primeiro é porque minha mão direita foi queimada. Segundo, não sei por quê.

Agora um pedido: não me corrija. A pontuação é a respiração da frase, e minha frase respira assim. E se você me achar esquisita, respeite também. Até eu fui obrigada a me respeitar.

Escrever é uma maldição.

◆ ◆ ◆

UM PEDIDO

Não, é mais que um pedido. Eu estou implorando. Estou implorando que você não beba tanto. Alguma bebida, sim, porque você precisa de sentir um amparo e, em vez de amparo humano, escolheu por pudor a bebida. Mas tenho medo do que me dizem de você. Que você está bebendo três vezes mais do que bebia. Eu imploro que você não encurte a vida. Viva. Viva. É difícil, é duro, mas viva. Eu também estou vivendo. Em nome do

Deus no qual você profundamente crê, monge que você é, beba menos.

Não tem sido nada fácil para mim. Acredite.

DEUS

Mesmo para os descrentes há a pergunta duvidosa: e depois da morte? Mesmo para os descrentes há o instante de desespero: que Deus me ajude. Neste mesmo instante estou pedindo que Deus me ajude. Estou precisando. Precisando mais do que a força humana. E estou precisando de minha própria força. Sou forte mas também destrutiva. Autodestrutiva. E quem é autodestrutivo também destrói os outros. Estou ferindo muita gente. E Deus tem que vir a mim, já que eu não tenho ido a Ele. Venha, Deus, venha. Mesmo que eu não mereça, venha. Ou talvez os que menos merecem precisem mais. Só uma coisa a favor de mim eu posso dizer: nunca feri de propósito. E também me dói quando percebo que feri. Mas tantos defeitos tenho. Sou inquieta, ciumenta, áspera, desesperançosa. Embora amor dentro de mim eu tenha. Só que não sei usar amor: às vezes parecem farpas. Se tanto amor dentro de mim recebi e continuo inquieta e infeliz, é porque preciso que Deus venha. Venha antes que seja tarde demais.

UM SONHO

Foi um sonho tão forte que acreditei nele por minutos como uma realidade. Sonhei que aquele dia era Ano-Novo. E quando abri os olhos cheguei a dizer: Feliz Ano-Novo!

Não entendo de sonhos. Mas este me parece um profundo desejo de mudança de vida. Não precisa ser *feliz* sequer. Basta ano novo. E é tão difícil mudar. Às vezes escorre sangue.

UM PINTINHO

Um de meus filhos comprou um pintinho amarelo. Que pena que dá. Sente-se nele a falta da mãe. O susto de ter nascido do nada. E nenhum pensamento, apenas sensações. Será que vai vingar? Este parece que sim. E no entanto eu queria que não: como ter num apartamento um galo ou uma galinha? Matar e comer? O que se cria não se mata. É só esperar e dar de comer, e dar-lhe amor vindo do calor das mãos.

ANONIMATO

Tantos querem a projeção. Sem saber como esta limita a vida. Minha pequena projeção fere o meu pudor. Inclusive o que eu queria dizer já não posso mais. O anonimato é suave como um sonho. Eu estou precisando desse sonho. Aliás eu não queria mais escrever. Escrevo agora porque estou precisando de dinheiro. Eu queria ficar calada. Há coisas que nunca escrevi, e morrerei sem tê-las escrito. Essas por dinheiro nenhum. Há um grande silêncio dentro de mim. E esse silêncio tem sido a fonte de minhas palavras. E do silêncio tem vindo o que é mais precioso que tudo: o próprio silêncio.

CHICO BUARQUE DE HOLANDA

Eu poderia dizer isso pessoalmente mas tive medo de me emocionar. Você sabe que não me seria difícil convidar o que se chama de personalidades para a minha casa. Mas não foi por você ser uma personalidade que chamei. Convidei porque, além de ser altamente gostável, você tem a coisa mais preciosa que existe: candura. Meus filhos têm. E eu, apesar de não parecer, tenho candura dentro de mim. Escondo-a porque ela foi ferida. Peço a Deus que a sua candura nunca seja ferida e que se mantenha sempre.

♦ ♦ ♦

CARTA AO MINISTRO DA EDUCAÇÃO

Em primeiro lugar queríamos saber se as verbas destinadas para a educação são distribuídas pelo senhor. Se não, esta carta deveria se dirigir ao presidente da República. A este não me dirijo por uma espécie de pudor, enquanto sinto-me com mais direito de falar com o Ministro da Educação por já ter sido estudante.

O senhor há de estranhar que uma simples escritora escreva sobre um assunto tão complexo como o de verbas para educação – o que no caso significa abrir vagas para os excedentes. Mas o problema é tão grave e por vezes patético que mesmo a mim, não tendo ainda filhos em idade universitária, me toca.

O MEC, visando evitar o problema do grande número de candidatos para poucas vagas, resolveu fazer constar nos editais de vestibular que os concursos seriam classificatórios, considerando aprovados apenas os primeiros colocados dentro do número de vagas existentes. Esta medida impede qualquer ação judicial por parte dos que não são aproveitados, não impedindo no entanto que os alunos tenham o impulso de ir às ruas reivindicar as vagas que lhes são negadas.

Senhor ministro ou senhor presidente: "excedentes" num país que ainda está em construção?! e que precisa com urgência de homens e mulheres que o construam? Só deixar entrar nas faculdades os que tirarem melhores notas é fugir completamente ao problema. O senhor já foi estudante e sabe que nem sempre os alunos que tiraram as melhores notas terminam sendo os melhores profissionais, os mais capacitados para resolverem na vida real os grandes problemas que existem. E nem sempre quem tira as melhores notas e ocupa uma vaga tem pleno direito a ela. Eu mesma fui universitária e no vestibular classificaram-me entre os primeiros candidatos. No entanto, por motivos que aqui não importam, nem sequer segui a profissão. Na verdade eu não tinha direito à vaga.

Não estou de modo algum entrando em seara alheia. Esta seara é de todos nós. E estou falando em nome de tantos que, simbolicamente, é como se o senhor chegasse à janela de seu gabinete de trabalho e visse embaixo uma multidão de rapazes e moças esperando seu veredicto.

Ser estudante é algo muito sério. É quando os ideais se formam, é quando mais se pensa num meio de ajudar o Brasil. Senhor ministro ou presidente da República, impedir que jovens entrem em universidades é um crime. Perdoe a violência da palavra. Mas é a palavra certa.

Se a verba para universidades é curta, obrigando a diminuir o número de vagas, por que não submetem os estudantes, alguns meses antes do vestibular, a exames psicotécnicos, a testes vocacionais? Isso não só serviria de eliminatória para as faculdades, como ajudaria aos estudantes que estivessem em caminho errado de vocação. Esta ideia partiu de uma estudante.

Se o senhor soubesse do sacrifício que na maioria das vezes a família inteira faz para que um rapaz realize o seu sonho, o de estudar. Se soubesse da profunda e muitas vezes irreparável desilusão quando entra a palavra "excedente". Falei com uma jovem que foi excedente, perguntei-lhe como se sentira. Respondeu que de repente se sentira desorientada e vazia, enquanto ao seu lado rapazes e moças, ao se saberem excedentes, ali mesmo começaram a chorar. E nem poderiam sair à rua para uma passeata de protesto porque sabem que a polícia poderia espancá-los.

O senhor sabe o preço dos livros para pré-vestibulares? São caríssimos, comprados à custa de grandes dificuldades, pagos em prestações. Para no fim terem sido inúteis?

Que estas páginas simbolizem uma passeata de protesto de rapazes e moças.

♦ ♦ ♦

SENTIR-SE ÚTIL

Exatamente quando eu atravessava uma fase de involuntária meditação sobre a inutilidade de minha pessoa, recebi uma carta assinada, mas só darei as iniciais: "Cada vez que me encontro com a beleza de suas contribuições literárias, vejo ainda mais fortalecida minha intensa capacidade de amar, de me dar aos outros, de existir para meu marido." Assinada H. M.

Não fiquei contente por você, H. M., falar na beleza de minhas contribuições literárias. Primeiro porque a palavra *beleza* soa como enfeite, e nunca me senti tão despojada da palavra beleza. A expressão "contribuições literárias" também não adorei, porque exatamente ando numa fase em que a palavra *literatura* me eriça o pelo como o de um gato. Mas, H. M., como você me fez sentir útil ao dizer-me que sua capacidade intensa de amar ainda se fortaleceu mais. Então eu dei isso a você? Muito obrigada. Obrigada também pela adolescente que já fui e que desejava ser útil às pessoas, ao Brasil, à humanidade, e nem se encabulava de usar para si mesma palavras tão imponentes.

OUTRA CARTA

Esta vem de Cabo Frio, as iniciais são L. de A. A carta parece revelar que quem a escreveu só começou a me ler depois que passei a escrever no *Jornal do Brasil*, pois estranha meu nome, diz que bem que podia ser Larissa. Talvez em resposta a algo que eu tenha escrito aqui, diz que "o escritor, se legítimo, sempre se delata". E termina sua carta dizendo: "Não deixe sua coluna sob o pretexto de que pretende defender a sua intimidade. Quem a substituiria?"

Por enquanto, L. de A., não estou largando a coluna: mas aprendendo um jeito de defender minha intimidade. Quanto a eu me delatar, realmente isso é fatal, não digo nas colunas, mas nos romances. Estes não são autobiográficos nem de longe, mas fico depois sabendo por quem os lê que eu me delatei.

No entanto, paradoxalmente, e lado a lado com o desejo de defender a própria intimidade, há o desejo intenso de me confessar em público e não a um padre. O desejo de enfim dizer o que nós todos sabemos e no entanto mantemos em segredo como se fosse proibido dizer às crianças que Papai Noel não existe, embora sabendo que elas sabem que não existe.

Mas quem sabe se um dia, L. de A., saberei escrever ou um romance ou um conto no qual a intimidade mais recôndita de uma pessoa seja revelada sem que isso a deixe exposta, nua e sem pudor. Se bem que não haja perigo: a intimidade humana vai tão longe que seus últimos passos já se confundem com os primeiros passos do que chamamos de Deus.

O personagem *leitor* é um personagem curioso, estranho. Ao mesmo tempo que inteiramente individual e com reações próprias, é tão terrivelmente ligado ao escritor que na verdade ele, o leitor, é o escritor.

HERMÉTICA?

Ganhei o troféu da criança 1967, com meu livro infantil *O mistério do coelho pensante*. Fiquei contente, é claro. Mas muito mais contente ainda ao me ocorrer que me chamam de escritora hermética. Como é? Quando escrevo para crianças, sou compreendida, mas quando escrevo para adultos fico *difícil*? Deveria eu escrever para os adultos com as palavras e os sentimentos adequados a uma criança? Não posso falar de igual para igual?

Mas, oh Deus, como tudo isso tem pouca importância.

PERSONA

Não, não pretendo falar do filme de Bergman. Também emudeci ao sentir o dilaceramento de culpa de uma mulher que odeia seu filho, e por quem este sente um grande amor. A mudez que a mulher escolheu para viver a sua culpa: não quis falar, o que aliviaria seu sofrimento, mas calar-se para sempre como castigo. Nem quero falar da enfermeira que, se a princípio tinha a vida assegurada pelo futuro marido e filhos, absorve no entanto a personalidade da que escolhera o silêncio, transforma-se numa mulher que não quer nada e quer tudo – e o nada o que é? e o tudo o que é? Sei, oh sei que a humanidade se extravasou desde que apareceu o primeiro homem. Sei que a mudez, se não diz nada, pelo menos não mente, enquanto as palavras dizem o que não quero dizer. Também não vou chamar Bergman de genial. Nós, sim, é que não somos geniais. Nós que não soubemos nos apossar da única coisa completa que nos é dada ao nascimento: o gênio da vida.

Vou falar da palavra *pessoa*, que *persona* lembra. Acho que aprendi o que vou contar com meu pai. Quando elogiavam demais alguém, ele resumia sóbrio e calmo: é, ele é uma pessoa. Até hoje digo, como se fosse o máximo que se pode dizer de alguém que venceu numa luta, e digo com o coração orgulhoso de pertencer à humanidade: ele, ele é um homem. Obrigada por ter desde cedo me ensinado a distinguir entre os que realmente nascem, vivem e morrem, daqueles que, como gente, não são pessoas.

Persona. Tenho pouca memória, por isso já não sei se era no antigo teatro grego que os atores, antes de entrar em cena, pregavam ao rosto uma máscara que representava pela expressão o que o papel de cada um deles iria exprimir.

Bem sei que uma das qualidades de um ator está nas mutações sensíveis de seu rosto, e que a máscara as esconde. Por que então me agrada tanto a ideia de atores entrarem no palco sem rosto próprio? Quem sabe, eu acho que a máscara é um *dar-se* tão importante quanto o *dar-se* pela dor do rosto. Inclusive os adolescentes, estes que são puro rosto, à medida que vão vivendo fabricam a própria máscara. E com muita dor. Porque saber que de então em diante se vai passar a representar um papel é uma surpresa amedrontadora. É a liberdade horrível de não ser. E a hora da escolha.

Mesmo sem ser atriz nem ter pertencido ao teatro grego – uso uma máscara. Aquela mesma que nos partos de adolescência se escolhe para não se ficar desnudo para o resto da luta. Não, não é que se faça mal em deixar o próprio rosto exposto à sensibilidade. Mas é que esse rosto que estava nu poderia, ao ferir-se, fechar-se sozinho em súbita máscara involuntária e terrível. É, pois, menos perigoso escolher sozinho ser uma *pessoa*. Escolher a própria máscara é o primeiro gesto voluntário humano. E solitário. Mas quando enfim se afivela a máscara daquilo que se escolheu para representar-se e representar o mundo, o corpo ganha uma nova firmeza, a cabeça ergue-se altiva como a de quem superou um obstáculo. A pessoa é.

Se bem que pode acontecer uma coisa que me humilha contar.

É que depois de anos de verdadeiro sucesso com a máscara, de repente – ah, menos que de repente, por causa de um olhar passageiro ou uma palavra ouvida – de repente a máscara de guerra de vida cresta-se toda no rosto como lama seca, e os pedaços irregulares caem com um ruído oco no chão. Eis o rosto agora nu, maduro, sensível quando já não era mais para ser. E ele chora em silêncio para não morrer. Pois nessa certeza sou implacável: este ser morrerá. A menos que renasça até que dele se possa dizer "esta é uma pessoa". Como pessoa teve que passar pelo caminho de Cristo.

♦ ♦ ♦

O GRITO

Sei que o que escrevo aqui não se pode chamar de crônica nem de coluna nem de artigo. Mas sei que hoje é um grito. Um grito! de cansaço. Estou cansada! É óbvio que o meu amor pelo mundo nunca impediu guerras e mortes. Amar nunca impediu que por dentro eu chorasse lágrimas de sangue. Nem impediu separações mortais. Filhos dão muita alegria. Mas também tenho dores de parto todos os dias. O mundo falhou para mim, eu falhei para o mundo. Portanto não quero mais amar. O que me resta? Viver automaticamente até que a morte natural chegue. Mas sei que não posso viver automaticamente: preciso de amparo e é do amparo do amor.

Eu tenho recebido amor. Duas pessoas adultas quiseram que eu fosse madrinha delas. Um afilhado de batismo mesmo eu tenho: é Cássio, filho de Maria Bonomi e de Antunes Filho. E eu me ofereci para ser madrinha suplente de uma jovem que quer o meu amor. Dela a seguinte carta, do Rio mesmo: "Sabe, ontem acordei colorida. Assim porque vi uma porção de coisas sempre vistas e nunca vistas, amei o movimento da vida, sabe como é, um dia que a gente tem olhos para ver. E foi tão bonito que te dei meu dia. O presente é meio mixo para a gente linda-tão-linda que tu me deste (vou conversar com ela quando estiver sozinha) mas foi tão bonito e grande e claro. Hoje estou a mesma chata de sempre, que não sabe telefonar e nem dizer que gosta da madrinha."

O mais curioso é que as duas afilhadas adultas que tenho – uma inteiramente diferente da outra – o mais curioso é que eu é quem tenho sido ajudada por elas. O que será que lhes dei a ponto de me quererem como madrinha?

Voltando ao meu cansaço, estou cansada de tanta gente me achar simpática. Quero os que me acham antipática porque com esses eu tenho afinidade: tenho profunda antipatia por mim.

O que farei de mim? Quase nada. Não vou escrever mais livros. Porque se escrevesse diria minhas verdades tão duras que seriam difíceis de serem suportadas por mim e pelos outros. Há um limite de se ser. Já cheguei a esse limite.

O MAIOR ELOGIO QUE JÁ RECEBI

Eu estava em Nápoles andando pela rua com o meu marido. E um homem disse bem alto para outro, ele queria que eu ouvisse: "É com mulheres como esta que contamos para reconstruir a Itália." Não reconstruí a Itália. Tentei reconstruir minha casa, reconstruir meus filhos e a mim. Não consegui. No entanto o italiano não estava fazendo galanteio, falava sério. Deus, fazei-me reconstruir pelo menos uma flor. Nem mesmo uma orquídea, uma flor que se apanha no campo. Sim, mas tenho um segredo: preciso reconstruir com uma urgência das mais urgentes, hoje mesmo, agora mesmo, neste instante. Não posso dizer o que é.

O VESTIDO BRANCO

Acordei de madrugada desejando ter um vestido branco. E seria de gaze. Era um desejo intenso e lúcido. Acho que era a minha inocência que nunca parou. Alguns, bem sei, já até me disseram, me acham perigosa. Mas também sou inocente. A vontade de me vestir de branco foi o que sempre me salvou. Sei, e talvez só eu e alguns saibam, que se tenho perigo tenho também uma pureza. E ela só é perigosa para quem tem perigo dentro de si. A pureza de que falo é límpida: até as coisas ruins a gente aceita. E têm um gosto de vestido branco de gaze. Talvez eu nunca venha a tê-lo, mas é como se tivesse, de tal modo se aprende a viver com o que tanto falta. Também quero um vestido preto porque me deixa mais clara e faz minha pureza sobressair. É mesmo pureza? O que é primitivo é pureza. O que é espontâneo é pureza. O que é ruim é pureza? Não sei, sei que às vezes a raiz do que é ruim é uma pureza que não pôde ser.

Acordei de madrugada com tanta intensidade por um vestido branco de gaze, que abri meu guarda-roupa. Tinha um branco, de pano grosso e decote arredondado. Grossura é pureza? Uma coisa sei: amor, por mais violento, é.

E eis que de repente agora mesmo vi que não sou pura.

♦ ♦ ♦

OI, CHICO!

Oh, Chico Buarque, pois não é que recebi uma carta de uma cidade do Rio Grande do Sul, Santa Maria, a respeito de você e de mim? É o seguinte: a moça me lê num jornal de Porto Alegre. E, muito jovem, diz que sente grande afinidade comigo, que eu escrevo exatamente como ela sente. Mas que sua maior afinidade comigo vem do fato de eu ter escrito sobre você, Chico. Diz: "Eu, como você, tenho uma inclinação enorme por ele. Achava eu que esta inclinação (que é motivo de troça de meus amigos) era um pouco de infantilismo meu, talvez uma regressão à infância, mas lendo seus bilhetes descobri que não, que a razão é justamente conforme suas palavras: ser ele altamente gostável e possuir candura. Você também tem candura, que se percebe ao ler uma só linha sua." Ela, Chico, não entendeu que você não é meu ídolo: eu não tenho ídolos. Você para mim é um rapaz de ouro, cheio de talento e bondade. Inclusive fico simplesmente feliz em ouvir quinhentas vezes em seguida "A Banda", e um dia desses dancei com um de meus filhos. Mas é só, meu caro amigo. E ela continua assim: "Para mim seria maravilhoso ter um encontro com você e o Chico. Por isto peço-lhe: se um dia ele aparecer na sua casa, convide-me — mesmo eu morando longe. Pois se eu e você nos sentimos inclinadas por ele, e eu e ele por você, talvez desse certo." Mas, oi, Chico, você já imaginou eu passando um telegrama para Santa Maria: "Venha urgente Chico vem amanhã casa minha." Ela tomando o avião e vindo toda alvoroçada, e você sorrindo, sorrindo. Olhe, moça simpática, sua carta é um amor, e tenho certeza de que Chico ia gostar de você, é impossível não. Pois se Chico tem candura, e você acha que eu também tenho, você, minha amiguinha, é mil vezes mais cândida do que nós. Mando-lhe um beijo, e tenho certeza de que Chico lhe manda outro beijo — não, não desmaie. Vou lhe contar um segredo a propósito de beijo. Numa quarta-feira, às 11 e 30 da noite, dei um beijo hippy em cada face de Chico Buarque, nas dimensões de 7 x 4 centímetros, com batom cor de carmim. Trata-se de uma explicação para meu amigo Xiko Buark dar em casa.

ANA LUÍSA, LUCIANA E UM POLVO

Pois não é que eu estava esperando a visita de um amigo, e tocam a campainha; pensei: ele disse que telefonaria de novo mas deve ter resolvido vir direto. Abro a porta, não era ele. Era uma mulher moça, descabelada, com voz atraente, um *Jornal do Brasil* na mão e na outra um embrulho estranhíssimo. Ela me diz com a maior afobação: "Sou tímida mas tenho direito de ter meus impulsos; o que você escreveu hoje no jornal foi exatamente como eu sinto; e então eu, que moro defronte de você e assisti ao seu incêndio e sei pela luz acesa quando você tem insônia, eu então trouxe um polvo para você."

Fiquei boquiaberta. Depois me refiz e convidei-a a entrar. Ela é uma tímida que vence a timidez falando aos borbotões, em jatos impetuosos, sem parar. É Ana Luísa. Fiquei sabendo em minutos de parte de sua vida: tem uma menina de sete ou nove anos, Luciana, e um menino de três. Depois vim a saber que Luciana é doida por animais, por coelhos especialmente – terminei mandando-lhe minha história de mistério do coelho pensante – e que desenhava muito bem. A chuva ela desenhou e disse: "Isso é uma nuvem chorando em cima da flor." Gostei logo da menina. Bem. Mas e o polvo?

É o seguinte, em resumo: Ana Luísa queria saber se eu gostava de polvo; não me lembrava mais, há tanto tempo que não comia; perguntou-me se eu sabia preparar polvo; respondi-lhe quase horrorizada que não; disse-me então que aprendera com um homem do morro que tem um apelido feio porque é muito enganado pela mulher, que aprendera com ele a limpar polvo e a cozinhá-lo das mais diversas maneiras; perguntou como eu queria o polvo que ia preparar para mim, se no azeite ou arroz; eu, interiormente ainda boquiaberta, terminei dizendo "com arroz"; ela disse: "só dou polvo preparado por mim muito raramente porque gosto de cozinhá-lo mas tenho nojo de limpá-lo; hoje de noite é sábado, vou limpá-lo, deixá-lo na salmoura domingo inteiro, e você terá o polvo com arroz para segunda no almoço."

Depois que foi embora, ali mesmo é que vi a novidade da coisa. Já me deram vidros de perfume, flores, joias, quadros, livros – mas polvo, nunca. No domingo de manhã, eu ainda estava um pouco espantada. E resolvi, Deus sabe por que, ver no dicionário a palavra *polvo*. E é simplesmente este pavor de viver: "molusco cefalópode, que possui oito tentáculos, cheios de ventosas". Logo abaixo vem uma palavra que se aplica a Ana Luísa: *polvarim* – "pó que sai da pólvora".

Na segunda-feira, apareceu Ana Luísa, penteada, de calça comprida, elegante, com uma terrina bem quente cheia do mais lindo arroz de polvo que se possa imaginar: cor-de-rosa. Quando ela saiu, sentamo-nos à mesa, sem saber que espécie de ritual devia ser executado antes de comermos. Comemos em silêncio, de vez em quando um olhando para o outro como que indagando. Até que chegamos à conclusão: Ana Luísa sabe realmente preparar polvo, mas não gosto do que tem tentáculos. Em compensação, o arroz estava ótimo.

Uma semana depois ela me mandou – não quer impor a sua presença e realmente não gosto de ser pressionada – me mandou um arroz com alguma coisa, reconheci, que vem do mar. Mas esse estava tão bom que foi um regozijo para mim, para meus filhos e para uma amiga cujas iniciais são S. M. Ana Luísa, perdi seu endereço, por isso não lhe mandei ainda de volta as terrinas.

E nada mais tenho a dizer.

MARIA CHORANDO AO TELEFONE

O telefone toca aqui em casa, atendo, uma voz de mulher estranhíssima pergunta por mim, e antes que eu tome providências para dizer que é minha irmã que fala, ela me diz: é você mesma. O jeito foi eu ficar sendo eu própria. Mas... ela chorava? ou o quê? Pois a voz era claramente de choro contido. "Porque você escreveu dizendo que não ia mais escrever romances." "Não se preocupe, meu bem, talvez eu escreva mais uns dois ou três, mas é preciso saber parar. Que é que você já leu de mim?" "Quase tudo, só faltam *A cidade sitiada* e *A legião estrangeira*." "Não chore, venha buscar aqui os dois livros." "Não vou não, vou comprar." "Você está bobeando, eu estou oferecendo de graça dois livros autografados e mais um cafezinho ou um uísque." "Então você pode fazer uma coisa por mim – autografe os dois livros e entregue-os a seu cunhado, dizendo que é para Maria." "Maria de quê?" "Só Maria." "Está bem, mas não chore mais e cuide dessa gripe." Pois é, meu Deus. Depois, através de meu cunhado, soube que se trata de uma médica (ginecologista) chamada Dra. Maria B. Que depois me mandou as rosas mais lindas do mundo, que eu misturei com as vermelho-sangue mandadas por H. M. Minha casa está linda e perfumada, tenho o prazer de ter feito, com o auxílio dos outros e de minha amiga S. M., um verdadeiro lar para mim e para os meus filhos.

Quanto às rosas de H. M., que me telefonou depois para desejar que eu dormisse bem, vieram com um bilhete muito bonito: "Aqui é a casa de flores. Era só para confirmar que dona Clarice não está viajando. Não, está aqui em casa. Obrigado, disse eu vermelho e mal suportando tanto amor sozinho. (É que acabara de ler *A legião estrangeira*.) Obrigado, Clarice Lispector. No momento só preciso que você me sobreviva. Obrigado também pela minha convicção quanto ao seu amor por rosas. Agradeço-lhe ainda a certeza que me vem dando de que existo. Tanto que posso me lembrar de você, sem remorso por ter mentido ao telefone. A necessidade de oferecer rosas foi minha mas quero que a alegria seja inteirinha sua."

Obrigado, H. M. Minha alegria foi tão completa e tenho tanta confiança na sua, que vou lhe pedir um favor: ando atrás de rosas brancas em botão para dar a uma amiguinha que nasceu há dias e cujo nome é Letícia, o que quer dizer, Alegria. Se você souber onde se encontram, me dê um telefonema, eu agradeço.

OUTRA MARIA, ESSA INGÊNUA, E CARLOTA

É minha empregada. Serviu-me um cafezinho e ficou me examinando. Encabulei porque no verão ando em casa descalça e de camisola não transparente de algodão curta. "Estou à vontade demais, não é, Maria Carlota?" E ela: "Todas as madame usa assim mesmo. Trabalhei na casa de uma madame que até recebia visitas de homens de camisola." "Bom, mas essa não era uma madame propriamente dita, não é?" "O quê, hein?" "Nada, Maria Carlota, desculpe, eu estava dizendo bobagem."

❖ ❖ ❖

ARMANDO NOGUEIRA, FUTEBOL E EU, COITADA

E o título sairia muito maior, só que não caberia numa única linha.

Não leio todos os dias Armando Nogueira – embora todos os dias dê pelo menos uma espiada rápida – porque "meu futebol" não dá para entender tudo. Se bem que Armando escreve tão bonito (não digo apenas "bem"), que às vezes, atrapalhada com a parte técnica de sua crônica, leio só pelo bonito. E deve ser numa das crônicas que me escaparam que saiu uma frase citada pelo *Correio da Manhã*, entre frases de Robert Kennedy, Fernandel, Arthur Schlesinger, Geraldine Chaplin, Tristão de Athayde e vários outros, e que me leram, por telefone. Armando dizia: "De bom grado eu trocaria a vitória de meu time num grande jogo por uma crônica..." e aí vem o surpreendente: continua dizendo que trocaria tudo isso por uma crônica minha sobre futebol.

Meu primeiro impulso foi o de uma vingança carinhosa: dizer aqui que trocaria muita coisa que me vale muito por uma crônica de Armando Nogueira sobre digamos a vida. Aliás, meu primeiro impulso, já sem vingança, continua: desafio você, Armando Nogueira, a perder o pudor e escrever sobre a vida e você mesmo, o que significaria a mesma coisa.

Mas, se seu time é Botafogo, não posso perdoar que você trocasse, mesmo por brincadeira, uma vitória dele nem por um meu romance inteiro sobre futebol.

Deixe eu lhe contar minhas relações com futebol, que justificam o *coitada* do título. Sou Botafogo, o que já começa por ser um pequeno drama que não torno maior porque sempre procuro reter, como as rédeas de um cavalo, minha tendência ao excessivo. É o seguinte: não me é fácil tomar partido em futebol – mas como poderia eu me isentar a tal ponto da vida do Brasil? – porque tenho um filho Botafogo e outro Flamengo. E sinto que estou traindo o filho Flamengo. Embora a culpa não seja toda minha, e aí vem uma queixa contra meu filho: ele também era Botafogo, e sem mais nem menos, talvez só para agradar o pai, resolveu um dia passar para o Flamengo. Já então era tarde demais para eu resolver, mesmo com esforço, não ser de nenhum partido: eu tinha me dado toda ao Botafogo, inclusive dado a ele minha ignorância apaixonada por futebol. Digo "ignorância apaixonada" porque sinto que eu poderia vir um dia apaixonadamente a entender de futebol.

E agora vou contar o pior: fora as vezes que vi por televisão, só assisti a um jogo de futebol na vida, quero dizer, de corpo presente. Sinto que isso é tão errado como se eu fosse uma brasileira errada.

O jogo qual era? Sei que era Botafogo, mas não me lembro contra quem. Quem estava comigo não despregava os olhos do campo, como eu, mas entendia tudo. E eu de vez em quando, mesmo sentindo que estava incomodando, não me continha e fazia perguntas. As quais eram respondidas com a maior pressa e resumo para eu não continuar a interromper.

Não, não imagine que vou dizer que futebol é um verdadeiro balé. Lembrou-me foi uma luta entre vida e morte, como de gladiadores. E eu – provavelmente coitada de novo – tinha a impressão de que a luta só não saía das regras do jogo e se tornava sangrenta porque um juiz vigiava, não deixava, e mandaria para fora de campo quem como eu faria, se jogasse (!). Bem, por mais amor que eu tivesse por futebol, jamais me ocorreria jogar... Ia preferir balé mesmo. Mas futebol parecer-se com balé? O futebol tem uma beleza própria de movimentos que não precisa de comparações.

Quanto a assistir pela televisão, meu filho botafoguense assiste comigo. E quando faço perguntas, provavelmente bem tolas como leiga que sou, ele responde com uma mistura de impaciência piedosa que se transforma depois em paciência quase mal controlada, e alguma ternura pela mãe que, se sabe outras coisas, é obrigada a valer-se do filho para essas lições. Também ele responde bem rápido, para não perder os lances do jogo. E se continuo de vez em quando a perguntar, termina dizendo embora sem cólera: ah, mamãe, você não entende mesmo disso, não adianta.

O que me humilha. Então, na minha avidez por participar de tudo, logo de futebol que é Brasil, eu não vou entender jamais? E quando penso em tudo no que não participo, Brasil ou não, fico desanimada com minha pequenez. Sou muito ambiciosa e voraz para admitir com tranquilidade uma não participação do que representa vida. Mas sinto que não desisti. Quanto a futebol, um dia entenderei mais. Nem que seja, se eu viver até lá, quando eu for velhinha e já andando devagar. Ou você acha que não vale a pena ser uma velhinha dessas modernas que tantas vezes, por puro preconceito imperdoável nosso, chega à beira do ridículo por se interessar pelo que já devia ser um passado? É que, e não só em futebol, porém em muitas coisas mais, eu não queria só ter um passado: queria sempre estar tendo um presente, e alguma partezinha de futuro.

E agora repito meu desafio amigável: escreva sobre a vida, o que significaria você na vida. (Se não fosse cronista de futebol, você de qualquer modo seria escritor.) Não importa que, nessa coluna que peço, você inicie pela porta do futebol: facilitaria você quebrar o pudor de falar diretamente. E mais, para facilitar: deixo você escrever uma crônica inteira *sobre o que futebol significa para você, pessoalmente, e não só como esporte*, o que terminaria revelando o que você sente em relação à vida. O tema é geral demais, para quem está habituado a uma especialização?

Mas é que me parece que você não conhece suas próprias possibilidades: seu modo de escrever me garante que você poderia escrever sobre inúmeras coisas. Avise-me quando você resolver responder a meu desafio, pois, como lhe disse, não é todos os dias que leio você, apesar de ter um verdadeiro gosto em ser sua colega no mesmo jornal. Estou esperando.

✦ ✦ ✦

ESTADO DE GRAÇA – TRECHO

Quem já conheceu o estado de graça reconhecerá o que vou dizer. Não me refiro à inspiração, que é uma graça especial que tantas vezes acontece aos que lidam com arte.

O estado de graça de que falo não é usado para nada. É como se viesse apenas para que se soubesse que realmente se existe. Nesse estado, além da tranquila felicidade que se irradia de pessoas e coisas, há uma lucidez que só chamo de leve porque na graça tudo é tão, tão leve. É uma lucidez de quem não adivinha mais: sem esforço, sabe. Apenas isto: sabe. Não perguntem o quê, porque só posso responder do mesmo modo infantil: sem esforço, sabe-se.

E há uma bem-aventurança física que a nada se compara. O corpo se transforma num dom. E se sente que é um dom porque se está experimentando, numa fonte direta, a dádiva indubitável de existir materialmente.

No estado de graça vê-se às vezes a profunda beleza, antes inatingível, de outra pessoa. Tudo, aliás, ganha uma espécie de nimbo que não é imaginário: vem do esplendor da irradiação quase matemática das coisas e das pessoas. Passa-se a sentir que tudo o que existe – pessoa ou coisa – respira e exala uma espécie de finíssimo resplendor de energia. A verdade do mundo é impalpável.

Não é nem de longe o que mal imagino deva ser o estado de graça dos santos. Esse estado jamais conheci e nem sequer consigo adivinhá-lo. É apenas o estado de graça de uma pessoa comum que de súbito se torna totalmente real porque é comum e humana e reconhecível.

As descobertas nesse estado são indizíveis e incomunicáveis. É por isso que, em estado de graça, mantenho-me sentada, quieta, silenciosa. É como numa anunciação. Não sendo porém precedida pelos anjos que, suponho, antecedem o estado de graça dos santos, é como se o anjo da vida viesse me anunciar o mundo.

Depois, lentamente, se sai. Não como se estivesse estado em transe – não há nenhum transe –, sai-se devagar, com um suspiro de quem teve o mundo como este é. Também já é um suspiro de saudade. Pois tendo experimentado ganhar um corpo e uma alma e a terra, quer-se mais e mais. Inútil querer: só vem quando quer e espontaneamente.

Não sei por quê, mas acho que os animais entram com mais frequência na graça de existir do que os humanos. Só que eles não sabem, e os humanos percebem. Os humanos têm obstáculos que não dificultam a vida dos animais, como raciocínio, lógica, compreensão. Enquanto que os animais têm a esplendidez daquilo que é direto e se dirige direto.

Deus sabe o que faz: acho que está certo o estado de graça não nos ser dado frequentemente. Se fosse, talvez passássemos definitivamente para *o outro lado* da vida, que também é real mas ninguém nos entenderia jamais. Perderíamos a linguagem em comum.

Também é bom que não venha tantas vezes quanto eu queria. Porque eu poderia me habituar à felicidade – esqueci de dizer que em estado de graça se é muito feliz. Habituar-se à felicidade seria um perigo. Ficaríamos mais egoístas, porque as pessoas felizes o são, menos sensíveis à dor humana, não sentiríamos a necessidade de procurar ajudar os que precisam – tudo por termos na graça a compensação e o resumo da vida.

Não, mesmo se dependesse de mim, eu não quereria ter com muita frequência o estado de graça. Seria como cair num vício, iria me atrair como um vício, eu me tornaria contemplativa como os fumadores de ópio. E se aparecesse mais a miúdo, tenho certeza de que eu abusaria: passaria a querer viver permanentemente em graça. E isto representaria uma fuga imperdoável ao destino simplesmente humano, que é feito de luta e sofrimento e perplexidade e alegrias menores.

Também é bom que o estado de graça demore pouco. Se durasse muito, bem sei, eu que conheço minhas ambições quase infantis, eu terminaria tentando entrar nos mistérios da Natureza. No que eu tentasse, aliás, tenho a certeza de que a graça desapareceria. Pois ela é dádiva e, se nada exige, desvaneceria se passássemos a exigir dela uma resposta. É preciso não esquecer que o estado de graça é apenas uma pequena abertura para uma terra que é uma espécie de calmo paraíso, mas não é a entrada nele, nem dá o direito de se comer dos frutos de seus pomares.

Sai-se do estado de graça com o rosto liso, os olhos abertos e pensativos e, embora não se tenha sorrido, é como se o corpo todo viesse de um sorriso suave. E sai-se melhor criatura do que se entrou. Experimentou-se alguma coisa que parece redimir a condição humana, embora ao mesmo tempo fiquem acentuados os estreitos limites dessa condição. E exatamente porque depois da graça a condição humana se revela na sua pobreza implorante, aprende-se a amar mais, a perdoar mais, a esperar mais. Passa-se a ter uma espécie de confiança no sofrimento e em seus caminhos tantas vezes intoleráveis.

Há dias que são tão áridos e desérticos que eu daria anos de minha vida em troca de uns minutos de graça.

P. S. – Estou solidária, de corpo e alma, com a tragédia dos estudantes do Brasil.

♦ ♦ ♦

ADEUS, VOU-ME EMBORA!

Não posso infelizmente responder cartas de leitores, só uma vez ou outra. Mas houve uma que misturava agressividade com palavras delicadas, tinha a chamada rude franqueza. Porque em uma de minhas colunas eu disse que preferiria ser antipática, ele diz: "Não vou cometer a leviandade de dizer que a acho simpática, cheia de altos e baixos, mas sou bastante vulgar para considerá-la linda."

Diz que me conheceu, mas tenho péssima memória e nem sequer consigo visualizar uma pessoa com esse nome. Diz: "Algumas coisas a tornam uma digna compatriota de Tchekhov. Outras a identificam com os daqui mesmo. Não de Cruz Alta ou Montes Claros, mas de Bagé ou Cascadura." Meu filho, eu não me incomodo a mínima em ser Bagé ou Cascadura. E eu escrevo para quem quiser me ler. Você, Francisco, reclama demais, às vezes com razão, às vezes não. Não fico nem por um instante irritada: eu mesma me criei uma vida onde eu posso dizer tudo e ouvir tudo. Mas na sua carta fico sem saber vários trechos se sou a ofendida ou a elogiada.

Você reclama contra o meu desalento. Tem razão, Francisco, sou um pouco desalentada, preciso demais dos outros para me animar. Meu desalento é igual ao que sentem milhares de pessoas. Basta, porém, receber um telefonema ou lidar com alguém que eu gosto e minha esperança renasce, e fico forte de novo. Você na certa deve me ter conhecido num momento em que eu estava cheia de esperança.

Sabe como eu sei? Porque você diz que sou linda. Ora, não sou linda. Mas quando estou cheia de esperança, então de minha pessoa se irradia algo que talvez se possa chamar de beleza.

Com toda razão você quer que, como Tchekhov, eu escreva coisas engraçadas. Meu caro amigo, se escrevesse uma só página como Tchekhov, eu seria uma grande mulher e não a desprotegida que sou. Não se incomode, Francisco, que minha hora de dizer coisas engraçadas vai chegar, sou mesmo de altos e baixos e aproveitarei um dia desses a forte onda do mar para andar na sua crista. A hora de rir há de chegar, Francisco. Já estou até impaciente por esta hora, o que é bom sinal: significa que a hora da esperança renovar-se, dentro de tantas cinzas, está perto. Por enquanto o meu jeito tem sido o de rir ou chorar, segundo meus altos e baixos.

Francisco, você me oferece seu "reino, um cavalo e um prato de lentilhas". Considero-me a mais humilde serva de seu reino. Aceito também voar no seu cavalo no escuro porque, Francisco, é no escuro que você me deixou, você ainda não me ofereceu nenhuma pista para eu desabrochar na luz, e é disso que estou precisando. Mas você é bom e, mesmo decepcionado com minha pouca possibilidade atual de riso, me oferece essa iguaria sem par: um prato de lentilhas. Enfim alguém compreendeu que estou com fome.

Depois você me propôs uma coisa tão excepcional que me senti excepcional também. Se eu não aceitar é porque não posso mesmo. Pois você, com a simplicidade de quem tem riqueza dentro de si, me oferece o seguinte:

"Fujamos para Hong Kong ou para qualquer lugar com pouco aquém do além."

E, como você diz, "que Deus nos proteja para todo o sempre".

Amém, Francisco, e obrigada: quero tudo o que você tem a me dar. Há muito tempo não me dão um prato de lentilhas para esta fome arcaica que eu tenho. Com seu cavalo, Francisco, iremos tão longe! E de lá nunca voltaremos. Adeus, todo o mundo! pois já estou montada no cavalo belo que me levará à luz. Vou-me embora para a minha Pasárgada, enfim!

As outras cartas, desta última safra, são de gente muito pura e cheia de confiança em mim. Não sei selecionar as que mais me comoveram. Todas esquentaram meu coração, todas quiseram me dar a mão para me ajudar a subir mais e ver de algum modo a grande paisagem do mundo, todas me fizeram muito bem. Sou uma colunista feliz. Escrevi nove livros que fizeram muitas pessoas me amar de longe. Mas ser cronista tem um mistério que não entendo: é que os cronistas, pelo menos os do Rio, são muito amados. E escrever a espécie de crônica aos sábados tem me trazido mais amor ainda. Sinto-me tão perto de quem me lê. E feliz por escrever para os jornais que me infundem respeito. Só me ocorre o nome de três ou quatro cronistas mulheres: Elsie Lessa, Rachel de Queiroz, Dinah Silveira de Queiroz, eu. Vou telefonar para Elsie, que faz crônica há mais tempo do que eu, para lhe perguntar que faço dos telefonemas maravilhosos que recebo, das rosas pungentes de tanta beleza que me oferecem, das cartas simples e profundas que me mandam.

Prometo aos meus leitores que serei mais feliz e assim eu os farei, pelo menos por um instante, mais felizes. Mas, Deus meu, como é que se é feliz? Pois não aguento mais a solidão neste mundo de Carlos Drummond de Andrade. Viva muito tempo, Drummond, para que eu possa lhe telefonar como faço uma vez ou outra, sempre com objetivo certo, senão não teria a coragem de interromper você no seu trabalho. Mas hoje tive a coragem de ser tão linda de esperança como você me viu, Francisco. E falei pelo telefone com Drummond, quase chamando-o de Carlinhos, pois é essencial não esquecer que, com sua imensa grandeza, ele é Carlinhos também e sua mãe assim o chamava. Ele também precisa ser mimado. Vou parar aqui, pois estou cavalgando depressa demais no cavalo de Francisco e se não tomar cuidado hoje mesmo começa o primeiro capítulo de mais um filho: um romance. O ruim é que dou com antecedência razoável minhas crônicas, e estas saem publicadas num sábado de madrugada, como um pão quente saindo do forno, talvez o céu tenha nuvens vermelhas, a lua esteja fininha e eu já terei também outra leva de sentimentos, nos meus fatais altos e baixos.

Sim, Otávio Bonfim, escrever para um jornal é uma grande experiência que agora renovo, e ser jornalista, como fui e como sou hoje, é uma grande profissão. O contato com o outro ser através da palavra escrita é uma glória. Se me fosse tirada a palavra pela qual tanto luto, eu teria que dançar ou pintar. Alguma forma de comunicação com o mundo eu daria um jeito de ter. E escrever é um divinizador do ser humano.

Como? Mas como é que eu escrevi nove livros e em nenhum deles eu vos disse: Eu vos amo? Eu amo quem tem paciência de esperar por mim e pela minha voz que sai através da palavra escrita. Sinto-me de repente tão responsável. Porque se sempre eu soube usar a palavra – embora às vezes gaguejando – então sou uma criminosa se não disser, mesmo de um modo sem jeito, o que quereis ouvir de mim. O que será que querem ouvir de mim? Tenho o instrumento na mão e não sei tocá-lo, eis a questão. Que nunca será resolvida. Por falta de coragem? Devo por contenção ao meu amor, devo fingir que não sinto o que sinto: amor pelos outros?

Para salvar esta madrugada de lua cheia eu vos digo: eu vos amo.

Não dou pão a ninguém, só sei dar umas palavras. E dói ser tão pobre. Estava no meio da noite sentada na sala de minha casa, fui ao terraço e vi a lua cheia – sou muito mais lunar que solar. E uma solidão tão maior que o ser humano pode suportar, esta solidão me toma se eu não escrever: eu vos amo. Como explicar que me sinto mãe do mundo? Mas dizer "eu vos amo" é quase mais do que posso suportar! Dói. Dói muito ter um amor impotente. Continuo porém a esperar.

❖ ❖ ❖

ESCÂNDALO INÚTIL

Sei que corro o risco de escandalizar leitoras e leitores. Não sei explicar por quê, mais aos leitores que às leitoras.

Como começar, senão pelo princípio? E o início é um pouco brutal. Preparai-vos. Eu simplesmente entrevistei uma dona de pensão de mulheres, de uma chamada casa suspeita.

Está dito. Asseguro-vos porém que não deveis me temer: meus motivos eram e são límpidos. Sou inocente.

Não posso contar como consegui o número do telefone e o nome daquela que passarei a chamar de "dona Y" — não desejo identificá-la para não lhe causar problemas com a polícia, se é que os há. Consegui o número do telefone, telefonei-lhe.

No começo de nossa conversa houve um mínimo de desconfiança da parte dela: não sabia bem o que eu queria, e só Deus sabe o que pensou que eu queria. Mas em breve já me dizia: "pois é, meu bem." Disse-lhe que tinha muita vontade de conhecê-la pessoalmente, e se podíamos tomar chá juntas, onde ela marcasse. Sugeriu que eu fosse vê-la na sua casa. Preferi, "meu bem", que não. Também não sei por que marcou encontro comigo defronte da Farmácia Jaci, na Praça José de Alencar. É, aliás, um ponto péssimo: passam homens em penca e não sabem o que uma mulher parada está fazendo ali.

Meus motivos de ter vontade de conhecê-la? É que fui uma adolescente confusa e perplexa que tinha uma pergunta muda e intensa: "como é o mundo? e por que esse mundo?" Fui depois aprendendo muita coisa. Mas a pergunta da adolescente continuou muda e insistente.

E o que foi que aprendi na terra, bastando-me para isso abrir um pouco meus olhos estreitos? Vi que o problema da prostituição é obviamente de ordem social. Mas, atrás dele, também, há outro profundo: é que muitos homens preferem pagar, exatamente para não terem afeto nem sentimento, exatamente para humilharem e serem humilhados. A fuga ao amor é um fato. Paga-se para fugir. Até homem casado gosta, às vezes, de sustentar a casa para transformar a esposa em objeto pago.

Bem. Na manhã do dia em que eu me encontraria com dona Y, telefonei-lhe. Mas disse que estava de saída para o médico. Perguntei o que tinha. Tinha o que toda dona de pensão de mulheres por força devia ter: coração doente. Fiquei de chamá-la mais tarde. Foi um custo: telefone ocupadíssimo, Deus sabe com que e nós também: trata-se de casa de *família*, como me disse, e muito reclusa, motivo pelo qual *os encontros* são combinados por telefone. Afinal consegui a ligação e dona Y diz: estou pior, vou-me deitar, telefone às quatro da tarde. Pensei: não me vá essa criatura morrer antes de eu vê-la.

Não. Não me foi fácil decidir-me a vê-la. Ao primeiro contato telefônico arranjei uma dor de cabeça violenta que só passou depois que entendi que era causada pela ideia de que eu cometia um pecado. Nessa noite, ainda, tive um pesadelo no qual dona Y me dizia ser leprosa. E eu não queria tocá-la. Acordei assustada. Por que então continuei na obstinação de querer vê-la? Porque eu tinha que procurar a resposta irrespondível.

Fiquei hora e meia defronte da Farmácia Jaci. E nada. Voltei para casa, telefonei-lhe, ela me disse que me esperara meia hora. Perdi o interesse. Passaram-se semanas sem eu sequer lembrar-me dela. Mas sou daquelas que deseja ir até o fim do que quer. Telefonei-lhe de novo. E de novo o encontro marcado defronte da Farmácia Jaci. Dessa vez ela quis que fosse às dez horas da manhã, de tarde *estava ocupada* demais.

Esperei um pouco. De manhã só passam mulheres com sacos de compras. Ela veio vestida como me avisara. E é distinta. Provavelmente mais distinta do que eu, que não preciso aparentar distinção.

Foi logo me explicando que sua casa era mesmo de família. Que a pessoa que cuidava dos negócios era um cunhado viúvo, e que também esse não vivia só daquilo. Perguntei mais tarde se ela ganhava alguma coisa. Disse que não. Mentira. Fomos tomar um refresco numa casa de chá que estava se abrindo naquela hora, e pedi o que ela pediu: suco de uva.

Oh Deus, mas que coisa sem graça. Ela tem uma filha que estuda balé. Já por falta de assunto, falamos de incêndios. Disse ela que sofrera vários, mas jogara o colchão incendiado pela janela.

O mais engraçado é que ela gostou de mim. Disse: agora que nos conhecemos, me telefone sempre para conversarmos um pouco. Pensei: nunca, não me interessa.

Disse-me que, coitadinhos, os homens precisam é de um lugar seguro. Que felizmente o Mangue acabara. O Mangue era ruim. Pois é.

Que mais digo? Nada. Ela ainda tinha tempo de ficar, eu tinha tempo. Mas quem se levantou para ir embora fui eu. E paguei os sucos de uva. Nesse dia perdi a fome para o almoço.

Que afinal esperava eu? A pergunta da adolescente morrera? O mundo é sem graça? Ou eu sou sem graça? Ou dona Y é sem graça? Tudo provavelmente. Senti que eu estava com aquele dia estragado.

Um amigo meu, a quem eu contara a espécie de encontro que eu pretendia ter, dissera-me sem espanto e tranquilo: é aí que entra a escritora. Mas é que não sou escritora. Sou uma pessoa que estava interessada pelo mundo. E que, pelo menos naquele dia, não estava mais. Até sem fome.

Ah, ela me disse que o tipo de *moças* que procuram esse gênero de trabalho querem muito dinheiro e isso é horrível. Mas que coisa óbvia.

E aqui fica a entrevista que falhou. Nós todos falhamos quase sempre.

✦ ✦ ✦

DECLARAÇÃO DE AMOR

Esta é uma confissão de amor: amo a língua portuguesa. Ela não é fácil. Não é maleável. E, como não foi profundamente trabalhada pelo pensamento, a sua tendência é a de não ter sutilezas e de reagir às vezes com um verdadeiro pontapé contra os que temerariamente ousam transformá-la numa linguagem de sentimento e de alerteza. E de amor. A língua portuguesa é um verdadeiro desafio para quem escreve. Sobretudo para quem escreve tirando das coisas e das pessoas a primeira capa de superficialismo.

Às vezes ela reage diante de um pensamento mais complicado. Às vezes se assusta com o imprevisível de uma frase. Eu gosto de manejá-la — como gostava de estar montada num cavalo e guiá-lo pelas rédeas, às vezes lentamente, às vezes a galope.

Eu queria que a língua portuguesa chegasse ao máximo nas minhas mãos. E este desejo todos os que escrevem têm. Um Camões e outros iguais não bastaram para nos dar para sempre uma herança de língua já feita. Todos nós que escrevemos estamos fazendo do *túmulo do pensamento* alguma coisa que lhe dê vida.

Essas dificuldades, nós as temos. Mas não falei do encantamento de lidar com uma língua que não foi aprofundada. O que recebi de herança não me chega.

Se eu fosse muda, e também não pudesse escrever, e me perguntassem a que língua eu queria pertencer, eu diria: inglês, que é preciso e belo. Mas como não nasci muda e pude escrever, tornou-se absolutamente claro para mim que eu queria mesmo era escrever em português. Eu até queria não ter aprendido outras línguas: só para que a minha abordagem do português fosse virgem e límpida.

AS TRÊS EXPERIÊNCIAS

Há três coisas para as quais eu nasci e para as quais eu dou minha vida. Nasci para amar os outros, nasci para escrever, e nasci para criar meus filhos. O "amar os outros" é tão vasto que inclui até perdão para mim mesma, com o que sobra. As três coisas são tão importantes que minha vida é curta para tanto. Tenho que me apressar, o tempo urge. Não posso perder um minuto do tempo que faz minha vida. Amar os outros é a única salvação individual que conheço: ninguém estará perdido se der amor e às vezes receber amor em troca.

E nasci para escrever. A palavra é o meu domínio sobre o mundo. Eu tive desde a infância várias vocações que me chamavam ardentemente. Uma das vocações era escrever. E não sei por quê, foi esta que eu segui. Talvez porque para as outras vocações eu precisaria de um longo aprendizado, enquanto que para escrever o aprendizado é a própria vida se vivendo em nós e ao redor de nós. É que não sei estudar. E, para escrever, o único estudo é mesmo escrever. Adestrei-me desde os sete anos de idade para que um dia eu tivesse a língua em meu poder. E no entanto cada vez que vou escrever, é como se fosse a primeira vez. Cada livro meu é uma estreia penosa e feliz. Essa capacidade de me renovar toda à medida que o tempo passa é o que eu chamo de viver e escrever.

Quanto a meus filhos, o nascimento deles não foi casual. Eu quis ser mãe. Meus dois filhos foram gerados voluntariamente. Os dois meninos estão aqui, ao meu lado. Eu me orgulho deles, eu me renovo neles, eu acompanho seus sofrimentos e angústias, eu lhes dou o que é possível dar. Se eu não fosse mãe, seria sozinha no mundo. Mas tenho uma descendência e para eles no futuro eu preparo meu nome dia a dia. Sei que um dia abrirão as asas para o voo necessário, e eu ficarei sozinha. É fatal, porque a gente não cria os filhos para a gente, nós os criamos para eles mesmos. Quando eu ficar sozinha, estarei seguindo o destino de todas as mulheres.

Sempre me restará amar. Escrever é alguma coisa extremamente forte, mas que pode me trair e me abandonar: posso um dia sentir que já escrevi o que é o meu lote neste mundo e que eu devo aprender também a parar. Em escrever eu não tenho nenhuma garantia.

Ao passo que amar eu posso até a hora de morrer. Amar não acaba. É como se o mundo estivesse à minha espera. E eu vou ao encontro do que me espera.

Espero em Deus não viver do passado. Ter sempre o tempo presente e, mesmo ilusório, ter algo no futuro.

O tempo corre, o tempo é curto: preciso me apressar, mas ao mesmo tempo viver como se esta minha vida fosse eterna. E depois morrer vai ser o final de alguma coisa fulgurante: morrer será um dos atos mais importantes da minha vida. Eu tenho medo de morrer: não sei que nebulosas e vias lácteas me esperam. Quero morrer dando ênfase à vida e à morte.

Só peço uma coisa: na hora de morrer eu queria ter uma pessoa amada por mim ao meu lado para me segurar a mão. Então não terei medo, e estarei acompanhada quando atravessar a grande passagem. Eu queria que houvesse encarnação: que eu renascesse depois de morta e desse a minha alma viva para uma pessoa nova. Eu queria, no entanto, um aviso. Se é verdade que existe uma reencarnação, a vida que levo agora não é propriamente minha: uma alma me foi dada ao corpo. Eu quero renascer sempre. E na próxima encarnação vou ler meus livros como uma leitora comum e interessada, e não saberei que nesta encarnação fui eu que os escrevi.

Está-me faltando um aviso, um sinal. Virá como intuição? Virá ao abrir um livro? Virá esse sinal quando eu estiver ouvindo música?

Uma das coisas mais solitárias que eu conheço é não ter a premonição.

♦ ♦ ♦

A MATANÇA DE SERES HUMANOS: OS ÍNDIOS

Antes preciso dizer quem é Noel Nutels para depois contar o que ele me relatou. Noel foi médico da expedição Roncador-Xingu, de 1944 a 1950; exerceu o mesmo cargo no Serviço de Proteção aos Índios, de 1951 a 1955, quando José Maria da Gama Malcher era, então, diretor do Serviço. Depois disso, em 1956, quando era ministro da Saúde Maurício de Medeiros, Nutels criou o Serviço de Unidades Sanitárias Aéreas, que hoje constitui um setor do Serviço Nacional de Tuberculose: Susa, continuando atualmente a dirigi-lo. Um dos objetivos do Susa é a cobertura sanitária principalmente no que diz respeito à tuberculose. Consiste em viagens periódicas, por equipes que nele trabalham, às áreas indígenas. Entre essas áreas deve-se destacar a do Parque Nacional do Xingu. Trata-se de uma região delimitada de vinte e dois mil quilômetros quadrados que cobrem, praticamente, toda a área do rio Xingu. Nessa região vivem cerca de quinze povos indígenas em condições correspondentes às da época do descobrimento do Brasil. Vivem aí os grupos indígenas classificados como tupi, gê, aruaque e caribe. Além desses grupos há outros isolados, dentro do Parque e nos arredores, contatados ou arredios que constituem grupos linguísticos isolados. Esta é uma área onde não se matam índios. Não se matam índios aí porque o Parque é dirigido pelos irmãos Villas-Boas, que, tendo assimilado o pensamento rondoniano, utilizam métodos pessoais e humanos na convivência com o autóctone.

Perguntei a Noel qual a outra causa de não haver matança de índios nessa região, especificamente dentro dos Parques. Ele respondeu-me que, em primeiro lugar, esta área é delimitada pelo Governo e nela é impedida a entrada indiscriminada e indisciplinada de grupos cobiçosos da terra, das riquezas do nosso subsolo e das matérias-primas comuns na área amazônica.

Mas, por que, de repente, esta matança de índios? E ele respondeu: "matam-se índios desde que se descobriu o Brasil." Se na época do descobrimento havia cerca de um milhão e meio de autóctones, hoje, em estatística otimista, devem existir entre nós, no máximo, oitenta mil, em condições tribais. Parte dessa população indígena inicial desapareceu com o caldeamento que se deu com a cultura europeia que acabou por esmagá-los. Foram os índios sacrificados na formação das grandes fazendas ou grandes cidades dos que vieram de fora para a colonização de nossas terras.

Sabe-se que uma das preocupações constantes da Constituição Brasileira é a preservação do nosso índio; nela existe um preceito constitucional que garante ao índio a posse da terra por ele ocupada. Parece incrível que a este preceito constitucional, justamente, é que se deve a matança dos índios. A cobiça da terra ocupada por eles. Numa declaração do ministro da Justiça ele atribui, como um dos fatores da matança dos índios, a venda a estrangeiros de cerca de 1/8 do território nacional. Ocorre-nos perguntar, então: e hoje, como se matam os índios se é esta uma ação premeditada? Há várias maneiras de se matar índios: desde a mais simples que é a bala de um trabuco, aos mais requintados métodos, como interferência maciça na cultura do índio através de catequese religiosa que lhes proíbe a preservação de sua cultura primitiva, o que fatalmente redunda em sacrifício do nativo. Ou se mata índio também arrebatando-lhes a terra, à qual estão teluricamente ligados.

O remédio para se salvar o que resta dos índios brasileiros seria, segundo Noel, a criação de novos Parques, à semelhança do Parque Nacional do Xingu e, como mais poderoso remédio:

o Ibra (Instituto Brasileiro de Reforma Agrária) dar urgência à reforma agrária que planejou. Porque, enquanto a terra for objeto de especulação, o Brasil estará em perigo. Se continuarmos a ser objetivos da ambição alheia, o brasileiro será um pobre coitado e continuar-se-á a matar não só índios, mas a nós também.

ENQUANTO VOCÊS DORMEM

Se vocês soubessem como esta noite está diferente. São três horas da madrugada, estou com uma de minhas insônias. Tomei uma xícara de café, já que não ia dormir mesmo. Botei açúcar demais, e o café ficou horrível. Ouço o barulho das ondas do mar se quebrando na praia. Esta noite está diferente porque, enquanto vocês dormem, estou conversando com vocês. Interrompo, vou ao terraço, olho a rua e a nesga de praia e o mar. Está escuro. Tão escuro. Penso em pessoas de quem eu gosto: estão todas dormindo ou se divertindo. É possível que algumas estejam tomando uísque. Meu café então se transforma em mais adocicado ainda, em mais impossível ainda. E a escuridão se torna tão maior. Estou caindo numa tristeza sem dor. Não é mau. Faz parte. Amanhã provavelmente terei alguma alegria, também sem grandes êxtases, só alegria, e isto também não é mau. É, mas não estou gostando muito deste pacto com a mediocridade de viver.

❖ ❖ ❖

ESTRITAMENTE FEMININO

No dia 17 de maio, segundo recorte que me foi dado, houve uma referência desagradável para mim, no tópico As Escritoras se Reúnem Hoje no Rio em Festival. Diz O *Globo* que interrogada sobre a falta do nome de Clarice Lispector, que não consta da relação das escritoras presentes ao festival, respondeu uma das assessoras de Irene Tavares de Sá:

— Lamentamos que ela não esteja presente, já que teria sido um prazer que ela estivesse conosco. Mas, quando houve negativa ao primeiro convite, pensamos que tivesse sido mal-entendido e resolvemos telefonar insistindo no comparecimento de Clarice Lispector, mas ela se recusou terminantemente, dizendo-nos que de modo algum desejava participar do encontro.

Tenho testemunhas de que se trata de uma inverdade flagrante. Para começo de conversa, só me telefonaram uma vez, e não duas como relataram. Só se telefonaram para um número onde alguém resolveu dar um trote e dizer que era eu.

Recebi um só telefonema e minha *resposta literal* foi que "lamentava não poder comparecer porque estaria nessa data fora do Rio". Assim não se justificam as palavras *recusou, terminantemente, de modo algum* etc.

Outro erro da nota: ao darem a lista das escritoras que compareceriam ao festival citaram o nome de Marly de Oliveira. Ora, esta grande poeta e amiga minha já se acha há mais de quinze dias antes do Festival em Buenos Aires e lá morará alguns anos. Recomendo pois um pouco mais de cuidado às assessoras de Dona Irene. Essa é a satisfação que eu devo ao meu público.

"ROSAS SILVESTRES"

Só esta expressão *rosas silvestres* já me faz aspirar o ar como se o mundo fosse uma rosa crua. Tenho uma grande amiga que me manda de quando em quando rosas silvestres. E o perfume delas, meu Deus, me dá ânimo para respirar e viver.

As rosas silvestres têm um mistério dos mais estranhos e delicados: à medida que vão envelhecendo vão perfumando mais. Quando estão à morte, já amarelando, o perfume fica forte e adocicado, e lembra as perfumadas noites de lua de Recife. Quando finalmente morrem, quando estão mortas, mortas – aí então, como uma flor renascida no berço da terra, é que o perfume que exala delas me embriaga. Estão mortas, feias, em vez de brancas ficaram amarronzadas. Mas como jogá-las fora se, mortas, elas têm a alma viva? Resolvi a situação das rosas silvestres mortas, despetalando-as e espalhando as pétalas perfumadas na minha gaveta de roupa.

Da última vez que minha amiga me mandou rosas silvestres, quando estas estavam morrendo e ficando mais perfumadas ainda, eu disse para meus filhos:

— Era assim que eu queria morrer: perfumando de amor. Morta e exalando a alma viva.

Esqueci de dizer que as rosas silvestres são de planta trepadeira e nascem várias no mesmo galho. Rosas silvestres, eu vos amo. Diariamente morro por vosso perfume.

✦ ✦ ✦

SAUDADE

Saudade é um pouco como fome. Só passa quando se come a presença. Mas às vezes a saudade é tão profunda que a presença é pouco: quer-se absorver a outra pessoa toda. Essa vontade de um ser o outro para uma unificação inteira é um dos sentimentos mais urgentes que se tem na vida.

✦ ✦ ✦

FRASE MISTERIOSA, SONHO ESTRANHO

Às vezes me vêm frases completas, resultado retardado de pensamentos anteriores. São misteriosas essas frases porque, ao virem, não se ligam mais a nenhuma fonte. Por exemplo, a frase seguinte chegou-me e poderia ter sido dita por tantas pessoas infelizes: "Eu queria te dar pão para a tua fome mas tu querias ouro. No entanto tua fome é grande como a tua alma que apequenaste à altura do outro."

Por que estas palavras que não vivi eu própria? A única hipótese, por causa da palavra *ouro*, vem do sonho que uma leitora teve a meu respeito. Ela o escreveu para mim. A leitora assina-se Azalea, que depois se tornou uma grande amiga. E me escreveu: "Não se impressione, nem se assuste. A interpretação é a melhor possível. Sonhei com uma espécie de canteiro imenso, com a terra toda revolvida para os lados. Junto a este canteiro, abaixadas, ajoelhadas, muitas pessoas. Todas desconhecidas para mim, que, de perto, olhavam a cena. Umas, nem eu poderia saber se as conhecia ou não, tão enterrados estavam os rostos no trabalho de revolver e revirar a terra. Procuravam ouro, Clarice. E achavam. Porque, à frente de cada uma delas se avolumava, cada vez mais, um monte brilhante que não podia deixar de ser ouro.

"No meio daquela gente, alucinada, cavando também, uma pessoa de *cara* muito conhecida minha: Clarice Lispector, a escritora – a que para mim, sempre foi, desde o tempo de classe de literatura do clássico, a melhor escritora de nossa língua. O rosto era tão familiar que era visto por mim como se ali estivesse alguém de minha família. Então, com ansiedade igual à sua, passei a acompanhar o seu trabalho de cavar ouro.

"Ao contrário dos outros, à sua frente, havia um monte imundo de terra. Ouro, não. Os outros cavavam e, felizes, separavam o metal brilhante, aumentando sempre mais os montes. Você, não. Cada vez que, desesperada, enterrava suas mãos na terra remexida, dali retirava punhados de cabelos, escuros, sujos, horríveis. E olhava para trás, com desespero, à minha procura, mostrava o resultado de sua busca.

"E novamente se entregava àquela louca, desesperada escavação. Seus olhares e seus gestos, mostrando-me as mãos sem ouro – nem cabelos dourados você tirava –, tudo isso me chegava como um apelo para que a ajudasse. Então, eu me dirigi até você. Toquei no seu ombro. Pedi-lhe que saísse dali. Aquilo não era para você. Esquisito porque em todos os momentos eu me sentia aflita, desesperada e doente, como se eu fosse a própria Clarice Lispector. Você me atendeu. Levantou-se e se dispôs a me acompanhar. De costas já para o grupo que continuava, sofregamente cavando, saí levando-a pela mão. Senti, então, que você relutava ainda. E olhava para trás. Pesarosa de se afastar dali, como se lá estivesse guardada a sua última esperança. Caminhamos um pouco, mãos dadas, sem falar. Você chorava muito, e de vez em quando se desprendia de mim e fitava longamente suas duas mãos vazias. Uma ao lado da outra. E soluçava: vazias, Azalea! Eu as retomava, com medo que você voltasse para aquele trabalho de loucos. Foi aí, então, que surgiu à nossa frente o homem. Todo em ouro, mas era vivo pois andava e sorria bondoso, amigo. Conhecido seu. Meu, não. Você gritou o nome e correu para ele. Abraçados, muito unidos, eu já não distinguia quem era de ouro, você ou ele. Ambos brilhavam e uma claridade, uma luz intensa tomou conta de tudo. Acordei chorando muito. Contei o sonho aos meus, na mesa do café. Era domingo. Meu cunhado disse: 'Olhe, Clarice Lispector deve estar hoje no *Jornal do Brasil,* vou lá fora comprar um para você.' Daí já comecei com esta vontade de lhe falar. Escrevendo, pelo telefone, de algum modo eu queria lhe falar. Meu cunhado voltou e disse: 'Ela escreve aos sábados.' Esperei até o próximo sábado (nos outros dias da semana leio outro matutino). E aquele sábado, o seu *jornal* fez com que Clarice entrasse, nesta manhã de sol e de friozinho bom de abril, aqui em casa."

Azalea não ficou apenas na carta. Enviou-me, com a carta, um rapaz novo, puro, límpido: era Domenico, com rosas brancas de trepadeira para mim. Essas rosas são muito misteriosas: quanto mais passa o tempo e elas envelhecem, mais perfumadas ficam. Telefonei para Azalea contando e ela disse que essas rosas são assim mesmo e vai me dar de presente uma muda da planta para eu pôr no meu terraço, perto das grades, para elas poderem subir e perfumar a minha vida. (Agora, por falar em perfume, senti tanta saudade, que fui para o meu quarto e passei Scandal de Lanvin pelos meus cabelos. E, como tenho cabelos claros, imaginei que tinham ficado de ouro, como no sonho de Azalea.)

Fiquei impressionada com o sonho e só sei que ele é simbólico. Perguntarei a um feiticeiro amigo meu – psicanalista – que interpretação dar ao ouro, e também à minha frase sobre ouro e pão. E eis que cheia de alegria lembrei-me de que pão tem a riqueza do trigo.

✦ ✦ ✦

E AMANHÃ É DOMINGO

Bom domingo para vocês. Segunda-feira é um dia mais difícil porque é sempre a tentativa do começo de vida nova. Façamos cada domingo de noite um réveillon modesto, pois se meia-noite de domingo não é começo de Ano-Novo, é começo de semana nova, o que significa fazer planos e fabricar sonhos. Meus planos se resumem, para esta semana nova, em arrumar finalmente meus papéis, já que a governanta eu não vou ter mesmo. Quanto aos sonhos desculpem, guardo-os para mim, como vocês guardam, com o olhar pensativo, de quem tem direito, os próprios.

IDEAL BURGUÊS

Como é que uma pessoa desordenada se transforma em pessoa ordenada? Meus papéis estão em desordem, minhas gavetas por arrumar. (Vou ter secretária por estar em estafa, segundo o médico.) Isso não teria importância maior, creio, se eu tivesse ordem interior. Mas as pessoas que se preocupam demais com a ordem externa é porque internamente estão em desordem e precisam de um contraponto que lhes sirva de segurança. Preciso de um ponto de segurança, que seria representado por uma espécie de ordem estrita e rígida nas minhas gavetas. Bom, só em pensar em arrumar gavetas, enchi-me de uma preguiça que passo a classificar de preguiça de fim de semana. Espero que minha preguiça encontre eco em alguns leitores e leitoras para que eu não os sinta superiores demais a mim. A verdade é que, em matéria de ordem, o que eu gostaria é que alguém se incumbisse de me dar um ambiente de ordem. O meu ideal absurdo de luxo seria ter uma espécie de governanta-secretária que tomasse conta de toda a minha vida externa, inclusive indo por mim a certas festas. Que ao mesmo tempo me adorasse – mas eu exigiria ainda por cima que me adorasse com discrição, é intolerável o endeusamento afoito que constrange e tira a espontaneidade, e não nos dá o direito de ter os defeitos natos e adquiridos nos quais tão ciosamente nos apoiamos – nossos defeitos também servem de muletas, não só as nossas qualidades.

O que mais faria essa governanta-secretária? Ela não olharia demais para mim, para eu não encabular. Falaria com naturalidade, mas também com naturalidade se calaria, para me deixar em paz. E, é claro, minhas gavetas estariam em ordem. Seria ela quem decidiria sobre o que se ia comer no almoço e no jantar – a comida se transformaria numa alegre surpresa para mim. E, é claro, meus papéis estariam em ordem. Ela também entenderia minha tristeza, e seria bastante discreta para não demonstrar que tinha entendido. É claro que responderia por intermédio de cartas perfeitas aos meus editores. Quanto aos filhos, não. Eu mesma tomaria conta deles. Mas ela bem que poderia servir de mãe-substituta quando eu fosse ao cinema ou ao trabalho. E mãe-substituta tem a vantagem de não amolar os filhos com excesso de carinho. À medida que os filhos crescem, a mãe deve diminuir de tamanho. Mas a tendência da gente é continuar a ser enorme. Meus filhos, se lerem isto, vão gostar. É que mãe de origem russa, quando vai beijar os filhos, em vez de dar um beijo, quer logo dar quarenta. Expliquei isto a um de meus filhos, e ele me respondeu que eu estava era arranjando pretexto, o que eu gostava mesmo era de beijá-los.

✦ ✦ ✦

PERTENCER

Um amigo meu, médico, assegurou-me que desde o berço a criança sente o ambiente, a criança quer: nela o ser humano no berço mesmo já começou.

Tenho certeza de que no berço a minha primeira vontade foi a de pertencer. Por motivos que aqui não importam, eu de algum modo devia estar sentindo que não pertencia a nada e a ninguém. Nasci de graça.

Se no berço experimentei essa fome humana, ela continua a me acompanhar pela vida afora, como se fosse um destino. A ponto de meu coração se contrair de inveja e desejo quando vejo uma freira: ela pertence a Deus.

Exatamente porque é tão forte em mim a fome de me dar a algo ou a alguém, é que me tornei bastante arisca: tenho medo de revelar de quanto preciso e de como sou pobre. Sou, sim. Muito pobre. Só tenho um corpo e uma alma. E preciso de mais do que isso. Quem sabe se comecei a escrever tão cedo na vida porque, escrevendo, pelo menos eu pertencia um pouco a mim mesma. O que é um fac-símile triste.

Com o tempo, sobretudo os últimos anos, perdi o jeito de ser gente. Não sei mais como se é. E uma espécie toda nova da "solidão de não pertencer" começou a me invadir como heras num muro.

Se meu desejo mais antigo é o de pertencer, por que então nunca fiz parte de clubes ou de associações? Porque não é isso o que eu chamo de pertencer. O que eu queria, e não posso, é por exemplo que tudo o que me viesse de bom de dentro de mim eu pudesse dar àquilo que eu pertencesse. Mesmo minhas alegrias, como são solitárias às vezes. E uma alegria solitária pode se tornar patética. É como ficar com um presente todo embrulhado com papel enfeitado de presente nas mãos – e não ter a quem dizer: tome, é seu, abra-o! Não querendo me ver em situações patéticas e, por uma espécie de contenção, evitando o tom de tragédia, então raramente embrulho com papel de presente os meus sentimentos.

Pertencer não vem apenas de ser fraca e precisar unir-se a algo ou a alguém mais forte. Muitas vezes a vontade intensa de pertencer vem em mim de minha própria força – eu quero pertencer para que minha força não seja inútil e fortifique uma pessoa ou uma coisa.

Embora eu tenha uma alegria: pertenço, por exemplo, a meu país, e como milhões de outras pessoas sou a ele tão pertencente a ponto de ser brasileira. E eu que, muito sinceramente, jamais desejei ou desejaria a popularidade – sou individualista demais para que pudesse suportar a invasão de que uma pessoa popular é vítima –, eu, que não quero a popularidade, sinto-me no entanto feliz de pertencer à literatura brasileira. Não, não é por orgulho, nem por ambição. Sou feliz de pertencer à literatura brasileira por motivos que nada têm a ver com literatura, pois nem ao menos sou uma literata ou uma intelectual. Feliz apenas por "fazer parte".

Quase consigo me visualizar no berço, quase consigo reproduzir em mim a vaga e no entanto premente sensação de precisar pertencer. Por motivos que nem minha mãe nem meu pai podiam controlar, eu nasci e fiquei apenas: nascida.

No entanto fui preparada para ser dada à luz de um modo tão bonito. Minha mãe já estava doente, e, por uma superstição bastante espalhada, acreditava-se que ter um filho curava uma mulher de uma doença. Então fui deliberadamente criada: com amor e esperança. Só que não curei minha mãe. E sinto até hoje essa carga de culpa: fizeram-me para uma missão determinada e eu falhei. Como se contassem comigo nas trincheiras de uma guerra e eu tivesse desertado. Sei que meus pais me perdoaram eu ter nascido em vão e tê-los traído na grande esperança. Mas eu, eu não me perdoo. Quereria que simplesmente se tivesse feito um milagre: eu nascer e curar minha mãe. Então, sim: eu teria pertencido a meu pai e a minha mãe. Eu nem podia confiar a alguém essa espécie de *solidão de não pertencer* porque, como desertor, eu tinha o segredo da fuga que por vergonha não podia ser conhecido.

A vida me fez de vez em quando pertencer, como se fosse para me dar a medida do que eu perco não pertencendo. E então eu soube: *pertencer é viver*. Experimentei-o com a sede de quem está no deserto e bebe sôfrego os últimos goles de água de um cantil. E depois a sede volta e é no deserto mesmo que caminho.

✦ ✦ ✦

AINDA SEM RESPOSTA

Não sei mais escrever, perdi o jeito. Mas já vi muita coisa no mundo. Uma delas, e não das menos dolorosas, é ter visto bocas se abrirem para dizer ou talvez apenas balbuciar, e simplesmente não conseguirem. Então eu quereria às vezes dizer o que elas não puderam falar. Não sei mais escrever, porém o fato literário tornou-se aos poucos tão desimportante para mim que não saber escrever talvez seja exatamente o que me salvará da literatura.

O que é que se tornou importante para mim? No entanto, o que quer que seja, é através de literatura que poderá talvez se manifestar.

UMA EXPERIÊNCIA

Talvez seja uma das experiências humanas e animais mais importantes. A de pedir socorro e, por pura bondade e compreensão do outro, o socorro ser dado. Talvez valha a pena ter nascido para que um dia mudamente se implore e mudamente se receba. Eu já pedi socorro. E não me foi negado.

Senti-me então como se eu fosse um tigre perigoso com uma flecha cravada na carne, e que estivesse rondando devagar as pessoas medrosas para descobrir quem lhe tiraria a dor. E então uma pessoa tivesse sentido que um tigre ferido é apenas tão perigoso como uma criança. E aproximando-se da fera, sem medo de tocá-la, tivesse arrancado com cuidado a flecha fincada.

E o tigre? Não, certas coisas nem pessoas nem animais podem agradecer. Então eu, o tigre, dei umas voltas vagarosas em frente à pessoa, hesitei, lambi uma das patas e depois, como não é a palavra o que tem importância, afastei-me silenciosamente.

SER CRONISTA

Sei que não sou, mas tenho meditado ligeiramente no assunto. Na verdade eu deveria conversar a respeito com Rubem Braga, que foi o inventor da crônica. Mas quero ver se consigo tatear sozinha no assunto e ver se chego a entender.

Crônica é um relato? É uma conversa? é o resumo de um estado de espírito? Não sei, pois antes de começar a escrever para o *Jornal do Brasil*, eu só tinha escrito romances e contos. Quando combinei com o jornal escrever aqui aos sábados, logo em seguida morri de medo. Um amigo que tem voz forte, convincente e carinhosa, praticamente intimou-me a não ter medo. Disse: escreva qualquer coisa que lhe passe pela cabeça, mesmo tolice, porque coisas sérias você já escreveu, e todos os seus leitores hão de entender que sua crônica semanal é um modo honesto de ganhar dinheiro. No entanto, por uma questão de honestidade para com o jornal, que é bom, eu não quis escrever tolices. As que escrevi, e imagino quantas, foi sem perceber.

E também sem perceber, à medida que escrevia para aqui, ia me tornando pessoal demais, correndo o risco daqui em breve de publicar minha vida passada e presente, o que não pretendo. Outra coisa notei: basta eu saber que estou escrevendo para jornal, isto é, para algo aberto facilmente por todo o mundo, e não para um livro, que só é aberto por quem realmente quer, para que, sem mesmo sentir, o modo de escrever se transforme. Não é que me desagrade mudar, pelo contrário. Mas queria que fossem mudanças mais profundas e interiores que então viessem a se refletir no escrever. Mas mudar só porque isto é uma coluna ou uma crônica? Ser mais *leve* só porque o leitor assim o quer? Divertir? fazer passar uns minutos de leitura? E outra coisa: nos meus livros quero profundamente a comunicação profunda comigo e com o leitor. Aqui no jornal apenas falo com o leitor e agrada-me que ele fique agradado. Vou dizer a verdade: não estou contente. E acho mesmo que vou ter uma conversa com Rubem Braga porque sozinha não consegui entender.

✦ ✦ ✦

CORRESPONDÊNCIA

Desculpem todos vocês aos quais não respondi porque não sei onde guardei as cartas: vivo perdendo coisas dentro de casa mesmo. Mas um dia acho e respondo. – F.N.M., você é uma raposa astuciosa, mas deixou o rabo aparecer mesmo para uma pessoa distraída como eu. Suas iniciais devem ser falsas também; acredito que você seja mulher de diplomata, pelo número de diplomatas que você cita. Você toma um ar de falsa piedade e me diz que soube que a depressão em que eu andei foi causada pelo casamento de meu ex-marido. Guarde, minha senhora, a piedade para si própria, que não tem o que fazer. E se quer a verdade, coisa pela qual a senhora não esperava, ei-la: quando me separei de meu marido, ele esperou pela minha volta mais de sete anos. Quando ele se casou, e bem casado, foi um grande alívio para mim, se é que a senhora compreende essas coisas: foi um *alívio* e uma *alegria* porque eu o sabia bem acompanhado e não mais sozinho, e, *portanto, eu não me sentia mais culpada.* Continuo amiga da família de meu ex-marido, falo com ele e com sua nova esposa muito cordialmente. Perdoe, Madame F.N.M., eu destruir o romance que a senhora construiu. Mas eu lhe dou o material para a senhora inventar outro: realmente passei por um período de depressão e, não só não me interessa contar-lhe o motivo, como não quero. Está bem, meu benzinho?

Maria Ester Mussoi: você demonstra talento ao escrever (por favor não me mandem manuscritos porque não gosto de lê-los). De Maria Ester: "O teu fim soou, quando mataste Kennedy, o maior César que tiveste; quando teus legionários fizeram de um Vietnã um campo de sangue e de morte; mas principalmente agora, falsa civilizada, quando tiraste a um pacífico negro, o direito de viver e dizer." Sua crônica também é boa. Mas eu queria dizer a você e a todos que estão começando a escrever que, para não respeitar as regras gramaticais, é essencial conhecê-las – senão é simples erro e ignorância. É sim, criar é complicado. Mas vale a pena.

Fundação Casa do Estudante do Brasil: perdoem eu não ter ido ao recital do Coral e da Orquestra de Câmara da Escola de Aeronáutica: recebi o convite atrasado e já tinha passado a data.

José Antônio: "... ainda não sou puro para compreender as pessoas puras como você." Não sou tão pura assim, José Antônio, sou uma pessoa como as outras. Você continua: "O que eu queria era dizer o que é Clarice. Clarice que é uma Clarice pessoal, mas o que é mais válido..." Não procure adivinhar quem eu sou: eu mesma até hoje não adivinhei.

Padre Armindo Trevisan, de Santa Maria, Rio Grande do Sul: "Dias atrás, li um *diálogo possível*, com Clarice Lispector, que *Manchete* está publicando... aceite meus parabéns. Por favor, continue!" Continuarei, mas essas reportagens não dependem só de mim, dependem do dono e do diretor da revista.

Não posso, infelizmente, jantar com você, F.M. Seria o começo de um mau hábito. Mas agradeço o convite.

"Lendo o *Jornal do Brasil*, já em data passada, pois recorto suas crônicas, tentei analisar uma delas, "O grito". Gostei de seu grito, é um grito tão forte que despertei. Não sei se o entendi completamente, mas despertei. Senti-me leve em suas expressões tão humanas, parecendo tão livres. *Talvez seja o grito de que a juventude precisa, um grito de liberdade*" (Élcio Ferreira dos Santos). *Os estudantes estão gritando em todas as partes do mundo, Élcio. E eu grito com eles.*

Hilca, seu telefone não responde, não posso assim ajudá-la na grave crise pela qual você está passando. Telefone para mim.

De Lima, Peru, datado de 24 de maio último, mas a assinatura é ilegível. Fiquei contente de ver você fazer um poema baseado numa crônica minha. É assim:

> Aqui
> não é café é *tê*
> não tem açúcar, tem jasmim
> E lá fora não há mar,

apenas uma névoa muito grande
que nos cerca, nos agarra...
E é também dentro desta escuridão,
que me sinto triste,
sem remédio
"mediocridade de viver"
Se outras intenções não tinha, para alguém serviu
seu escrito. Grato.

De Célio Avancini, Campinas, estado de São Paulo. "Dia de muito sol e uma vontade forte, muito forte, de amar e conversar, de ser amigo, amante, amado de pessoas como você, Clarice. Amparo de minhas noites, Clarice: Foi maior a ansiedade, sinto muito. Imagino a quantidade de pessoas que se socorrem em seu regaço, dentro de suas palavras, no fundo de suas mãos, e imagino ainda a paciência que deve ter para suportar tanto peso em seus ombros, pois que tudo isso, é certo, pesa mais 'que a mão de uma criança'. Mas eu já disse, a ansiedade foi maior, e eis-me lançando a provável ponte construída bem dentro de mim, na travessia das madrugadas, quando o calor nascia de seus livros, de sua compreensão do mundo, das maravilhas de que é capaz. Muito obrigado, Clarice, pelas coisas que consegue escrever. Hoje eu represento o papel muito conhecido do jovem escritor que procura o grande para mostrar suas experiências, seus trabalhos abandonados no fundo das gavetas, sua tristeza de não poder dar à luz as coisas paridas em silêncio, no mutismo das noites solitárias. É isto também Clarice: quero que você leia os meus trabalhos, tenho necessidade disso, você foi eleita entre todos para suportar minha investida e o cheiro de meu coração. Seria pedir demais? Sinceramente, acho que talvez seja (é mais provável), mas já se tornou inevitável o pedido, a carta nasceu, minha responsabilidade é quase nula, você é um gigante e não tenho culpa." – Avancini, por Deus que não sei por que vou fazer uma exceção: mande-me algum trabalho seu e verei se posso encaminhá-lo a alguma editora.

Vocês todos que não tiveram a oportunidade de participar da passeata de quarta-feira, dia 26, não sabem o que perderam como espetáculo de amor, fé e solidariedade humana, e protesto profundo. Nós, que fizemos parte da ala dos intelectuais, estávamos unidos à dos artistas e sobretudo à dos estudantes. E honramos a palavra que demos ao governador Negrão de Lima: foi uma passeata pacífica que clamava pelos direitos do povo, mas respeitosamente.

Especial para A. (Rio) – Você que tem nome de flor me ensina tantas coisas lindas e me manda as coisas lindas que você ensina. Sei agora o que é bromélia, e está, como você mandou, mergulhada na água, à espera que a flor se abra. As estrelitzas ou estrelícias que você me mandou parecem uma mistura de galo, flor, passarinho e estrelinhas de São João. Custei tanto a me separar delas que, mortas, continuavam com seu depois frágil grito de galo. Até que a empregada jogou-as fora. E você me prometeu prímula: planta ou tubérculo tão bem ensinado por Deus que fica quieta o ano inteiro e no exato primeiro dia da primavera se abre em flor. No dia 22 de setembro ficarei de vigia. No próximo sábado continuarei a correspondência.

✦ ✦ ✦

A DESCOBERTA DO MUNDO

O que eu quero contar é tão delicado quanto a própria vida. E eu quereria poder usar a delicadeza que também tenho em mim, ao lado da grossura de camponesa que é o que me salva.

Quando criança, e depois adolescente, fui precoce em muitas coisas. Em sentir um ambiente, por exemplo, em apreender a atmosfera íntima de uma pessoa. Por outro lado, longe de precoce, estava em incrível atraso em relação a outras coisas importantes. Continuo aliás atrasada em muitos terrenos. Nada posso fazer: parece que há em mim um lado infantil que não cresce jamais.

Até mais que treze anos, por exemplo, eu estava em atraso quanto ao que os americanos chamam de fatos da vida. Essa expressão se refere à relação profunda de amor entre um homem e uma mulher, da qual nascem os filhos. Ou será que eu adivinhava, mas turvava minha possibilidade de lucidez para poder, sem me escandalizar comigo mesma, continuar em inocência a me enfeitar para os meninos? Enfeitar-me aos onze anos de idade consistia em lavar o rosto tantas vezes até que a pele esticada brilhasse. Eu me sentia pronta, então. Seria minha ignorância um modo sonso e inconsciente de me manter ingênua para poder continuar, sem culpa, a pensar nos meninos? Acredito que sim. Porque eu sempre soube de coisas que nem eu mesma sei que sei.

As minhas colegas de ginásio sabiam de tudo e inclusive contavam anedotas a respeito. Eu não entendia, mas fingia compreender para que elas não me desprezassem e à minha ignorância.

Enquanto isso, sem saber da realidade, continuava por puro instinto a flertar com os meninos que me agradavam, a pensar neles. Meu instinto precedera a minha inteligência.

Até que um dia, já passados os treze anos, como se só então eu me sentisse madura para receber alguma realidade que me chocasse, contei a uma amiga íntima o meu segredo: que eu era ignorante e fingira de sabida. Ela mal acreditou, tão bem eu havia antes fingido. Mas terminou sentindo minha sinceridade e ela própria encarregou-se ali mesmo na esquina de me esclarecer o mistério da vida. Só que também ela era uma menina e não soube falar de um modo que não ferisse a minha sensibilidade de então. Fiquei paralisada olhando para ela, misturando perplexidade, terror, indignação, inocência mortalmente ferida. Mentalmente eu gaguejava: mas por quê? mas para quê? O choque foi tão grande – e por uns meses traumatizante – que ali mesmo na esquina jurei alto que nunca iria me casar.

Embora meses depois esquecesse o juramento e continuasse com meus pequenos namoros.

Depois, com o decorrer de mais tempo, em vez de me sentir escandalizada pelo modo como uma mulher e um homem se unem, passei a achar esse modo de uma grande perfeição. E também de grande delicadeza. Já então eu me transformara numa mocinha alta, pensativa, rebelde, tudo misturado a bastante selvageria e muita timidez.

Antes de me reconciliar com o processo da vida, no entanto, sofri muito, o que poderia ter sido evitado se um adulto responsável se tivesse encarregado de me contar como era o amor. Esse adulto saberia como lidar com uma alma infantil sem martirizá-la com a surpresa, sem obrigá-la a ter toda sozinha que se refazer para de novo aceitar a vida e os seus mistérios.

Porque o mais surpreendente é que, mesmo depois de saber de tudo, o mistério continuou intacto. Embora eu saiba que de uma planta brota uma flor, continuo surpreendida com os caminhos secretos da natureza. E se continuo até hoje com pudor não é porque ache vergonhoso, é pudor apenas feminino.

Pois juro que a vida é bonita.

✦ ✦ ✦

CÉREBRO ELETRÔNICO: O QUE SEI É QUE É TÃO POUCO

Decididamente estou precisando ir ao médico e pedir um remédio contra a falta de memória. Ou melhor, uma amiga já me deu dois vidros de umas pílulas vermelhas contra a falta de memória mas exatamente é minha falta de memória que me faz esquecer de tomá-las. Isso parece velha anedota, mas é a verdade.

Tudo isso vem a propósito de eu simplesmente não me lembrar quem me explicou sobre o cérebro eletrônico. E mais: tenho em mãos agora mesmo uma fita de papel cheia de buraquinhos retangulares e essa fita é exatamente a da memória do cérebro eletrônico. Cérebro eletrônico: a máquina computadora poupa gente. Os dados da pessoa ou do fato são *registrados* na linguagem do computador (furos em cartões ou fitas). Daí vão para a *memória*: que é outro órgão computador (outra máquina) onde os dados ficam guardados até serem pedidos.

Partindo deste princípio, chegamos ao definidor eletrônico: a partir de um desenho feito num papel *magnético* a máquina (ou o *cérebro*) pode reproduzir em matéria o desenho. Isto é: entra o desenho e sai o objeto (cibernética etc.) Há a experiência plástica, visual e também literária da *reprodução* (número e qualidade). A sensação é de apoio para o homem. Compensação do erro. Há possibilidade de você lidar com uma máquina e seus sensores como a gente gostaria de lidar com o nosso cérebro (e nossos sensores), fora da gente mesmo e numa função perfeita.

Bem. Acabo de dizer tudo, mas mesmo tudo, o que sei a respeito do cérebro eletrônico. Devo inclusive ter cometido vários erros, sem falar nas lacunas que, se fossem preenchidas, esclareceriam melhor o problema todo.

Peço a quem de direito que me escreva explicando melhor o cérebro eletrônico em funcionamento. Mas peço que use termos tão *leigos* quanto possível, não só para que eu entenda, como para que eu possa transmiti-los com relativo sucesso aos meus leitores.

Quando penso que cheguei a falar no mistério, que continua mistério, do cérebro eletrônico, só posso dizer como a gente dizia lá em Recife: Virgem Maria!...

Mas o amor é mais misterioso do que o cérebro eletrônico e no entanto já ousei falar de amor. É timidamente, é audaciosamente, que ouso falar sobre o mundo.

O MEU PRÓPRIO MISTÉRIO

Sou tão misteriosa que não me entendo.

A OPINIÃO DE UM ANALISTA SOBRE MIM

Por coincidência, tive e tenho amigas que são ou foram analisadas pelo Dr. Lourival Coimbra, psicanalista do grupo de Melanie Klein. As conhecidas e amigas me contaram que falaram de mim a ele. E imagino como Dr. Lourival deve estar farto de ouvir meu nome. Há dias uma das analisadas por ele esteve aqui em casa e resolvi, como compensação ao desgaste dos ouvidos do analista sobre mim, enviar-lhe um livro meu de contos, *Laços de família*. Na dedicatória pedi desculpas pela minha letra que não está boa desde que minha mão direita sofreu o incêndio.

Dias depois a moça apareceu em casa para tomar um café comigo e perguntei-lhe se havia entregue o livro a Dr. Lourival. Ela disse que sim e que, ao ler a dedicatória, ele fizera um comentário. Fiquei curiosa, quis saber o que ele dissera. E fiquei sabendo que, ao ler a dedicatória, Dr. Lourival tinha dito: "Clarice dá tanto aos outros, e no entanto pede licença para existir."

Sim, Dr. Lourival. Peço humildemente para existir, imploro humildemente uma alegria, uma ação de graça, peço que me permitam viver com menos sofrimento, peço para não ser tão experimentada pelas experiências ásperas, peço a homens e mulheres que me considerem um ser humano digno de algum amor e de algum respeito. Peço a bênção da vida.

✦ ✦ ✦

O ARRANJO

Ela era cria da casa-grande, desde menina. Distraía-se e divertia-se com qualquer coisa, sem sorrir: não era alegre. Andava de corpo solto, boca aberta, olhos redondos. Quando a dona da casa estava irada, chamava-a de débil mental. Diziam que qualquer homem a teria, se quisesse. Ela não ficava contente, mas grávida. Então os patrões, realmente cansados de distribuir por famílias os seus filhos, a injuriavam. Não usavam violência porque por princípio não eram violentos. Mas se ela almoçava, diziam: é claro, a fome duplicou. Se não almoçava, diziam: é claro, perdeu o apetite. Mandavam-na trabalhar com ironia: "mas não vá ter antes do tempo! já arrumamos com que família esse aí vai ficar!" Ela não se ofendia. O corpo crescia, e ela ficava cada vez mais amarela sob a cor de mulata quase branca. O que os patrões não perdoavam é que dessa vez tivesse acontecido com um "negro sujo", como se eles tivessem para ela planos de um homem menos negro e mais limpo. Às vezes, quando ela passava com a bandeja na mão, olhavam-na com curiosidade e diziam em tom velado por causa dos netos presentes: logo um negro sujo. Um dia pareceu compreender melhor e disse muito alto: mas foram só três vezes! As crianças exultaram felizes, o pai, a mãe e os avós caíram em cólera pela pouca vergonha, expulsaram-na da sala – ainda por cima tropeçou no tapete e caiu sobre a bandeja. Mas não era escrava, como a outra cria da casa. A outra cria da casa de Laranjeiras tornara-se uma mulher perfeita para cuidar das roupas e das crianças, uma verdadeira escrava. Mas ela não era escrava: vivia independente deles e dava à luz os seus próprios filhos, distribuídos depois como gatos, amarelados como a mãe.

Dois anos depois encontrei-a na rua e ela me disse com modéstia e recato que vivia com um português. "Estou agora mesmo esperando por ele, marquei encontro", me disse encostada no poste. Ele afinal apareceu na curva da esquina: velho, e era por isso que ela não estava grávida, gordo, trôpego. "Ele é muito bom para mim", disse, como se explicasse tudo. Ele se manteve a curta distância, ouviu a frase, e abaixou os olhos, escondendo nunca se saberá o quê.

DE UMA CONFERÊNCIA NO TEXAS

Quando fui convidada, com outros sul-americanos, a dar uma conferência na Universidade do Texas, escrevia-a como pude, explicando antes que eu não fora a pessoa mais indicada para a tarefa de falar sobre literatura: "... além do fato de eu não ter tendência para a erudição e para o paciente trabalho da análise literária e da observação específica – acontece que, por circunstâncias sobretudo internas, não posso dizer que tenha acompanhado de perto a efervescência dos movimentos que surgiram e das experiências que se tentaram, quer no Brasil como fora do Brasil; nunca tive, enfim, o que se chama verdadeiramente de vida intelectual. Pior ainda: embora sem essa vida intelectual, eu pelo menos poderia ter tido o hábito ou gosto de pensar sobre o fenômeno literário, mas também isso não fez parte de meu caminho. Apesar de ocupada com escrever desde que me conheço, infelizmente faltou-me também encarar a literatura de fora para dentro, isto é, como uma abstração. Literatura para mim é o modo como os outros chamam o que nós fazemos. E pensar agora em termos de literatura está sendo para mim uma experiência nova, não sei ainda se proveitosa. De início pareceu-me desagradável: seria, por assim dizer, como uma pessoa referir-se a si própria como sendo Antônio ou Maria. Depois a experiência revelou-se menos má: chamar-se a si mesmo pelo nome que os outros nos dão soa como uma convocação de alistamento. Do momento em que eu mesma me chamei, senti-me com algum encanto inesperadamente alistada. Alistada, sim, mas bastante confusa.

"Não pude deixar de usar essa oportunidade de escrever a breve conferência para uma experiência pessoal que me faltava, além de todas as outras. O que, espero, não chegará a prejudicar o que tenho a dizer sobre literatura brasileira. Nada impede, suponho, que esta pequena tentativa de exposição me dê proveito e gosto: alguém pelo menos terá que se beneficiar. Lamento, já que me falta a autoridade necessária para mais do que tentar analisar ligeiramente alguns escritores brasileiros, lamento mas acho que, fora as informações, a vantagem será quase que exclusivamente minha. O que estarei fazendo nessa rápida conferência é, além do lado informativo, o que se chama de 'abrir uma porta aberta'. Só que para mim era fechada…"

EM BUSCA DO OUTRO

Não é à toa que entendo os que buscam caminho. Como busquei arduamente o meu! E como hoje busco com sofreguidão e aspereza o meu melhor modo de ser, o meu atalho, já que não ouso mais falar em caminho. Eu que tinha querido. O Caminho, com letra maiúscula, hoje me agarro ferozmente à procura de um modo de andar, de um passo certo. Mas o atalho com sombras refrescantes e reflexo de luz entre as árvores, o atalho onde eu seja finalmente eu, isso não encontrei. Mas sei de uma coisa: meu caminho não sou eu, é outro, é os outros. Quando eu puder sentir plenamente o outro estarei salva e pensarei: eis o meu porto de chegada.

✦ ✦ ✦

COMO TRATAR O QUE SE TEM

Existe um ser que mora dentro de mim como se fosse casa sua, e é. Trata-se de um cavalo preto e lustroso que apesar de inteiramente selvagem – pois nunca morou em ninguém nem jamais lhe puseram rédeas nem sela – apesar de inteiramente selvagem tem por isso mesmo uma doçura primeira de quem não tem medo: come às vezes na minha mão. Seu focinho é úmido e fresco. Eu beijo o seu focinho. Quando eu morrer, o cavalo preto ficará sem casa e vai sofrer muito. A menos que ele escolha outra casa que não tenha medo do que é ao mesmo tempo selvagem e suave. Aviso que ele não tem nome: basta chamá-lo e se acerta com seu nome. Ou não se acerta, mas uma vez chamado com doçura e autoridade ele vai. Se ele fareja e sente que um corpo é livre, ele trota sem ruídos e vai. Aviso também que não se deve temer o seu relinchar: a gente se engana e pensa que é a gente mesmo que está relinchando de prazer ou de cólera.

DESAFIO AOS ANALISTAS

Sonhei que um peixe tirava a roupa e ficava nu.

PALAVRAS DE UMA AMIGA

"Fortifica o que de melhor tiveres em ti. Não prestes atenção à opinião alheia. Faze de ti mesma e de teu próprio *Eu* o teu mestre. Quando ele estiver bastante fortalecido, despertará e coisas jamais sonhadas te serão *reveladas*."

O SUÉTER

Aconteceu-me ganhar um suéter. Até aí tudo parece simples. Mas não é.

Quem me mandou o suéter foi uma moça que não conheço. Sei por intermédio de um amigo comum, que a moça desenha extraordinariamente bem. Mora em São Paulo. Quando esteve no Rio almoçou com nosso amigo. Estava com um suéter tão bonito que meu amigo achou que ficaria bem em mim e encomendou um exatamente igual ao dela. Aconteceu, porém, que a moça é minha leitora – ou estou enganada? – e quando soube para quem era o presente fez questão de ser ela própria a dá-lo a mim. O amigo aceitou.

E eis-me dona de repente do suéter mais bonito que os homens da terra já criaram. É de um vermelho-luz e parece captar tudo o que é bom para ele e para mim. Esta é a sua alma: a cor. Estou escrevendo antes de sair de casa, e com o suéter. Aliada à sua cor de flama e chama, ele me foi dado com tanto carinho que me envolve toda e tira qualquer frio de quem se sinta solitária. É uma carícia de grande amizade. Hoje vou sair com ele pela primeira vez. Está ligeiramente justo demais, porém é possível que assim deva ser: admitindo como gloriosa a condição feminina. Terminada esta nota vou-me perfumar com um perfume que é meu segredo: gosto das coisas secretas. E estarei pronta para enfrentar o frio não só o real como os outros.

Sou uma mulher a mais.

O EMBAIXADOR ESCRITOR

Quem esperar que o embaixador Henrique Vale tenha escrito um livro de experiências como embaixador do Brasil na Rússia ou em outros países estará completamente enganado. Trata-se de um embaixador muito carioca, com quem se pode também falar na gíria, embora não a use para escrever, a menos que seja o caso. Henrique Vale no seu *Sete histórias curtas e uma não tanto* – título já por si uma amostra das histórias – tem uma sensibilidade para cada tipo de personagem. São contos que se leem com gosto porque são não apenas bem escritos como têm, para quem conhece Henrique, a vivacidade pessoal do autor: "Segunda Guerra Mundial", "Conto contado pra vizinha", "Minha mãe doente", "Morceau Choisi", "Noite sem céu", "O assassinato do suicídio", "A mão de Deus e o dedo do Diabo", "Conversa de boate" – são todos de boa qualidade e continuo a não entender por que Henrique só agora resolveu publicá-los. Tem contos ali que prefiro mas não vou dizer quais para não influenciar o leitor.

◆ ◆ ◆

MORTE DE UMA BALEIA

Em minutos espalhara-se a notícia: uma baleia no Leme e outra no Leblon haviam surgido na arrebentação de onde tinham tentado sair sem no entanto poder voltar. Eram descomunais apesar de apenas filhotes. Todos foram ver. Eu não fui: corria o boato de que ela agonizava já há oito horas e que até atirar nela haviam atirado mas ela continuava agonizando e sem morrer.

Senti um horror diante do que contavam e que talvez não fossem estritamente os fatos reais, mas a lenda já estava formada em torno do extraordinário que enfim, enfim! acontecia, pois por pura sede de vida melhor estamos sempre à espera do extraordinário que talvez nos salve de uma vida contida. Se fosse um homem que estivesse agonizando na praia durante oito horas nós o santificaríamos, tanto precisamos de crer no que é impossível.

Não, não fui vê-la: detesto a morte. Deus, o que nos prometeis em troca de morrer? Pois o céu e o inferno nós já os conhecemos – cada um de nós em segredo quase de sonho já viveu um pouco do próprio apocalipse. E a própria morte.

Fora das vezes em que quase morri para sempre, quantas vezes num silêncio humano – que é o mais grave de todos do reino animal –, quantas vezes num silêncio humano minha alma agonizando esperava por uma morte que não vinha. E como escárnio, por ser o contrário do martírio em que minha alma sangrava, era quando o corpo mais florescia. Como se meu corpo precisasse dar ao mundo uma prova contrária de minha morte interna para esta ser mais secreta ainda. Morri de muitas mortes e mantê-las-ei em segredo até que a morte do corpo venha, e alguém, adivinhando, diga: esta, esta viveu.

Porque aquele que mais experimenta o martírio é dele que se poderá dizer: este, sim, este viveu.

O mais estranho é que todas as vezes em que era só o corpo que estava à morte, a alma o desconhecia: da última vez em que meu corpo quase morreu, ignorando o que sucedia, tinha uma espécie de rara alegria como se ela estivesse enfim liberta enquanto o corpo doía como o Inferno. Uma das vezes, só depois que passou é que me disseram: eu havia estado três dias entre vida e morte, e nada garantiam os médicos, senão que tudo tentariam. E eu tão inocente do que estava acontecendo que estranhava não permitirem visitas. Mas eu quero visitas, dizia, elas me distraem da dor terrível. E todos os que não obedeceram à placa "Silêncio", todos foram recebidos por mim, gemendo de dor, como numa festa: eu tinha-me tornado falante e minha voz era clara: minha alma florescia como um áspero cáctus. Até que o médico, realmente muito zangado e num tom definitivo, disse-me: mais uma só visita e lhe darei alta no estado mesmo em que você está. "O estado em que eu estava" eu o desconhecia, nunca nesses dias notei que estava no limiar da morte. Parece-me que eu vagamente sentia que, enquanto sofresse fisicamente de um modo tão insuportável, isso seria a prova de estar vivendo ao máximo.

Lembro-me agora de uma vez que ao olhar um pôr do sol interminável e escarlate também eu agonizei com ele lentamente e morri, e a noite veio para mim cobrindo-me de mistério, de insônia clarividente e, finalmente por cansaço, sucumbindo num sono que completava a minha morte. E quando acordei, surpreendi-me docemente. Nos primeiros ínfimos instantes de acordada pensei: então quando se está morta se conserva a consciência? Até que o corpo habituado a mover-se automaticamente me fez fazer um gesto muito meu: o de passar a mão pelos cabelos. Então num susto percebi que meu corpo e minha alma tinham sobrevivido. Tudo isto – a certeza de estar morta e a descoberta de que eu estava viva – tudo isto não durou, creio, mais que dois ínfimos segundos ou talvez menos ainda. Mas que de hoje em diante todos saibam através de mim que não estou mentindo: em menos de dois segundos podem-se viver uma vida e uma morte e uma vida de novo. Esses dois ínfimos segundos como forma de contar toscamente o tempo devem ser a diferença entre o ser humano e o animal: assim como Deus talvez conte o tempo em frações de século dos séculos: cada século um instante. Quem sabe se Deus conta a nossa vida em termos de dois segundos: um para nascer e outro para morrer. E o intervalo, meu Deus, talvez seja a maior criação do Homem: a vida, uma vida. Lembro-me de um amigo que há poucos dias citou o que um dos apóstolos disse de nós: vós sois deuses.

Sim, juro que somos deuses. Porque eu também já morri de alegria muitas vezes na minha vida. E quando passava essa espécie de gloriosa e suave morte, eu me surpreendia de que o mundo continuasse ao meu redor, de que houvesse uma disciplina para cada coisa, e de que eu mesma, a começar por mim, tinha o meu nome e já entrara na rotina: pensara que o tempo tinha parado e os homens subitamente se tinham imobilizado no meio do gesto que estivessem executando – enquanto eu vivera a morte por alegria.

Não fui ver a baleia que estava a bem dizer à porta de minha casa a morrer. Morte, eu te odeio.

Enquanto isso as notícias misturadas com lendas corriam pela cidade do Leme. Uns diziam que a baleia do Leblon ainda não morrera mas que sua carne retalhada em vida era vendida por quilos pois carne de baleia era ótimo de se comer, e era barato, era isso que corria pela cidade do Leme. E eu pensei:

maldito seja aquele que a comerá por curiosidade, só perdoarei quem tem fome, aquela fome antiga dos pobres.

Outros, no limiar do horror, contavam que também a baleia do Leme, embora ainda viva e arfante, tinha seus quilos cortados para serem vendidos. Como acreditar que não se espera nem a morte para um ser comer outro ser? Não quero acreditar que alguém desrespeite tanto a vida e a morte, nossa criação humana, e que coma vorazmente, só por ser uma iguaria, aquilo que ainda agoniza, só porque é mais barato, só porque a fome humana é grande, só porque na verdade somos tão ferozes como um animal feroz, só porque queremos comer daquela montanha de inocência que é uma baleia, assim como comemos a inocência cantante de um pássaro. Eu ia dizer agora com horror: a viver desse modo, prefiro a morte.

E exatamente não é verdade. Sou uma feroz entre os ferozes seres humanos – nós, os macacos de nós mesmos, nós, os macacos que idealizaram tornarem-se homens, e esta é também a nossa grandeza. Nunca atingiremos em nós o ser humano: a busca e o esforço serão permanentes. E quem atinge o quase impossível estágio de Ser Humano, é justo que seja santificado.

Porque desistir de nossa animalidade é um sacrifício.

✦ ✦ ✦

A PERSEGUIDA FELIZ

Pois não é que ela fora uma das colegas escolhidas! A classe do ginásio misturava mocinhas e rapazes. Quando depois lembrava-se deles, era como num instantâneo fotográfico batido e depois imediatamente imobilizado. E esse instantâneo, apesar de nele todos estarem rígidos e bem-comportados, parecia-lhe a súbita imobilidade de uma briga física, onde se enovelavam perna de menino com braço de mocinha, formando um vívido monstro masculino e feminino que ela digeria em devaneios durante as aulas da guerra do Paraguai. Guerra da qual possivelmente nunca se refizera, pois quando pensava no ginásio vinham-lhe de imediato trombetas do Paraguai.

Pois não é que ela fora uma das colegas escolhidas pelo escritor anônimo? E onde é que este escolhera escrever? Nas pranchetas da sala de desenho. Nessa escola, onde a desorganização imperava, havia entretanto o privilégio de sala especial para desenho e sala especial para química. Na de desenho geométrico cada um dos alunos tinha diante da cadeira uma larga prancheta móvel.

Houve evidentemente a primeira vez.

Ao sentar-se em frente à prancheta, descobriu-a, logo ao primeiro olhar, coberta dos mais miúdos hieróglifos: desenhos e palavras, tudo em tipo apertado e nítido, tudo com ar organizado. Antes mesmo de entender, soubera com um choque: eram insultos de amor. Antes mesmo de entender os desenhos e as minúcias simbólicas, já empalidecera. Empalidecera de curiosidade, de surpresa? Quanto aos escritos, ela quase não compreendia, tanto a terminologia era técnica e especializada, quase técnica de outro país, compilação laboriosa de um espírito analítico.

Depois, sem intervalo de espanto, só com intervalo de dois dias, houve a segunda vez. A terceira. A quarta.

A mais velha das meninas foi quem abriu o jogo e revelou a todas que tinha uma prancheta *especial*. Então a segunda atingida brandiu a sua prancheta. A terceira menina não se lembra mais do que disse e como disse. Só se sabia que alguém, ou uma máfia de alguns, as visava. Duas visadas eram morenas; a terceira era loura, com o desalento de ser loura, o que lhe parecia significar, como material de capacidades, ser nula nessas capacidades. Loura, pensava, era uma coisa infelizmente para o divino, tanto que as fadas e os anjos eram louros. Que lhe reservava o destino senão suas indecisões? Sua alma bem lhe parecia morena, mas quem descobriria sob aquela aparência o dourado violento? No entanto um menino ou uma máfia de meninos...

Teve vergonha de, já no terceiro ano de ginásio, não entender a tecnocracia de uma vida que – ei-la de súbito mecanizada na prancheta. Adivinhar ela adivinhava, mas era só, e isso não bastava. Se ao menos fosse angelical. Mas só o que lhe faltava mesmo era essa coisa lenta e progressiva, a cultura especializada em sexo.

Mentiu para as outras dizendo que entendera tudo. Inútil dizer a verdade. Ninguém acreditaria que ela, já tão construída e alta, não entendesse. Não entendia, embora suprisse a ignorância com sólidos sonhos confusos que eram o seu esteio secreto.

A indignação das três meninas foi ardente. "Como é que tinham tido coragem!" Era só isso que repetiam, sem nenhum outro argumento. A loura, quem sabe se por ser mais sonsa, não sugeriu medida prática nenhuma, enquanto as outras duas, embora sem plano formado, se preparavam para agir. As três pareciam três escoteiras ou bandeirantes que tivessem sido interrompidas no Caminho do Bem, e agora se tivessem transformado em três detetives tontas: qual dos meninos ou rapazes teria sido o acusado? Perscrutavam cada um deles, mas esses olhares insistentes não eram provocantes porque elas estavam imbuídas do direito de... de que mesmo? Pois não é que não se lembravam mais de que direito estavam imbuídas?

Mas a cara dos colegas era inescrutável. E pelo contrário: assim examinados, nunca se viu tanta cara inocente chupando bala ou fumando escondido.

A aula de desenho geométrico era duas vezes por semana. Como tardava o dia de entrar na sala e poder olhar a prancheta onde os caracteres anteriores sempre tinham sido apagados para dar lugar aos novos, que não passavam de variantes dos primeiros. Tratava-se de um verdadeiro jornal impresso, editorial que dava às três mocinhas as mais terríveis e emocionantes notícias sobre o que as três eram. Eram? Liam avidamente sem escândalo – o escândalo só vinha depois de garantida a leitura toda. Pena mesmo é que de fato nem tudo entendiam, isso humilhava: mas o sentido geral, sim. O sentido geral lhes dava de chofre o mundo nas mãos trêmulas.

Mas o bom não dura. As duas morenas, levadas pela necessidade de dignificação ou por uma tentativa de publicidade maior, tomaram a medida prática, à qual a terceira se juntou muda: foram as três à Secretaria dar queixa. As três graças orgulhosamente desmoralizadas, representantes de um mundo feminil tão amado e vilipendiado. Das três, só duas falaram. A mais velha, mais que namorado, já prometia até noivar tão cedo – "bem que merecia a pranchetada" – meditava a loura – bem que já merecia os horrores que circundam o amor, quase noiva que era.

Pois bem. Bem feito, quem mandou. Não se sabe o que a Secretaria fez. Mas as pranchetadas – nunca mais.

No entanto, embora a coisa tivesse sido abafada pela Secretaria, vieram a saber quem era o escritor das pranchetadas. Ele!? A quem seus pais haviam dado um nome grego. Decerto espartano: pois para ele a mocinha que espartanamente sobrevivesse à severidade e crueza de tal amor, esta seria a única a merecer vivê-lo, ao amor. Nenhuma das três atenienses sobrevivera à prova.

As pranchetadas limpas. Mas nunca, nunca mais? Pois é. O de nome grego tinha uma cara que, por Deus, era bonita. Primeiro, tratava-se de um repetente, bem mais velho do que os outros, e sabia das coisas: ser repetente dava-lhe um ar de indiferença e insolência no modo de andar. Via-se que desprezava todos nós:

parecia um homem entre tolos e tolas. Esse não chupava bala. Tinha rosto escanhoado, de olhos finos à flor da pele, olhar curto, cabelos cortados à militar. Como não adorá-lo com horror? A menina loura não o olhava sequer. Para quê? se já o sabia de cor e com náusea. O espartano, depois de proibido pela Secretaria, tomou um desdenhoso ar de exilado: fizera o que pudera, mas se nós não passávamos do que éramos, pior para nós, ele lavava as mãos. Grande futuro o esperava, ao general.

E foi assim que daí em diante nas pranchetas só esquadros e compassos, só desenho geométrico, nunca mais desenho de *finesse*. Também quem mandou reclamar.

✦ ✦ ✦

OS PERFUMES DA TERRA

Já falei do perfume do jasmim? já falei do cheiro do mar. A terra é perfumada. E eu me perfumo para intensificar o que sou. Por isso não posso usar perfumes que me contrariem. Perfumar-se é uma sabedoria instintiva. E como toda arte, exige algum conhecimento de si própria. Uso um perfume cujo nome não digo: é meu, sou eu. Duas amigas já me perguntaram o nome, eu disse, elas compraram. E deram-me de volta: simplesmente não eram elas. Não digo o nome também por segredo: é bom perfumar-se em segredo.

FAMILIARIDADE

Ando numa fase um pouco perigosa. É que estou estabelecendo contato com as pessoas com tanta facilidade que alguma ainda me acontece. Nesta fase, todo o mundo ou é meu irmão, ou meu filho, ou meu pai e minha mãe. No último domingo estive *em perigo*. Eu tentava pegar um táxi, o que nos domingos é mais difícil pois muita gente que nunca anda de táxi resolve sair do sério e tomar. Não encontrei nenhum no lugar onde geralmente acho com facilidade, e resolvi caminhar até um ponto deles: estava vazio, a rua limpa. Fiquei ali mesmo esperando que algum aparecesse. Depois de muito tempo quem apareceu foi um grupo de pré-adolescentes, de uns 14 anos cada, não mais. As duas mocinhas de saia pelo meio das coxas, um dos meninos de cabelos crescidos até metade do pescoço. Junto de mim pararam, e a conversa deles era insolente e falsamente livre. Pensei: estão esperando táxi, quem vai ganhar são eles, pois sempre me recuso a correr, acho feio correr. Pensamento vai, pensamento vem, resolvi perguntar: "Vocês estão esperando táxi?" Resposta em tom malcriado de um deles: "Estamos." Eu disse: "Mas o primeiro que vier vai ser meu, pois estou aqui há mais tempo que vocês." O menino cabeludo respondeu com o pior tom de voz: "E por que é que eu..." Interrompi-o: "Por causa do que eu já disse, e porque eu podia ser mãe de vocês e não pretendo disputar táxi com um filho meu." Eles ficaram por meio segundo me olhando perplexos, e então o menino respondeu com a voz inteiramente obediente e de súbito como uma criança mesmo: "Sim senhora."

O perigo passara.

DORMIR

O inspetor Maigret tem uma frase assim: *"pour agacer le plaisir de dormir"*, para aguçar o prazer de dormir. Pois inventei uma coisa muito boa nesse sentido: quando estou enfim deitada, depois de um dia difícil, penso: e se agora eu tivesse que ir a Bonsucesso para comprar um remédio? Aí estremeço de prazer de estar na cama. Ou penso: e se a campainha tocasse e fosse uma dessas visitas gordas em palavras, e me obrigasse a me vestir toda e a ouvir, a ouvir, a ouvir? Então, diante disso, a cama fica preciosa, eu me encolho toda e agucei – como traduzir *agacer* – o prazer de ter uma cama.

UMA TARDE FELIZ COMO EMBANDEIRADA

... Que felicidade pura e suave. Tudo nesta tarde estava ameno e leve como a brisa para preparar minha ida à casa de Grauben. Enfeitei-me um pouco: queria estar bonita, imitando de longe a natureza desta tarde. E lá fui eu com dois livros na mão para dedicar à delicadíssima pintora. Depois entendi que deveria ter levado papoulas, as mais lindas e variadas, e se pudesse comprava uma borboleta viva para cheirar as flores.

E Grauben? Ela é a esperança dos que temem a velhice. E o segredo é descobrir em si mesma a possibilidade de uma ação criativa. Grauben tem 78 anos. Ela é *enxutinha*, e tão bonitinha, e mexe-se com gestos hábeis e ágeis, anda com mais leveza do que muita jovem. E seu rosto? É lindo: uma pele sem mancha, a saúde se refletindo naqueles olhos alegres, o rosto cor-de-rosa. Se esta é sua cor, ótimo. Se era um pouquinho de ruge, melhor ainda. Eu que, mesmo sem motivo, sou um pouco melancólica, vi que estava rindo e sorrindo e era a mais límpida homenagem à pintora. Escolhi um quadro que tem tudo da Grauben: um grande pássaro azul entre águia e pavão, uma enorme borboleta, uma flor toda aberta, plantas e todos os pontilhados que ela usa como fundo do quadro e que dão a impressão de uma moita de alegria. Nós duas queríamos nos conhecer mutuamente. Lamento apenas ter provavelmente ar de boba, sorrindo à toa. Sua filha Eunice Catunda é concertista. Passamos para o seu apartamento ao lado e ela tocou para mim. Toda eu era um coração batendo de emoção. Os sons que saíam de seus dedos eram tão puros e sonoros e límpidos. Eu estava séria de prazer. Eunice já tocou como solista no Carnegie Hall e em setembro irá de novo se apresentar na mesma sala de concertos onde só os grandes entram. "Eu me divirto com meus filhos: são tão inteligentes e capazes. Eunice, por exemplo, além dos concertos por tantos lugares do mundo, tem jeito para tudo: se faz pintura, faz ótima, se cozinha a comida é perfeita, ela sabe fazer tudo." Grauben não perde nada deste mundo. Ela é *pra frente*. Sua casa de súbito para mim parece um bosque encantado, úmido, denso, rico com todas as invisíveis folhas verdes e transparentes. E eis-me agora com uma *Grauben* em casa. Quem não tem jamais saberá o que perde. E o preço dos quadros é perfeitamente acessível a um enorme número de pessoas. Grauben me deu uma fotografia sua segurando exatamente o meu quadro. E atrás da fotografia – desculpem, mas a alegria me faz perder por um instante a modéstia objetiva com que vivo – atrás da fotografia escreveu: "À grande Clarice, obrigada por conhecê-la, a desde já grande amiga." Assinado o nome mais deleitoso entre nossas pintoras: Grauben.

✦ ✦ ✦

ESCREVER

Eu disse uma vez que escrever é uma maldição. Não me lembro por que exatamente eu o disse, e com sinceridade. Hoje repito: é uma maldição, mas uma maldição que salva.

Não estou me referindo muito a escrever para jornal. Mas escrever aquilo que eventualmente pode se transformar num conto ou num romance. É uma maldição porque obriga e arrasta como um vício penoso do qual é quase impossível se livrar, pois nada o substitui. E é uma salvação.

Salva a alma presa, salva a pessoa que se sente inútil, salva o dia que se vive e que nunca se entende a menos que se escreva. Escrever é procurar entender, é procurar reproduzir o irreproduzível, é sentir até o último fim o sentimento que permaneceria apenas vago e sufocador. Escrever é também abençoar uma vida que não foi abençoada.

Que pena que só sei escrever quando espontaneamente a "coisa" vem. Fico assim à mercê do tempo. E, entre um verdadeiro escrever e outro, podem-se passar anos.

Lembro-me agora com saudade da dor de escrever livros.

FARTURA E CARÊNCIA

Mas o pior é o súbito cansaço de tudo. Parece uma fartura, parece que já se teve tudo e que não se quer mais nada. Cansaço dos Beatles. E cansaço também daqueles que não os são. Cansaço inclusive de minha liberdade íntima que foi tão duramente conquistada. Cansaço de um amar o outro. Melhor seria o ódio. O que me salvaria dessa impressão de fartura – é fartura ou uma liberdade de que está sendo inútil? – seria a raiva. Não um tipo de raiva amorosa que existe. Mas a raiva simples e violenta. Quanto mais violenta, melhor. Raiva dos que não sabem de nada. Raiva também dos inteligentes do tipo que *dizem coisas*. Raiva do cinema novo, por que não? E do outro cinema também. Raiva da afinidade que sinto com algumas pessoas, como se já não houvesse fartura de mim em mim. E raiva do sucesso? O sucesso é uma gafe, é uma falsa realidade. A raiva me tem salvado a vida. Sem ela o que seria de mim? Como suportaria eu a manchete que saiu um dia no jornal dizendo que 100 crianças morrem no Brasil diariamente de fome? A raiva é a minha revolta mais profunda de ser gente? Ser gente me cansa. E tenho raiva de sentir tanto amor. Há dias que vivo de raiva de viver. Porque a raiva me envivece toda: nunca me senti tão alerta. Bem sei que isso vai passar, e que a carência necessária volta. Então vou querer tudo, tudo! Ah como é bom precisar e ir tendo. Como é bom o instante de precisar que antecede o instante de se ter. Mas ter facilmente, não. Porque essa aparente facilidade cansa. Até escrever está sendo fácil? Por que é que eu escrevia com as entranhas e neste momento estou escrevendo com a ponta dos dedos? É um pecado, bem sei, querer a carência. Mas a carência de que falo é tão mais plenitude do que essa espécie de fartura. Simplesmente não a quero. Vou dormir porque não estou suportando este meu mundo de hoje, cheio de coisas inúteis. Boa noite para sempre, para sempre. Até sábado que vem. E não me respondam: não quero ouvir a voz humana. E se suporto a minha voz se despedindo é porque ela piora de muito a minha raiva.

Só uma raiva, no entanto, é bendita: a dos que precisam.

CONVERSAS

Um dia acordei às quatro da madrugada. Minutos depois tocou o telefone. Era um compositor de música popular que faz as letras também. Conversamos até seis horas da manhã. Ele sabia tudo a meu respeito. Baiano é assim? E ouviu dizer coisas erradas também. Nem sequer corrigi. Ele estava numa festa e disse que a namorada dele – com quem meses depois se casou – sabendo a quem ele telefonava, só faltava puxar os cabelos de tanto ciúme. Na reunião tinha uma Ana e ele disse que ela era ferina comigo. Convidou-me para uma festa porque todos queriam me conhecer. Não fui.

Em compensação estive uma vez numa festa na casa de Pedro e Miriam Bloch. Foi poucos meses antes da morte de Guimarães Rosa. Guimarães Rosa e Pedro foram comigo para outra sala, na qual pouco depois entrou Ivo Pitanguy. Guimarães Rosa disse que, quando não estava se sentindo bem em matéria de depressão, relia trechos do que já havia escrito. Espantaram-se quando eu disse que detesto reler minhas coisas. Ivo observou que o engraçado é que parece que eu não quero ser escritora. De algum modo é verdade, e não sei explicar por quê. Mas até ser chamada de escritora me encabula. Nessa mesma festa Sérgio Bernardes disse que há anos tinha uma conversa para ter comigo. Mas não tivemos. Pedi uma Coca-Cola, em vez. Ele estava falando com o nosso grupo coisas que eu não entendia e não sei repetir. Então eu disse: adoro ouvir coisas que dão a medida de minha ignorância. E tomei mais um gole de Coca-Cola. Não, não estou fazendo propaganda de Coca--Cola, e nem fui paga para isso.

Guimarães Rosa então me disse uma coisa que jamais esquecerei, tão feliz me senti na hora: disse que me lia, "não para a literatura, mas para a vida". Citou de cor frases e frases minhas e eu não reconheci nenhuma.

Outra pessoa que me telefonava de madrugada explicara que passava pela minha rua, via a luz acesa, e então me telefonava. No terceiro ou quarto telefonema disse-me que eu não merecia mentiras: na verdade o fundo da casa dele dava para a frente da minha e ele me via todas as noites. Como se tratava de oficial de marinha, perguntei-lhe se tinha binóculo. Ficou em silêncio. Depois me confessou que me via de binóculo. Não gostei. Nem ele se sentiu bem de ter dito a verdade, tanto que avisou que "perdera o jeito" e não me telefonaria mais. Aceitei. Fui então à cozinha esquentar um café. Depois sentei-me no meu canto de tomar café, e tomei-o com toda a solenidade: parecia--me que havia um almirante sentado à minha frente. Felizmente terminei esquecendo que alguém pode estar me observando de binóculo e continuo a viver com naturalidade. Como vocês veem isto não é coluna, é conversa apenas. Como vão vocês? Estão na carência ou na fartura?

✦ ✦ ✦

FERNANDO PESSOA ME AJUDANDO

Noto uma coisa extremamente desagradável. Estas coisas que ando escrevendo aqui não são, creio, propriamente crônicas, mas agora entendo os nossos melhores cronistas. Porque eles assinam, não conseguem escapar de se revelar. Até certo ponto nós os conhecemos intimamente. E quanto a mim, isto me desagrada. Na literatura de livros permaneço anônima e discreta. Nesta coluna estou de algum modo me dando a conhecer. Perco minha intimidade secreta? Mas que fazer? É que escrevo ao correr da máquina e, quando vejo, revelei certa parte minha. Acho que se escrever sobre o problema da superprodução do café no Brasil terminarei sendo pessoal. Daqui em breve serei popular? Isso me assusta. Vou ver o que posso fazer, se é que posso. O que me consola é a frase de Fernando Pessoa, que li citada: "Falar é o modo mais simples de nos tornarmos desconhecidos."

OS PRAZERES DE UMA VIDA NORMAL

Pois é eu que durmo tão mal, dormi de oito da noite até seis da manhã. Dez horas: senti um orgulho pueril. Acordei com o corpo todo aumentado nas suas células. Ah, isso é vida normal, então? mas então é muito bom!

E eu que nunca fiz luxo para comer, andei há um tempo fazendo dieta para perder uns quilos a mais. Aí experimentei uma vida anormal para comer. Andava exasperada como se outros estivessem comendo o que era meu. Então, de raiva e fome, de repente comi o que bem quis. E como é bom comer, dá até vergonha. E certo orgulho também, o orgulho de se ser um corpo exigente. Ah que me perdoem os que não têm o que comer; o que vale é que esses não são os que me leem.

Outro prazer que é normal é quando escrevo o que se chama de *inspirada*. O pequeno êxtase da palavra fluir junto do pensamento e do sentimento: nessa hora como é bom ser uma pessoa!

E receber o telefonema de um amigo, e a comunicação de vozes e alma ser perfeita? Quando se desliga: que prazer dos outros existirem e de a gente se encontrar nos outros. Eu me encontro nos outros. Tudo o que dá certo é normal. O estranho é a luta que se é obrigado a travar para obter o que simplesmente seria o normal.

É PRECISO TAMBÉM NÃO PERDOAR

Uma entrevistada do programa da BBC, Inglaterra, na *Hora das Mulheres*, falou sobre suas experiências como prisioneira de guerra:

— Quando uma pessoa já experimentou muitos sofrimentos, sabe apreciar as fraquezas e as boas qualidades até mesmo dos próprios inimigos. Por que deve ser nosso inimigo completamente mau, ou a vítima completamente boa? Ambos são criaturas humanas, com o que é bom e o que é mau. E creio que se apelarmos para o lado bom das pessoas teremos êxito, na maioria dos casos.

Sei o que ela quis dizer, mas está errado. Há uma hora em que se deve esquecer a própria compreensão humana e tomar um partido, mesmo errado, pela vítima, e um partido, mesmo errado, contra o inimigo. E tornar-se primário a ponto de dividir as pessoas em boas e más. A hora da sobrevivência é aquela em que a crueldade de quem é a vítima é permitida, a crueldade e a revolta. E não compreender os outros é que é certo.

LIÇÃO DE FILHO

Recebi uma lição de um de meus filhos, antes dele fazer 14 anos. Haviam me telefonado avisando que uma moça que eu conhecia ia tocar na televisão, transmitido pelo Ministério da Educação. Liguei a televisão, mas em grande dúvida. Eu conhecera essa moça pessoalmente e ela era excessivamente suave, com voz de criança, e de um feminino-infantil. E eu me perguntava: terá ela força no piano? Eu a conhecera num momento muito importante: quando ela ia escolher a "camisola do dia" para o casamento. As perguntas que me fazia eram de uma franqueza ingênua que me surpreendia. Tocaria ela piano?

Começou. E, Deus, ela possuía a força. Seu rosto era um outro, irreconhecível. Nos momentos de violência apertava violentamente os lábios. Nos instantes de doçura entreabria a boca, dando-se inteira. E suava, da testa escorria para o rosto o suor. De surpresa de descobrir uma alma insuspeita, fiquei com os olhos cheios de água, na verdade eu chorava. Percebi que meu filho, quase uma criança, notara, expliquei: estou emocionada, vou tomar um calmante. E ele:

— Você não sabe diferenciar emoção de nervosismo? Você está tendo uma emoção.

Entendi, aceitei, e disse-lhe:

— Não vou tomar nenhum calmante.

E vivi o que era para ser vivido.

✦ ✦ ✦

LEMBRANÇA DE FILHO PEQUENO

Mas que sentir de filho? Se de algum modo fico toda sem um único sentimento reconhecível. Que sentir? Vejo sua cara queimada de sol, cara inteiramente inconsciente da expressão que tem, toda concentrada que está como um bicho bonito, delicado e feroz — nas lambidas de seu sorvete.

O sorvete é de chocolate. O filho lambe-o. Às vezes se torna lento demais para o seu prazer, e ele então morde-o, e faz uma careta que é inteiramente inconsciente da felicidade incômoda que dá o pedaço gelado enchendo a boca quente. Essa, a boca, é muito bonita. Olho o filho toda compacta, mas ele está habituado à burrice de meu olhar concentrado de amor. Ele não me olha, e não se incomoda de ser observado nesse seu ato íntimo, vital e delicado: e continua a lamber o sorvete com a língua vermelha e atenta. Não sinto nada, senão que sou inteira, pesada de material de primeira, boa madeira. Como mãe, não tenho finura. Sou grossa e silenciosa. Olho com a rudeza de meu silêncio, com meu olho vazio aquela cara que também é rude, filho meu. Não sinto nada porque isso deve ser amor pesado e indivisível. Ali estou, recuada. Recuada diante de tanto. O indevassável me deixa com uma espécie de obstinação áspera; impenetrabilidade é o meu nome; estou ali, endomingada pela natureza. Minha cara deve estar com um ar teimoso, com olho de estrangeira que não fala a língua do país. Parece um torpor. Não me comunico com pessoa alguma. Meu coração é pesado, obstinado, inexpressivo, fechado a sugestões.

Estou ali, e vejo: o rosto do menino tornou-se por um instante ávido – é que deve ter encontrado algum pedaço de sorvete com mais chocolate que o resto, e que a língua esperta captou. Ninguém diria que sou magra: estou gorda, pesada, grande, com as mãos calejadas não por mim mas pelos meus ancestrais. Sou uma desconfiada que está em trégua. O filho come agora a casca do sorvete. Sou uma imigrante que se enraizou em terra nova. Meu olho é vazio, áspero, olha bem. E vê: um filho de cara concentrada que come.

A FOME

Meu Deus, até que ponto vou na miséria da necessidade: eu trocaria uma eternidade de depois da morte pela eternidade enquanto estou viva.

MISTÉRIOS DE UM SONO

Estou dormindo. E embora pareça contradição, suavemente de repente o prazer de estar dormindo me acorda num sobressalto também suave. Estou acordada e ainda sinto o gosto daquela zona rural onde subsolarmente eu espalhava de minhas raízes os tentáculos de um sonho.

SEGUIR A FORÇA MAIOR

É determinismo, sim. Mas seguindo o próprio determinismo é que se é livre. Prisão seria seguir um destino que não fosse o próprio. Há uma grande liberdade em se ter um destino. Este é o nosso livre-arbítrio.

SÓ COMO PROCESSO

Julgar de acordo com o bem e o mal é o único método de viver. Mas não esquecer que se trata apenas de uma receita e de um processo. De um modo de não se perder na verdade, que esta não tem bem nem mal.

AS DORES DA SOBREVIVÊNCIA: SÉRGIO PORTO

Não, não quero mais gostar de ninguém porque dói. Não suporto mais nenhuma morte de ninguém que me é caro.

Meu mundo é feito de pessoas que são as minhas – e eu não posso perdê-las sem me perder.

Sem pudor, com lágrimas nos olhos, choro a morte de Sérgio Porto. Ele criava alegria, ele se comunicava com o mundo e fazia esta terra infernal ficar mais suave: ele nos fazia sorrir e rir. Não pude deixar de pensar: ó Deus, por que não eu em lugar dele? O povo sentirá a sua falta, vai ficar mais pobre de sorrisos, enquanto eu escrevo para poucos: então por que não eu em lugar dele? O povo precisa de pão e circo.

 Sérgio Porto, perdoe eu não ter dito jamais que adorava o que você escrevia. Perdoe eu não ter procurado você para uma conversa entre amigos. Mas uma conversa mesmo: dessas em que as almas são expostas. Porque você tinha lágrimas também. Atrás do riso. Perdoe eu ter sobrevivido.

◆ ◆ ◆

EU SEI O QUE É PRIMAVERA

Bem sei que é uma vaidade dizer em plena primavera que *eu* sei o que é primavera. Às vezes porém sou tão humilde que os outros me chamam a atenção. É uma humildade feita de gratidão talvez excessiva, é feita de um *eu* de criança, de susto também de criança. Mas, desta vez, quando percebi que estava humilde demais com a alegria que me era dada pela vinda da primavera chuvosa, dessa vez apossei-me do que é meu e dos outros.

 Sei o que é primavera porque sinto um perfume de pólen no ar, que talvez seja o meu próprio pólen, sinto estremecimentos à toa quando um passarinho canta, e sinto que sem saber eu estou reformulando a vida. Porque estou viva. A primavera torturante, límpida e mortal que o diga, ela que me encontra cada ano tão pronta para recebê-la. Bem sei que é uma perturbação de sentidos. Mas, por que não ficar tonta? Aceito esta minha cabeça à chuva tremeluzente da primavera, aceito que eu existo, aceito que os outros existam porque é direito deles e porque sem eles eu morreria, aceito a possibilidade do grande Outro existir apesar de eu ter rezado pelo mínimo e não me ter sido dado.

 Sinto que viver é inevitável. Posso na primavera ficar horas sentada fumando, apenas sendo. Ser às vezes sangra. Mas não há como não sangrar pois é no sangue que sinto a primavera.

Dói. A primavera me dá coisas. Dá do que viver. E sinto que um dia na primavera é que vou morrer. De amor pungente e coração enfraquecido.

O TERROR

E havia luz demais para seus olhos. De repente um repuxão; ajeitavam-no, mas ele não sabia: só tinha mesmo era o terror de rostos inclinados para o seu. E ele não sabia de nada. E não podia se mexer livremente. As vozes que para ele eram trovões, só uma voz era cantante: ele se banhava nela. Mas logo em seguida era depositado e vinha o terror e ele gritava entre as grades e viu cores que depois ele entendeu que eram azuis. O azul o molestava e ele chorava. E o terror das cólicas. Abriam-lhe a boca e depositavam coisas ruins na boca, ele engolia. Quando era a voz cantante que lhe dava coisas ruins, ele suportava melhor. Mas era logo depositado entre as grades. Sombras gigantescas rodeavam-no. E então ele gritava. A mínima luz de tudo isso é que ele acabara de nascer. Tinha cinco dias de nascido.

Depois de mais velho ouviu sem entender: "Este menino já não dá trabalho mas quando nasceu dava choros e urros. Agora felizmente é mais fácil de criá-lo." Não, não era fácil, nunca seria fácil. O nascimento era a morte de um ser uno se dividindo em dois solitários. Agora parecia fácil porque ele aprendera a manejar o seu terror secreto que duraria até a morte. Terror de estar na terra, como uma saudade do céu.

✦ ✦ ✦

TALVEZ ASSIM SEJA

Por outro lado, estou hoje um pouco cansada e é sobre o prazer do cansaço dolorido que vou falar. Todo prazer intenso toca no limiar da dor. Isso é bom. O sono, quando vem, é como um leve desmaio, um desmaio de amor.

Morrer deve ser assim: por algum motivo estar-se tão cansado que só o sono da morte compensa. Morrer às vezes parece um egoísmo. Mas quem morre às vezes precisa muito.

Será que morrer é o último prazer terreno?

FIDELIDADE

Quanto a mim, continuo a ler Monteiro Lobato. Ele deu iluminação de alegria a muita infância infeliz. Nos momentos difíceis de agora, sinto um desamparo infantil, e Monteiro Lobato me traz luz.

ESTILO

Como uma forma de depuração, eu sempre quis um dia escrever sem nem mesmo o meu estilo natural. Estilo, até próprio, é um obstáculo a ser ultrapassado. Eu não queria meu modo de dizer. Queria apenas dizer. Deus meu, eu mal queria dizer.

E o que eu escrevesse seria o destino humano na sua pungência mortal. A pungência de se ser esplendor, miséria e morte. A humilhação e a podridão perdoadas porque fazem parte da carne fatal do homem e de seu modo errado na terra. O que eu escrevesse ia ser o prazer dentro da miséria. É a minha dívida de alegria a um mundo que não me é fácil.

DELICADEZA

Nem tudo o que escrevo resulta numa realização, resulta mais numa tentativa. O que também é um prazer. Pois nem em tudo eu quero pegar. Às vezes quero apenas tocar. Depois o que toco às vezes floresce e os outros podem pegar com as duas mãos.

AMOR A ELE

Através de meus graves erros – que um dia eu talvez os possa mencionar sem me vangloriar deles – é que cheguei a poder amar. Até esta glorificação: eu amo o Nada. A consciência de minha permanente queda me leva ao amor do Nada. E desta queda é que começo a fazer minha vida. Com pedras ruins levanto o horror, e com horror eu amo. Não sei o que fazer de mim, já nascida, senão isto: Tu, Deus, que eu amo como quem cai no nada.

MÃE-GENTIL

Por um tempo atrás meus filhos andaram me descobrindo. Quero dizer como pessoa, pois como mãe me haviam descoberto desde que nasceram, assim como eu os descobri até antes de eles nascerem. Foi tão curioso como, na descoberta, além de mãe, eles me consideravam uma pessoa com quem conversar. Quando eu ia escovar os cabelos no espelho do banheiro, eles me seguiam para continuar a conversa. Um deles desconfiou do que estava acontecendo e perguntou-me com franqueza: você não estará se fazendo de interessante para nós? Respondi que não, que eles é que estavam interessados em mim. Faziam-me perguntas, respondia o que podia. Um deles um dia desses me pediu: me dê o nome de alguns escritores profundos que eu queria ler. Ah, então ele já estava sentindo necessidade? Fiquei contente, e mais contente ainda de lhe dar nomes de escritores profundos brasileiros. Ele andou lendo uns contos de Tchekhov e gostou. O livro era *Contos da velha Rússia*, que recomendo aos leitores. É livro de bolso.

✦ ✦ ✦

FAZ DE CONTA

Faz de conta que ela era uma princesa azul pelo crepúsculo que viria, faz de conta que a infância era hoje e prateada de brinquedos, faz de conta que uma veia não se abrira e faz de conta que sangue escarlate não estava em silêncio branco escorrendo e que ela não estivesse pálida de morte, estava pálida de morte mas isso fazia de conta que estava mesmo de verdade, precisava no meio do faz de conta falar a verdade de pedra opaca para que contrastasse com o faz de conta verde cintilante de olhos que veem, faz de conta que ela amava e era amada, faz de conta que não precisava morrer de saudade, faz de conta que estava deitada na palma transparente da mão de Deus, faz de conta que vivia e não que estivesse morrendo pois viver afinal não passava de se aproximar cada vez mais da morte, faz de conta que ela não ficava de braços caídos quando os fios de ouro que fiava se embaraçavam e ela não sabia desfazer o fino fio frio, faz de conta que era sábia bastante para desfazer os nós de marinheiro que lhe atavam os pulsos, faz de conta que tinha um cesto de pérolas só para olhar a cor da lua, faz de conta que ela fechasse os olhos e os seres amados surgissem quando abrisse os olhos úmidos da gratidão mais límpida, faz de conta que tudo o que tinha não era de faz de conta, faz de conta que se descontraíra o peito e a luz dourada a guiava pela floresta de açudes e tranquilidades, faz de conta que ela não era lunar, faz de conta que ela não estava chorando.

"PRECISA-SE"

Sendo este um jornal por excelência, e por excelência dos *precisa-se* e *oferece-se*, vou pôr um anúncio em negrito: precisa-se de alguém homem ou mulher que ajude uma pessoa a ficar contente porque esta está tão contente que não pode ficar sozinha com a alegria, e precisa reparti-la. Paga-se extraordinariamente bem: minuto por minuto paga-se com a própria alegria. É urgente pois a alegria dessa pessoa é fugaz como estrelas cadentes, que até parece que só se as viu depois que tombaram; precisa-se urgente antes da noite cair porque a noite é muito perigosa e nenhuma ajuda é possível e fica tarde demais. Essa pessoa que atenda ao anúncio só tem folga depois que passa o horror do domingo que fere. Não faz mal que venha uma pessoa triste porque a alegria que se dá é tão grande que se tem que a repartir antes que se transforme em drama. Implora-se também que venha, implora-se com a humildade da alegria-sem-motivo. Em troca, oferece-se também uma casa com todas as luzes acesas como numa festa de bailarinos. Dá-se o direito de dispor da copa e da cozinha, e da sala de estar. P.S. Não se precisa de prática. E se pede desculpa por estar num anúncio a dilacerar os outros. Mas juro que há em meu rosto sério uma alegria até mesmo divina para dar.

SÃO PAULO

De São Paulo recebi uma carta de Fernanda Montenegro. Telefonei-lhe pedindo licença para publicá-la. Foi dada:

"Clarice

é com emoção que lhe escrevo pois tudo o que você propõe tem sempre essa explosão dolorosa. É uma angústia terrivelmente feminina, dolorosa, abafada, educada, desesperada e guardada.

Ao ler meu nome, escrito por você, recebi um choque não por vaidade mas por comunhão. Ando muito deprimida, o que não é comum. Atualmente em São Paulo se representa de arma no bolso. Polícia nas portas dos teatros. Telefonemas ameaçam o terror para cada um de nós em nossas casas de gente de teatro. É o nosso mundo.

E o nosso mundo, Clarice?

Não este, pelas circunstâncias obrigatoriamente político, polêmico, contundente. Mas aquele mundo de que nos fala Tchekhov: onde repousaremos, onde nos descontrairemos? Ai, Clarice, a nossa geração não o verá. Quando eu tinha quinze anos pensava alucinadamente que minha geração desfaria o nó. Nossa geração falhou, numa melancolia de 'canção sem palavra', tão comum no século XIX. O amor no século XXI é a justiça social. E Cristo que nos entenda.

Estamos aprendendo a lição seguinte: amor é ter. Na miséria não está a salvação.

Quem não tem, não dá. Quem tem fome não tem dignidade (Brecht). Clarice, estou pedindo desculpas por este palavrório todo. Mas deixe que eu mantenha com você esta sintonia dolorosa dos que percebem alguns mundos, não apenas este ou aquele, porém até mesmo aquele outro, embora linearmente – como é o caso.

Nossa geração sofre da frustração do repouso. É isso, Clarice? A luta que fizermos, não o faremos pra nós. E temos uma pena enorme de nós por isso. É assim que explico pra mim estas frases que você põe no seu artigo: 'Eu que dei pra mentir. E com isso estou dizendo uma verdade. Mas mentir já não era sem tempo. Engano a quem devo enganar, e, como sei que estou enganando, digo por dentro verdades duras.' A luta, a que me refiro lá no alto, seria aquela luta bíblica, a grande luta, a que engloba tudo.

Voltando às 'verdades duras' de que você fala: na minha profissão o enganar é a minha verdade. É isso mesmo, Clarice, como profissão. Mas na minha intimidade toda particular, sinto, sem enganos, que nossa geração está começando a comungar com a barata. A nossa barata (Fernanda se refere a um

livro meu). Nós sabemos o que significa esta comunhão, Clarice. Juro que não vou afastá-la de mim, a barata. Eu o farei. Preciso já organicamente fazê-lo. Dê-me a calma e a luz de um momento de repouso interior, só um momento.
   Com intensa comoção.
   Fernanda"

✦ ✦ ✦

A BRAVATA

Z. M. sentia que a vida lhe fugia por entre os dedos. Na sua humildade esquecia que ela mesma era fonte de vida e de criação. Então saía pouco, não aceitava convites. Não era mulher de perceber quando um homem estava interessado nela a menos que ele o dissesse – então se surpreendia e aceitava.
   De tarde – era primavera, primeiro dia de primavera – foi visitar uma amiga que a pôs em brios. Como então ela, uma mulher feita, era tão humilde? como é que não percebia que vários homens a queriam? como não percebia que devia, dentro de sua própria dignidade, ter um caso de amor? Disse ainda que a vira entrar numa sala onde todos eram conhecidos. E por acaso nenhum dos presentes chegava a seus pés. E no entanto entrou tímida como ausente, como uma corça de cabeça baixa. "Você precisa andar de cabeça levantada, você tem que sofrer porque você é diferente, cosmicamente diferente, então aceite que você não pode ter a vida burguesa, e entre numa sala com a cabeça levantada." "Mas entrar sozinha numa sala cheia de gente?" "Exatamente. Você não precisa de companhia para ir, você mesma é bastante."
   Lembrou-se que no fim da tarde havia uma espécie de coquetel para os professores primários, em férias. Lembrou-se da atitude nova que desejava, não combinou a ida com nenhum professor ou professora – arriscar-se-ia toda só. Vestiu um ves-

tido mais ou menos novo, mas a coragem não vinha. Então – só o entendeu depois – pintou demais os olhos e demais a boca até que seu rosto parecia uma máscara: ela estava pondo sobre si mesma alguém outro: esse alguém era fantasticamente desinibido, era vaidoso, tinha orgulho de si mesmo. Esse alguém era exatamente o que ela não era. Mas na hora de sair de casa, fraquejou: não estaria exigindo demais de si mesma? Toda vestida, com uma máscara de pintura no rosto – ah *persona*, como não te usar e enfim ser! –, sem coragem, sentou-se na poltrona de sua sala tão conhecida e seu coração pedia para ela não ir. Parecia que previa que ia se machucar muito e ela não era masoquista. Enfim apagou o cigarro-de-coragem, levantou-se e foi.

Pareceu-lhe que as torturas de uma pessoa tímida jamais foram completamente descritas. No táxi que rolava ela morria um pouco.

E ei-la de repente diante de um salão enorme com talvez muitas pessoas, mas pareciam poucas dentro do descomunal espaço onde se processava como um ritual moderno o coquetel.

Quanto tempo suportou de cabeça falsamente erguida? A máscara a incomodava, ela sabia ainda por cima que era mais bonita sem pintura. Mas sem pintura seria a nudez da alma. E ela não podia se arriscar nem se dar esse luxo.

Falava sorrindo com um, falava sorrindo com outro. Mas como em todos os coquetéis, nesse era impossível a conversa e quando ela viu estava de novo sozinha.

Viu um homem que tinha sido seu amante. E ela pensou: por mais amor que este homem tenha recebido, fui eu que lhe dei toda a minha alma e todo o meu corpo. Os dois se olharam, perscrutaram-se, ele com certeza espantado com a máscara de pintura. Não soube o que fazer senão perguntar-lhe se ele era seu amigo, se podia ser. Ele disse que sim, para sempre.

Até que sentiu que não suportava mais manter a cabeça de pé. Mas como atravessar a enorme extensão até a porta? Sozinha, como uma fugitiva? Então em meias palavras confessou seu drama a uma das professoras e ela levou-a pela enorme extensão até a porta.

E no escuro da noite primaveril ela era uma mulher infeliz. Sim, era diferente. Mas sim, era tímida. Sim, era supersensível. Sim, vira um amor passado. O escuro e o perfume da primavera. O coração do mundo batia-lhe no peito. Sempre soubera sentir o cheiro da natureza. Achou finalmente um táxi onde se sentou quase em lágrimas de alívio, lembrando-se que em Paris lhe acontecera o mesmo porém pior ainda. Foi para casa como uma foragida do mundo. Era inútil esconder: a verdade é que não sabia viver. Em casa estava agasalhante, ela se olhou ao espelho quando estava lavando as mãos e viu a *persona* afivelada no seu rosto: a *persona* tinha um sorriso parado de palhaço. Então lavou o rosto e com alívio estava de novo de alma nua. Tomou então uma pílula para dormir. Antes que chegasse o sono, ficou alerta e se prometeu que nunca mais se arriscaria sem proteção. A pílula de dormir começava a apaziguá-la. E a noite incomensurável dos sonhos começou.

❖ ❖ ❖

SENSIBILIDADE INTELIGENTE

Pessoas que às vezes querem me elogiar chamam-me de inteligente. E ficam surpreendidas quando digo que ser inteligente não é meu ponto forte e que sou tão inteligente quanto qualquer pessoa. Pensam, então, inclusive que estou sendo modesta.

É claro que tenho alguma inteligência: meus estudos o provaram, e várias situações das quais se sai por meio da inteligência também provaram. Além de que posso, como muitos, ler e entender alguns textos considerados difíceis.

Mas muitas vezes a minha chamada inteligência é tão pouca como se eu tivesse a mente cega. As pessoas que falam de minha inteligência estão na verdade confundindo *inteligência* com o que chamarei agora de *sensibilidade inteligente*. Esta, sim, várias vezes tive ou tenho.

E, apesar de admirar a inteligência pura, acho mais importante, para viver e entender os outros, essa sensibilidade inteligente. Inteligentes são quase que a maioria das pessoas que conheço. E sensíveis também, capazes de sentir e de se comover. O que, suponho, eu uso quando escrevo, e nas minhas relações com amigos, é esse tipo de sensibilidade. Uso-a mesmo em ligeiros contatos com pessoas, cuja atmosfera tantas vezes capto imediatamente.

Suponho que este tipo de sensibilidade, uma que não só se comove como por assim dizer pensa sem ser com a cabeça, suponho que seja um dom. E, como um dom, pode ser abafado pela falta de uso ou aperfeiçoar-se com o uso. Tenho uma amiga, por exemplo, que, além de inteligente, tem o dom da sensibilidade inteligente, e, por profissão, usa constantemente esse dom. O resultado então é que ela tem o que eu chamaria de *coração inteligente* em tão alto grau que a guia e guia os outros como um verdadeiro radar.

INTELECTUAL? NÃO.

Outra coisa que não parece ser entendida pelos outros é quando me chamam de intelectual e eu digo que não sou. De novo, não se trata de modéstia e sim de uma realidade que nem de longe me fere. Ser intelectual é usar sobretudo a inteligência, o que eu não faço: uso é a intuição, o instinto. Ser intelectual é também ter cultura, e eu sou tão má leitora que, agora já sem pudor, digo que não tenho mesmo cultura. Nem sequer li as obras importantes da humanidade. Além do que leio pouco: só li muito, e lia avidamente o que me caísse nas mãos, entre os treze e quinze anos de idade. Depois passei a ler esporadicamente, sem ter a orientação de ninguém. Isto sem confessar que – dessa vez digo-o com alguma vergonha – durante anos eu só lia romance policial. Hoje em dia, apesar de ter muitas vezes preguiça de escrever, chego de vez em quando a ter mais preguiça de ler do que de escrever.

Literata também não sou porque não tornei o fato de escrever livros "uma profissão", nem uma "carreira". Escrevi-os só quando espontaneamente me vieram, e só quando eu realmente quis. Sou uma amadora?

O que sou então? Sou uma pessoa que tem um coração que por vezes percebe, sou uma pessoa que pretendeu pôr em palavras um mundo ininteligível e um mundo impalpável. Sobretudo uma pessoa cujo coração bate de alegria levíssima quando consegue em uma frase dizer alguma coisa sobre a vida humana ou animal.

O QUE EU QUERIA TER SIDO

Um nome para o que eu sou, importa muito pouco. Importa o que eu gostaria de ser.

O que eu gostaria de ser era uma lutadora. Quero dizer, uma pessoa que luta pelo bem dos outros. Isso desde pequena eu quis. Por que foi o destino me levando a escrever o que já escrevi, em vez de também desenvolver em mim a qualidade de lutadora que eu tinha? Em pequena, minha família por brincadeira chamava-me de "a protetora dos animais". Porque bastava acusarem uma pessoa para eu imediatamente defendê-la. E eu sentia o drama social com tanta intensidade que vivia de coração perplexo diante das grandes injustiças a que são submetidas as chamadas classes menos privilegiadas. Em Recife eu ia aos domingos visitar a casa de nossa empregada nos mocambos. E o que eu via me fazia como que me prometer que não deixaria aquilo continuar. Eu queria agir. Em Recife, onde morei até doze anos de idade, havia muitas vezes nas ruas um aglomerado de pessoas diante das quais alguém discursava ardorosamente sobre a tragédia social. E lembro-me de como eu vibrava e de como eu me prometia que um dia esta seria a minha tarefa: a de defender os direitos dos outros.

No entanto, o que terminei sendo, e tão cedo? Terminei sendo uma pessoa que procura o que profundamente se sente e usa a palavra que o exprima.

É pouco, é muito pouco.

❖ ❖ ❖

TRECHO

Sobre um personagem que uma vez comecei a descrever e que afinal nem sequer cheguei a deixá-lo fazer parte de um romance: "O que ele realmente e profundamente era, não era visível nem perceptível. O que ele era existia assim como uma praia na Ásia que neste mesmo momento em que estais aqui, a praia está lá. Ele mesmo, apesar de não poder se negar, no entanto não se provava nem a si nem aos outros. O que ele realmente era não era passível de prova. O único modo de saberem de sua vida mais real e mais profunda seria acreditar: por um ato de fé admitir essa coisa de que jamais provavelmente teriam a certeza, senão crendo."

O SONHO

Não entendo de sonhos, mas uma vez anotei um que me parecia, mesmo sem eu o entender, querer me dizer alguma coisa.

Como eu fechara a porta ao sair, ao voltar esta se tinha emendado nas paredes e já estava até com os contornos apagados. Entre procurá-la tateando pelas paredes sem marcas, ou cavar outra entrada, pareceu-me menos trabalhoso cavar. Foi o que fiz, procurando abrir uma passagem. Mal porém foi rachada a primeira abertura, percebi que por ali nunca ninguém tinha entrado. Era a primeira porta de alguém. E, embora essa estreita entrada fosse na mesma casa, vi a casa como não a conhecia antes. E meu quarto era como o interior de um cubo. Só agora eu percebia que antes vivera dentro de um cubo.

Acordei, então, toda banhada de suor pois fora um pesadelo, apesar da aparente tranquilidade dos acontecimentos no sonho. Não sei o que este simbolizava. Mas "uma primeira porta de alguém" é alguma coisa que me atemoriza e me fascina a ponto de por si só constituir um pesadelo.

UM CONTO SE FAZ AO LARGO

"... e essa história só não é rápida porque as palavras não são rápidas. Trata-se de uma pessoa. Morava num quarto alugado na casa de uma família. Era uma família ocupada, embaraçada em seus inúmeros deveres e pouco tomavam conhecimento da mulher do quarto alugado. Às vezes o pai ou um dos filhos passava para o banheiro e havia frases curtas trocadas. Depois de algum tempo nem mesmo essa conversa se fazia senão como um murmúrio, e depois incorporou-se ao silêncio. Quanto à pessoa, era uma mulher de meia-idade. Tratava-se de pessoa cuidadosa com os seus pertences, ciosa da própria limpeza. Seu quarto, aliás, a refletia bastante: era limpo e quase vazio. Pois foi essa mulher – inclassificável a menos que se descesse com interesse às profundezas de seu pensamento, o que não ocorreria a ninguém, tão desinteressante ela era –, pois foi essa mulher que viveu silenciosamente uma aventura. E, por mais estranho, uma aventura espiritual..."

Simplesmente não me lembro que história eu estava pretendendo contar, ao escrever essas linhas. Sei que era para ser um conto, mas que aventura espiritual seria? Não me lembro mais, e deixo aos leitores menos experientes, que escrevem ainda como exercício, o trabalho de continuar... Apenas enfunei uma vela e esta se fez ao mar. Mas e o rumo? Perdi a bússola.

UMA REVOLTA

Quando o amor é grande demais torna-se inútil: já não é mais aplicável, e nem a pessoa amada tem a capacidade de receber tanto. Fico perplexa como uma criança ao notar que mesmo no amor tem-se que ter bom senso e senso de medida. Ah, a vida dos sentimentos é extremamente burguesa.

✦ ✦ ✦

APROFUNDAMENTO DAS HORAS

Não posso escrever enquanto estou ansiosa ou espero soluções a problemas porque nessas situações faço tudo para que as horas passem – e escrever, pelo contrário, aprofunda e alarga o tempo. Se bem que ultimamente, por necessidade grande, aprendi um jeito de me ocupar escrevendo, exatamente para ver se as horas passam.

COMER, COMER

Não sei como são as outras casas de família. Na minha casa todos falam em comida. "Esse queijo é seu?" "Não, é de todos." "A canjica está boa?" "Está ótima." "Mamãe, pede à cozinheira para fazer coquetel de camarão, eu ensino." "Como é que você sabe?" "Eu comi e aprendi pelo gosto." "Quero hoje comer somente sopa de ervilhas e sardinha." "Essa carne ficou salgada demais." "Estou sem fome, mas se você comprar pimenta eu como."

"Não, mamãe, ir comer no restaurante sai muito caro, e eu prefiro comida de casa." "Que é que tem no jantar para comer?"

Não, minha casa não é metafísica. Ninguém é gordo aqui, mas mal se perdoa uma comida malfeita. Quanto a mim, vou abrindo e fechando a bolsa para tirar dinheiro para compras. "Vou jantar fora, mamãe, mas guarde um pouco do jantar para mim." E quanto a mim, acho certo que num lar se mantenha aceso o fogo para o que der e vier. Uma casa de família é aquela que, além de nela se manter o fogo sagrado do amor bem aceso, mantenham-se as panelas no fogo. O fato é simplesmente que nós gostamos de comer. E sou com orgulho a mãe da casa de comidas. Além de comer conversamos muito sobre o que acontece no Brasil e no mundo, conversamos sobre que roupa é adequada para determinadas ocasiões. Nós somos um lar.

DOR DE MUSEU

Só posso chamar assim porque essa dor só aparece quando percorro museus. Mal começo a caminhar e a parar diante dos quadros vem a dor no ombro esquerdo – é sempre a mesma. Gostaria de saber do que se trata. É dor de emoção?

MÁRIO QUINTANA E SUA ADMIRADORA

Recebi uma carta do padre-poeta Armindo Trevisan. Ele me conta uma coisa que Mário Quintana lhe contou. Era uma vez uma menininha de oito anos, "linda e inteligente" que queria conhecer a todo o custo o poeta Quintana. E tanto insistiu com sua professora, que esta resolveu pedir uma audiência a Mário. Este acedeu.

No dia marcado, lá se foram a professora e a menininha à redação do *Correio do Povo* onde Quintana trabalha. A menina viu o poeta, conheceu-o, falou com ele, ouviu-o falar.

Logo depois que partiram, a professora telefonou ao Quintana e perguntou-lhe se ela poderia dizer-lhe as impressões da sua jovem admiradora. Quintana respondeu que a opinião de uma criança, favorável ou desfavorável, sempre merecia acatamento. Então a professora disse:

— Meu caro poeta, a menininha disse: "Ele é tão bonito mas parece meio pateta."

Bendita patetice de um dos poetas que mais admiro.

Padre Armindo, você permite que eu cite um trecho de sua carta em que sua humildade cristã de novo se revela? Permita, por favor. Eu gosto muito de você, por isso transcrevo o pequeno trecho. Você escreve: "Se me permite, rezarei por você; não deixe, oh não, de rezar por mim que sou bem pecador, e preciso das suas orações, sejam quais forem, porque tenho a secreta certeza de que você está mais próxima de Deus do que eu, apesar de ser *travessa* para com Ele, e parecer *mandar brasa* sobre muitas coisas sobre as quais eu não mando..."

Padre Armindo, são quatro horas da madrugada e é uma hora tão bela que todo o mundo que estiver acordado está de algum modo rezando. Rezo para que o mundo lhe seja sempre bonito de se olhar e de se sentir, rezo para que você goste da comida que come, rezo para você sempre fazer poesia, fazer poesia é em si mesmo uma salvação.

É preciso que você reze por mim. Ando desnorteada, sem compreender o que me acontece e sobretudo o que não me acontece.

✦ ✦ ✦

O RITUAL

Enfeitar-se é um ritual tão grave. A fazenda não é um mero tecido, é matéria de coisa. É a esse estofo que com meu corpo eu dou corpo. Ah, como pode um simples pano ganhar tanta vida? Meus cabelos, hoje lavados e secados ao sol do terraço, estão da seda mais antiga. Bonita? Nem um pouco, mas mulher. Meu segredo ignorado por todos e até pelo espelho: mulher. Brincos? Hesito. Não. Quero a orelha apenas delicada e simples – alguma coisa modestamente nua. Hesito mais: riqueza ainda maior seria esconder com os cabelos as orelhas. Mas não resisto: descubro-as, esticando os cabelos para trás. E fica de um feio hierático como o de uma rainha egípcia, com o pescoço alongado e as orelhas incongruentes. Rainha egípcia? Não, sou eu, eu toda ornada como as mulheres bíblicas.

O TERREMOTO

Ela estava muito ocupada: viera das compras de casa, deu vários telefonemas inclusive um dificílimo para chamar o bombeiro de encanamentos de água, foi à cozinha ver se o almoço dos meninos se adiantava, eles não podiam atrasar-se na ida à escola, riu de uma graça de uma das meninas, recebeu um telefonema convidando-a para um chá de caridade, preparou a merenda das crianças, e afinal fechou a porta à saída delas.

Então – então do ventre mesmo, como de um longínquo estremecer de terra que mal se sabe ser o sinal do terremoto, do ventre o estremecimento gigantesco de uma forte torre abalada, do ventre vem o estremecimento – e em caretas não só de rosto mas de corpo vem com uma dificuldade de petróleo abrindo terra dura – vem afinal o grande choro, um choro quase mudo, só a tortura seca do choro mudo entrecortado de soluços, o choro secreto até para ela mesma, aquele que ela não adivinhou, aquele que ela não quis nem previu – sacudida como uma árvore que é sempre mais sacudida que a fraca – e afinal rebentados canos e veias e tendões pela grossura da água salgada do choro.

Só depois que passa percebe que nenhuma lágrima a molhou. Foi o seco terremoto de um choro.

A PERFEIÇÃO

O que me tranquiliza é que tudo o que existe, existe com uma precisão absoluta. O que for do tamanho de uma cabeça de alfinete não transborda nem uma fração de milímetro além do tamanho de uma cabeça de alfinete. Tudo o que existe é de uma grande exatidão. Pena é que a maior parte do que existe com essa exatidão nos é tecnicamente invisível. Apesar da verdade ser exata e clara em si própria, quando chega até nós se torna vaga pois é tecnicamente invisível. O bom é que a verdade chega a nós como um sentido secreto das coisas. Nós terminamos adivinhando, confusos, a perfeição.

O NASCIMENTO DO PRAZER (TRECHO)

O prazer nascendo dói tanto no peito que se prefere sentir a habituada dor ao insólito prazer. A alegria verdadeira não tem explicação possível, não tem a possibilidade de ser compreendida – e se parece com o início de uma perdição irrecuperável. Esse fundir-se total é insuportavelmente bom – como se a morte fosse o nosso bem maior e final, só que não é a morte, é a vida incomensurável que chega a se parecer com a grandeza da morte. Deve-se deixar-se inundar pela alegria aos poucos – pois é a vida nascendo. E quem não tiver força, que antes cubra cada nervo com uma película protetora, com uma película de morte para poder tolerar a vida. Essa película pode consistir em qualquer ato formal protetor, em qualquer silêncio ou em várias palavras sem sentido. Pois o prazer não é de se brincar com ele. Ele é nós.

❖ ❖ ❖

ANGINA PECTORIS DA ALMA

Só que dessa não se morre. Mas tudo, menos a angústia, não? Quando o mal vem, o peito se torna estreito, e aquele reconhecível cheiro de poeira molhada naquela coisa que antes se chamava alma e agora não é chamada nada. E a falta de esperança na esperança. E conformar-se sem se resignar. Não se confessar a si próprio porque nem se tem mais o quê. Ou se tem e não se pode porque as palavras não viriam. Não ser o que realmente se é, e não se sabe o que realmente se é, só se sabe que não se está sendo. E então vem o desamparo de se estar vivo. Estou falando da angústia mesmo, do mal. Porque alguma angústia faz parte: o que é vivo, por ser vivo, se contrai.

SE EU FOSSE EU

Quando não sei onde guardei um papel importante e a procura se revela inútil, pergunto-me: se eu fosse eu e tivesse um papel importante para guardar, que lugar escolheria? Às vezes dá certo. Mas muitas vezes fico tão pressionada pela frase "se eu fosse eu", que a procura do papel se torna secundária, e começo a pensar. Diria melhor, sentir.

E não me sinto bem. Experimente: se você fosse você, como seria e o que faria? Logo de início se sente um constrangimento: a mentira em que nos acomodamos acabou de ser levemente locomovida do lugar onde se acomodara. No entanto já li biografias de pessoas que de repente passavam a ser elas mesmas, e mudavam inteiramente de vida. Acho que se eu fosse realmente eu, os amigos não me cumprimentariam na rua porque até minha fisionomia teria mudado. Como? não sei.

Metade das coisas que eu faria se eu fosse eu, não posso contar. Acho, por exemplo, que por um certo motivo eu terminaria presa na cadeia. E se eu fosse eu daria tudo o que é meu, e confiaria o futuro ao futuro.

"Se eu fosse eu" parece representar o nosso maior perigo de viver, parece a entrada nova no desconhecido. No entanto tenho a intuição de que, passadas as primeiras chamadas loucuras da festa que seria, teríamos enfim a experiência do mundo. Bem sei, experimentaríamos enfim em pleno a dor do mundo. E a nossa dor, aquela que aprendemos a não sentir. Mas também seríamos por vezes tomados de um êxtase de alegria pura e legítima que mal posso adivinhar. Não, acho que já estou de algum modo adivinhando por que me senti sorrindo e também senti uma espécie de pudor que se tem diante do que é grande demais.

COMO É QUE SE ESCREVE?

Quando não estou escrevendo, eu simplesmente não sei como se escreve. E se não soasse infantil e falsa a pergunta das mais sinceras, eu escolheria um amigo escritor e lhe perguntaria: como é que se escreve?

Por que, realmente, como é que se escreve? que é que se diz? e como dizer? e como é que se começa? e que é que se faz com o papel em branco nos defrontando tranquilo?

Sei que a resposta, por mais que intrigue, é a única: escrevendo. Sou a pessoa que mais se surpreende de escrever. E ainda não me habituei a que me chamem de escritora. Porque, fora das horas em que escrevo, não sei absolutamente escrever. Será que escrever não é um ofício? Não há aprendizagem, então? O que é? Só me considerarei escritora no dia em que eu disser: sei como se escreve.

UM DIÁLOGO

Quando estudei francês teria me divertido muito mais se meu livro escolar fosse como esse que vi. E que contém o diálogo entre o pai-cachorro e o filho-cachorro. Pai-cachorro: "Você tem estudado muito?" Filho-cachorro: "Tenho." Pai-cachorro: "Matemática?" Filho-cachorro: "Não." Pai-cachorro: "Ciências?" Filho-cachorro: "Não." Pai-cachorro: "Geografia ou filosofia ou história?" Filho-cachorro: "Não." Pai-cachorro: "Afinal que é que você tem estudado?" Filho-cachorro: "Línguas estrangeiras." Pai-cachorro: "E o que é que você aprendeu em línguas estrangeiras?" Filho-cachorro: "Miau."

CONVERSA TELEFÔNICA

Uma grande amiga minha se deu ao trabalho de ir anotando numa folha de papel o que eu lhe dizia numa conversa telefônica. Deu-me depois a folha e eu me estranhei, reconhecendo-me ao mesmo tempo. Estava escrito: "Eu às vezes tenho a sensação de que estou procurando às cegas uma coisa; eu quero continuar, eu me sinto obrigada a continuar. Sinto até uma certa coragem de fazê-lo. O meu temor é de que seja tudo muito novo para mim, que eu talvez possa encontrar o que não quero. Essa coragem eu teria, mas o preço é muito alto, o preço é muito caro, e eu estou cansada. Sempre paguei e de repente não quero mais. Sinto que tenho que ir para um lado ou para outro. Ou para uma desistência: levar uma vida mais humilde de espírito, ou então não sei em que ramo a desistência, não sei em que lugar encontrar a tarefa, a doçura, a coisa. Estou viciada em viver nessa extrema intensidade. A hora de escrever é o reflexo de uma situação toda minha. É quando sinto o maior desamparo."

✦ ✦ ✦

DE UMA CONFERÊNCIA NO TEXAS

Copio um trecho de uma conferência que pronunciei no Texas, a convite de uma universidade:

> ... Nessa minha experiência fui de início levada a pensar, pela primeira vez com atenção na palavra vanguarda, e, por uma questão de autoclarificação e auto-honestidade, precisei também tentar a configuração do que para mim significava uma vanguarda literária. Vanguarda seria, também para mim, é claro, experimentação... O que me confundiu um pouco a respeito de vanguarda como experimentação é que toda verdadeira arte é experimentação e, lamento muito, toda verdadeira vida é experimentação... Por que então uma experimentação era vanguarda e a outra não? Vanguarda seria aquela que revertesse valores formais e tentasse, por assim dizer, um oposto ao que estivesse no momento sendo formalmente feito? Seria simplório demais, além de tão raso quanto as modas. Quem sabe, vanguarda seria para mim a forma sendo usada como novo elemento estético? Mas a expressão "elemento estético" não se entende bem comigo. Ou vanguarda seria a nova forma, usada para rebentar a visão estratificada e forçar, pela arrebentação, a visão de uma realidade outra — ou, em suma, da realidade? Isso já estava melhor. Qualquer verdadeira experimentação levaria a maior autoconhecimento, o que significaria: conhecimento. Vanguarda seria, pois, em última análise, um dos instrumentos de conhecimento, um instrumento avançado de pesquisa. Esse modo de experimentação partiria de renovações formais, suponhamos, que levariam ao reexame de conceitos, mesmo de conceitos não formulados, só subentendidos. Mas poderia também partir da consciência, mesmo não formulada, de conceitos novos, e revestir-se inclusive de uma forma clássica — e isso já contrariava o conceito de vanguarda, em estrito senso, como é geralmente configurada?

Foi então que percebi que minha dificuldade com a matéria era muito mais funda. É que eu estava lidando com um assunto afim a duas palavras cujo sentido nunca tivera muito sentido para mim: refiro-me à expressão forma e fundo. São palavras usadas em contraposição ou em justaposição, não importa, mas significando de qualquer maneira divisão. E essa expressão "forma-fundo" sempre me desagradou vitalmente – assim como me incomoda a divisão "corpo-alma", "matéria-energia" etc. Sem nunca me deter muito no assunto, eu repelia quase de instinto esse modo de, por se ter cortado verticalmente um fio de cabelo, passar por isso a julgar que o fio de cabelo compõe-se de duas metades. Ora, um fio de cabelo não tem metades, a menos que sejam feitas. Bem sei que usar divisão de fundo e forma talvez seja às vezes hipótese de trabalho, instrumento para estudo. Se também eu usasse esse instrumento, vanguarda então seria inovação de forma? Mas "inovação de forma" podia então implicar conteúdo ou fundo antigo? Mas que conteúdo é esse que não poderia existir sem a chamada forma? Que fio de cabelo é esse que existiria anteriormente ao próprio fio de cabelo? Qual é a existência que é anterior à existência? Vendo-me tão confusa, então eu me propus, apenas para facilitar e também apenas para hipótese de avanço meu, que para mim a palavra "tema" seria aquela que substituiria a unidade indivisível que é fundo-forma. Um "tema", sim, pode preexistir, e dele se pode falar antes, durante e depois da coisa propriamente dita; mas fundo-forma "é" a coisa propriamente dita, e do fundo-forma só se sabe ao ler, ver, ouvir, experimentar. Eu me propus: tema, e a coisa escrita; tema, e a coisa pintada; tema, e a música; em suma: tema, e viver. Foi só então que consegui me entender mais, e sobretudo entender melhor o modo como eu via o caso brasileiro.

Tive que pôr de lado a palavra, no seu sentido europeu. Pensei, por exemplo, se o nosso movimento de 1922, o chamado movimento modernista, seria considerado vanguarda por outros países, em 1922 mesmo. Nesse movimento a experimentação, característica de uma vanguarda, seria reconhecida como tal por outras literaturas? O movimento de 1922 foi de profunda libertação, libertação significa sobretudo um novo modo de ver, libertação é sempre vanguarda, e também nessa de 1922 quem estava na linha de frente se sacrificou. Mas libertação é às vezes avanço apenas para quem se está libertando, e pode não ter valor de moeda corrente para os outros. Para nós 1922 significou vanguarda, por exemplo, independentemente de qualquer valor universal. Foi movimento de posse: um movimento de tomada de nosso modo de ser, de um dos nossos modos de ser, o mais urgente naquela época, talvez. Que já tenhamos inclusive ultrapassado 1922, ainda mais o reafirma como movimento de vanguarda: foi tão absorvido e incorporado que se superou, o que é característica de vanguarda, e se a 1922 nos referimos historicamente, na realidade ainda somos resultado dele. O próprio Mário de Andrade, se ainda vivesse, teria incorporado a si próprio, ainda mais, o melhor de sua sadia rebelião, e seria hoje um clássico de si mesmo. O futuro de um homem de vanguarda é amanhã não ser lido exatamente por aqueles que mais se assemelham a ele, isto é, exatamente os mais aptos a entender sua necessidade de procura estarão amanhã ocupados com novos movimentos de procura. Pensando em vários homens de nossa vanguarda, ocorreu-me sem nenhuma melancolia que é então, exatamente, que o escritor de vanguarda terá atingido sua finalidade maior: se terá dado tanto e terá sido tão bem usado, que amanhã desaparecerá. Eu disse amanhã. Mas depois de amanhã – passada a vanguarda, passado o necessário silêncio – depois-de-amanhã ele se levanta de novo. E é claro que Mário de Andrade não desapareceu: 1922 não foi ontem, foi anteontem...

✦ ✦ ✦

O LIVRO COMO O MELHOR PRESENTE

Tenho em minhas mãos um dos mais belos livros que vi ultimamente: *Pero Vaz de Caminha, Carta a El Rey Dom Manuel*. Tipograficamente é uma obra-prima, edição da Editora Sabiá, de Rubem Braga e Fernando Sabino. O livro vem dentro de uma caixa, o que o torna ainda mais um presente. Os desenhos magníficos são de Carybé. Trata-se de uma homenagem ao quinto centenário de nascimento de Pedro Álvares Cabral, versão de Rubem Braga. Palavras introdutórias deste mesmo escritor e editor: "... Descoberta na Torre do Tombo em 1773 por Seabra da Silva, o venerável documento, que já foi chamado de nossa certidão de batismo, tem tido muitas versões em língua atualizada, desde a de Aires do Casal... até Leonardo Arroio." "Nosso critério", diz Rubem na introdução, "foi o de preservar, tanto quanto possível, o sabor da linguagem antiga: respeitamos, até os limites do ininteligível, a frase de Caminha, em seu torneio e suas repetições." "... Evitei corrigir o velho Caminha quando ele escreve que um português foi *em* terra no lugar de *à* terra, *imos* no lugar de *vamos*, ou *nenhum não era* em vez de *nenhum deles era*; é gostoso verificar que em alguns casos a linguagem popular do Brasil conservou a honrada sintaxe de nosso primeiro cronista." E termina seu gostoso e simples prefácio dizendo: ..."quanto à terra de Santa Cruz, cresceu muitas léguas para o Norte e para o Sul e para Oeste, virando Brasil – e ainda vive, mais ou menos, conforme Deus Nosso Senhor é servido."

INQUIETAÇÕES DE UM FETO

Trata-se de um livro de contos de um estreante que não é estreante pois escreve há bastante tempo: José Luís Silveira Neto.

Silveira Neto tem um jeito agudo e inquieto e profundo de contar as suas histórias. O que eu gostaria mesmo era de ver o seu romance publicado. Como profissão, Silveira Neto é psicólogo. *Inquietações de um feto* é original. Trata-se de um bom contista que acabamos de ganhar. E conto, por mais curto que seja, é difícil de se fazer bom.

GRANDES ENIGMAS DA HUMANIDADE

Os autores são Luís Carlos Lisboa e Roberto Pereira de Andrade, coleção Presença do Futuro, da Editora Vozes. Li o livro com a voracidade que só em criança se tem ao ler pela primeira vez uma história. Escrito com uma linguagem acessível e adequada ao texto, *Grandes enigmas da humanidade* é fascinante: ganhei o livro, mas tenho vários conhecidos que esperam que eu acabe para lê-lo também, porque andaram folheando-o. Na orelha, Rose Marie Muraro diz: "Em todos os tempos, enigmas sem solução desafiaram a argúcia do homem. Muitos deles apenas puderam ser mais bem compreendidos com os novos recursos que a técnica e a ciência estão proporcionando no século. Entre eles contam-se os seguintes: a Atlântida – desde a mais remota Antiguidade, depoimentos de homens ilustres (inclusive Platão) relatam as glórias da avançadíssima civilização do continente desaparecido há mais de cem séculos. Hoje já se sabem muitas coisas a respeito da Atlântida; sua provável localização, as características de seu povo, como foi tragada pelo mar etc."

O livro fala ainda sobre os discos voadores e os "visitantes do espaço"; as grandes civilizações desaparecidas (inclusive no continente americano – as setes cidades do Brasil), quais os povos que aqui estiveram antes de Cabral e de Colombo (os vikings já são conhecidos; mas quantos sabem que os fenícios e os egípcios aqui vieram desde a mais remota antiguidade?). O futuro (iluminar o futuro é, pois, a melhor maneira de viver o presente).

É um livro de dois pesquisadores que dão as fontes de informações de que se valeram. É sério, além de extremamente atraente. Uma aventura no tempo e no espaço.

Um livro de viagens: *Sexo grátis e novo*, do arquiteto José Reznik, Editora Pergaminho, prefácio de Oscar Niemeyer. Leve de se ler, curioso, aventuroso. Diz o prefácio de Niemeyer: "Este livro não revela apenas o arquiteto inteligente e curioso que sai a correr mundo atraído pelas grandes obras da arquitetura universal, mas o homem sensível que compreende a vida em todos os seus segredos e deseja vivê-la intensamente..." "... Mas se José Reznik mostra-se atento a tudo que o cerca, é com vivacidade, desenvoltura e lirismo que discorre sobre suas andanças no Oriente Médio. Não lhe faltam para isso curiosidade intelectual, nem convicções definidas, nem um espírito crítico apurado, como se observa ao definir em poucas palavras a arquitetura de Israel e numa única pergunta, uma atitude característica e engraçada do seu irmão e meu prezado amigo Davi..."

Na introdução, Reznik diz: "Juntei essas notas do diário para – além de ganhar a vida – distrair alguns, dar uma ideia da Europa a outros e, mais especialmente, desinibir alguns poucos que se iniciam em arte e arquitetura. A esses últimos dedico este livro." Bom para se ler nas férias.

✦ ✦ ✦

ANUNCIAÇÃO

Tenho em casa uma pintura do italiano Savelli – depois compreendi muito bem quando soube que ele fora convidado para fazer vitrais no Vaticano.

Por mais que olhe o quadro não me canso dele. Pelo contrário, ele me renova.

Nele, Maria está sentada perto de uma janela e vê-se pelo volume de seu ventre que está grávida. O arcanjo, de pé ao seu lado, olha-a. E ela, como se mal suportasse o que lhe fora anunciado como destino seu e destino para a humanidade futura através dela, Maria aperta a garganta com a mão, em surpresa e angústia.

O anjo, que veio pela janela, é quase humano: só suas longas asas é que lembram que ele pode se transladar sem ser pelos pés. As asas são muito humanas: carnudas, e seu rosto é o rosto de um homem.

É a mais bela e cruciante verdade do mundo.

Cada ser humano recebe a anunciação: e, grávido de alma, leva a mão à garganta em susto e angústia. Como se houvesse para cada um, em algum momento da vida, a anunciação de que há uma missão a cumprir.

A missão não é leve: cada homem é responsável pelo mundo inteiro.

A VIRGEM EM TODAS AS MULHERES

Toda mulher, ao saber que está grávida, leva a mão à garganta: ela sabe que dará à luz um ser que seguirá forçosamente o caminho de Cristo, caindo na sua via muitas vezes sob o peso da cruz. Não há como escapar.

ELE SERIA ALEGRE

Cristo seria alegre se não precisasse mostrar ao mundo a dor do mundo: como homem era um ser perfeito e por isso teria alegrias perfeitas.

A HUMILDADE DE SÃO JOSÉ

São José é o símbolo da humildade. Ele sabia que não era o pai da Criança e cuidava da virgem grávida como se ele a tivesse germinado.

São José é a bondade humana. É o autoapagamento no grande momento histórico. Ele é o que vela pela humanidade.

MEU NATAL

Como as crianças eram pequenas e não conseguiriam se manter acordadas para uma ceia, ficou como hábito que o Natal seria comemorado não à meia-noite, mas sim no almoço do dia seguinte. Depois os meninos cresceram, mas o hábito ficou. E é no dia 25 pela manhã que vêm os presentes.

Pelo fato da ceia de Natal ser no dia 25, eu fiquei sempre livre na noite de 24 de dezembro. Mas há três ou quatro anos tenho um compromisso sagrado para a noite de 24.

É que, falando com uma moça que não era ainda minha amiga, mas hoje é, e muito cara, perguntei-lhe o que ia fazer na noite de Natal, com quem ia passar. Ela respondeu simplesmente: o que eu tenho feito todos os anos: tomo umas pílulas que me fazem dormir 48 horas. Surpreendi-me, assustada, perguntei-lhe por quê. É que o tempo de Natal lhe era muito doloroso, pois perdera pai e mãe, se não me engano perto de um Natal, e não suportava passá-lo sem eles. Fiz-lhe antes ver o perigo de tais pílulas: podia, em vez de 48 horas, dormir para sempre.

E tive uma ideia: daquele Natal em diante, nós passaríamos parte da noite de 24 juntas, jantando num restaurante. Encontrar-nos-íamos às oito e pouco da noite, ela veria como os restaurantes estão cheios de pessoas que não têm lar ou ambiente de lar para passar o Natal e o celebram alegremente na rua. Depois do jantar, ela me deixa em casa com o seu carro, e vai para casa buscar a tia para irem à Missa do Galo. Nós combinamos que cada uma paga a sua parte no jantar e que trocaremos presentes: o presente é a presença de uma para a outra.

Mas houve um Natal em que minha amiga quebrou a combinação e, sabendo-me não religiosa, deu-me um missal. Abri-o, e nele ela escrevera: reze por mim.

No ano seguinte, em setembro, houve o incêndio em meu quarto, incêndio que me atingiu tão gravemente que fiquei alguns dias entre vida e morte. Meu quarto foi inteiramente queimado: o estuque das paredes e do teto caiu, os móveis foram reduzidos a pó, e os livros também.

Não tento sequer explicar o que aconteceu: tudo se queimou, mas o missal ficou intato, apenas com um leve chamuscado na capa.

✦ ✦ ✦

APRENDENDO A VIVER

Thoreau era um filósofo americano que, entre coisas mais difíceis de se assimilar assim de repente, numa leitura de jornal, escreveu muitas coisas que talvez possam nos ajudar a viver de um modo mais inteligente, mais eficaz, mais bonito, menos angustiado.

Thoreau, por exemplo, desolava-se vendo seus vizinhos só pouparem e economizarem para um futuro longínquo. Que se pensasse um pouco no futuro, estava certo. Mas "melhore o momento presente", exclamava. E acrescentava: "Estamos vivos *agora*." E comentava com desgosto: "Eles ficam juntando tesouros que as traças e a ferrugem irão roer e os ladrões roubar."

A mensagem é clara: não sacrifique o dia de hoje pelo de amanhã. Se você se sente infeliz agora, tome alguma providência agora, pois só na sequência dos *agoras* é que você existe.

Cada um de nós, aliás, fazendo um exame de consciência, lembra-se pelo menos de vários *agoras* que foram perdidos e que não voltarão mais. Há momentos na vida que o arrependimento de não ter tido ou não ter sido ou não ter resolvido ou não ter aceito, há momentos na vida em que o arrependimento é profundo como uma dor profunda.

Ele queria que fizéssemos agora o que queremos fazer. A vida inteira Thoreau pregou e praticou a necessidade de fazer agora o que é mais importante para cada um de nós.

Por exemplo: para os jovens que queriam tornar-se escritores, mas que contemporizavam – ou esperando uma inspiração ou se dizendo que não tinham tempo por causa de estudos ou trabalhos – ele mandava ir *agora* para o quarto e começar a escrever.

Impacientava-se também com os que gastam tanto tempo estudando a vida que nunca chegam a viver. "É só quando esquecemos todos os nossos conhecimentos que começamos a saber."

E dizia esta coisa forte que nos enche de coragem: "Por que não deixamos penetrar a torrente, abrimos os portões e pomos em movimento toda a nossa engrenagem?" Só em pensar em seguir o seu conselho, sinto uma corrente de vitalidade percorrer-me o sangue. Agora, meus amigos, está sendo neste próprio instante.

Thoreau achava que o medo era a causa da ruína dos nossos momentos presentes. E também as assustadoras opiniões que nós temos de nós mesmos. Dizia ele: "A opinião pública é uma tirana débil, se comparada à opinião que temos de nós mesmos." É verdade: mesmo as pessoas cheias de segurança aparente julgam-se tão mal que no fundo estão alarmadas. E isso, na opinião de Thoreau, é grave, pois "o que um homem pensa a respeito de si mesmo determina, ou melhor, revela seu destino".

E, por mais inesperado que isso seja, ele dizia: tenha pena de si mesmo. Isso quando se levava uma vida de desespero passivo. Ele então aconselhava um pouco menos de dureza para com eles próprios. O medo faz, segundo ele, ter-se uma covardia desnecessária. Nesse caso devia-se abrandar o julgamento de si próprio. "Creio", escreveu, "que podemos confiar em nós mesmos muito mais do que confiamos. A natureza adapta-se tão bem à nossa fraqueza quanto à nossa força." E repetia mil vezes aos que complicavam inutilmente as coisas – e quem de nós não faz isso? –, como eu ia dizendo, ele quase gritava com quem complicava as coisas: simplifique! simplifique!

E um dia desses, abrindo um jornal e lendo um artigo de um nome de homem que infelizmente esqueci, deparei com citações de Bernanos que na verdade vêm complementar Thoreau, mesmo que aquele jamais tenha lido este.

Em determinado ponto do artigo (só recortei esse trecho), o autor fala que a marca de Bernanos estava na veemência com que nunca cessou de denunciar a impostura do "mundo livre". Além disso, procurava a *salvação pelo risco – sem o qual a vida para ele não valia a pena* – "e não pelo encolhimento senil, que não é só dos velhos, é de todos os que defendem as suas posições, inclusive ideológicas, inclusive religiosas" (o grifo é meu).

Para Bernanos, dizia o artigo, o maior pecado sobre a terra era a avareza, sob todas as formas. "A avareza e o tédio danam o mundo." "Dois ramos, enfim, do egoísmo", acrescenta o autor do artigo.

Repito por pura alegria de viver: a salvação é pelo risco, sem o qual a vida não vale a pena!

Feliz Ano-Novo.

1969

CONDIÇÃO HUMANA

Minha condição é muito pequena. Sinto-me constrangida. A ponto de que seria inútil ter mais liberdade: minha condição pequena não me deixaria fazer uso da liberdade. Enquanto que a condição do universo é tão grande que não se chama de condição. O meu descompasso com o mundo chega a ser cômico de tão grande. Não consigo acertar o passo com ele. Já tentei me pôr a par do mundo, e ficou apenas engraçado: uma de minhas pernas sempre curta demais. O paradoxo é que minha condição de manca é também alegre porque faz parte dessa condição. Mas se me torno séria e quero andar certo com o mundo, então me estraçalho e me espanto. Mesmo então, de repente, rio de um riso amargo que só não é um mal porque é de minha condição. A condição não se cura, mas o medo da condição é curável.

O MILAGRE DAS FOLHAS

Não, nunca me acontecem milagres. Ouço falar, e às vezes isso me basta como esperança. Mas também me revolta: por que não a mim? Por que só de ouvir falar? Pois já cheguei a ouvir conversas assim, sobre milagres: "Avisou-me que, ao ser dita determinada palavra, um objeto de estimação se quebraria." Meus objetos se quebram banalmente e pelas mãos das empregadas. Até que fui obrigada a chegar à conclusão de que sou daqueles que rolam pedras durante séculos, e não daqueles para os quais os seixos já vêm prontos, polidos e brancos. Bem que tenho visões fugitivas antes de adormecer – seria milagre? Mas já me foi tranquilamente explicado que isso até nome tem: cidetismo, capacidade de projetar no campo alucinatório as imagens inconscientes.

Milagre, não. Mas as coincidências. Vivo de coincidências, vivo de linhas que incidem uma na outra e se cruzam e no cruzamento formam um leve e instantâneo ponto, tão leve e instantâneo que mais é feito de pudor e segredo: mal eu falasse nele, já estaria falando em nada.

Mas tenho um milagre, sim. O milagre das folhas. Estou andando pela rua e do vento me cai uma folha exatamente nos cabelos. A incidência da linha de milhões de folhas transformadas em uma única, e de milhões de pessoas a incidência de reduzi-las a mim. Isso me acontece tantas vezes que passei a me considerar modestamente a escolhida das folhas. Com gestos furtivos tiro a folha dos cabelos e guardo-a na bolsa, como o mais diminuto diamante. Até que um dia, abrindo a bolsa, encontro entre os objetos a folha seca, engelhada, morta. Jogo-a fora: não me interessa fetiche morto como lembrança. E também porque sei que novas folhas coincidirão comigo.

Um dia uma folha me bateu nos cílios. Achei *Deus* de uma grande delicadeza.

✦ ✦ ✦

LÚCIO CARDOSO

Lúcio, estou com saudade de você, corcel de fogo que você era, sem limite para o seu galope.

Saudade eu tenho sempre. Mas, saudade tristíssima, duas vezes.

A primeira quando você repentinamente adoeceu, em plena vida, você que era a vida. Não morreu da doença. Continuou vivendo, porém era homem que não escrevia mais, ele que até então escrevera por uma compulsão eterna gloriosa. E depois da doença, não falava mais, ele que já me dissera das coisas mais inspiradas que ouvidos humanos poderiam ouvir. E ficara com o lado direito todo paralisado. Mais tarde usou a mão esquerda para pintar: o poder criativo nele não cessara.

Mudo ou grunhindo, só os olhos se estrelavam, eles que sempre haviam faiscado de um brilho intenso, fascinante e um pouco diabólico.

De sua doença restaria também o sorriso: esse homem que sorria para aquilo que o matava. Foi homem de se arriscar e de pagar o alto preço do jogo. Passou a transportar para as telas, com a mão esquerda (que, no entanto, era incapaz de escrever, só de pintar) transparências e luzes e levezas que antes ele não parecia ter conhecido e ter sido iluminado por elas: tenho um quadro, de antes da doença, que é quase totalmente negro. A luz lhe viera depois das trevas da doença.

A segunda saudade foi já perto do fim.

Algumas pessoas amigas dele estavam na antessala de seu quarto no hospital e a maioria não se sentiu com força de sofrer ainda mais ao vê-lo imóvel, em estado de coma.

Entrei no quarto e vi o Cristo morto. Seu rosto estava esverdeado como um personagem de El Greco. Havia a Beleza em seus traços.

Antes, mudo, ele pelo menos me ouvia. E agora não ouviria nem que eu gritasse que ele fora a pessoa mais importante da minha vida durante a minha adolescência. Naquela época ele me ensinava como se conhecem as pessoas atrás das máscaras, ensinava o melhor modo de olhar a lua. Foi Lúcio que me transformou em "mineira": ganhei diploma e conheço os maneirismos que amo nos mineiros.

Não fui ao velório, nem ao enterro, nem à missa porque havia dentro de mim silêncio demais. Naqueles dias eu estava só, não podia ver gente: eu vira a morte.

Estou me lembrando de coisas. Misturo tudo. Ora ouço ele me garantir que eu não tivesse medo do futuro porque eu era um ser com a chama da vida. Ele me ensinou o que é ter chama da vida. Ora vejo-nos alegres na rua comendo pipocas. Ora vejo-o encontrando-se comigo na ABBR, onde eu recuperava os movimentos de minha mão queimada e onde Lúcio, Pedro e Miriam Bloch chamavam-no à vida. Na ABBR caímos um nos braços do outro.

Lúcio e eu sempre nos admitimos: ele com sua vida misteriosa e secreta, eu com o que ele chamava de "vida apaixonante". Em tantas coisas éramos tão fantásticos que, se não houvesse a impossibilidade, quem sabe teríamos nos casado.

Helena Cardoso, você que é uma escritora fina e que sabe pegar numa asa de borboleta sem quebrá-la, você que é irmã do Lúcio para todo o sempre, por que não escreve um livro sobre Lúcio? Você contaria de seus anseios e alegrias, de suas angústias profundas, de sua luta com Deus, de suas fugas para o humano, para os caminhos do Bem e do Mal. Você, Helena, sofreu com Lúcio e por isso mesmo mais o amou.

Enquanto escrevo levanto de vez em quando os olhos e contemplo a caixinha de música antiga que Lúcio me deu de presente: tocava como em cravo a *Pour Élise*. Tanto ouvi, que a mola partiu. A caixinha de música está muda? Não. Assim como Lúcio não está morto dentro de mim.

♦ ♦ ♦

QUASE

Meu táxi aproximava-se do túnel que leva para o Leme ou para Copacabana, quando olhei e vi a Igreja de Santa Teresinha. Meu coração bateu mais forte: reconheci dentro da carne da alma, que sentia na dor, reconheci que seria na igreja que eu poderia encontrar refúgio.

Despedi o táxi e senti que era com um andar humilde que eu entrava na penumbra fresca da igreja. Sentei-me num banco e ali fiquei. A igreja estava totalmente vazia. O seu cheiro de flores me envolvia e me sufocava brandamente. Pouco a pouco meu tumulto interior foi se transformando numa resignação melancólica: eu dava minha alma em troca de nada. Porque não era paz o que eu sentia. Sentia que o meu mundo havia desmoronado e que eu restara de pé como testemunha perplexa e incógnita.

Depois fui esquecendo minha dor e olhando os santos da igreja. Todos tinham sido martirizados: pois este é o caminho humano e divino. Todos tinham desistido de uma vida maior em prol de uma vida mais profunda e mais machucada. Todos não tinham "aproveitado" da vida única que nós temos. Todos tinham sido tolos, no sentido mais puro da palavra. E todos haviam sido perpetuados para sempre, para o nosso coração sedento de misericórdia. E por que, meu Deus, era tão necessário o sacrifício de nossos desejos mais legítimos? Por que a mortificação em vida?

Olhei a igreja vazia em busca de resposta e vi no centro da nave principal o caixão. Levantei-me, fui até ele. Lá estava deitada a figura de Santa Teresinha, com os pés cobertos de flores. Fiquei olhando.

Alguma coisa porém eu estranhava. É que sempre as imagens de Santa Teresinha representavam-na jovem e com flores na mão. E esta era uma Santa Teresinha tão velhinha que a pele parecia, como se diz, de pergaminho enrugado. Seus olhos estavam fechados, as mãos brancas cruzadas no peito, e as flores vivas e rubras rebentando como um grito de vida a seus pés.

A imagem não era de porcelana, isso logo vi. Mas de que material? Parecia cera. Cera, no entanto, derreteria ao calor das velas e do verão, não podia pois ser. Era um material que eu nunca tinha visto. Eu sabia que, se tocasse na santa, saberia de que ela era feita. Quando eu era pequena, nossa empregada Rosa, irritada porque eu mexia em tudo, costumava dizer: "Essa menina tem os olhos nas mãos, só sabe ver pegando."

Eu só saberia ver pegando, mas sabia que se o padre entrasse e visse não havia de gostar. Olhei em torno de mim, a igreja continuava vazia, então furtivamente estendi a mão para tocar no rosto de Santa Teresinha.

Não pude completar o gesto porque do fundo da igreja apareceram duas moças que se encaminharam para o caixão e ali comigo ficaram. As duas moças tinham o ar aborrecido, e ficamos as três mudas ali. Até que uma disse para a outra:

— Afinal de contas quando é que vem todo o mundo para o enterro de vovó? Ela não pode ficar morando na igreja!

Ouvi, ou melhor, mal ouvi, e entendi de súbito. De súbito toda pálida por dentro entendi que aquela não era Santa Teresinha e sim uma mulher morta. Uma mulher morta que eu quase havia tocado com meus dedos. Quase. Por um átimo de segundo eu fora interrompida pela chegada das netas da morta.

À ideia de que eu estivera a pique de pegar na morte, minhas pernas se enfraqueceram e mal caminhei até um banco onde me sentei meio inconsciente, meio desmaiada. Meu coração batia muito fora do lugar do coração: no pulso, na cabeça, nos joelhos, e no peito também.

Sei que embaixo do batom meus lábios deviam estar brancos. E eu mesma não entendia por que tanto susto ao quase tocar na morte — se a morte faz parte de nossa vida. Não se entende vida sem morte, no entanto eu quase desmaiara ao tocar no que era também minha. Eu tinha que sair daquela igreja e os pés me faltavam ao solo. Finalmente consegui uma força maior, levantei-me e sem olhar para nada saí.

Como explicar o que vi lá fora? Vertiginosa como eu estava, mais vertiginosa ainda fiquei vendo o sol aberto e uma alegria de abelha em flor, os carros passando, as pessoas todas vivas,

vivas – só a velha morta e eu quase morta por ter aspirado as flores vermelhas aos pés da morte.

Na rua fiquei de pé muito tempo aspirando o cheiro que estar vivo tem. É uma mistura de carne, de corpo com gasolina, com vento do mar, com suor de axilas: o cheiro do que ainda não morreu.

Depois mandei parar um táxi e fraca, porém tão viva como um botão fresco de rosa, fui toda pálida para casa.

✦ ✦ ✦

BANHOS DE MAR

Meu pai acreditava que todos os anos se devia fazer uma cura de banhos de mar. E nunca fui tão feliz quanto naquelas temporadas de banhos em Olinda, Recife.

Meu pai também acreditava que o banho de mar salutar era o tomado antes do sol nascer. Como explicar o que eu sentia de presente inaudito em sair de casa de madrugada e pegar o bonde vazio que nos levaria para Olinda ainda na escuridão?

De noite eu ia dormir, mas o coração se mantinha acordado, em expectativa. E de puro alvoroço, eu acordava às quatro e pouco da madrugada e despertava o resto da família. Vestíamo-nos depressa e saíamos em jejum. Porque meu pai acreditava que assim devia ser: em jejum.

Saíamos para uma rua toda escura, recebendo a brisa da pré-madrugada. E esperávamos o bonde. Até que lá de longe ouvíamos o seu barulho se aproximando. Eu me sentava bem na ponta do banco: e minha felicidade começava. Atravessar a cidade escura me dava algo que jamais tive de novo. No bonde mesmo o tempo começava a clarear e uma luz trêmula de sol escondido nos banhava e banhava o mundo.

Eu olhava tudo: as poucas pessoas na rua, a passagem pelo campo com os bichos de pé: "Olhe um porco de verdade!" gritei uma vez, e a frase de deslumbramento ficou sendo uma das brincadeiras de minha família, que de vez em quando me dizia rindo: "Olhe um porco de verdade."

Passávamos por cavalos belos que esperavam de pé pelo amanhecer.

Eu não sei da infância alheia. Mas essa viagem diária me tornava uma criança completa de alegria. E me serviu como promessa de felicidade para o futuro. Minha capacidade de ser feliz se revelava. Eu me agarrava, dentro de uma infância muito infeliz, a essa ilha encantada que era a viagem diária.

No bonde mesmo começava a amanhecer. Meu coração batia forte ao nos aproximarmos de Olinda. Finalmente saltávamos e íamos andando para as cabinas pisando em terreno já de areia misturada com plantas. Mudávamos de roupa nas cabinas. E nunca um corpo desabrochou como o meu quando eu saía da cabina e sabia o que me esperava.

O mar de Olinda era muito perigoso. Davam-se alguns passos em um fundo raso e de repente caía-se num fundo de dois metros, calculo.

Outras pessoas também acreditavam em tomar banho de mar quando o sol nascia. Havia um salva-vidas que, por uma ninharia de dinheiro, levava as senhoras para o banho: abria os dois braços, e as senhoras, em cada um dos braços, agarravam o banhista para lutar contra as ondas fortíssimas do mar.

O cheiro do mar me invadia e me embriagava. As algas boiavam. Oh, bem sei que não estou transmitindo o que significavam como vida pura esses banhos em jejum, com o sol se levantando pálido ainda no horizonte. Bem sei que estou tão emocionada que não consigo escrever. O mar de Olinda era muito iodado e salgado. E eu fazia o que no futuro sempre iria fazer: com as mãos em concha, eu as mergulhava nas águas, e trazia um pouco do mar até minha boca: eu bebia diariamente o mar, de tal modo queria me unir a ele.

Não demorávamos muito. O sol já se levantara todo, e meu pai tinha que trabalhar cedo. Mudávamos de roupa, e a roupa ficava impregnada de sal. Meus cabelos salgados me colavam na cabeça.

Então esperávamos, ao vento, a vinda do bonde para Recife. No bonde a brisa ia secando meus cabelos duros de sal. Eu às vezes lambia meu braço para sentir sua grossura de sal e iodo.

Chegávamos em casa e só então tomávamos café. E quando eu me lembrava de que no dia seguinte o mar se repetiria para mim, eu ficava séria de tanta ventura e aventura.

Meu pai acreditava que não se devia tomar logo banho de água doce: o mar devia ficar na nossa pele por algumas horas. Era contra a minha vontade que eu tomava um chuveiro que me deixava límpida e sem o mar.

A quem devo pedir que na minha vida se repita a felicidade? Como sentir com a frescura da inocência o sol vermelho se levantar? Nunca mais?

Nunca mais.

Nunca.

✦ ✦ ✦

A PROTEÇÃO PUNGENTE

Ela não podia olhar para seu pai quando ele tinha uma alegria. Porque ele, o forte e amargo, ficava nessas horas todo inocente. E tão desarmado. Oh Deus, ele esquecia que era mortal. E obrigava a ela, uma criança, a arcar com o peso da responsabilidade de saber que os nossos prazeres mais ingênuos e mais animais também morrem. Nesses instantes em que ele esquecia que ia morrer, ele a tornava a *Pietà*, a mãe do homem.

DOÇURA DA TERRA

Não sei se muitos fizeram essa descoberta – sei que eu fiz. Também sei que *descobrir a terra* é lugar-comum que há muito se separou do que exprime. Mas todo homem deveria em algum momento redescobrir a sensação que está sob *descobrir a terra*.

A mim aconteceu na Itália, durante uma viagem de trem. Não é necessário que seja a Itália. Poderia ser em Jacarepaguá. Mas era a Itália. O trem avançava e, depois de uma noite maldormida em companhia de uma sueca que só falava sueco, depois de uma xícara de café ordinário com cheiro de estação ferroviária – eis a terra através das vidraças. A doçura da terra italiana. Era começo de primavera, mês de março. Também não precisaria ser primavera. Precisava ser apenas – terra. E quanto a esta, todos a têm sob os pés. Era tão estranho sentir-se viver sobre uma coisa viva. Os franceses, quando estão nervosos, dizem que estão *sur le qui-vive*. Nós estamos perpetuamente sobre o que viver.

E à terra retornaremos. Ah, por que não nos deixaram descobrir sozinhos que à terra retornaremos: fomos avisados antes de descobrir. Com grande esforço de recriação descobri que: à terra retornaremos. Não era triste, era excitante. Só em pensar, já me sentia rodeada desse silêncio da terra. Desse silêncio que a gente prevê e que procura antes do tempo concretizar.

De algum modo tudo é feito de terra. Um material precioso. Sua abundância não o torna menos raro de sentir – tão difícil é realmente sentir que tudo é feito de terra. Que unidade. E por que não o espírito também? Meu espírito é tecido pela terra mais fina. A flor não é feita de terra?

E pelo fato de tudo ser feito de terra – que grande futuro inesgotável nós temos. Um futuro impessoal que nos excede. Como a raça nos excede.

Que dom nos fez a terra separando-nos em pessoas – que dom nós lhe fazemos não sendo senão: terra. Nós somos imortais. E eu estou emocionada e cívica.

NÃO ENTENDER

Não entendo. Isso é tão vasto que ultrapassa qualquer entender. Entender é sempre limitado. Mas não entender pode não ter fronteiras. Sinto que sou muito mais completa quando não entendo. Não entender, do modo como falo, é um dom. Não entender, mas não como um simples de espírito. O bom é ser inteligente e não entender. É uma bênção estranha, como ter loucura sem ser doida. É um desinteresse manso, é uma doçura de burrice. Só que de vez em quando vem a inquietação: quero entender um pouco. Não demais: mas pelo menos entender que não entendo.

✦ ✦ ✦

ALCEU AMOROSO LIMA (I)

– Dr. Alceu, minha alegria foi tão completa ao falar com o senhor ao telefone que mal pude falar. E, quando ouvi a sua franca e expansiva expressão de agrado ao me ouvir, aí é que eu senti que estava dando e recebendo, ato humano por excelência. Nem sei o que lhe perguntar, tanto tenho a aprender do senhor. O senhor é o perfeito homem alegre que sofre na carne as dores do mundo. Mas vamos falar em fatos. O que foi debatido, de um modo geral, na Comissão Justiça e Paz do Vaticano?

– Por ora, mais problemas de organização interna que de ação exterior. Trata-se, aliás, de uma comissão de *estudiosos*, dos problemas de Justiça e de Paz, Commissio Studiosorum Justitia et Pax e não de ação imediata. Esta caberá às comissões nacionais, já em vias de organização, como entre nós, embora ainda no papel, ou já em função, como na França, nos Estados Unidos, na Holanda, na Alemanha, na Venezuela. A função de todas, inclusive da central em Roma, é procurar, ao mesmo tempo, estudar os problemas concretos de patologia social, no tocante à Justiça e à Paz, e disseminar, nas consciências, nas legislações e na prática social, os princípios consubstanciados nas grandes Encíclicas Sociais, especialmente a *Populorum Progressio*.

— *Qual é a sua atitude em face do problema das pílulas anticoncepcionais? Gostaria que o senhor se lembrasse de que só os pobres, os que não têm como sustentar filhos, é que mais filhos têm.*

— Só confrontando a *Humanae Vitae* com a *Casti Connubii*, de 1930, é que podemos ver o passo enorme que a Igreja deu na reta interpretação do problema da fecundidade no casamento. Essa era considerada como o primeiro e principal objetivo da união conjugal. Agora, o amor e a fidelidade recíprocos é que passam a ser considerados, como devem ser, a principal finalidade do sacramento fundador da família. O princípio da paternidade responsável é resguardado, como se preserva o primado da consciência dos cônjuges na determinação da prole, tal como já fora expressamente afirmado na *Populorum Progressio* e o reafirmaram expressamente as conclusões dos encontros das diferentes Conferências Episcopais Nacionais, como a dos bispos franceses, norte-americanos, alemães, holandeses e creio que ingleses. A convocação do sínodo, para o próximo mês de outubro, virá provavelmente explicar alguns pontos ambíguos da Encíclica, levando em conta o resultado dessas reuniões episcopais e da reação encontrada na opinião pública, tendo em vista particularmente problemas de realidade social, como esse que você levanta. Assim como Pio XII, proclamando perfeitamente legítimo, do ponto de vista moral, o parto sem dor, por muito tempo considerado como contrário à lei natural e à lei divina, assim também a paternidade responsável e a regulação racional da fecundidade conjugal são elementos da lei natural tão respeitáveis quanto a própria fecundidade. A lei de Deus, evidentemente, é que cada espécie se multiplique de acordo com sua natureza: os animais, de modo instintivo e quantitativo; os seres humanos, de modo racional e qualitativamente.

✦ ✦ ✦

ALCEU AMOROSO LIMA (II)

— *Qual seria, na sua opinião, a solução imediata para o Brasil como país subdesenvolvido?*

— O Brasil é, ao mesmo tempo, um país subdesenvolvido ou em vias de desenvolvimento como preferem dizer os que sentem susceptibilidade pela expressão "país subdesenvolvido", e subpovoado. O problema da limitação da natalidade, entre nós, afeta principalmente as classes ricas, que se sentem prejudicadas pela interpretação literal e restritiva da Encíclica, pois a média e a alta burguesia é que a praticam e não o povo. O nosso problema é, acima de tudo, o da defesa da natalidade, do ponto de vista econômico e sanitário. Favorecer a fecundidade instintiva sem criar as condições econômicas e sanitárias para proteger realmente a vida humana é perpetuar situações de injustiça intolerável. Esse amparo à natalidade é que representa problema primacial entre nós, para que não sejamos atingidos por um malthusianismo imposto de fora, pelos que pretendem condicionar os auxílios financeiros a uma política estatal malthusiana, que em hipótese alguma poderemos aceitar.

— *Algumas pessoas dizem que submeter-se à Psicanálise é tolice, que sai muito mais barato e fácil confessar-se. Para mim é inteiramente óbvio que se trata de campos completamente separados. Qual é a sua opinião?*

— Estou de acordo com você. Embora haja entre elas pontos de contato, especialmente no plano rigorosamente psicológico, o que as separa é muito mais do que o que as une. Se não colocarmos a confissão no plano primacialmente sobrenatural, perde todo o seu sentido e torna-se apenas uma Psicanálise barata e de má qualidade. Pessoalmente não tenho a menor inclinação pelo processo psicanalítico de tratamento e vejo até os perigos e uma extensão abusiva desses métodos. Devemos, entretanto, colocar o problema no terreno puramente pragmático. Se tem êxito, em determinados casos, nada impede ou antes é necessário que seja aplicado. Só rejeito a generalização. Afrânio Peixoto era um cético, como aliás Miguel Couto, em relação ao abuso de remédios, que em seu tempo prevalecia. Mas dizia, ironicamente: "Tratemos de tomá-los enquanto curam."

— *O padre católico ortodoxo, o pastor protestante e o rabino se casam, sem que percam a fé em Deus e no homem, e sem deixarem de ser um intermediário entre Deus e a criatura humana no seu sofrimento e nas suas raras alegrias. Por que também não se casa o padre católico?*

— É um problema de disciplina nos costumes e não de doutrina. Por isso mesmo só foi introduzido na Igreja Católica no século III ou IV e poderá ser alterado a qualquer momento. Acredito mesmo que, no futuro, haverá uma distinção entre sacerdotes seculares, não obrigados à regra do celibato, e os monges, que por amor de uma vida mais perfeita se submeterão a ela voluntariamente. Nietzsche, entretanto, afirmava que a maior força da Igreja Católica era o sacerdócio célibe. De qualquer modo, o casamento, em si, nunca será um empecilho substancial à missão sacerdotal de meditação entre Deus e os homens. Assim como o celibato voluntário, especialmente a virgindade, serão sempre formas de elevação moral e de purificação espiritual incomparáveis.

— *Alguma vez o senhor já sentiu em conflito suas próprias ideias e as ideias da doutrina católica?*

— Só senti a verdadeira liberdade desde que voluntariamente me submeti à Fé católica, depois de um período inicial muito duro. E não há nessa afirmativa nenhum jogo de palavras. O que é preciso é não confundir liberdade com veleidades ou movimentos temperamentais. Nem doutrina católica com interpretações individuais de que podemos livremente discordar. E de que temos mesmo, dentro da Igreja, a mais ampla liberdade de discordar. O próprio Papa, como se sabe, só é infalível dentro de normas rigorosas e em casos expressamente determinados. Embora a sua supremacia episcopal universal seja um elemento essencial para essa mesma liberdade de que desfrutam dentro da Igreja Católica.

♦ ♦ ♦

ALCEU AMOROSO LIMA (FINAL)

— *Sua fé em Deus foi ato de graça ou foi uma lenta aprendizagem?*
— Uma longa procura, coroada por um ato de graça. E esta, afinal, é que vale. E que dura.
— *O senhor acha que só a prática da religião bastaria para resolver os problemas de reivindicações dos jovens?*
— Não. Não se pode dissociar, na vida individual como na vida social, a vida religiosa, propriamente dita, da vida doméstica, cultural, econômica e política. Nem mesmo pode haver uma vida religiosa sadia onde as vidas política e econômica, cultural e doméstica não estejam organizadas racionalmente.
— *Se somos produtos da criação divina, e por Ele controlados, em que consistiria o livre-arbítrio do homem?*
— A grandeza do homem está precisamente em ser o único animal que tem o dom de negar a Deus. E, portanto, o mérito de o reconhecer livremente. E o adorar.
— *Qual foi a sua atuação nesse congresso de leigos do Vaticano?*
— Aprendi a saber melhor o que não sei.
— *Qual é a diferença entre um grande líder católico e um santo? Este, por exemplo, teria que fazer voto de pobreza, de castidade e abandonar os prazeres do mundo?*

— A santidade está sempre em fazer a vontade de Deus e acima de tudo em saber onde está essa vontade. Eis por que o orgulho e a avareza são obstáculos maiores ao mínimo de santidade, neste mundo, do que qualquer atentado aos votos de pobreza, de castidade ou de renúncia aos prazeres do mundo.

— *O senhor já se sentiu alguma vez em estado de graça? Eu, humildemente, já senti mais de uma vez. Morro de saudade de sentir de novo, mas tanto já me foi dado que não exijo mais.*

— Cada momento de *despreocupação* total em relação às coisas humanas é, para mim, um estado de graça. Sinto-o como a presença de Deus, que é sempre inefável e intraduzível, como o Silêncio. Por isso mesmo há dias cheios de graça. E semanas vazias dela. Nunca de tudo, sem dúvida, o essencial é ter sempre as janelas abertas à chegada da Graça, que é sempre imprevista e representa a Inspiração sobrenatural para todos, como esta, no plano da vida natural, é a graça para os poetas ou para os nossos momentos de poesia.

— *Como se sente o senhor como professor? Ensinar é mais gratificador do que escrever?*

— Sempre gostei muito de ensinar e tenho saudade da cátedra. Mas sempre exerci o ensino como uma forma de criação poética.

— *O senhor se sente perplexo no mundo de hoje?*

— Confesso que não, revoltado, sim, muitas vezes.

— *Como é que o senhor se sentiu ao vivenciar a primeira aproximação do homem à Lua?*

— Não mais do que adolescente, em 1909, estando em Berlim, ao ler nos jornais que Blériot atravessara o canal da Mancha de avião! "*Il n'y a que le premier pas qui coûte...*"

— *Dr. Alceu, uma vez eu o procurei porque queria aprender do senhor a viver. Eu não sabia e ainda não sei. O senhor me disse coisas altamente emocionantes, que não quero revelar, e disse que eu o procurasse de novo quando precisasse. Pois estou precisando.*

E queria também que o senhor esclarecesse sobre o que pretendem de mim os meus livros.

— Você, Clarice, pertence àquela categoria trágica de escritores, que não escrevem propriamente seus livros. *São escritos por eles.* Você é o personagem maior do autor dos seus romances. E bem sabe que esse autor não é deste mundo...

— *Qual a saída para o intelectual no regime subdesenvolvido?*

— Sofrer calado ou protestando sempre.

— *Que me diz da crise da Igreja?*

— A Igreja viveu sempre em estado de crise, isto é, de passagem e de luta. Com a aceleração crescente do ritmo da História humana e seus acontecimentos, também esses estados de crise, isto é, de intensificação ou de anomalia das funções espirituais da Igreja afetam naturalmente os seus órgãos. Tudo isso, porém, é uma prova de vitalidade e não de decadência. E nunca a Igreja esteve tão viva como agora, perseguida em seus missionários e mudando algumas de suas estruturas.

— *E as dissensões entre católicos?*

— É mais uma prova da liberdade de que gozamos dentro da Igreja. Enquanto houver essa tensão entre conservadores e renovadores, ou, como dizem por aí, entre reacionários e progressistas, e eu pessoalmente me coloco entre esses últimos, é prova da vitalidade da vida católica. O perigo seria se uma dessas vertentes se arvorasse em montanha, tentando dominar a outra e suprimir o convívio dos contrários ou dos diferentes dentro de uma Casa comum, que é o próprio universo. Pois, se não fosse *universal*, a Igreja deixaria de ser católica. Se não houvesse, dentro dela, a liberdade de discordar dentro do respeito recíproco, não haveria unidade de homens livres e sem uniformidade totalitária de robôs.

— *Qual o seu juízo sobre a literatura brasileira de nossos dias?*

— Creio que continuamos a viver no desdobramento da revolução modernista de 1922. Os séculos se sucedem, é verdade, sem se repetirem. É possível que o século XX, portanto, divirja do século XIX, onde houve dois grandes momentos de renovação: a década de 1830 a 40 e a de 1880 a 90. Na primeira, passamos do classicismo ao romantismo; na segunda, deste ao realismo e ao simbolismo. No século XX, houve a revolução literária da década de 1920. Será que a próxima ocorrerá também antes de 1980? Será então a revolução *audiovisualista*, com a passagem da literatura escrita à oral e visual, como em 1920 houve a revolução modernista, com a passagem da escrita lógica à escrita mágica. Como não estarei por aqui em 1980, você me dirá se havia algum fundamento na minha previsão...

— *Tem algum plano de publicações para 1969?*

— Nada de inédito, sem dúvida, alguns projetos de reunião em volume de coisas esparsas, como o segundo volume dos *Estudos literários*, compreendendo as cinco séries de *Estudos*, todos esgotados há muito; um volume de pequenas biografias, *Vidas bem vividas*; a continuação das crônicas semanais de 1967 a 1968, sob o título de *Peripécias da liberdade*; comentários sobre a *Populorum Progressio*, sob esse título; um volume sobre *Violência ou não?*, e um *Adeus à disponibilidade* (1928) e *Outros adeuses*.

— *Qual foi o maior elogio que o senhor recebeu em sua longa vida?*

— Foi guiando automóvel, numa curva difícil da estrada Rio-Petrópolis, chovendo, estrada superlotada, névoa. Fiz uma manobra arriscada e ouvi um dos meus filhos, então pequenos, dizer para o outro: "O velho é *fogo na roupa*..." Mas isso já foi há muito tempo...

◆ ◆ ◆

A TRAMA

Quando ele diz que está perdendo tempo, os outros compreendem o que ele diz. Mas às vezes sucede-lhe sentir que está perdendo tempo – e então ele nada dirá porque os outros não compreenderão. O dia de hoje passou, por exemplo. Sua surpresa é como se não tivesse pensado no dia de hoje o pensamento que só no dia de hoje viria. O que ele teria pensado ou feito hoje não poderia ter pensado ou feito nem ontem nem amanhã, pois há um tempo de rosas, outro de melões, e não comereis morangos senão na época de morangos. Sentia que havia um tempo inadiável correspondente a cada momento. Todo o seu esforço era o de conseguir que essa espécie de hora correspondesse à própria hora que não se perca.

Aliás, percebendo que a expressão *perder tempo* não *explicava*, escolheu outra que por um instante correspondeu à verdade: *aproveitar a mocidade*. Mas só por um instante correspondeu à verdade. Depois *aproveitar a mocidade* começou a encher-se de um sentido próprio – e ele começou a aproveitar a mocidade, a modo dele, que não era seu. E ele nunca conseguiu explicar como se perdera em tal trama, a mocidade. A mocidade é mulheres? Não sei.

QUEM ESCREVEU ISTO?

Andei mexendo em papéis antigos e encontrei uma folha onde estavam escritas, entre aspas, algumas linhas em inglês. O que significa que eu copiei as linhas de tão belas que as achei. No entanto não estava anotado o nome do escritor, o que é imperdoável. Vou tentar traduzir e não sei se a tradução conservará esse algo que me tocou tanto:

"Então por um momento os dois se apagaram na doce escuridão tão profunda que eles eram mais escuros que a escuridão, por uns instantes ambos eram mais escuros que as negras árvores, e depois tão escuros que, quando ela tentou erguer os olhos até ele, só pôde ver as ondas selvagens do universo acima dos ombros dele, e então ela disse: 'Sim, acho que eu também te amo.'"

[O autor em questão é Scott Fitzgerald e o trecho é do conto "The End of Hate", publicado na revista *Collier's* em 22 de junho de 1940.]

◆ ◆ ◆

AUGUSTO RODRIGUES, TAMBÉM POETA

Quase todos os domingos vou conversar um pouco com Augusto Rodrigues. Domingo último ele disse: "Fiz uns poemas, Ledo Ivo achou uma droga, mas vou mostrar para você." Perguntei quem mais sabia que ele fizera ultimamente poemas, ele disse: "Só Ledo Ivo e você."

De modo que é um *furo* artístico publicar aqui os poemas. Gostei deles. É óbvio que ele é tão maior com desenho e pintura. Por isso mesmo acho que Ledo Ivo foi rigoroso demais. Além do que, acho as palavras de Augusto Rodrigues bonitas. Eu pedi os poemas a Augusto para publicá-los nesta minha coluna. Ele hesitou muito, terminou me dizendo: "Não me leve a sério, leve em *gozação*." Perguntei-lhe os nomes dos poemas. Pensou, pensou, respondeu: "não têm nome." Além dos poemas ele faz uma daquelas historietas de poucas linhas que tanto agradam a Jorge Luis Borges. (No sábado que vem mostrarei o que agrada ao grande poeta-prosador argentino.) Voltemos a Augusto Rodrigues e comecemos pela sua prosa que, num mínimo de palavras, transmite um pensamento:

"Na hora da despedida uma falou: querida, eu estou indo ou vindo?"

Outra: "Tinham tanta fome que quando o capitão disse façam fogo!, juntaram gravetos, acenderam o fósforo e saíram buscando algo para cozinhar."

Outra: "Quanto é esse queijo?' '12.' 'E a metade?' '7'. 'Me dê a outra.'"

Mais uma: "remexeu a terra e dentro dela pôs a semente do amor, depois dormiu e sonhou, e quando acordou os olhos despertos viram sair de dentro da terra árvore e flor."

Um poema:
Baixou a cabeça
pôs os olhos no chão
e sentiu o cutelo descendo no pescoço
ainda assim viu
uma criança brincando
a mão alisando os cabelos
o rio passando entre seus pés
o pai falando sobre o certo
a vida amarga
o pão faltando
uma queda de bonde
o chão fugindo
do que falavam
pouco sabia
não se encontrava no que dizia
mas no ouvido
forte ficou
como ferrete em lombo de boi
– o réu é culpado.

Outro:
Embaraçado estou
na trama fina
dos teus cabelos
no laço dado
pelos teus braços
na boca presa na tua boca
no corpo unido

que nem um só.
Mas se me soltas
eu voltarei
pois livre eu sou
só livre sou
quando me prendes, quando me tens
no enredado da trama fina
dos teus cabelos.

Outro:
O boi entrou no mar
e de lá quando voltou
tinha um tamanho tão grande
que escondeu o horizonte
e a praia toda ocupou.
Outro boi de manso entrou
numa tela de Segall e de lá não mais saiu
dorme no verde pintado
coberto de céu azul.
Há, porém, um da infância
que nunca mais ninguém viu
um dia pela manhã
pôs duas asas nas costas
disse adeus e partiu.

NASCERÁ UM LIVRO NOVO

Walmir Ayala todos já conhecem, pela qualidade de sua prosa e de sua poesia. Mas é possível que não conheçam um novo amigo meu, entomologista, com exposições de seus quadros em museus de Londres e de Paris – Luís Otero. Vi os quadros de Luís Otero e fiquei perdida, fascinada pelo mundo dos insetos. Aliás, Otero tocando ao piano Chopin também fascina. Apresentei-o a Walmir, levei-o a ver os quadros. O resultado das conversas de ambos é que vão fazer um livro que devoraremos: um livro de poesia sobre a trágica e intensa vida dos insetos, ilustrado por Luís.

◆ ◆ ◆

PERGUNTAS GRANDES

Pessoas que são leitoras de meus livros parecem ter receio de que eu, por estar escrevendo em jornal, faça o que se chama de concessões. E muitas disseram: "Seja você mesma."

Um dia desses, ao ouvir um "seja você mesma", de repente senti-me entre perplexa e desamparada. É que também de repente me vieram então perguntas terríveis: quem sou eu? como sou? o que ser? quem sou realmente? e eu sou?

Mas eram perguntas maiores do que eu.

UM HOMEM FELIZ

Um dia desses tomei um táxi e acendi um cigarro. Ao primeiro sinal de parada de luz vermelha, o chofer me disse:

— A senhora quer ter a gentileza de me emprestar seus fósforos?

Estendi-lhe a caixa, e quando a devolveu, antes que ele dissesse alguma coisa, falei distraidamente por hábito:

— De nada.

E ele:

— Eu ainda não tinha agradecido. Por que é que a senhora disse "de nada"?

— Ah, não tem importância.

— Me desculpe, mas tem importância. A senhora devia ter esperado que eu dissesse "muito obrigado" e depois é que a senhora ia responder "de nada".

— Não importa, disse eu um pouco surpreendida.

Mas importava sim. Seu tom, ao ter falado, era o de um homem que defende leis que foram violadas. Era como se ele tivesse caído em terreno perigoso. Olhei-o melhor: e vi quanto aquele homem era pouco livre e como ele precisava sentir-se preso, e aos outros também. Tentei então uma doçura que o suavizasse, e, mais pela entonação da voz que por meio das palavras, eu lhe disse:

— De verdade, moço, não tem mesmo importância...

Mas ele insistiu duro:

— De outra vez a senhora espere que lhe agradeçam.

Nada mais havia a fazer, além do que eu também estava um pouco irritada. Até o fim da corrida não dissemos mais nada. E se há um silêncio mudo era aquele.

O IMPULSO

Sou o que se chama de pessoa impulsiva. Como descrever? Acho que assim: vem-me uma ideia ou um sentimento e eu, em vez de refletir sobre o que me veio, ajo quase que imediatamente. O resultado tem sido meio a meio: às vezes acontece que agi sob uma intuição dessas que não falham, às vezes erro completamente, o que prova que não se tratava de intuição, mas de simples infantilidade.

Trata-se de saber se devo prosseguir nos meus impulsos. E até que ponto posso controlá-los. Há um perigo: se reflito demais, deixo de agir. E muitas vezes prova-se depois que eu deveria ter agido. *Estou num impasse.* Quero melhorar e não sei como. Sob o impacto de um impulso, já fiz bem a algumas pessoas. E, às vezes, ter sido impulsiva me machuca muito. E mais: nem sempre meus impulsos são de boa origem. Vêm, por exemplo, da cólera. Essa cólera às vezes deveria ser desprezada; outras, como me disse uma amiga a meu respeito, são *cólera sagrada*. Às vezes minha *bondade* é fraqueza, às vezes ela é benéfica a alguém ou a mim mesma. Às vezes restringir o impulso me anula e me deprime; às vezes restringi-lo dá-me uma sensação de força interna.

Que farei então? Deverei continuar a acertar e a errar, aceitando os resultados resignadamente? Ou devo lutar e tornar-me uma pessoa mais adulta? E também tenho medo de tornar-me adulta demais: eu perderia um dos prazeres do que é um jogo infantil, do que tantas vezes é uma alegria pura. Vou pensar no assunto. E certamente o resultado ainda virá sob a forma de um impulso. Não sou madura bastante ainda. Ou nunca serei.

✦ ✦ ✦

CORÇAS NEGRAS

África. Vilas de Tallah, Kebbe e Sasstown, dentro da Libéria, com a jornalista Ana Kipper, os capitães Crockett e Bill Young. Os missionários ainda não tinham posto pé ali. Alguns dos habitantes haviam trabalhado na base aérea, falavam alguma coisa de inglês como se fosse mais um dialeto local – só na Monróvia há 24 ou 25 dialetos. No meio da conversa interrompem-se, dizem com cuidado e prazer: *hellô* – prestam atenção à ressonância do que disseram, riem então, e continuam. Adoram dar adeus. São de um preto fosco e unido que parece repelir água, como o cisne, que nunca está molhado. Alguns meninos com umbigo do tamanho de uma laranja. Sou extremamente examinada por um negro jovem e, sem saber o que fazer, termino por lhe dar adeus, já que eles gostam tanto de dar adeus. O rapaz fica encantado e, com aplicação, numa delicadeza de oferenda, ingênuo e puro, faz gestos obscenos. As negras jovens pintam o rosto com traços ocre, e o lábio inferior cor de gangrena e azinhavre. Uma, a quem agrado o filho, diz: *"Baby nice, baby cry money"* – e sua voz é tão cantante que parece encher de água uma bilha. O capitão Young dá-lhe um níquel. "*Baby cry big big money*", reclama ela entornando a bilha com sua voz de risos. Eles riem muito, mesmo os de rosto melancólico. Não há um traço de escárnio ou vontade de poder no riso: o riso é uma mistura de fascinação, vontade de agradar, humildade, curiosidade e alegria. Uma delas me olha atentamente, quase encabulo. E muito de súbito brota em frase longuíssima, arenga sem raiva onde não reconheço um só *r* ou *s*, apenas variações na escala do *l*, vaivém de lenga-lenga. Recorro ao intérprete. Este resume curtíssimo: "*She likes you.*" A moça então explode em outra lenga-lenga que dessa vez enche várias bilhas com chuva cantante. O intérprete: meu lenço de cabeça. Tiro-o, mostro-lhe como usá-lo. Quando vejo, estou cercada de pretas moças e esgalhadas, seminuas, todas muito sérias e quietas. Nenhuma presta atenção ao que ensino, e vou ficando sem jeito, assim rodeada de corças negras. Nos rostos opacos as listras pintadas me olham. A doçura contagia: também me aquieto, doce. Uma delas então se adianta no seu pé leve, e como se cumprisse um ritual – eles se dão inteiramente à forma – pega nos meus cabelos, alisa-os, experimenta-os, concentrada. Todas assistem. Não me mexo, para não assustá-las. Quando ela acaba, há ainda um momento de silêncio. E eis que de repente tantos risos misturados à letra *l* e tantos espantos alegres como se o silêncio tivesse debandado.

A PERIGOSA AVENTURA DE ESCREVER

"Minhas intuições se tornam mais claras ao esforço de transpô-las em palavras." Isso eu escrevi uma vez. Mas está errado, pois que, ao escrever, grudada e colada, está a intuição. É perigoso porque nunca se sabe o que virá – se se for sincero. Pode vir o aviso de uma destruição, de uma autodestruição por meio de palavras. Podem vir lembranças que jamais se queria vê-las à tona. O clima pode se tornar apocalíptico. O coração tem que estar puro para que a intuição venha. E quando, meu Deus, pode-se dizer que o coração está puro? Porque é difícil apurar a pureza: às vezes no amor ilícito está toda a pureza do corpo e alma, não abençoado por um padre, mas abençoado pelo próprio amor. E tudo isso pode-se chegar a ver — e ter visto é irrevogável. Não se brinca com a intuição, não se brinca com o escrever: a caça pode ferir mortalmente o caçador.

♦ ♦ ♦

ENTREVISTA-RELÂMPAGO COM PABLO NERUDA

Cheguei à porta do edifício de apartamentos, onde mora Rubem Braga e onde Pablo Neruda e sua esposa Matilde se hospedavam — cheguei à porta exatamente quando o carro parava e retiravam a grande bagagem dos visitantes. O que fez Rubem dizer: "É grande a bagagem literária do poeta." Ao que o poeta retrucou: "Minha bagagem literária deve pesar uns dois ou três quilos."

Neruda é extremamente simpático, sobretudo quando usa o seu boné ("tenho poucos cabelos, mas muitos bonés", disse). Não brinca porém em serviço: disse-me que se me desse a entrevista naquela noite mesma só responderia a três perguntas, mas se no dia seguinte de manhã eu quisesse falar com ele, responderia a maior número. E pediu para ver as perguntas que eu iria fazer. Inteiramente sem confiança em mim mesma, dei-lhe a página onde anotara as perguntas, esperando só Deus sabe o quê. Mas o *quê* foi um conforto. Disse-me que eram muito boas e que me esperaria no dia seguinte. Saí com alívio no coração porque estava adiada a minha timidez em fazer perguntas. Mas sou uma tímida ousada e é assim que tenho vivido, o que, se me traz dissabores, tem-me trazido também alguma recompensa. Quem sofre de *timidez ousada* entenderá o que quero dizer.

Antes de reproduzir o diálogo, um breve esboço sobre sua carga literária. Publicou *Crepusculário* quando tinha 19 anos.

Um ano depois publicava *Vinte poemas de amor e uma canção desesperada*, que até hoje é gravado, reeditado, lido e amado. Em seguida escreveu *Residência na Terra*, que reúne poemas de 1925 a 1931, em fase surrealista. A *terceira residência*, com poemas até 1945, é um intermediário com uma parte da *Espanha no coração*, onde é chorada a morte de Lorca, e a guerra civil em geral que o tocou profundamente e despertou-o para os problemas políticos e sociais. Em 1950, *Canto geral*, tentativa de reunir todos os problemas políticos, éticos e sociais da América Latina. Em 1954: *Odes elementares*, em que o estilo fica mais sóbrio, buscando simplicidade maior, e onde se encontra, por exemplo, "Ode à cebola". Em 1956, novas odes elementares que ele descobre nos temas elementares que não tinham sido tocados. Em 1957, *Terceiro livro das odes*, continuando na mesma linha. A partir de 1958, publica *Estravagario, navegações e regressos, Cem sonetos de amor, Cantos cerimoniais* e *Memorial de Isla Negra*.

No dia seguinte de manhã, fui vê-lo. Já havia respondido às minhas perguntas, infelizmente; pois, a partir de uma resposta, é sempre ou quase sempre provocada outra pergunta, às vezes aquela a que se queria chegar. As respostas eram sucintas. Tão frustrador receber resposta curta a uma pergunta longa.

Contei-lhe sobre minha timidez em pedir entrevistas, ao que ele respondeu: "Que tolice!"

Perguntei-lhe de qual de seus livros ele mais gostava e por quê. Respondeu-me:

– Tu sabes bem que tudo o que fazemos nos agrada porque somos nós – tu e eu – que o fizemos.

– Você se considera mais um poeta chileno ou da América Latina?

– Poeta local do Chile, provinciano da América Latina.

– O que é angústia? – indaguei-lhe.

– Sou feliz – foi a resposta.

✦ ✦ ✦

ENTREVISTA-RELÂMPAGO COM PABLO NERUDA (FINAL)

— Escrever melhora a angústia de viver?

— Sim, naturalmente. Trabalhar em teu ofício, se amas teu ofício, é celestial. Senão é infernal.

— Quem é Deus?

— Todos algumas vezes. Nada, sempre.

— Como é que você descreve um ser humano o mais completo possível?

— Político, poético. Físico.

— Como é uma mulher bonita para você?

— Feita de muitas mulheres.

— Escreva aqui o seu poema predileto, pelo menos predileto neste exato momento.

— Estou escrevendo. Você pode esperar por mim dez anos?

— Em que lugar gostaria de viver, se não vivesse no Chile?

— Acredite-me tolo ou patriótico, mas eu há algum tempo escrevi em um poema:

Se tivesse que nascer mil vezes

Ali quero nascer.

Se tivesse que morrer mil vezes

Ali quero morrer...

— Qual foi a maior alegria que teve pelo fato de escrever?

— Ler minha poesia e ser ouvido em lugares desolados: no deserto aos mineiros do Norte do Chile, no Estreito de Magalhães aos tosquiadores de ovelha, num galpão com cheiro de lã suja, suor e solidão.

— Em você o que precede a criação, é a angústia ou um estado de graça?

— Não conheço bem esses sentimentos. Mas não me creia insensível.

— Diga alguma coisa que me surpreenda.

— 748.

(E eu realmente surpreendi-me, não esperava uma harmonia de números.)

— Você está a par da poesia brasileira? Quem é que você prefere na nossa poesia?

— Admiro Drummond, Vinícius e aquele grande poeta católico, *claudelino*, Jorge de Lima. Não conheço os mais jovens e só chego a Paulo Mendes Campos e Geir Campos. O poema que me agrada é o "Defunto", de Pedro Nava. Sempre o leio em voz alta aos meus amigos, em todos os lugares.

— Que acha da literatura engajada?

— Toda literatura é engajada.

— Qual de seus livros você mais gosta?

— O próximo.

— A que você atribui o fato de que os seus leitores acham você o "vulcão da América Latina"?

— Não sabia disso, talvez eles não conheçam os vulcões.

— Qual é o seu poema mais recente?

— "Fim do mundo". Trata do século XX.

— Como se processa em você a criação?

— Com papel e tinta. Pelo menos essa é a minha receita.

— A crítica constrói?

— Para os outros, não para o criador.

— Você já fez algum poema de encomenda? Se o fez faça um agora, mesmo que seja bem curto.

— Muitos. São os melhores. Este é um poema.

— O nome Neruda foi casual ou inspirado em Jan Neruda, poeta da liberdade tcheca?

— Ninguém conseguiu até agora averiguá-lo.

— Qual é a coisa mais importante no mundo?

— Tratar de que o mundo seja digno para todas as vidas humanas, não só para algumas.

— O que é que você mais deseja para você mesmo como indivíduo?

– Depende da hora do dia.
– O que é amor? Qualquer tipo de amor.
– A melhor definição seria: o amor é o amor.
– Você já sofreu muito por amor?
– Estou disposto a sofrer mais.
– Quanto tempo gostaria você de ficar no Brasil?
– Um ano, mas dependo de meus trabalhos.

E assim terminou uma entrevista com Pablo Neruda. Antes falasse ele mais. Eu poderia prolongá-la quase que indefinidamente, mesmo recebendo como resposta uma única seta de resposta. Mas era a primeira entrevista que ele dava no dia seguinte à sua chegada, e sei quanto uma entrevista pode ser cansativa. Espontaneamente, deu-me um livro, *Cem sonetos de amor*. E depois de meu nome, na dedicatória, assinou: "De seu amigo Pablo." Eu também sinto que ele poderia se tornar meu amigo, se as circunstâncias facilitassem. Na contracapa do livro diz: "Um todo manifestado com uma espécie de sensualidade casta e pagã: o amor como uma vocação do homem e a poesia como sua tarefa."

Eis um retrato de corpo inteiro de Pablo Neruda nestas últimas frases.

✦ ✦ ✦

LIBERDADE

Houve um diálogo difícil. Aparentemente não quer dizer muito, mas diz demais.

– Mamãe, tire esse cabelo da testa.
– É um pouco da franja ainda.
– Mas você fica feia assim.
– Tenho o direito de ser feia.
– Não tem!
– Tenho!

— Eu disse que não tem!

E assim foi que se formou o clima de briga. O motivo não era fútil, era sério: uma pessoa, meu filho no caso, estava-me cortando a liberdade. E eu não suportei, nem vindo de filho. Senti vontade de cortar uma franja bem espessa, bem cobrindo a testa toda. Tive vontade de ir para meu quarto, de trancar a porta a chave, e de ser eu mesma, por mais feia que fosse. Não, não "por mais feia que fosse": eu queria ser feia, isso representava o meu direito total à liberdade. Ao mesmo tempo eu sabia que meu filho tinha os direitos dele: o de não ter uma mãe feia, por exemplo. Era o choque de duas pessoas reivindicando – o quê, afinal? Só Deus sabe, e fiquemos por aqui mesmo.

NA GRÉCIA

Muito tarde da noite telefonei para uma amiga e disse-lhe:

— Vá até a janela e veja que lua cheia está batendo sobre a Acrópole.

Ela disse com voz de sono:

— Eu já vi e a Acrópole está linda, bem no alto, em todo o seu esplendor.

Eu disse:

— Agora, vire-se para o lado e durma bem.

Terminarei na Grécia, e ao luar.

CHARLATÕES

Um amigo meu diz que em todos nós existe o charlatão. Concordei. Sinto em mim a charlatã me espreitando. Só não vence, primeiro porque não é realmente verdade, segundo porque minha honestidade básica até me enjoa. Há outra coisa que me espreita e que me faz sorrir: o mau gosto. Ah, a vontade que tenho de ceder ao mau gosto. Em quê? Ora, o campo é ilimitado, simplesmente ilimitado. Vai desde o instante em que se pode dizer a palavra errada exatamente quando ela cairia pior – até o instante em que se diriam palavras de grande beleza e verdade quando o interlocutor está desprevenido e levaria um susto de constrangimento, e haveria o silêncio depois. Em que mais? Em se vestir, por exemplo. Não necessariamente o óbvio do equivalente a plumas. Não sei descrever, mas saberia usar um mau gosto perfeito. E em escrever? A tentação é grande, pois a linha divisória é quase invisível entre o mau gosto e a verdade. E mesmo porque, pior que o mau gosto em matéria de escrever, é um certo tipo horrível de *bom gosto*. Às vezes, de puro prazer, de pura pesquisa simples, ando sobre linha bamba.

Como é que eu seria charlatã? Eu fui, e com toda a sinceridade, pensando que acertava. Sou, por exemplo, formada em direito, e com isso enganei a mim e aos outros. Não, mais a mim que a todos. No entanto, como eu era sincera: fui estudar direito porque desejava reformar as penitenciárias no Brasil.

O charlatão é um contrabandista de si mesmo. Que é mesmo o que estou dizendo? Era uma coisa, mas já me escapou. O charlatão se prejudica? Não sei, mas sei que às vezes a charlatanice dói e muito. Imiscui-se nos momentos mais graves. Dá uma vontade de não ser, exatamente quando se é com toda a força. Não posso infelizmente me alongar mais nesse assunto.

Disseram-me que um crítico teria escrito que Guimarães Rosa e eu éramos dois embustes, o que vale dizer charlatões. Esse crítico não vai entender nada do que estou dizendo aqui. É outra coisa. Estou falando de algo muito profundo, embora não pareça, embora eu mesma esteja um pouco tristemente brincando com o assunto.

ENIGMA

Ela estava vestida de uniforme listrado de empregada, mas falava como dona de casa. Viu-me subir as escadas cheia de embrulhos e parando para sentar nos degraus – os dois elevadores estavam enguiçados. Ela morava no quinto andar, eu no sétimo. Subiu comigo segurando alguns de meus embrulhos numa das mãos, e na outra o leite que comprara. Quando chegou ao quinto andar, botou o leite em casa dela entrando pela porta de serviço, depois fez questão de segurar meus embrulhos e de subir comigo até o sétimo.

Que mistério era esse: falava como dona de casa, seu rosto era o de dona de casa, e no entanto estava uniformizada. Sabia do incêndio que eu sofrera, imaginava a dor que eu sentira, e disse: mais vale a pena sentir dor do que não sentir nada.

– Tem pessoas – acrescentou – que nunca ficam nem deprimidas, e não sabem o que perdem.

Explicou-me, logo a mim, que a depressão ensina muito.

E – juro – acrescentou o seguinte: "A vida tem que ter um aguilhão, senão a pessoa não vive." E ela usou a palavra *aguilhão*, de que eu gosto.

◆ ◆ ◆

CRÔNICA SOCIAL

Era um almoço de senhoras. Não só a anfitriоa como cada convidada parecia estar satisfeita por tudo estar saindo bem. Como se houvesse sempre o perigo de subitamente revelar-se que aquela realidade de garçons mudos, de flores e de elegância estava um pouco acima delas – não por condição social, apenas isso: acima delas. Talvez *acima* do fato de serem simplesmente mulheres e não apenas senhoras. Se todas tinham direito a esse ambiente, pareciam no entanto recear o momento da gafe. Gafe é a hora em que certa realidade se revela.

O almoço estava bem servido, inteiramente longe da ideia de cozinha: antes da chegada das convidadas haviam sido retirados todos os andaimes.

O que não impediu que cada uma tivesse que perdoar um pequeno detalhe, a bem dessa entidade: o almoço. O detalhe a perdoar de certa senhora é que o garçom, cada vez que servia a sua vizinha, tocava ligeiramente no seu penteado, o que lhe dava um desses sobressaltos que pressagiam catástrofe. Havia dois garçons. O que servia esta senhora ficou-lhe invisível o tempo todo. E não se acredita que ele tivesse visto o rosto dessa senhora. Sem a possibilidade de se conhecerem jamais, suas relações se estabeleciam através de periódicos toques no penteado. E ele sentia. Através do penteado sentia-se aos poucos odiado e ele mesmo começou a sentir cólera.

Supõe-se que cada conviva teve sua pequena veia de sangue no meio do grande almoço. Cada uma deve ter tido, por um momento ao menos, esse aviso urgente e pungente de um penteado que pode desabar – precipitando o almoço em desastre.

A anfitrioa usava de uma ligeira autoridade que não lhe ficava mal. Às vezes, porém, esquecia que a observavam e tomava expressões um pouco surpreendentes. Como seja, um ar de cansaço excitado e de decepção. Ou então como em certo momento – que pensamento vago e angustiado passou-lhe pela cabeça? – olhou inteiramente ausente a vizinha da direita que lhe falava. A vizinha lhe disse: "A paisagem lá é soberba!" E a anfitrioa, com um tom de ânsia, sonho e doçura, respondeu pressurosa:

– Pois é... é mesmo... não é?

Quem dentre todas aproveitou melhor foi a senhora X, convidada de honra que, sempre convidadíssima por todos, já reduzira o almoço a apenas almoçar. Entre gestos delicados e grande tranquilidade, devorou com prazer o cardápio francês – mergulhava a colher na boca, e depois olhava-a com muita curiosidade, resquícios da infância.

Mas em todas as outras convidadas, uma naturalidade fingida. Quem sabe, se fingissem menos naturalidade ficassem mais naturais. Ninguém ousaria. Cada uma tinha um pouco de medo de si própria, como se se achasse capaz das maiores grosserias mal se abandonasse um pouco. Não: o compromisso fora o de tornar o almoço perfeito.

E nem havia como se abandonar, a menos que fosse admitido o ocasional silêncio. O que seria impossível. Mal um assunto vinha por acaso e natural, era truculentamente que todas lhe caíam em cima, prolongando-o até às reticências. Como todas o exploravam no mesmo sentido – pois todas estavam a par das mesmas coisas – e como não ocorreria uma divergência de opinião, cada assunto era de novo uma possibilidade de silêncio.

A senhora Z, grande, sadia, com flores no corpete, 50 anos, recém-casada. Tinha o riso fácil e emocionado de quem casou tarde. Todas pareciam em cumplicidade achá-la ridícula. O que aliviava um pouco a tensão. Mas ela era um pouco claramente ridícula demais, não devia ser essa a sua chave – se a nossa vizinha do lado nos desse tempo de procurar qualquer chave que fosse. Não dava tempo: falava.

O pior é que uma das convidadas só falava francês. O que fazia com que a senhora Y estivesse em dificuldades. A desforra vinha quando a estrangeira dizia uma daquelas frases que, como resposta, podem ser exatamente repetidas, apenas com uma mudança de entonação. "*Il n'est pas mal*", dizia a estrangeira. Então a senhora Y, segura de que estaria falando certo, repetia enfim a frase, bem alto, cheia de espanto e do prazer de quem pensou e descobriu: "*Ah, il n'est pas mal, il n'est pas mal.*" Pois, como disse outra convidada sem ser estrangeira e a propósito de outra coisa: "*C'est le ton qui fait la chanson.*"

Quanto à senhora K, vestida de cinza, estava sempre disposta a ouvir e a responder. Sentia-se bem em ser um pouco apagada. Descobrira que sua melhor arma era a da discrição e usava-a com certa abundância. "Desse modo de ser que arranjei ninguém me tira", diziam seus olhos sorridentes e maternais. Arranjara mesmo sinais para a sua discrição, como a história dos espiões que usavam distintivos de espiões. Assim, vestia-se claramente com roupas chamadas discretas. Suas joias eram francamente discretas. Aliás, as discretas formam uma corporação. Elas se reconhecem a um olhar, e, louvando uma a outra, louvam-se ao mesmo tempo.

A conversa começou sobre cachorros. A conversa final, na hora do licor, não se sabe por que tendência ao círculo perfeito, tratou de cachorros. A doce anfitrioa tinha um cão chamado José. O que nenhuma da corporação das discretas faria. O cachorro delas se chamaria Rex, e, ainda assim, em algum momento discreto, elas diriam: "Foi meu filho quem deu o nome." Na corporação das discretas usa-se muito falar dos filhos como de adoráveis tiranos das casas. "Meu filho acha este meu vestido horrível." "Minha filha comprou entradas para o concerto mas acho que não vou, ela vai com o pai." De um modo geral uma dama pertencente à corporação das discretas é convidada por causa de seu marido, homem de altos negócios, ou de seu falecido pai, provavelmente jurista de nome.

Levantam-se da mesa. As que dobram ligeiramente o guardanapo antes de se erguer é porque assim foram ensinadas. As que o deixam negligentemente largado têm uma teoria sobre deixar guardanapo negligentemente largado.

O café suaviza um pouco a copiosa e fina refeição, mas o licor mistura-se aos vinhos anteriores, dando uma vaguidão arfante às convidadas. Quem fuma, fuma; quem não fuma, não fuma. Todas fumam. A anfitrioa sorri, sorri, cansada. Todas enfim se despedem. Com o resto da tarde estragada. Umas voltam para a casa com a tarde partida. Outras aproveitam o fato de já estarem vestidas para fazer alguma visita. Só Deus sabe, se não de pêsames. Terra é terra, come-se, morre-se.

De um modo geral o Almoço foi perfeito. Será preciso retribuir em breve. Não.

✦ ✦ ✦

A REVOLTA

Quando tiraram os pontos de minha mão operada, por entre os dedos, gritei. Dei gritos de dor, e de cólera, pois a dor parece uma ofensa à nossa integridade física. Mas não fui tola. Aproveitei a dor e dei gritos pelo passado e pelo presente. Até pelo futuro gritei, meu Deus.

◆ ◆ ◆

FIOS DE SEDA

Quase não li Henry James, que parece que é maravilhoso, segundo um amigo meu. Ele, Henry James, é hermético e claro. Citando James estarei me tornando hermética para os meus leitores? Lamento muito. Eu tenho que dizer as coisas, e as coisas não são fáceis. Leiam e releiam a citação. Aí está ela, traduzida por mim do inglês:

> "Que espécie de experiência é necessária, e onde ela começa e acaba? A experiência nunca é limitada e nunca é completa; é uma imensa sensibilidade, uma espécie de enorme teia de aranha, feita dos fios mais delicados de seda suspensos na câmara do consciente, e que apanha no seu tecido cada partícula trazida pelo ar. É a própria atmosfera da mente; e quando a mente é imaginativa – muito mais quando se trata da de um homem de gênio – ela apanha para si as mais leves sugestões, abriga os próprios pulsos do ar em *revelações*."

Sem nem de longe ser de gênio, quantas revelações. Quantos pulsos apanhados no fino ar. Os delicados fios suspensos na câmara do consciente. E no inconsciente a própria enorme aranha. Ah, a vida é maravilhosa com suas teias captantes.

Avisem-me se eu começar a me tornar eu mesma demais. É minha tendência. Mas sou objetiva também. Tanto que consigo tornar o subjetivo dos fios de aranha em palavras objetivas. Qualquer palavra, aliás, é objeto, é objetiva. Além do mais, fiquem certos, não é preciso ser inteligente: a aranha não é, e as palavras, as palavras não se podem evitar. Vocês estão entendendo? Nem precisam. Recebam apenas, como eu estou dando. Recebam-me com fios de seda.

A NÃO ACEITAÇÃO

Desde que começou a envelhecer realmente começou a querer ficar em casa. Parece-me que achava feio passear quando não se era mais jovem: o ar tão limpo, o corpo sujo de gordura e rugas. Sobretudo a claridade do mar como desnuda. Não era para os outros que era feio ela passear, todos admitem que os outros sejam velhos. Mas para si mesma. Que ânsia, que cuidado com o corpo perdido, o espírito aflito nos olhos, ah, mas as pupilas essas límpidas.

Outra coisa: antigamente no seu rosto não se via o que ela pensava, era só aquela face destacada, em oferta. Agora, quando se vê sem querer ao espelho, quase grita horrorizada: mas eu não estava pensando nisso! Embora fosse impossível e inútil dizer em que o rosto parecia pensar, e também impossível e inútil dizer no que ela mesma pensava.

Ao redor as coisas frescas, uma história para a frente, e o vento, o vento... Enquanto seu ventre crescia e as pernas engrossavam, e os cabelos se haviam acomodado num penteado natural e modesto que se formara sozinho.

FACILIDADE REPENTINA

O bem-estar. É uma coisa muito estranha: a comida é boa, o coração é simples, encontro um menino na rua jogando bola, eu lhe digo: não quero que você brinque de bola em cima de mim, ele responde: vou tomar cuidado. Fui ver um filme, não entendi nada, mas senti tudo. Vou vê-lo de novo? Não sei, posso dessa vez não estar em bem-estar, não quero arriscar, posso de repente entender e não sentir.

E houve a amiga. Ela estava com ciúmes. E não suportei bem: o ciúme dela exigia. Então falei claro: disse-lhe que ela podia estar estragando uma amizade que poderia durar a vida inteira. Ela sofreu e, por amizade pura, resolveu desistir de mim. Depois me disse que a amizade verdadeira sabe desistir. Mas eu não desistira. E houve um dia que telefonei de novo para ela. Enquanto isso, nós "trabalhávamos" no perigo da amizade desfeita. Nós nos vimos. E agora está muito, muito melhor. Estamos simples. Ela diz que eu sou engraçada. Suporto bem: parece que às vezes sou espontânea demais e isso me torna engraçada. Em casa a cozinheira fez canjica. Minha amiga é doida por canjica. Ela veio em casa, achou a canjica boa, e simplesmente repetiu.

E há os filhos. Bem-estar com os filhos. Franqueza, amor natural. E houve uma grande amiga que passou o fim de semana fora. Senti falta dela, mas com bem-estar: agradava-me que ela descansasse.

E houve um velho amigo a quem pretendi pedir emprego. Ele estava em Brasília. Quando telefonei-lhe, falei com quem devia ser o seu pai. Disse meu nome. E o pai teve alegria ao ouvir meu nome. Também eu estou aceitando meu nome, nessa onda de alegria calma, eu que achava meu nome estranho e gaguejava ao pronunciá-lo. E estou aceitando acordar de madrugada e esquentar café para mim. O café quase queimou minha boca. Aceitei.

E eu, que raramente faço visitas, resolvi de surpresa visitar uma amiga. Só que antes fui tomar num bar uma batida de caju, eu que não bebo e quando bebo, bebo mal: bebo depressa demais, sobe à cabeça, me dá sono. Encontrei várias pessoas na casa que visitei. A mãe de minha amiga estava muito bonita.

Vocês veem como estou escrevendo à vontade? Sem muito sentido, mas à vontade. Que importa o sentido? O sentido sou eu.

E meu menino menor está indo a festinhas. Não quer me contar o que acontece nas festinhas. E eu aceito.

Tenho falado muito em dinheiro porque estou precisando dele. Mas táxi eu tomo de qualquer jeito. E converso com o chofer. Ele gosta também. Encontrei um que tinha nove filhos: achei demais.

E depois ando meio bonita, sem o menor pudor: vem do bem-estar.

✦ ✦ ✦

TEMAS QUE MORREM

Sinto em mim que há tantas coisas sobre o que escrever. Por que não? O que me impede? A exiguidade do tema talvez, que faria com que este se esgotasse em uma palavra, em uma linha. Às vezes é o horror de tocar numa palavra que desencadearia milhares de outras, não desejadas, estas. No entanto, o impulso de escrever. O impulso puro – mesmo sem tema. Como se eu tivesse a tela, os pincéis e as cores – e me faltasse o grito de libertação, ou a mudez essencial que é necessária para que se digam certas coisas. Às vezes a minha mudez faz com que eu procure pessoas que, sem elas saberem, me darão a palavra-chave. Mas quem? quem me obriga a escrever? O mistério é esse: ninguém, e no entanto a força me impelindo.

Eu já quis escrever o que se esgotaria em uma linha. Por exemplo, sobre a experiência de ser desorganizada, e de repente a pequena febre de organização que me toma como a de uma antiga formiga. É como se o meu inconsciente coletivo fosse o de uma formiga.

Eu também queria escrever, e seriam duas ou três linhas, sobre quando uma dor física passa. De como o corpo agradecido, ainda arfando, vê a que ponto a *alma* é também o corpo.

E é como se eu fosse escrever um livro sobre a sensação que tive uma vez que passei vários dias em casa muito gripada – e quando saí fraca pela primeira vez à rua, havia sol cálido e gente na rua. E de como me veio uma exclamação entre infantil e adulta: ah, como os outros são bonitos. É que eu vinha do escuro meu para o claro que também descobria que era meu, é que eu vinha de uma solidão de pessoas para o ser humano que movia pernas e braços e tinha expressões de rosto.

Também seria inesgotável escrever sobre beber mal. Bebo depressa demais, e não há alternativas: ou praticamente adormeço dentro de mim e fico morosa, pensativa sem que um pensamento se esclareça como descoberta, ou fico excitada dizendo tolices do maior brilho instantâneo. Mas – mas há um instante mínimo nesse estado em que simplesmente sei como é a vida, como eu sou, como os outros são, como a arte deveria ser, como o abstracionismo por mais abstrato não é abstrato. Esse instante só não vale a pena porque esqueço tudo depois, quase na hora. É como se o pacto com Deus fosse este: ver e esquecer, para não ser fulminada pelo saber.

E às vezes, por mais absurdo, acho lícito escrever assim: nunca se inventou nada além de morrer. E me acrescento: deve ser um gozo natural, o de morrer, pois faz parte essencial da natureza humana, animal e vegetal, e também as coisas morrem. E, como se houvesse ligação com essa descoberta, vem a outra óbvia e espantosa: nunca se inventou um modo diferente de amor de corpo que é estranho e cego. Cada um vai naturalmente em direção à reinvenção da cópia, que é absolutamente original quando realmente se ama. E de novo volta o assunto morrer. E vem a ideia de que, depois de morrer, não se vai ao *paraíso*, morrer é que é o *paraíso*.

A verdade é que simplesmente me faltou o dom para a minha verdadeira vocação: a de desenhar. Porque eu poderia, sem finalidade nenhuma, desenhar e pintar um grupo de formigas andando ou paradas — e sentir-me inteiramente realizada nesse trabalho. Ou desenharia linhas e linhas, uma cruzando a outra, e me sentiria toda concreta nessas linhas que os outros talvez chamassem de abstratas.

Eu também poderia escrever um verdadeiro tratado sobre comer, eu que gosto de comer e no entanto não como tanto. Terminaria sendo um tratado sobre a sensualidade, não especificamente a de sexo, mas a sensualidade de "entrar em contato" íntimo com o que existe, pois comer é uma de suas modalidades — e é uma modalidade que *engage* de algum modo o ser inteiro.

Também escreveria sobre rir do absurdo de minha condição. E ao mesmo tempo mostrar como ela é digna, e usar a palavra *digna* me faz rir de novo.

Eu falaria sobre frutas e frutos. Mas como quem pintasse com palavras. Aliás, verdadeiramente, escrever não é quase sempre pintar com palavras?

Ah, estou cheia de temas que jamais abordarei. Vivo deles, no entanto.

✦ ✦ ✦

MEDO DA LIBERTAÇÃO

Se eu me demorar demais olhando *Paysage aux Oiseaux Jaunes* (*Paisagem com Pássaros Amarelos*, de Klee), nunca mais poderei voltar atrás. Coragem e covardia são um jogo que se joga a cada instante. Assusta a visão talvez irremediável e que talvez seja a da liberdade. O hábito que temos de olhar através das grades da prisão, o conforto que traz segurar com as duas mãos as barras frias de ferro. A covardia nos mata. Pois há aqueles para os quais a prisão é a segurança, as barras um apoio para as mãos. Então reconheço que conheço poucos homens livres. Olho de novo a *paisagem* e de novo reconheço que covardia e liberdade estiveram em jogo. A burguesia total cai ao se olhar *Paysage aux*

Oiseaux Jaunes. Minha coragem, inteiramente possível, me amedronta. Começo até a pensar que entre os loucos há os que não são loucos. E que a possibilidade, a que é verdadeiramente, não é para ser explicada a um burguês quadrado. E à medida que a pessoa quiser explicar se enreda em palavras, poderá perder a coragem, estará perdendo a liberdade. *Les Oiseaux Jaunes* não pede sequer que se o entenda: esse grau é ainda mais liberdade: não ter medo de não ser compreendido. Olhando a extrema beleza dos pássaros amarelos calculo o que seria se eu perdesse totalmente o medo. O conforto da prisão burguesa tantas vezes me bate no rosto. E, antes de aprender a ser livre, tudo eu aguentava – só para não ser livre.

ESBOÇO DO SONHO DO LÍDER

O sono do líder é agitado. A mulher sacode-o até acordá-lo do pesadelo. Estremunhado, ele se levanta, bebe um pouco de água, vai ao banheiro onde se vê diante do espelho. O que vê ele? Um homem de meia-idade. Ele alisa os cabelos das têmporas, volta a deitar-se. Adormece e a agitação do mesmo sonho recomeça. "Não, não!" debate-se com a garganta seca.

É que o líder se assusta enquanto dorme. O povo ameaça o líder? Não, pois se foi o povo que o elegeu como líder do povo. O povo ameaça o líder? Não, pois escolheu-o no meio de lutas quase sangrentas. O povo ameaça o líder? Não, porque o líder cuida do povo. Cuida do povo?

Sim, o povo ameaça o líder do povo. O líder revolve-se na cama. De noite ele tem medo. Mesmo que seja um pesadelo sem história. De noite vê caras quietas, uma atrás da outra. E nenhuma expressão nas caras. É só este o pesadelo, apenas isso. Mas cada noite, mal adormece, mais caras quietas vão-se reunindo às outras, como na fotografia em branco e preto de uma multidão em silêncio. Por quem é este silêncio? Pelo líder.

É uma sucessão de caras iguais como numa repetição monótona de um rosto só. Parece uma terrível fotomontagem onde a inexpressão das caras dá-lhe medo. Nesse painel monstruoso, caras sem expressão. Mas o líder se cobre de suores porque os milhares de olhos vazios não pestanejavam. Eles o haviam escolhido. E antes que eles enfim se aproximassem definitivamente, ele gritou: sim, eu menti!

◆ ◆ ◆

A NOITE MAIS PERIGOSA

Juro, acredite em mim – a sala de visitas estava escura – mas a música chamou para o centro da sala – uma coisa acordada estava ali – a sala se escureceu toda dentro da escuridão – eu estava nas trevas – senti que por mais escura a sala era clara – agasalhei-me no medo – como já agasalhei de ti em ti mesmo – que foi que encontrei? – nada senão que a sala escura enchia-se de uma claridade que não iluminava – e que eu tremia no centro dessa difícil luz – acredita em mim embora seja difícil explicar – sou alguma coisa perfeita e graciosa – como se eu nunca vira uma flor – e com medo pensei que aquela flor é a alma de quem acabara de morrer – e eu olhava aquele centro iluminado que se movia e se deslocava – e a flor me impressionava como se houvesse uma abelha perigosa rondando a flor – uma abelha gelada de pavor – diante da irrespirável graça desse bruxuleio que era a flor – e a flor depois ficava gelada de pavor diante da abelha que era muito doce das flores que ela no escuro chupava – acredita em mim que não entendo – um rito fatal se cumpria – a sala estava cheia de um sorriso penetrante – tratava-se apenas de um esbranquiçar das trevas – não ficou nenhuma prova – nada te posso garantir – eu sou a única prova de mim – e assim te explico o que os outros não entendem e me põe no hospital – não entendo que se possa ter medo de uma rosa – experimentaram com violetas que eram mais delicadas – mas tive medo – tinha cheiro de flor de cemitério – e as flores e as abelhas já me chamam – não sei como não ir – na verdade eu quero ir – não lamente a minha morte – já sei o que vou fazer e aqui mesmo no hospital – não será suicídio, meu amor, amo demais a vida e por isso nunca me suicidaria, vou mais é ser a claridade móvel, sentir o gosto de mel se eu for designada para ser abelha.

DO MODO COMO NÃO SE QUER A BONDADE

Y com sua enorme inteligência compreensiva, dedicando-se a não ser humana, no sentido em que ser humana é também ter violências e defeitos. Dedica-se a compreender perdoando os outros. Aquele coração está vazio de mim porque precisa que eu seja admirável. Todos recorrem a ela quando estão com algum conflito e ela, "a consoladora oficial", entende, entende, entende. Minha grande altivez: preciso ser achada na rua.

MAS JÁ QUE SE HÁ DE ESCREVER...

Mas já que se há de escrever, que ao menos não esmaguem as palavras nas entrelinhas.

AMOR À TERRA

Laranja na mesa. Bendita a árvore que te pariu.

❖ ❖ ❖

AUTOCRÍTICA NO ENTANTO BENÉVOLA

Tem que ser benévola, porque, se fosse aguda, isso talvez me fizesse nunca mais escrever. E eu quero escrever, algum dia talvez.

Embora sentindo que, se voltar a escrever, será de um modo diferente do meu antigo: diferente em quê? Não me interessa.

Minha autocrítica a certas coisas que escrevo, por exemplo, não importa no caso se boas ou más: mas falta a elas chegar àquele ponto em que a dor se mistura à profunda alegria e a alegria chega a ser dolorosa – pois esse ponto é o aguilhão da vida.

E tantas vezes não consegui o encontro máximo de um ser consigo mesmo, quando com espanto dizemos: "Ah!" Às vezes esse encontro consigo mesmo se consegue através do encontro de um ser com outro ser.

Não, eu não teria vergonha de dizer tão claramente que quero o máximo – e o máximo deve ser atingido e dito com a matemática perfeição da música ouvida e transposta para o profundo arrebatamento que sentimos. Não transposta, pois é a mesma coisa. Deve, eu sei que deve, haver um modo em mim de chegar a isso.

Às vezes sinto que esse modo eu o conseguiria através simplesmente de meu modo de ver, evoluindo. Uma vez senti, no entanto, que seria conseguido através da misericórdia. Não da misericórdia transformada em gentileza de alma. Mas da profunda misericórdia transformada em ação, mesmo que seja a ação das palavras. E assim como "Deus escreve direito por linhas tortas", através de nossos erros correria o grande amor que seria a misericórdia.

SOLIDÃO E FALSA SOLIDÃO

Eu, que pouco li Thomas Merton, copiei no entanto de algum artigo seu as seguintes palavras: "Quando a sociedade humana cumpre o dever na sua verdadeira função as pessoas que a formam intensificam cada vez mais a própria liberdade individual e a integridade pessoal. E quanto mais cada indivíduo desenvolve e descobre as fontes secretas de sua própria personalidade incomunicável, mais ele pode contribuir para a vida do todo. A solidão é necessária para a sociedade como o silêncio para a linguagem, e o ar para os pulmões e a comida para o corpo. A comunidade, que procura invadir ou destruir a solidão espiritual dos indivíduos que a compõem, está condenando a si mesma à morte por asfixia espiritual."

E mais adiante: "A solidão é tão necessária, tanto para a sociedade como para o indivíduo que, quando a sociedade falha em prover a solidão suficiente para desenvolver a vida interior das pessoas que a compõem, elas se rebelam e procuram a falsa solidão. A falsa solidão é quando um indivíduo, ao qual foi negado o direito de se tornar uma pessoa, vinga-se da sociedade transformando sua individualidade numa arma destruidora. A verdadeira solidão é encontrada na humildade, que é infinitamente rica. A falsa solidão é o refúgio do orgulho, e infinitamente pobre. A pobreza da falsa solidão vem de uma ilusão que pretende, ao enfeitar-se com coisas que nunca podem ser possuídas, distinguir o eu do indivíduo da massa de outros homens. A verdadeira solidão é sem um eu.

Por isso é rica em silêncio e em caridade e em paz. Encontra em si infindáveis fontes do bem para os outros. A falsa solidão é egocêntrica. E porque nada encontra em seu centro, procura arrastar todas as coisas para ela. Mas cada coisa que ela toca infecciona-se com o seu próprio nada, e se destrói. A verdadeira solidão limpa a alma, abre-se completamente para os quatro ventos da generosidade. A falsa solidão fecha a porta a todos os homens.

Ambas as solidões procuram distinguir o indivíduo da multidão. A verdadeira consegue, a falsa falha. A verdadeira solidão separa um homem de outros para que ele possa desenvolver o bem que está nele, e então cumprir seu verdadeiro destino a pôr-se a serviço de uma pessoa."

✦ ✦ ✦

A VIDA É SOBRENATURAL

Refletindo um pouco, cheguei à ligeiramente assustadora certeza de que os pensamentos são tão sobrenaturais como uma história passada depois da morte. Simplesmente descobri de súbito que pensar não é natural. Depois refleti um pouco mais e descobri que não tenho um dia a dia. É uma vida a vida. E que a vida é sobrenatural.

SEM NOSSO SENTIDO HUMANO

Como seriam as coisas e as pessoas antes que lhes tivéssemos dado o sentido de nossa esperança e visão humanas? Devia ser terrível. Chovia, as coisas se ensopavam sozinhas e secavam, e depois ardiam ao sol e se crestavam em poeira. Sem dar ao mundo o nosso sentido humano, como me assusto. Tenho medo da chuva, quando a separo da cidade e dos guarda-chuvas abertos, e dos campos se embebendo de água.

ESPERA IMPACIENTE

O que chamo de morte me atrai tanto que só posso chamar de valoroso o modo como, por solidariedade com os outros, eu ainda me agarro ao que chamo de vida. Seria profundamente amoral não esperar, como os outros esperam, pela hora, seria esperteza demais a minha de avançar no tempo, e imperdoável ser mais sabida do que os outros. Por isso, apesar da intensa curiosidade, espero.

ENGRENAGEM

Minha alma humana é a única forma possível de eu não me chocar desastrosamente com a minha organização física, tão máquina perfeita esta é. Minha alma humana é, aliás, também o único modo como me é dado aceitar sem desatino a alma geral do mundo. A engrenagem não pode nem por um segundo falhar.

TRECHO

Agora eu conheço esse grande susto de estar viva, tendo como único amparo exatamente o desamparo de estar viva. De estar viva – senti – terei que fazer o meu motivo e tema. Com delicada curiosidade, atenta à fome e à própria atenção, passei então a comer delicadamente viva os pedaços de pão.

APRENDER A VIVER

Pudesse eu um dia escrever uma espécie de tratado sobre a culpa. Como descrevê-la, aquela que é irremissível, a que não se pode corrigir? Quando a sinto, ela é até fisicamente constrangedora: um punho fechando o peito, abaixo do pescoço: e aí está ela, a culpa. A culpa? O erro, o pecado. Então o mundo passa a não ter refúgio possível. Aonde se vá e carrega-se a cruz pesada, de que não se pode falar.

Se se falar – ela não será compreendida. Alguns dirão – "mas todo o mundo..." como forma de consolo. Outros negarão simplesmente que houve culpa. E os que entenderem abaixarão a cabeça também culpada. Ah, quisera eu ser dos que entram numa igreja, aceitam a penitência e saem mais livres. Mas não sou dos que se libertam. A culpa em mim é algo tão vasto e tão enraizado que o melhor ainda é aprender a viver com ela, mesmo que tire o sabor do menor alimento: tudo sabe mesmo de longe a cinzas.

✦ ✦ ✦

O ARTISTA PERFEITO

Não me lembro bem se é em *Les donnés immediates de la conscience* que Bergson fala do grande artista que seria aquele que tivesse, não só um, mas todos os sentidos libertos do utilitarismo. O pintor tem mais ou menos liberto o sentido da visão, o músico o sentido da audição.

Mas aquele que estivesse completamente livre de soluções convencionais e utilitárias veria o mundo, ou melhor, teria o mundo de um modo como jamais artista nenhum o teve. Quer dizer, totalmente e na sua verdadeira realidade.

Isso poderia levantar uma hipótese. Suponhamos que se pudesse educar, ou não educar, uma criança, tomando como base a determinação de conservar-lhe os sentidos alertas e puros. Que se não lhe dessem dados, mas que os seus dados fossem apenas os imediatos. Que ela não se *habituasse*. Suponhamos ainda que, com o fim de mantê-la em campo sensato que lhe servisse de denominador comum com os outros homens lhe permitisse certa estabilidade indispensável para viver, dessem-lhe umas poucas noções utilitárias: mas utilitárias para serem utilitárias, comida para ser comida, bebida para ser bebida. E no resto a conservasse livre. Suponhamos então que essa criança se tornasse artista e fosse artista.

O primeiro problema surge: seria ela artista pelo simples fato dessa educação? É de crer que não, arte não é pureza, é purificação, arte não é liberdade, é libertação.

Essa criança seria artista do momento em que descobrisse que há um símbolo utilitário na coisa pura que nos é dada. Ela faria, no entanto, arte se seguisse o caminho inverso ao dos artistas que não passam por essa impossível educação: ela unificaria as coisas do mundo não pelo seu lado de maravilhosa gratuidade mas pelo seu lado de utilidade maravilhosa. Ela se libertaria. Se pintasse, é provável que chegasse à seguinte *fórmula* explicativa da natureza: pintaria um homem comendo o céu.

Nós, os utilitários, ainda conseguimos manter o céu fora de nosso alcance. Apesar de Chagall. É uma das poucas coisas das quais ainda não *servimos*. Essa criança, tornada homem-artista, teria pois os mesmos problemas fundamentais de alquimia.

Mas se homem, esse único, não fosse artista – não sentisse a necessidade de transformar as coisas para lhes dar uma realidade maior – não sentisse enfim necessidade de *arte*, então quando ele falasse nos espantaria. Ele diria as coisas com a pureza de quem viu que o rei está nu. Nós o consultaríamos como cegos e surdos que querem ver e ouvir. Teríamos um profeta, não do futuro, mas do presente. Não teríamos um artista. Teríamos um inocente. E arte, imagino, não é inocência, é tornar-se inocente.

Talvez seja por isso que as exposições de desenhos de crianças, por mais belas, não são propriamente exposições de arte. E é por isso que se as crianças pintam como Picasso, talvez seja mais justo louvar Picasso que as crianças. A criança é inocente, Picasso tornou-se inocente.

HINDEMITH

Quarteto de Hindemith – por que mão aborda ele o tema que descobriu? Não, caminha encostado à parede, escamoteia a melodia descoberta, anda ao lado, nesse lugar onde tantas coisas acontecem. Às vezes escorre pelo muro, em lugar onde não bate sol. Seu amadurecimento já seria outra música – outro compositor faria música do amadurecimento desse quarteto. Ele é antes do amadurecimento.

A melodia seria o *fato*. Mas que *fato* tem uma noite que se passa inteira num atalho, onde não tem ninguém, e enquanto dormimos? História de escuridão tranquila, de raiz adormecida na sua força, de odor que não tem perfume. O violino de Hindemith não conta sobre, antes se conta, antes se desdobra. Ele não é grave, ele é gravidade. E em nada disso existe o abstrato. É o figurativo do inaudível. Quase não existe carne no seu quarteto, essa carne que, embora transparente e vulnerável, está em Debussy, por exemplo. Pena que a palavra *nervos* esteja ligada a vibrações dolorosas, que "nervos expostos" sejam expressão de sofrimento. Se não, seria quarteto de nervos. Cordas escuras que, tocadas, não falam sobre "outras coisas", "não mudam de assunto" – são em si e de si, entregam-se iguais como são. Depois é difícil reproduzir de ouvido a sua música, não é possível cantá-la sem tê-la estudado. E como estudar uma coisa que não tem história? Mas se lembrará de alguma coisa que também esta aconteceu *de lado*. Terá compartilhado dessa primeira existência musical, terá, como em tranquilo sonho de noite tranquila, escorrido com a resina pelo tronco da árvore. Depois dirá: nada sonhei. Será que basta? Basta, sim. E sobretudo essa falta de *erro*. Esse tom de emoção de quem poderia mentir mas não mente. Basta? Basta, sim.

❖ ❖ ❖

O MEDO DE ERRAR

A um suíço inteligente perguntamos uma vez por que não havia propriamente pensamento filosófico na Suíça. Como resposta, nosso interlocutor lembrou-me que seu país tem três raças, quatro línguas. De onde podemos concluir, três ou quatro pensamentos. Que esta nação que funciona, digamos, quase perfeitamente, precisa constantemente procurar um equilíbrio, fazer uma suma de ideias, reduzi-las àquela que, sem ferir completamente as outras, satisfaça mais ou menos a todos. Assim, quem pensa espera de antemão uma vitória apenas média. As ideias de cada um se encontram e param no seu ponto de contato com as outras. Ora, o pensamento filosófico é por excelência aquele que vai até o seu próprio extremo. Não pode admitir transigências, senão a posteriori. Nenhuma obra filosófica poderia ser construída tendo como um de seus princípios tácitos a necessidade de se chegar somente até certo ponto.

Este é mais um dos aspectos da neutralidade suíça. Esta não funciona apenas em relação a fins exteriores. É um princípio que dirige a paz interna, exatamente tendo em vista a mistura de raças. É um princípio, mais do que de paz, de apaziguamento. Ser neutro não é solução a determinado caso, ser neutro tornou-se, com o tempo, uma atitude e uma previdência.

Esse admirável país encontrou sua fórmula própria de organização social e política. Mas que pouco a pouco estendeu-se a uma fórmula de vida.

O amálgama de tendências e necessidades formou uma cultura e entranhou-se de tal forma nos indivíduos que, se esta nação não fosse formada de vários grupos raciais, se poderia cair na facilidade de falar em *caráter racial*.

Pode-se falar no entanto em caracteres nacionais – e um dos mais evidentes é o da atitude mental de precaução.

A impressão que se tem de um suíço é a de um homem que vive em segurança e, mais do que isso, que sofre da ânsia de segurança. A propósito disso poder-se-iam lembrar várias causas gerais, como situação geográfica, dificuldade de produção agrária etc.

Essa atitude de previdência encontra, a cada momento, motivo de se concretizar. E se estende até onde já seria desejável que se interrompesse.

Assim, por exemplo, é comum, pelo menos em Berna, ver-se metade de uma plateia retirar-se antes de começarem as músicas *modernas*. Às vezes antes de peças que serão executadas pela primeira vez na Suíça.

No entanto o povo suíço gosta realmente de música, sinceramente, sem nenhum esnobismo. O fato é motivado particularmente pelo horror que o povo tem pela música moderna ou pela literatura moderna ou pela pintura moderna: a palavra *moderna* soa um pouco como escândalo, como aventura ainda suspeita. Porém, mais amplamente e mais profundamente, esse fato vem de que o suíço teme errar na sua admiração.

Os suplementos literários de jornais suíços descobrirão cartas sepultas de Vigny – adivinharão pensamentos ocultos de Madame de Staël – atacarão, mesmo com certa ferocidade cômoda, o várias vezes falecido Renan – desculparão Victor Hugo nas suas brigas com amigos – e se aparece oportunidade de comemoração de centenários as páginas se cobrirão de comentários a respeito; há mais centenários na terra do que um homem atual pode prever.

Não é apenas por gosto e por respeito à tradição. É medo de se arriscar. Um escritor vivo é risco constante. É homem que pode amanhã injustificar a admiração que se teve por sua obra com um mau discurso, com um livro mais fraco.

O povo suíço nada recebeu gratuitamente. Tudo nessa terra tem marca de nobre esforço, de conquista paciente. E não foi pouco o que eles conseguiram – tornar-se um símbolo de paz.

Esse estado de alta civilização – onde a expressão *homem civil* tem realmente um sentido e uma força – eles o manterão a todo custo, com austera previdência, com dura disciplina mental, com a precaução contra o erro.

O que não impede que tanta gente, em silêncio, se jogue da ponte de Kirchenfeld, sem que os jornais sequer noticiem para que outros não o repitam. De algum modo há de se pagar a segurança, a paz, o medo de errar.

✦ ✦ ✦

AO CORRER DA MÁQUINA

Meu Deus, como o mundo sempre foi vasto e como eu vou morrer um dia. E até morrer vou viver apenas momentos? Não, dai-

-me mais do que momentos. Não porque momentos sejam poucos, mas porque momentos raros matam de amor pela raridade. Será que eu vos amo, momentos? Responde, a vida que me mata aos poucos: eu vos amo, momentos? Sim? Ou não? Quero que os outros compreendam o que jamais entenderei. Quero que me deem isto: não a explicação, mas a compreensão. Será que vou ter que viver a vida inteira à espera de que o domingo passe? E ela, a faxineira, que mora na Raiz da Serra e acorda às quatro da madrugada para começar o trabalho da manhã na Zona Sul, de onde volta tarde para a Raiz da Serra, a tempo de dormir para acordar às quatro da manhã e começar o trabalho na Zona Sul, de onde. – Eu vou te dar o meu segredo mortal: viver não é uma arte. Mentiram os que disseram isso. Ah! existem feriados em que tudo se torna tão perigoso. Mas a máquina corre antes que meus dedos corram. A máquina escreve em mim. E eu não tenho segredos, senão exatamente os mortais. Apenas aqueles que me bastam para me fazer ser uma criatura com os meus olhos e um dia morrer. Que direi disso que agora me ocorreu? Pois ocorreu-me que tudo se paga – e que se paga tão caro a vida que até se morre. Passear pelos campos com uma criancinha-fantasma é estar de mãos dadas com o que se perdeu, e os campos ilimitados com sua beleza não ajudam: as mãos se prendem como garras que não querem se perder. Adiantaria matar a criancinha-fantasma e ficar livre? Mas o que fariam os grandes campos onde não se teve a previdência de plantar nenhuma flor senão a de um fantasminha cruel? Cruel por ser criancinha e exigente. Ah! sou realista demais: só ando com os meus fantasmas.

O LIVRO DESCONHECIDO

Estou à procura de um livro para ler. É um livro todo especial. Eu o imagino como a um rosto sem traços. Não lhe sei o nome nem o autor. Quem sabe, às vezes penso que estou à procura de um livro que eu mesma escreveria. Não sei. Mas faço tantas fantasias a respeito desse livro desconhecido e já tão profundamente amado. Uma das fantasias é assim: eu o estaria lendo e de súbito, a uma frase lida, com lágrimas nos olhos diria em êxtase de dor e de enfim libertação: "Mas é que eu não sabia que se pode tudo, meu Deus!"

O ERUDITO

Ele é agora gerente de uma loja de sapatos. Não porque escolheu, mas foi o que lhe restou. Perguntava-se sempre: onde está o meu erro? O erro em relação a seu destino, queria ele dizer. Não há grandes motivos a procurar no fato de alguém ser gerente numa loja de sapatos. Mas uma vez que ele mesmo se pergunta e estende sapatos como se não pertencesse a esse mundo – o motivo de indagação aparece. Por que realmente? Fora, por exemplo, o melhor aluno de História e até por Arqueologia se interessava. Mas o que parecia lhe faltar era cultura histórica ou arqueológica, ele tinha apenas a erudição, faltava-lhe a compreensão íntima de que fora neste mundo e com esses mesmos homens que haviam sucedido os fatos, que fora na terra em que ele pisava que não houvera um dia habitantes e que os peixes que se haviam transformado em anfíbios eram aqueles mesmos que ele comia. E até hoje é como um erudito que ele estende sapatos – como se não fosse em contato com esta áspera terra que as solas se gastam.

✦ ✦ ✦

A SALA ASSOMBRADA

Vou falar da salinha que mais mal-assombrei com imaginações. Fazia parte de um apartamento alugado com móveis. Mas antes de falar sobre ela é preciso dizer que a realidade, quando se desvenda sem susto, é a coisa mais fresca e *real* do mundo. É sem nenhum sonho, mesmo realidade imaginária, e quase sem futuro: a cada momento é o momento de agora. E não há medo. Fato extraordinário: nessa realidade desvendada pela imaginação e sem susto a riqueza não está mais atrás de nós, como uma lembrança, ou ainda por aparecer, como um desejo de futuro. Está ali, fremindo.

Vou tentar descrever com a maior simplicidade algo que não é simples. A salinha era como eu disse acima. Não se sabe se foi inconscientemente intencional o seu arranjo, se é que arranjo existia. O mais provável é que a sua primeira dona a tivesse criado com essa falta de finalidade consciente que tanto ajuda às vezes a transmitir. O fato é que na salinha – a abundância não estava no nosso passado nem era saudade: estava ali. Não havia austeridade no aposento. Pelo contrário, ele era de um elegante engraçadinho. Mas a sala era alucinada. Oh, nenhum fantasma. Era alucinada por si própria. Nela a luz – a luz era verdadeira luz, luz de espaço, de alto, sem mistura com sombras. E os objetos alucinados pela luz.

E que falta de conforto. Não havia ali uma cadeira onde uma pessoa realmente se sentisse sentada. Talvez por isso é que as visitas, como mordidas, mudassem tanto de lugar, se levantassem, espiassem pela alta janela, especulassem o teto como se procurassem por onde havia uma possibilidade de fuga. E tudo isso sem garantia. É isto: não havia nenhuma garantia na sala. Ou a pessoa aceitava ser de algum modo resplandecida pelo próprio mal-assombrado, ou não aceitava. Não havia promessas de nenhuma recompensa.

Havia um espelho. Como o tinham colocado numa posição realmente insensata, dando para a janela – não para o que estava atrás da janela, mas exatamente para o ar vazio que a janela enquadrava – o espelho nada refletia, nada reproduzia, nada imitava: o espelho tornara-se um retângulo de luz pendurado numa parede.

 A salinha não dava nenhuma garantia. Mas se uma pessoa aceitava sem medo ser resplandecida – ficava por um instante sentada sem apoio na cadeira incômoda apenas assim: sentada resplandecente.

 Que modo de ver as pessoas pegavam. Ficávamos maliciosos como champanha. Não era exatamente bom: ardia um pouco, esta salinha. E nós, picantes, sem sabermos como usar esse resplendor senão em borbulhar. E rir com uma inteligência fácil e superficial.

 Mesmo quando havia poucas visitas, parecia povoada. Mas nunca povoada com atropelos. As pessoas, ocupadas pela curiosidade dos objetos inusitados que a enfeitavam, entrecruzavam-se facilmente, cada uma dirigindo-se a um ponto, todas curiosas e maliciosas. Às vezes havia um silêncio. Então, ouvia-se uma fonte brotar e correr. Era da pia da cozinha cujo defeito jamais fora consertado. Durante o silêncio ninguém se entediava: todos pareciam conter um sorriso de visita ou uma novidade, e a salinha abria-se ainda mais em luz na luz.

 Pensando bem, não me lembro de jamais ter visto uma só criança nesta sala. Só gente madura, como pronta a cair da árvore para esborrachar-se na claridade. Não, não vi criança por ali. Vi, sim, um homem gordo que as cadeiras estreitas expulsavam e que, fustigado, tornou-se o nosso grande besouro na luz. Vi também entrar uma senhora magra, desquitada, de olhos azuis exorbitantes, claramente sofrendo da tiroide. Quando entrou com seus olhos, por um momento tive um erro de visão: a sala era essa mulher, essa mulher era a sala. Ambas se confundiam como águas da mesma cascata. Esta senhora de olhos azuis extravasados, assim como a salinha – conseguiria fechá-los para dormir. E a sala? onde guardaria toda a sua claridade para dormir? Se pudéssemos por um instante desligar a sala –

que sucederia? Que grande escuridão, feita de trevas mortas, se seguiria.

Mas a sala não tinha onde guardar sua claridade. Porque esqueci de dizer: o aposento tinha tal nudez, apesar dos objetos, dos móveis, das pessoas. Nesta sala: impossível esconder-se. A pessoa estava exposta.

Sobretudo uma coisa nos sucedia, porque a riqueza não estava mais atrás de nós nem a esperávamos mais pois não éramos adolescentes: *hoje* tornava-se uma palavra tão realizada que, mais um instante, e apodreceria. *Hoje* mal saísse da sala e se deteriorava em nada. A sala não era nem ontem nem amanhã. E quando pronunciávamos *hoje* era como se se tratasse de um segredo revelado.

Açoitadas pela luz exorbitante da sala tiroide, às vezes saíam brigas estranhas entre as pessoas presentes. Brigas surdas, rápidas, por motivos fúteis: relâmpagos de verão. Uma vez não se encontrou a folha de papel que servira para embrulhar um presente para a dona da casa. Que valor tinha o papel? Mas houve ríspida troca de palavras. Outra vez vimos um carocinho de uva brilhando no chão como um diamante. Rimos, cada um reclamava para si o caroço, sob pretexto, a princípio galhofo, de que iríamos engastá-lo como pedra preciosa num broche de gravata ou de vestido. Mas em pouco as palavras transformaram-se em faíscas pequenas, e cóleras secas e curtas rebentavam de todos os cantos. Afinal, diante do silêncio reprovador de todos, coube a mim o caroço pois eu o descobrira. Saindo da sala, é claro, joguei-o fora. Era um caroço velho, sujo. Só por causa de uns restos de umidade cintilara à luz da sala.

Ah, era uma sala alegre, aquela. Fazíamos o possível para sermos convidados. Lá chegávamos ofegantes como um cão que corresse léguas e viesse enfim se extinguir aos pés de seu dono. Arfantes, com a boca seca de tanta alegria. Exorbitados, curiosos, exaustos. Mas sem acusações possíveis. A sala nunca dera garantia nem prometera recompensas. Era vida, apenas.

✦ ✦ ✦

AVENTURA

Minhas intuições se tornam mais claras ao esforço de transpô--las em palavras. É neste sentido, pois, que escrever me é uma necessidade. De um lado, porque escrever é um modo de não mentir o sentimento (a transfiguração involuntária da imaginação é apenas um modo de chegar); de outro lado, escrevo pela incapacidade de entender, sem ser através do processo de escrever. Se tomo um ar hermético, é que não só o principal é não mentir o sentimento como porque tenho incapacidade de transpô-lo de um modo claro sem que o minta – mentir o pensamento seria tirar a única alegria de escrever. Assim, tantas vezes tomo um ar involuntariamente hermético, o que acho bem chato nos outros. Depois da coisa escrita, eu poderia friamente torná-la mais clara? Mas é que sou obstinada. E por outro lado, respeito uma certa clareza peculiar ao mistério natural, não substituível por clareza outra nenhuma. E também porque acredito que a coisa se esclarece sozinha com o tempo: assim como num copo d'água, uma vez depositado no fundo o que quer que seja, a água fica clara. Se jamais a água ficar limpa, pior para mim. Aceito o risco. Aceitei risco bem maior, como todo o mundo que vive. E se aceito o risco não é por liberdade arbitrária ou inconsciência ou arrogância: a cada dia que acordo, por hábito até, aceito o risco. Sempre tive um profundo senso de aventura, e a palavra profundo está aí querendo dizer inerente. Este senso de aventura é o que me dá o que tenho de aproximação mais isenta e real em relação a viver e, de cambulhada, a escrever.

HUMILDADE E TÉCNICA

Essa incapacidade de atingir, de entender, é que faz com que eu, por instinto de... de quê? procure um modo de falar que me leve mais depressa ao entendimento. Esse modo, esse *estilo* (!), já foi chamado de várias coisas, mas não do que realmente e apenas é: uma procura humilde. Nunca tive um só problema de expressão, meu problema é muito mais grave: é o de concepção. Quando falo em *humildade*, não me refiro à humildade no sentido cristão (como ideal a poder ser alcançado ou não); refiro-me à humildade que vem da plena consciência de ser realmente incapaz. E refiro-me à humildade como técnica. Virgem Maria, até eu mesma me assustei com minha falta de pudor; mas é que não é. Humildade como técnica é o seguinte: só se aproximando com humildade da coisa é que ela não escapa totalmente. Descobri este tipo de humildade, o que não deixa de ser uma forma engraçada de orgulho. Orgulho não é pecado, pelo menos tão grave: orgulho é coisa infantil em que se cai como se cai em gulodice. Só que orgulho tem a enorme desvantagem de ser um erro grave, e, com todo o atraso que o erro dá à vida, faz perder muito tempo.

OS HERÓIS

Mesmo em Camus – esse amor pelo heroísmo. Então não há outro modo? Não, mesmo compreender já é heroísmo. Então um homem não pode simplesmente abrir uma porta e olhar?

PRIMAVERA SE ABRINDO

Uma coisa de que me orgulho é que sempre pressinto as mudanças de estação: alguma coisa no ar me avisa que vem coisa nova, e eu me alvoroço toda, não sei para o quê.

Na primavera do ano passado ganhei de uma grande amiga uma planta, prímula, tão misteriosa que no seu mistério está contida a explicação inexplicável de uma presença divina: o segredo do cosmos.

Essa planta, que aparentemente nada tem de singular, é dona do segredo da natureza.

Quando se aproxima a primavera, suas folhas morrem e em lugar delas nascem várias flores fechadas. A cor é roxo-violeta e branco, e mesmo fechadas têm um perfume feminino e masculino que é extremamente estonteador.

O segredo destas flores fechadas é que exatamente no primeiro dia da primavera elas se abrem e se dão ao mundo. Como? Mas como sabe essa modesta planta que a primavera acaba de se iniciar? E as flores se abrem de repente. A gente está sentada perto, olhando distraída, e eis que elas vagarosamente vão se abrindo, se entregando à nova estação, sob os nossos olhos espantados. E a primavera então se instala. "Cresci como a vinha de frutas de agradável odor e minhas flores são frutos de glória e abundância." (*Eclesiástico* 24:33)

✦ ✦ ✦

A EXPLICAÇÃO QUE NÃO EXPLICA

Não é fácil lembrar-me de como e por que escrevi um conto ou um romance. Depois que se despegam de mim, também eu os estranho. Não se trata de *transe*, mas a concentração no escrever parece tirar a consciência do que não tenha sido o escrever propriamente dito. Alguma coisa, porém, posso tentar reconstituir, se é que importa, e se responde ao que me foi perguntado.

O que me lembro do conto "Feliz aniversário", por exemplo, é da impressão de uma festa que não foi diferente de outras diferentes de aniversário; mas aquele era um dia pesado de verão, e acho até que nem pus a ideia de verão no conto. Tive uma *impressão*, de onde resultaram algumas linhas vagas, anotadas apenas pelo gosto e necessidade de aprofundar o que se sente. Anos depois, ao deparar com essas linhas, a história inteira nasceu, com uma rapidez de quem estivesse transcrevendo cena já vista – e no entanto nada do que escrevi aconteceu naquela ou em outra festa. Muito tempo depois um amigo perguntou-me de quem era aquela avó. Respondi que era a avó dos outros. Dois dias depois a verdadeira resposta me veio espontânea, e com surpresa: descobri que a avó era minha mesma, e dela eu só conhecera, em criança, um retrato, nada mais.

"Mistério em São Cristóvão" é mistério para mim: fui escrevendo tranquilamente como quem desenrola um novelo de linha. Não encontrei a menor dificuldade. Creio que a ausência de dificuldade veio da própria concepção do conto: sua atmosfera talvez precisasse dessa minha atitude de isenção, de certa não participação. A falta de dificuldade é capaz de ter sido técnica interna, modo de abordar, delicadeza, distração fingida.

De "Devaneio e embriaguez duma rapariga" sei que me diverti tanto que foi mesmo um prazer escrever. Enquanto durou o trabalho, estava sempre de um bom humor diferente do diário e, apesar de os outros não chegarem a notar, eu falava à moda portuguesa, fazendo, ao que me parece, experiência de linguagem. Foi ótimo escrever sobre a portuguesa.

De "Os laços de família" não gravei nada.

Do conto "Amor" lembro duas coisas: uma, ao escrever da intensidade com que inesperadamente caí com o personagem dentro de um Jardim Botânico não calculado, e de onde quase não conseguimos sair, de tão encipoados e meio hipnotizados – a ponto de eu ter que fazer meu personagem chamar o guarda para abrir os portões já fechados, senão passaríamos a morar ali mesmo até hoje. A segunda coisa de que me lembro é de um amigo lendo a história datilografada para criticá-la, e eu, ao ouvi-lo em voz humana e familiar, tendo de súbito a impressão de que só naquele instante ela nascia, e nascia já feita, como criança nasce. Este momento foi o melhor de todos: o conto ali me foi dado, e eu o recebi, ou ali eu o dei e ele foi recebido, ou as duas coisas que são uma só.

De "O jantar" nada sei.

"Uma galinha" foi escrito em cerca de meia hora. Haviam me encomendado uma crônica, eu estava tentando sem tentar propriamente, e terminei não entregando; até que um dia notei que aquela era uma história inteiramente redonda, e senti com que amor a escrevera. Vi também que escrevera um conto, e que ali estava o gosto que sempre tivera por bichos, uma das formas acessíveis de gente.

"Começos de uma fortuna" foi escrito mais para ver no que daria tentar uma técnica tão leve que apenas se entremeasse na história. Foi construído meio a frio, e eu guiada apenas pela curiosidade. Mais um exercício de escalas.

"Preciosidade" é um pouco irritante, terminei antipatizando com a menina, e depois, pedindo-lhe desculpas por antipatizar, e na hora de pedir desculpas tendo vontade de não pedir mesmo. Terminei arrumando a vida dela mais por desencargo de consciência e por responsabilidade que por amor. Escrever assim não vale a pena, envolve de um modo errado, tira a paciência. Tenho a impressão de que, mesmo se eu pudesse fazer desse conto um conto bom, ele intrinsecamente não prestaria.

"Imitação da rosa" usou vários pais e mães para nascer. Houve o choque inicial da notícia de alguém que adoecera, sem eu entender por quê. Houve nesse mesmo dia rosas que me mandaram, e que reparti com uma amiga. Houve essa constante na vida de todos, que é a rosa como flor. E houve tudo o mais que não sei, e que é o caldo de cultura de qualquer história. "Imitação" me deu a chance de usar um tom monótono que me satisfaz muito: a repetição me é agradável, e repetição acontecendo no mesmo lugar termina cavando pouco a pouco, cantilena enjoada diz alguma coisa.

"O crime do professor de matemática" chamava-se antes "O crime", e foi publicado. Anos depois entendi que o conto simplesmente não fora escrito. Então escrevi-o. Permanece no entanto a impressão de que continua não escrito. Ainda não entendo o professor de matemática, embora saiba que ele é o que eu disse.

"A menor mulher do mundo" me lembra domingo, primavera em Washington, criança adormecendo no colo no meio de um passeio, primeiros calores de maio – enquanto a menor mulher do mundo (uma notícia lida no jornal) intensificava tudo isso num lugar que me parece o nascedouro do mundo: África. Creio que também este conto vem de meu amor por bichos; parece-me que sinto os bichos como uma das coisas ainda muito próximas de Deus, material que não inventou a si mesmo, coisa ainda quente do próprio nascimento; e, no entanto, coisa já se pondo imediatamente de pé, e já vivendo toda, e em cada minuto vivendo de uma vez, nunca aos poucos apenas, nunca se poupando, nunca se gastando.

"O búfalo" me lembra muito vagamente um rosto que vi numa mulher ou em várias, ou em homens; e uma das mil visitas que fiz a jardins zoológicos. Nessa, um tigre olhou para mim, eu olhei para ele, ele sustentou o olhar, eu não, e vim embora até hoje. O conto nada tem a ver com isso, foi escrito e deixado de lado. Um dia reli-o e senti um choque de mal-estar e horror.

◆ ◆ ◆

UM LABORATÓRIO DE CRIATIVIDADE

Há oito anos uma moça chamada Nélida Piñon, descendente muito brasileira de espanhóis, iniciava sua carreira literária com um livro dificílimo de ler: *Guia-Mapa de Gabriel Arcanjo*. Sem nenhuma concessão ao leitor, o livro, para a maioria, era ininteligível. Ainda na mesma linha publicou, em 1963, *Madeira feita cruz*. E três anos depois o livro de contos *Tempo das frutas*, este já bem mais realizado, com ótimos contos. O seu romance *O fundador* ganhou um prêmio especial no Concurso Nacional Walmap e aparecerá, pela Editora José Álvaro, na segunda quinzena de novembro. Continua escrevendo: tem prontos um livro de contos e uma peça de teatro. Tudo escrito num estilo muito especial, muito *nélida piñon*.

Enquanto isso, dirige o primeiro laboratório de criação literária no Brasil, na Faculdade de Letras do Rio de Janeiro, cargo que lhe assenta perfeitamente: só poderia ser ministrado realmente por alguém com a inteligência criadora de Nélida. Fiz-lhe, a propósito do laboratório, umas perguntas, que foram respondidas por Nélida por escrito.

– Você está dando um curso sobre criatividade literária, ou atividade criadora de um modo geral?

– Literária, em particular. Mas não separo o fenômeno literário da criatividade em geral. Uma vez que criar é estar em todas as coisas.

– Você crê que o laboratório de criação literária, da Faculdade de Letras, possa orientar futuros escritores, ou seu curso tem apenas um sentido cultural?

– Mais importante que transmitir experiência, é discutir as razões que justifiquem o escritor numa sociedade de consumo, em que o homem, nutrindo-se do objeto, aprendeu a venerar geladeiras, carros, instrumentos enfim que lhe são impostos como presumíveis restauradores do espírito. Não acreditamos que o ofício de escrever, assimilado de qualquer modo, determine imperativamente uma elite. Ao contrário, como *poverellos* estaríamos mais aparelhados a destronar as regras incompatíveis e uma comunidade adiposa. O laboratório pretende tão somente queimar etapas, lidar com técnicas dominantes na ficção contemporânea, sem mutilar porém o espírito criador do aluno. Sobretudo transmitir a verdade – e ouvindo também confirmamos nossa crença – de que compete afinal ao escritor desvendar o labirinto, o escondido, a parcela, derrubar falsas comemorações, intensificar dúvidas, protestos, ainda que seu grito seja o último a se registrar numa região atomizada.

– Quais os processos que liberam mais a criatividade?

– Todo processo é válido, desde que se confirme a criação. Alguns escritores, por exemplo, exigem o estado orgástico para criar, aquele delírio impedindo-os de analisar o ato que estão conhecendo, os frutos abastados da sua poderosa paixão. Outros elegem o caos como modo de atingir a ordem; o que equivale a eleger a ordem para estabelecer o caos na Terra. Certos escritores imitam a sedimentação da rocha, cultivam estágios longínquos, são habitantes de eras remotas, e tão pacientes que desprezam o tempo por acreditarem na eternidade. Mas quem fala pelo escritor é seu próprio depoimento, o impulso de não ser escravo e criar livre.

– Qual é o seu método de escrever? Você planeja a trama antes de começar?

– Acredito no convívio diário com a palavra, ainda que não seja de ordem física. Sem tal abordagem regular, vejo reduzida minha capacidade de expressão, dificilmente alcançando a forma necessária. Crio o que preciso ao longo dos dias, as mais penosas horas, e da vivência pessoal, colisões permanentes com a Terra. Existindo a consciência de escrever, que este ato se repita constantemente. Não compreendo amadorismo. Compreendo sim a vocação flagelada, difícil, espinhos por toda a carne, que é a nossa coroa, o desafio de não transigir. *Fundador*, meu último romance, foi estruturado antes de o iniciar. Conhecia a técnica, a linguagem, o andamento que se devia adotar. Embora elementos imponderáveis, entre o tanto que mais tarde mutilamos cor-

rigindo, como se não fosse nossa carne o que estamos sacrificando — surgissem ao longo do livro como transfusão.
— Você acredita em inspiração, ou acredita que o trabalho árduo é que vale para escrever?
— Inspiração era meu recurso de adolescente. Fase adulta exige outro confronto. E como a natureza não me tornou instrumento de Deus, habituei-me a avançar pesadamente no mundo escuro de um texto até descobrir a primeira luz.

✦ ✦ ✦

MAURA

Volta e meia estou recebendo cartas e telefonemas a propósito de minha coluna neste jornal. Agora mesmo acaba de me telefonar uma moça chamada Maura. Disse que me lê todos os sábados e coleciona as minhas colunas. Que eu não posso imaginar o bem que faço a ela. No decorrer de sua conversa — Maura tem uma voz delicada e sensível — disse-me: eu leio logo que são passadas em braile.
Fiquei um instante perplexa ou perturbada: estaria eu adivinhando certo? Perguntei-lhe:
— Você é cega?
Disse que sim, de nascença. Tem 26 anos e sua família mora em Minas Gerais. Desde 1950 Maura mora no Rio, com uma família amiga, e estudou no Instituto Benjamin Constant. Atualmente estuda, na Faculdade, português e principalmente literatura: usa gravador, e os colegas também cooperam lendo-lhe as aulas. Disse que a pessoa que passa minhas colunas para braile não é cega. Chama-se Constantino. E já passou para braile quatro livros meus, hoje encadernados. Eu lhe disse:
— Você é uma moça muito corajosa e eu me sinto muito pobre diante de você.

— Coragem? Não, é necessário enfrentar a vida, e todos têm problemas, e minha cegueira não é o meu maior problema.

Maura percebeu como eu estava perturbada e pediu-me que a tratasse como se ela não tivesse "deficiência de visão". Maura, eu raramente tenho a sua coragem, e nem sei enfrentar a vida. É com profunda humildade, Maura, que agradeço o seu telefonema que aconteceu, sem você saber, num momento em que eu estava precisando de muita coragem. E agradeço também a Constantino.

Imagino Maura com olhos abertos, sem ver. Com todos os demais sentidos mais sensíveis por isso mesmo. Lembro-me da vez em que, numa recepção, fui com outras pessoas apresentada a Helen Keller, cega, surda e falando roucamente, trocando um pouco as sílabas (pois nunca ouvira alguém falar). Havia no grupo uma mocinha especialmente bela. Helen Keller, no meio da conversa, sentiu necessidade de *ver* alguém, e quem estava mais próximo era a mocinha. Helen Keller, então, com as duas mãos passou dedos pelos traços do rosto da mocinha, cuidadosamente, demoradamente. E disse: você é muito bonita.

✦ ✦ ✦

CEM ANOS DE SOLIDÃO

Gabriel García Márquez, o escritor da moda, é o autor do bestseller *Cem anos de solidão*. É dos poucos bestsellers que têm valor literário grande. O romance é uma história de família, cheia de amor, violência e loucura. García Márquez só lida com fatos. E seus personagens são tão solitários, apesar da vida em comum de muitos, que García Márquez não lhes descreveu os pensamentos: o próprio autor sentiu a solidão intransponível de "toda essa estirpe de loucos, poetas, revolucionários, bandidos, belas mulheres, dentro de um ritmo de ação sem tréguas, com poesia, humor, grandeza e magia verbal". A poetisa Eliane Zagury é quem fez uma magnífica tradução (não se sente por trás do português nenhuma língua estrangeira). Inclusive correspondeu-se com García Márquez, enquanto traduzia seu livro. É um livro que espanta a todo instante: é feito de 366 páginas de inesperados. Os desenhos, muito bons, foram feitos por Carybé para a Editora Sabiá.

UM ENCONTRO COM O FUTURO

Li *A automação e o futuro do homem*, da brasileira Rose Marie Muraro. Fala da influência muitas vezes catastrófica da tecnologia sobre a vida humana, nessa nossa era eletrônica. A desumanização progressiva do homem causa medo. O livro lê-se com uma curiosidade crescente. Vou transcrever o trecho em que Rose Marie Muraro transmite alguns dos 100 principais inventos que o futurólogo Herman Kahn, a maior autoridade mundial no assunto, descreve no seu livro *Toward the Year 2000*:

- Novas fontes de energia para instalações fixas (termoelétricas, termoiônicas, magneto-hidrodinâmicas etc.);
- novas fontes de energia para transporte (carros a turbina, jato, campo eletromagnético etc.);
- transporte quase de graça para pessoas e cargas para qualquer parte do mundo;
- uso extensivo de transplante de órgãos;
- uso do raio laser intensificado em comunicações e como arma letal poderosíssima;
- uso rotineiro de *ciborgs* (órgãos ou partes do corpo humano sendo substituídos por máquinas eletrônicas);
- novas espécies de plantas e animais;
- controle do sono, dos sonhos, do peso, da velhice, novos inventos cosmetológicos para evitar o envelhecimento;

- hibernação primeiro a curto período e depois a longo (anos);
- exploração dos oceanos com pessoas vivendo sob a água;
- luas artificiais para iluminar extensas áreas à noite;
- viagens espaciais tornadas comuns;
- transporte sobre o oceano (Europa-EUA em meia hora);
- trabalho doméstico automatizado;
- técnicas de controle da mente muito desenvolvidas;
- controle do tempo e dos climas;
- comunicação direta por estímulo do cérebro;
- armas nucleares baratas, ao alcance de qualquer nação;
- capacidade de escolher o sexo das crianças ou de mudá-lo antes do nascimento;
- controle da hereditariedade muito melhor conhecido;
- alimentos e bebidas sintéticos de aceitação geral;
- crédito universal instantâneo e automático;
- uso generalizado de robôs, isto é, computadores individuais;
- comunicação mundial barata através de lasers, TV individual;
- novos métodos para obter prazer sexual, novas drogas alterando o limiar da percepção;
- métodos químicos e mecânicos para melhorar a capacidade analítica humana, direta e indiretamente;
- novas, mais racionais, muito mais baratas formas e técnicas para construção de casas (domos geodésicos, conchas pressurizadas etc.) e novos materiais de construção;
- fotografia e TV (preto e branco e depois em cores) tridimensionais.

Segundo Herman Kahn, esses e muitos outros inventos estarão normalmente em uso até o ano 2000, isto é, daqui a 30 anos. Será preciso comentário?

Eis o futuro dos nossos filhos. Invejo-os.

✦ ✦ ✦

DA NATUREZA DE UM IMPULSO OU ENTRE OS NÚMEROS UM OU COMPUTADOR ELETRÔNICO

Sei que o que eu vou falar é difícil, mas que é que eu vou fazer, se me ocorreu com tanta naturalidade e precisão? É assim:

Não era nada mais que um impulso. Para ser mais precisa, era impulso apenas, e não um impulso. Não se pode dizer que este impulso mantinha a mulher porque manter lembraria um *estado* e não se poderia falar em estado quando o impulso o que fazia era continuamente levá-la. É claro que, por hábito de chegar, ela fazia com que o impulso a levasse a alguma parte ou a algum ato. O que dava o ligeiríssimo desconforto de uma traição à natureza intransitiva do impulso. No entanto, não se pode nem de longe falar em gratuidade de impulso, apenas por se ter falado de alguma coisa intransitiva. Com o hábito de "comprar e vender", atos que dão o suspiro de uma conclusão, terminamos pensando que aquilo que não se *conclui*, o que não se *finda*, fica em fio solto, fica interrompido. Quando, na verdade, o impulso *ia* sempre. O que, de novo, pode levar a se querer presumir o problema de distância: ia longe ou perto. E aonde. Quando isso na verdade já cairia no caso em que falamos acima, sobre o ligeiríssimo desconforto que vem de se confundir a aplicação do impulso com o impulso propriamente dito. Não, não se quer dizer que a aplicação do impulso dá mal-estar. Pelo contrário, o impulso não aplicado durante um certo tempo pode se tornar de uma intensidade cujo incômodo só se alivia com uma aplicação factual dele. Depois que a intensidade dele é aliviada, o que nós chamaríamos de resíduo de impulso não é resíduo, é o impulso propriamente dito – é o impulso sem a carga de choro (choro no sentido de acúmulo, acúmulo no sentido de quantidade superposta), é o impulso sem a urgência (urgência no sentido de modificação de ritmo de tempo, e, na verdade, modificação de ritmo é modificação do tempo em si).

Mas, considerando que nós somos um fato, quer dizer, cada um de nós é um fato – ou, pelo menos, como lidar conosco mesmos sem, como andaime necessário, não nos tratarmos como um fato? – como eu ia dizendo, considerando que cada um de nós é um fato, a tendência é transformarmos o que *é* (existe) em fatos, em transformarmos o impulso em sua aplicação. E fazermos com que o atonal se torne tonal. E darmos um *finito* ao infinito, numa série de finitos (infinito não é usado aqui como quantidade imensurável, mas como *qualidade* imanente). O grande desconforto vem de que, por mais longa que seja a série de *finitos*, ela não esgota a qualidade residual de infinito (que na realidade não é residual, é o próprio infinito). O fato de não esgotar não acarretaria nenhum desconforto se não fosse a confusão entre *ser* e o uso do ser. O Uso do ser é temporário, mesmo que pareça continuado: é continuado no sentido em que, acabado um uso, segue-se imediatamente outro. Mas a verdade é que seria mais certo dizer: segue-se *mediatamente* e não imediatamente: até entre o número um e o número um, há, como se pode adivinhar, um *um*. Esse um, entre os dois uns, só se chamaria de resíduo se quiséssemos chamar arbitrariamente os dois números *um* mais importantes que o "um entre". Esse "um entre" é atonal, é impulso.

Como se pode imaginar, a mulher que estava pensando nisso não estava absolutamente *pensando* propriamente. Estava o que se chama de absorta, de ausente. Tanto que, após um determinado instante em que sua ausência (que era um pensamento profundo, profundo no sentido de não pensável e não dizível), após um determinado instante em que sua ausência fraquejou por um instante, ela sucumbiu ao uso da palavra-pensada (que a transformou em fato), a partir do momento em que ela factualizou-se por um segundo em pensamento – ela se enganchou um instante em si mesma, atrapalhou-se um segundo como um sonâmbulo que esbarra sua liberdade numa cadeira, suspirou um instante, parte involuntariamente para aliviar o que se tornara de algum modo intenso, parte voluntariamente para apressar sua própria metamorfose em fato.

O fato (que a fez suspirar) em que ela se transformou era o de uma mulher com uma vassoura na mão. Uma revolta infinitesimal passou-se nela – não, como se poderá concluir, por ela ser o fato de uma mulher com uma vassoura na mão – mas a infinitesimal revolta, até agradável (pois ar em movimento é brisa) em, de um modo geral, aplicar-se. Aplicar-se era uma canalização, canalização era uma necessária limitação, limitação um necessário desconhecer do que há entre o número um e o número um.

Como se disse, revolta ligeiramente agradável, que se foi intensificando em mais e mais agradável, até que a aplicação de si mesma em si mesma se tornou sumamente agradável – e, com o próprio atonal, ela se tornou o que se chama música, quer dizer, audível. Naturalmente sobrou, como na boca sobre um gosto, a sensação atonal do contato atonal com o impulso atonal.

O que fez a mulher ter uma expressão de olhos que, factualmente, era a de uma vaca. As coisas tendem a tomar a forma do fato que se é (o modo como o que é se torna fato é um modo infinitesimal rápido). Com a vassoura numa das mãos, pois, ela usou a outra mão para ajeitar os cabelos. Acabou de reunir com a vassoura os cacos do copo quebrado – na verdade, o quebrar-se inesperado do copo é o que havia dado artificialmente um *finito*, e a fizera deslizar para o *um* entre os dois *uns* – acabou de reunir os cacos com vivacidade de movimentos. O homem que estava na sala percebeu a vivacidade dos movimentos, não soube entender o que percebera mas, como realmente percebera, disse tentativamente, sabendo que não estava exprimindo sua própria percepção: o chão está limpo agora.

♦ ♦ ♦

AS CARIDADES ODIOSAS

Foi uma tarde de sensibilidade ou de suscetibilidade? Eu passava pela rua depressa, emaranhada nos meus pensamentos, como às vezes acontece. Foi quando meu vestido me reteve: alguma coisa se enganchara na minha saia. Voltei-me e vi que se tratava de uma mão pequena e escura. Pertencia a um menino a que a sujeira e o sangue interno davam um tom quente de pele. O menino estava de pé no degrau da grande confeitaria. Seus olhos, mais do que suas palavras meio engolidas, informavam-me de sua paciente aflição. Paciente demais. Percebi vagamente um pedido, antes de compreender o seu sentido concreto. Um pouco aturdida eu o olhava, ainda em dúvida se fora a mão da criança o que me ceifara os pensamentos.

– Um doce, moça, compre um doce para mim.

Acordei finalmente. O que estivera eu pensando antes de encontrar o menino? O fato é que o pedido deste pareceu cumular uma lacuna, dar uma resposta que podia servir para qualquer pergunta, assim como uma grande chuva pode matar a sede de quem queria uns goles de água.

Sem olhar para os lados, por pudor talvez, sem querer espiar as mesas da confeitaria onde possivelmente algum conhecido tomava sorvete, entrei, fui ao balcão e disse com uma dureza que só Deus sabe explicar: um doce para o menino.

De que tinha eu medo? Eu não olhava a criança, queria que a cena, humilhante para mim, terminasse logo. Perguntei-lhe: que doce você...

Antes de terminar, o menino disse apontando depressa com o dedo: aquelezinho ali, com chocolate por cima. Por um instante perplexa, eu me recompus logo e ordenei, com aspereza, à caixeira que o servisse.

– Que outro doce você quer? perguntei ao menino escuro. Este, que mexendo as mãos e a boca ainda esperava com ansiedade pelo primeiro, interrompeu-se, olhou-me um instante e disse com delicadeza insuportável, mostrando os dentes: não precisa de outro não. Ele poupava a minha bondade.

– Precisa sim, cortei eu ofegante, empurrando-o para a frente. O menino hesitou e disse: aquele amarelo de ovo. Recebeu um doce em cada mão, levantando as duas acima da cabeça, com medo talvez de apertá-los. Mesmo os doces estavam tão acima do menino escuro. E foi sem olhar para mim que ele, mais do que foi embora, fugiu. A caixeirinha olhava tudo:

– Afinal uma alma caridosa apareceu. Esse menino estava nesta porta há mais de uma hora, puxando todas as pessoas que passavam, mas ninguém quis dar.

Fui embora, com o rosto corado de vergonha. De vergonha mesmo? Era inútil querer voltar aos pensamentos anteriores. Eu estava cheia de um sentimento de amor, gratidão, revolta e vergonha. Mas, como se costuma dizer, o Sol parecia brilhar com mais força. Eu tivera a oportunidade de... E para isso fora necessário um menino magro e escuro... E para isso fora necessário que outros não lhe tivessem dado um doce.

E as pessoas que tomavam sorvete? Agora, o que eu queria saber com autocrueldade era o seguinte: temera que os outros me vissem ou que os outros não me vissem? O fato é que, quando atravessei a rua, o que teria sido piedade já se estrangulara sob outros sentimentos. E, agora sozinha, meus pensamentos voltaram lentamente a ser os anteriores, só que inúteis. Em vez de tomar um táxi, tomei um ônibus. Sentei-me.

– Os embrulhos estão incomodando?

Era uma mulher com uma criança no colo e, aos pés, vários embrulhos de jornal. Ah não, disse-lhes eu. "Dá dá dá", disse a menina no colo estendendo a mão e agarrando a manga de meu vestido. "Ela gostou da senhora", disse a mulher rindo. Eu também sorri.

— Estou desde manhã na rua, informou a mulher. Fui procurar umas amizades que não estavam em casa. Uma tinha ido almoçar fora, a outra foi com a família para fora.

— E a menina?

— É menino, corrigiu ela, está com roupa dada de menina mas é menino. O menino comeu por aí mesmo. Eu é que não almocei até agora.

— É seu neto?

— Filho, é filho, tenho mais três. Olhe só como ele está gostando da senhora... Brinca com a moça, meu filho! Imagine a senhora que moramos numa passagem de corredor e pagamos uma fortuna por mês. O aluguel passado não pagamos ainda. E este mês está vencendo. Ele quer despejar. Mas se Deus quiser, ainda arranjarei os dois mil cruzeiros que faltam. Já tenho o resto. Mas ele não quer aceitar. Ele pensa que se receber uma parte eu fico descansada dizendo: alguma coisa já paguei e não penso em pagar o resto.

Como a mulher velha estava ciente dos caminhos da desconfiança. Sabia de tudo, só que tinha de agir como se não soubesse — raciocínio de grande banqueiro. Raciocinava como raciocinaria um senhorio desconfiado, e não se irritava.

Mas de repente fiquei fria: tinha entendido. A mulher continuava a falar. Então tirei da bolsa os dois mil cruzeiros e com horror de mim passei-os à mulher. Esta não hesitou um segundo, pegou-os, meteu-os num bolso invisível entre o que me pareceram inúmeras saias, quase derrubando na sua rapidez o menino-menina.

— Deus nosso Senhor lhe favoreça, disse de repente com o automatismo de uma mendiga.

Vermelha, continuei sentada de braços cruzados. A mulher também continuava ao lado.

Só que não nos falávamos mais. Ela era mais digna do que eu havia pensado: conseguido o dinheiro, nada mais quis me contar. E nem eu pude mais fazer festas ao menino vestido de menina. Pois qualquer agrado seria agora de meu direito: eu o havia pago de antemão.

Um laço de mal-estar estabelecera-se agora entre nós duas, entre mim e a mulher, quero dizer.

– Deixe a moça em paz, Zezinho, disse a mulher.

Evitávamos encostar os cotovelos. Nada mais havia a dizer, e a viagem era longa. Perturbada, olhei-a de través: velha e suja, como se dizem das coisas. E a mulher sabia que eu a olhara.

Então uma ponta de raiva nasceu entre nós duas. Só o pequeno ser híbrido, radiante, enchia a tarde com o seu suave martelar: "dá dá dá".

✦ ✦ ✦

TEOSOFIA

Positivamente não era meu dia para teosofia. E não vê que tomo um táxi com um chofer que, a propósito de apenas simpatia por mim, creio, me dá uma lição teosófica. Mais materialista do que eu estava não podia. O chofer – um senhor de cabelos brancos, ar distinto e bonito – falava e eu não ouvia. Ouvi quando falou em irmandade e então reagi de um modo estranho: não me senti irmã de ninguém no mundo. Eu estava sozinha. Mas houve uma coisa que me chamou atenção porque é minha também, mesmo num dia de puro materialismo. Como explicar? Ele disse que o nosso ciclo no mundo já acabou e que não estamos preparados para esse fim, que o ano dois mil já chegou. Prestei atenção. Para mim também o ano dois mil é hoje. Sinto-me tão avançada, mesmo que não possa exprimi-lo, que estou em outro ciclo, mesmo que não possa exprimi-lo. Inclusive sinto-me muito além de escrever. Marciana? Não. Pouco quero saber. E o ano dois mil já chegou, mas não por causa de Marte: por causa da Terra mesmo, de nós, por nossa voracidade do tempo que nos come. Só em matéria de fome é que não estamos no ano dois mil. Mas há vários tipos de fome: estou falando de todas. E a fome, não de comida, é tanta que engolimos não sei quantos anos e ultrapassamos o dois mil. O que eu já aprendi com os choferes de táxi daria para um livro. Eles sabem muita coisa: literalmente circulam. Quanto a Antonioni eu sei, e eles não sabem. Se bem que talvez, mesmo ignorando-o. Há vários modos de saber, ignorando. Conheço isso: acontece comigo também.

LIBERDADE

Com uma amiga chegamos a um tal ponto de simplicidade ou liberdade que às vezes eu telefono e ela responde: não estou com vontade de falar. Então digo até logo e vou fazer outra coisa.

UMA PERGUNTA

Gastar a vida é usá-la ou não usá-la? Que é que estou exatamente querendo saber?

NOSSA TRUCULÊNCIA

Quando penso na alegria voraz com que comemos galinha ao molho pardo, dou-me conta de nossa truculência. Eu, que seria incapaz de matar uma galinha, tanto gosto delas vivas mexendo o pescoço feio e procurando minhocas. Deveríamos não comê-la e ao seu sangue? Nunca. Nós somos canibais, é preciso não esquecer. É respeitar a violência que temos. E, quem sabe, não comêssemos a galinha ao molho pardo, comeríamos gente com seu sangue. Minha falta de coragem de matar uma galinha e no entanto comê-la morta me confunde, espanta-me, mas aceito. A nossa vida é truculenta: nasce-se com sangue e com sangue corta-se a união que é o cordão umbilical. E quantos morrem com sangue. É preciso acreditar no sangue como parte de nossa vida. A truculência. É amor também.

O HOMEM IMORTAL

Que é que eu posso fazer se na mesma coluna vou falar de outro chofer de táxi? Termino casando com um, para não ter que ouvir as histórias de tantos. Esse começou assim:

– Vou vender tudo o que eu tenho e morar nos Estados Unidos.

Silêncio meu.

– Porque aqui tem muita burocracia.

Silêncio meu.

– Não é verdade, é porque eu quero ser congelado.

– Como!?

– Lá, quando as pessoas morrem, eles congelam elas e depois descongelam. E eu tenho pavor de morrer. A senhora tem?

– Não, respondi, pois estava era com certo pavor dele. E quando descongelarem o senhor?

– Eu vivo de novo.

– Mas vai morrer de novo.

– Aí me congelam de novo.

– Então o senhor nunca vai morrer?

– Não.

✦ ✦ ✦

ENTRE ASPAS

Quando mexo em papéis antigos, isto significa exteriormente alguma poeira, e interiormente raiva de mim mesma: porque, nunca me convencendo de que tenho má memória, copio entre aspas frases ou textos e depois, passado um tempo, como não anotei, pensando que não esqueceria, o nome dos autores, já não sei quem os disse. Por exemplo:

"Vemos que aqui na Terra os opostos se misturam, que um valor positivo se compra ao preço de um valor negativo. E, talvez, a experiência metafísica a mais profunda – a que vem quando o ser toma consciência do absoluto, o que lhe dá um estremecimento sagrado e deixa-o entrever a felicidade, aquela que lhe permite o acesso ao sobrenatural – talvez essa experiência só seja possível quando a alma está tão deslocada que não lhe é mais possível reerguer-se de sua ruína."

"O que parece incoerente à fria análise pode às vezes estar carregado de sentido para o coração, e este o entende."

"Não se saberia adquirir o conhecimento intuitivo de um outro universo sem sacrificar uma parte do entendimento que nos é necessário no mundo presente."

UM MOMENTO DE DESÂNIMO

Em algum ponto deve estar havendo um erro: é que ao escrever, por mais que me expresse, tenho a sensação de nunca na verdade ter-me expressado. A tal ponto isso me desola que me parece, agora, ter passado a me concentrar mais em querer me expressar do que na expressão ela mesma. Sei que é uma mania muito passageira. Mas, de qualquer forma, tentarei o seguinte: uma espécie de silêncio. Mesmo continuando a escrever, usarei o silêncio. E, se houver o que se chama de expressão, que se exale do que sou. Não vai mais ser: "Eu me exprimo, logo sou." Será: "Eu sou; logo sou."

OS RECURSOS DE UM SER PRIMITIVO

Li uma vez que os movimentos histéricos tendem a uma libertação por meio de um desses movimentos. A ignorância do movimento exato, que seria o libertador, torna o animal histérico, isto é, ele apela para o descontrole. E, durante o sábio descontrole, um dos movimentos sucede ser o libertador.

Isso me fez pensar nas vantagens libertadoras de uma vida apenas primitiva, apenas emocional. A pessoa primitiva apela, como que histericamente, para tantos sentimentos contraditórios que o sentimento libertador termina vindo à tona, apesar da ignorância da pessoa.

FORMA E CONTEÚDO

Fala-se da dificuldade entre a forma e o conteúdo, em matéria de escrever; até se diz: o conteúdo é bom, mas a forma não etc. Mas, por Deus, o problema é que não há de um lado um conteúdo, e de outro a forma. Assim seria fácil: seria como relatar através de uma forma o que já existisse livre, o conteúdo. Mas a luta entre a forma e o conteúdo está no próprio pensamento: o conteúdo luta por se formar. Para falar a verdade, não se pode pensar num conteúdo sem sua forma. Só a intuição toca na verdade sem precisar nem de conteúdo nem de forma. A intuição é a funda reflexão inconsciente que prescinde de forma enquanto ela própria, antes de subir à tona, se trabalha. Parece-me que a forma já aparece quando o ser todo está com um conteúdo maduro, já que se quer dividir o pensar ou escrever em duas fases. A dificuldade de forma está no próprio constituir-se do conteúdo, no próprio pensar ou sentir, que não saberiam existir sem sua forma adequada e às vezes única.

1970

A COMUNICAÇÃO MUDA

O que nos salva da solidão é a solidão de cada um dos outros. Às vezes, quando duas pessoas estão juntas, apesar de falarem, o que elas comunicam silenciosamente uma à outra é o sentimento de solidão.

LEMBRANÇA DE UMA FONTE, DE UMA CIDADE

Na Suíça, em Berna, eu morava na Gerechtigkeitgasse, isto é, Rua da Justiça. Diante de minha casa, na rua, estava a estátua em cores, segurando a balança. Em torno, reis esmagados pedindo talvez uma exceção. No inverno, o pequeno lago no centro do qual estava a estátua, no inverno a água gelada, às vezes quebradiça de fino gelo. Na primavera gerânios vermelhos. As carolas debruçavam-se na água e, balança equilibrada, na água suas sombras vermelhas ressurgiam. Qual das duas imagens era em verdade o gerânio? igual distância, perspectiva certa, silêncio da perfeição. E a rua ainda medieval: eu morava na parte antiga da cidade. O que me salvou da monotonia de Berna foi viver na Idade Média, foi esperar que a neve parasse e os gerânios vermelhos de novo se refletissem na água, foi ter um filho que lá nasceu, foi ter escrito um de meus livros menos gostado, *A cidade sitiada*, no entanto, relendo-o, pessoas passam a gostar dele; minha gratidão a este livro é enorme: o esforço de escrevê-lo me ocupava, salvava-me daquele silêncio aterrador das ruas de Berna, e quando terminei o último capítulo, fui para o hospital dar à luz o menino. Berna é uma cidade livre, por que então eu me sentia tão presa, tão segregada? Eu ia ao cinema todas as tardes, pouco importava o filme. E lembro-me de que às vezes, à saída do cinema, via que já começara a nevar. Naquela hora do crepúsculo, sozinha na cidade medieval, sob os flocos ainda fracos de neve – nessa hora eu me sentia pior do que uma mendiga porque nem ao menos eu sabia o que pedir.

FICÇÃO OU NÃO

Estou entrando num campo onde raramente me atrevo a entrar, pois já pertence à crítica. Mas é que me surpreende um pouco a discussão sobre se um romance é ou não romance. No entanto as mesmas pessoas que não o classificam de romance falam de seus personagens, discutem seus motivos, analisam suas soluções como possíveis ou não, aderem ou não aos sentimentos e pensamentos dos personagens. O que é ficção? é, em suma, suponho, a criação de seres e acontecimentos que não existiram realmente mas de tal modo poderiam existir que se tornam vivos. Mas que o livro obedeça a uma determinada forma de romance – sem nenhuma irritação, *je m'en fiche*. Sei que o romance se faria muito mais romance de concepção clássica se eu o tornasse mais atraente, com a descrição de algumas das coisas que emolduram uma vida, um romance, um personagem etc. Mas exatamente o que não quero é a moldura. Tornar um livro atraente é um truque perfeitamente legítimo. Prefiro, no entanto, escrever com o mínimo de truques. Para minhas leituras prefiro o atraente, pois me cansa menos, exige menos de mim como leitora, pede pouco de mim como participação íntima. Mas para escrever quero prescindir de tudo o que eu puder prescindir: para quem escreve, essa experiência vale a pena.

Por que não ficção, apenas por não contar uma série de fatos constituindo um enredo? Por que não ficção? não é autobiográfico nem é biográfico, e todos os pensamentos e emoções estão ligados a personagens que no livro em questão pensam e se comovem. E se uso esse ou aquele material como elemento de ficção, isto é um problema exclusivamente meu. Admito que desse livro se diga como se diz às vezes de pessoas: "Mas que vida! mal se pode chamar de vida."

Em romances, onde a trajetória interior do personagem mal é abordada, o romance recebe o nome de social ou de aventuras ou do que quiserem. Que para o outro tipo de romance se dê um outro epíteto, chamando-o de "romance de...". Enfim, problema apenas de classificação.

Mas é claro que *A paixão segundo G. H.* é um romance.

✦ ✦ ✦

O MORTO IRÔNICO

Será este um epitáfio para um amigo morto e irônico? Atrás dos óculos, a bondade. Atrás do peito, o coração já doente. Este foi o seu egoísmo sarcástico: sua morte era problema dos vivos. Onde está ele, se na sobrevivência não acreditava? Como se acreditar fosse uma direção. A falta que ele faz é de uma presença quase incômoda. E com que ironia este paradoxo ele leria. "Com rima ainda?", diria. Sim, rima também serve para não se chorar. Onde está o que nele pensava? doendo em outras cabeças. Pena ser tolo dizer: meu braço direito pela vossa vida. Desta vez sem rima para poder enfim chorar. Ele, que não deixou chorar.

DESCOBERTA

Um cachorro tem que ter cheiro de cachorro. Pois foi esse o pensamento iluminado que ocorreu ao homem no meio de um dia em que, há vários dias, ele se achava num nevoeiro morno de sentimentos. O pensamento sobre o cachorro iluminou-o de repente e abriu de repente uma clareira. O homem ficou muito alegre – talvez tivesse acabado de pôr os pontos nos is. Ficou alegre e passou a olhar cada coisa como se enfim tivesse acordado de uma longa doença. Um cachorro tem que ter cheiro de cachorro. O homem, através desse pensamento, aceitou-se totalmente como ele era, como se admitisse que um homem tem que ter cheiro de homem, e que a vida de um homem é a sua vida nua. Na rua, por onde caminhava para ir ao trabalho, passou por uma mulher que, inocente do passante, carregava um embrulho de compras. Ele sorriu porque ela não sabia que ele sabia que, assim como um cachorro é um cachorro, aquela mulher era aquela mulher. O homem se emocionou com o fato de ele ter acabado de lavar o mundo, as águas ainda escorriam frescas. Ele ia trabalhar no Banco. E o Banco, é horrível, por Deus. Mas, lavado com águas frescas, um banco é um banco.

CARTA ATRASADA

Prezado senhor X,

Encontrei uma crítica sua sobre um livro *A cidade sitiada*, só Deus sabe de quando, pois o recorte não tem data. Sua crítica é aguda e bem-feita. O senhor disse tantas coisas verdadeiras e bem ditas e que encontraram eco em mim – que por muito tempo não me ocorreu acrescentar a elas nem a mim mesma outras verdades também do mesmo modo importantes. Acontece que essas outras verdades o senhor tem ou não tem culpa de não as conhecer. Sei que o leitor comum só pode tomar conhecimento do que está realizado, do que está evidente. O que me espanta – e isto certamente vem contra mim – é que a um crítico escapem os motivos maiores de meu livro. Será que isso quer dizer que não consegui erguer até à tona as intenções do livro? Ou os olhos do crítico foram nublados por outros motivos, que não meus? Falam, ou melhor, antigamente falavam, tanto em minhas "palavras", em minhas "frases". Como se elas fossem verbais. No entanto nenhuma, mas nenhuma mesma, das palavras do livro foi – jogo. Cada uma delas quis essencialmente dizer alguma coisa. Continuo a considerar minhas palavras como sendo nuas. Quanto à "intenção" do livro, eu não acreditava que ela se perdesse, aos olhos de um crítico, através do desenvolvimento da narrativa. Continuo sentindo essa "intenção" atravessando todas as páginas, num fio talvez frágil como eu quis, mas permanente e até o fim. Creio que todos os problemas de Lucrécia Neves estão condicionados a esse fio. O que é que eu quis dizer através de Lucrécia – personagem sem as armas da inteligência, que aspira, no entanto, a essa espécie de integridade espiritual de um cavalo, que não "reparte" o que vê, que não tem uma "visão vocabular" ou mental das coisas, que não sente a necessidade de completar a impressão com a expressão – cavalo em que há o milagre de a impressão ser total – tal *real* – que nele a impressão já é a expressão. Pensei tanto ter sugerido que a história verdadeira de Lucrécia Neves era independente de sua história particular. A luta de alcançar a realidade – eis o principal nessa criatura que tenta, de todos os modos, aderir ao que existe por meio de uma visão total das coisas. Pretendi deixar dito também de como a visão – de como o modo de ver, o ponto de vista – altera a realidade, construindo-a. Uma casa não é construída apenas com pedras, cimento etc. O modo de olhar de um homem também a constrói. O modo de olhar dá o aspecto à realidade. Quando digo que Lucrécia Neves constrói a cidade de S. Geraldo e dá-lhe uma tradição, isto é de algum modo claro para mim. Quando digo que, nessa época de cidade nascente, cada olhar fazia emergir novas extensões, novas realidades – isso é tão claro para mim. Tradição, passado de cultura – que é isso senão um modo de ver que se transmite até nós?

Pensei ter dado a Lucrécia Neves apenas o papel de "uma das pessoas" que construíram a cidade, deixando-lhe o mínimo de individualidade necessária para que um ser seja ele mesmo. Os problemas próprios de Lucrécia Neves, como o senhor diz, me parecem apenas a terra necessária para essa construção coletiva. Parece-me tão claro. Uma das mais intensas aspirações do espírito é a de dominar pelo espírito a realidade exterior. Lucrécia não o consegue – então "adere" a essa realidade, toma como vida sua a vida mais ampla do mundo.

Não se torna evidente para mim que todos esses movimentos íntimos do livro, e mais outros que o completam – foram submergidos pelo que o senhor chama de "magia da frase". Desde o primeiro livro, aliás, fala-se nas minhas "frases". Não tenha o senhor dúvida, no entanto, de que desejei – e consegui, por Deus – qualquer coisa através delas, e não a elas mesmas.

Chamar de "verbalismo" uma vontade dolorosa de aproximar o mais possível as palavras do sentimento – eis o que me espanta. E o que me revela a distância possível que há entre o que se dá e o que se recebe... Mas que eu dei e que foi recebido, sei. San Tiago Dantas, quando leu pela primeira vez o livro, assustou-se: disse-me que eu havia "caído". Depois, numa noite de insônia, resolveu relê-lo. E disse-me com espanto: mas este é o seu melhor livro. Não era, mas valeu pela compreensão profunda que ele teve de Lucrécia Neves e dos cavalos de S. Geraldo. Não, o senhor não fez o "enterro" do livro: o senhor também o "construiu". Com perdão da palavra, como um dos cavalos de S. Geraldo.

+ + +

FUTURO IMPROVÁVEL

Uma vez eu irei. Uma vez irei sozinha, sem minha alma dessa vez. O espírito, eu o terei entregue à família e aos amigos com recomendações. Não será difícil cuidar dele, exige pouco, às vezes se alimenta com jornais mesmo. Não será difícil levá-lo ao cinema, quando se vai. Minha alma eu a deixarei, qualquer animal a abrigará: serão férias em outra paisagem, olhando através de qualquer janela dita da alma, qualquer janela de olhos de gato ou de cão. De tigre, eu preferiria. Meu corpo, esse serei obrigada a levar. Mas dir-lhe-ei antes: vem comigo, como única valise, segue-me como um cão. E irei à frente, sozinha, finalmente cega para os erros do mundo, até que talvez encontre no ar algum bólide que me rebente. Não é a violência que eu procuro, mas uma força ainda não classificada, mas que nem por isso deixará de existir no mínimo silêncio que se locomove. Nesse instante há muito que o sangue já terá desaparecido. Não sei como explicar que, sem alma, sem espírito, e um corpo morto – serei ainda eu, horrivelmente esperta. Mas dois e dois são quatro e isso é o contrário de uma solução, é beco sem saída, puro problema enrodilhado em si. Para voltar de "dois e dois são quatro" é preciso voltar, fingir saudade, encontrar o espírito entregue aos amigos, e dizer: como você engordou! Satisfeita até o gargalo pelos seres que mais amo. Estou morrendo meu espírito, sinto isso, sinto...

SÁBADO, COM SUA LUZ

Trabalhar, como? O que interessa nesse sábado que é puro ar, apenas ar? "Todos aqueles que fizeram grandes coisas, fizeram-nas para sair de uma dificuldade, de um beco sem saída." Minha vida tem que ser escrever, escrever, escrever? como exercício espiritual profundo? E incorporar o ar aéreo deste sábado no que eu escrever. O que quero escrever? Quero hoje escrever qualquer coisa que seja tranquila e sem modas, alguma coisa como a lembrança de um alto monumento que parece mais alto porque é lembrança. Mas quero, de passagem, ter realmente tocado no monumento. Vou parar aqui, porque é tão sábado!

MARLY DE OLIVEIRA

> É suave, suave, a pantera.
> Mas se a quiserem tocar
> sem a devida cautela,
> logo a verão transformada
> na fera que há dentro dela:
> o dente de mais marfim
> na negrura toda alerta,
> e ser, de princípio ao fim,
> a pantera sem reservas,
> o fervor, a força lúdica,
> da unha longa e descoberta,
> o êxtase da sua fúria
> sob o melindre que a fera
> em repouso, se não a tocam,
> como que tem na singela
> forma que não se alvoroça
> por si só, antes parece,
> na mansa, mansa e lustrosa
> pelúcia com que se adorna,
> uma viva, intensa joia.

(*A suave pantera*, para meu orgulho dedicado a mim o livro magnífico)

◆ ◆ ◆

A MÁQUINA ESTÁ CRESCENDO

O homem foi programado por Deus para resolver problemas. Mas começou a criá-los em vez de resolvê-los. A máquina foi programada pelo homem para resolver os problemas que ele criou.

Mas ela, a máquina, está começando também a criar problemas que desorientam e engolem o homem. A máquina continua crescendo. Está enorme. A ponto de que talvez o homem deixe de ser uma organização humana. E como perfeição de *ser criado*, só existirá a máquina. *Deus* criou um problema para si próprio. Ele terminará destruindo a máquina e recomeçando pela ignorância do homem diante da maçã. Ou o homem será um triste antepassado da máquina; melhor o mistério do paraíso.

EU TOMO CONTA DO MUNDO

Sou uma pessoa muito ocupada: tomo conta do mundo. Todos os dias olho pelo terraço para o pedaço de praia com mar, e vejo às vezes que as espumas parecem mais brancas e que às vezes durante a noite as águas avançaram inquietas, vejo isso pela marca que as ondas deixaram na areia. Olho as amendoeiras de minha rua. Presto atenção se o céu de noite, antes de eu dormir e tomar conta do mundo em forma de sonho, se o céu de noite está estrelado e azul-marinho, porque em certas noites em vez de negro parece azul-marinho. O cosmos me dá muito trabalho, sobretudo porque vejo que Deus é o cosmos. Disso eu tomo conta com alguma relutância.

Observo o menino de uns dez anos, vestido de trapos e macérrimo. Terá futura tuberculose, se é que já não a tem.

No Jardim Botânico, então, eu fico exaurida, tenho que tomar conta com o olhar das mil plantas e árvores, e sobretudo das vitórias-régias.

Que se repare que não menciono nenhuma vez as minhas impressões emotivas: lucidamente apenas falo de algumas das milhares de coisas e pessoas de quem eu tomo conta. Também não se trata de um emprego pois dinheiro não ganho por isso. Fico apenas sabendo como é o mundo.

Se tomar conta do mundo dá trabalho? Sim. E lembro-me de um rosto terrivelmente inexpressível de uma mulher que vi na rua. Tomo conta dos milhares de favelados pelas encostas acima. Observo em mim mesma as mudanças de estação: eu claramente mudo com elas.

Hão de me perguntar por que tomo conta do mundo: é que nasci assim, incumbida. E sou responsável por tudo o que existe, inclusive pelas guerras e pelos crimes de leso-corpo e lesa-alma. Sou inclusive responsável pelo Deus que está em constante cósmica evolução para melhor.

Tomo desde criança conta de uma fileira de formigas: elas andam em fila indiana carregando um pedacinho de folha, o que não impede que cada uma, encontrando uma fila de formigas que venha de direção oposta, pare para dizer alguma coisa às outras.

Li o livro célebre sobre as abelhas, e tomei desde então conta das abelhas, sobretudo da rainha-mãe. As abelhas voam e lidam com flores: isto eu constatei.

Mas as formigas têm uma cintura muito fininha. Nela, pequena como é, cabe todo um mundo que, se eu não tomar cuidado, me escapa: senso instintivo de organização, linguagem para além do supersônico aos nossos ouvidos, e provavelmente para sentimentos instintivos de amor-sentimento, já que falam. Tomei muito conta das formigas quando era pequena, e agora, que eu queria tanto poder revê-las, não encontro uma. Que não houve matança delas, eu sei porque se tivesse havido eu já teria sabido. Tomar conta do mundo exige também muita paciência: tenho que esperar pelo dia em que me apareça uma formiga. Paciência: observar as flores imperceptivelmente e lentamente se abrindo.

Só não encontrei ainda a quem prestar contas.

✦ ✦ ✦

O LANCHE

As imaginações que assustam. Pensei numa festa – sem bebida, sem comida, festa só de olhar. Até as cadeiras alugadas e trazidas para um terceiro andar vazio da Rua da Alfândega, este seria um bom lugar. Para essa festa eu convidaria todos os amigos e amigas que tive e não tenho mais. Só eles, sem nem sequer os entre amigos mútuos. Pessoas que vivi, pessoas que me viveram. Mas como é que eu subiria sozinha pelas escadas escuras até uma sala alugada? E como é que se volta da Rua da Alfândega ao anoitecer? As calçadas estariam secas e duras, eu sei.

Preferi outra imaginação. Começou misturando carinho, gratidão, raiva; só depois é que se desdobraram duas asas de morcego, como o que vem de longe e vai chegando muito perto; mas também brilhavam as asas. Seria um chá – domingo, Rua do Lavradio – que eu ofereceria a todas as empregadas que já tive na vida. As que esqueci marcariam a ausência com uma cadeira vazia, assim como estão dentro de mim. As outras sentadas, de mãos cruzadas no colo. Mudas – até o momento em que cada uma abrisse a boca e, rediviva, morta-viva, recitasse o que eu me lembro. Quase um chá de senhoras, só que nesse não se falaria de criadas.

– Pois te desejo muita felicidade – levanta-se uma – desejo que você obtenha tudo o que ninguém pode te dar.

– Quando peço uma coisa – ergue-se a outra – só sei falar rindo muito e pensam que não estou precisando.

– Gosto de filme de caçada. (E foi tudo o que me ficou de uma pessoa inteira.)

– Trivial, não, senhora. Só sei fazer comida de pobre.

– Quando eu morrer, umas pessoas vão ter saudade de mim. Mas só isso.

– Fico com os olhos cheios de lágrimas quando falo com a senhora, deve ser espiritismo.

— Era um miúdo tão bonito que até me vinha a vontade de fazer-lhe mal.

— Pois hoje de madrugada — me diz a italiana — quando eu vinha para cá, as folhas começaram a cair, e a primeira neve também. Um homem na rua me disse assim: "É a chuva de ouro e de prata." Fingi que não ouvi porque se não tomo cuidado os homens fazem de mim o que querem.

— Lá vem a lordeza — levanta-se a mais antiga de todas, aquela que só conseguia dar ternura amarga e nos ensinou tão cedo a perdoar crueldade de amor. — A lordeza dormiu bem? A lordeza é de luxo. É cheia de vontades, ela quer isso, ela não quer aquilo. A lordeza é branca.

— Eu queria folga nos três dias de carnaval, madame, porque chega de donzelice.

— Comida é questão de sal. Comida é questão de sal. Comida é questão de sal. Lá vem a lordeza: te desejo que obtenhas o que ninguém pode te dar, só isso quando eu morrer. Foi então que o homem disse que a chuva era de ouro, o que ninguém pode te dar. A menos que não tenhas medo de ficar toda de pé no escuro, banhada de ouro, mas só na escuridão. A lordeza é de luxo pobre: folhas ou a primeira neve. Ter o sal do que se come, não fazer mal ao que é bonito, não rir na hora de pedir e nunca fingir que não se ouviu quando alguém disser: esta, mulher, esta é a chuva de ouro e de prata. Sim.

✦ ✦ ✦

ESCREVER AO SABOR DA PENA

Esta frase me ficou na memória e nem sequer sei de onde ela veio. Para começar, não se usa mais pena. E depois, sobretudo, escrever à máquina, ou com o que seja, não é um sabor. Não, não estou me referindo a procurar escrever bem: isso vem por si mesmo. Estou falando de procurar em si próprio a nebulosa que aos poucos se condensa, aos poucos se concretiza, aos poucos sobe à tona – até vir como num parto a primeira palavra que a exprima.

VARIAÇÃO DO HOMEM DISTRAÍDO

Está de óculos e no entanto procura os óculos pela casa inteira. De vez em quando lhe ocorre com alegria: que sorte a minha, a de hoje ver tudo tão claro – isso me ajudará a procurar e achar meus óculos. Às vezes, no meio da procura, chega a pensar: estou vendo tão bem que até é capaz de não precisar mais de óculos nem para ler. Só foi dar conta que estava com os óculos no rosto quando, antes de dormir, ajeitou-os para ler: sentiu com estranheza mais um traço fisionômico. E a verdade é que ficou muito decepcionado: era natural que eu pensasse não precisar mais de óculos.

O FUTURO JÁ COMEÇOU

Bem, em última análise trata-se do seguinte: nós já estamos no ano 2000. De tanto medo que temos desse ano-marco (o Tempo mais uma vez revelado), nós precipitamos o acontecimento. Assim como não se aguenta alguma coisa prometida e se faz com que a coisa, mesmo dolorosa, venha antes, para passar logo o desespero. Não que o ano 2000 em que já estamos seja um ano de desespero. Ou é? O desespero da existência eterna do Tempo, assim como o Universo, sempre existiu. Estou agora sem medo pensando no ano 8000. Que virá assim como o ano 2000. O tempo não é a duração de uma vida. O tempo antes de nós é tão eterno quanto o tempo à nossa frente. No ano 8000, se houver gente, haverá uma religião nova – uma que admita que o imaterial se materialize, uma que não tenha medo da morte, pois este é um problema apenas pessoal.

SIM E NÃO

Eu sou sim. Eu sou não. Aguardo com paciência a harmonia dos contrários. Serei um eu, o que significa também vós.

EVOLUÇÃO

Com o passar do tempo ela ia se tornando mais habituada, como se aos poucos estivesse se habituando à Terra, à Lua, ao Sol, e, estranhamente, a Marte sobretudo. Estava numa espécie de plataforma de onde por átimos de segundos parecia ver a super-realidade do que é verdadeiramente real. Mais real do que a realidade.

CHORANDO DE MANSO

... eu o vi de repente e era um homem tão extraordinariamente bonito e viril que eu sentia uma alegria de criação. Não é que eu o quisesse para mim assim como não quero a Lua nas suas noites em que ela se torna leve e frígida como uma pérola. Assim como não quero para mim um menino de nove anos que vi, com cabelos de arcanjo, correndo atrás da bola. Eu queria em tudo somente olhar. O homem olhou um instante para mim e sorriu calmo: ele sabia quanto era belo, e sei que ele sabia que eu não o queria para mim, ele sorriu porque não sentiu nenhuma ameaça. (Os seres excepcionais estão mais sujeitos a perigos do que o comum das pessoas.) Atravessei a rua e apanhei um táxi. A brisa me arrepiava os cabelos da nuca e era outono, mas parecia prenunciar uma nova primavera como se o verão estafante merecesse a frescura do nascimento de flores. Era no entanto outono e as folhas amarelavam nas amendoeiras. Eu estava tão feliz que me encolhi num canto do táxi de medo pois a felicidade também dói. E tudo isso causado pela visão de um homem bonito. Eu continuava a não querê-lo para mim, mas ele de algum modo me dera muito com o seu sorriso de camaradagem entre pessoas que se entendem. A essa altura, perto do viaduto do Museu de Arte Moderna, eu já não me sentia feliz, e o outono me pareceu uma ameaça dirigida contra mim. Tive então vontade de chorar de manso.

❖ ❖ ❖

ZAGALLO

Há algum tempo entrevistei Zagallo. Conversou com simplicidade e calma.

– Sendo você bicampeão mundial e bicampeão carioca, Zagallo, eu, se dependesse de mim e se não tivesse a admiração que tenho pelo Saldanha, escolheria você para técnico da Seleção Brasileira.

– Olhe só aqui meu braço – mostrou-me ele, e de fato os pelos estavam eriçados, e ele riu como uma criança simples – olhe só meu braço e veja como fico arrepiado: se eu pudesse retornar a jogar, queria que o final da Copa fosse já. Porque assim poderia reviver a nossa chegada triunfal no Brasil e sentir de novo uma emoção inteiramente diferente, causada pela grande receptividade do povo brasileiro, como senti então. O povo estava fora de si, todos pareciam ter tomado bolinha...

Zagallo é moço, fino de corpo, as pernas não são deformadas por uma musculatura violenta, como as de certos jogadores profissionais. É o tipo do bom rapaz e do bom colega. Senti-o logo que me apresentei a ele e disse-lhe em que trabalhava. A partir desse momento, ele me chamou sempre de "você" e me tratou como se trata um colega de trabalho, trabalhos diferentes, mas trabalho.

Estávamos sentados no banco do jardim do Botafogo, conversando às pressas porque o treino já ia começar. Fazia muito vento, as folhas das árvores caíam sobre nós, minhas folhas de papel para anotações voavam longe, Zagallo ria e ajudava-me a apanhá-las, enquanto minha simpatia se transformava na ternura pelo nosso povo que Zagallo representava naquele momento.

— Zagallo, qual seria a melhor tática, o melhor sistema para o Selecionado Brasileiro?

— Jogando com os europeus, teremos que usar a mesma tática que eles, porque o nosso material humano é o melhor do mundo, e isto dito sem ser por patriotismo. Você tem viajado muito? — perguntou-me.

— Eu era esposa de diplomata e por isso não só viajei muito como morei em vários países do mundo. E como você, acho, sem ser isso dito apenas por patriotismo, que, de um modo geral e em qualquer campo, não ficamos atrás de ninguém em matéria de grande material humano. O Brasil poderia ser uma beleza de país. Bem, mas voltando a você, Zagallo, a diferença entre quem escreve como eu e um desportista e atleta como você é que você é obrigado a parar mais cedo. Isso dá muita tristeza?

— Dá sim, porque o nosso futuro é sempre imprevisível, sendo a nossa vida de esporte tão limitada como é. Não há garantias e isso nos tira a tranquilidade. (Pensei de novo no projeto de aposentadoria para jogador de futebol.) O atleta tem de aproveitar o máximo num mínimo de tempo (nós também, Zagallo, a vida é breve para uma arte tão longa). E assim mesmo ele tem de ser bafejado pela sorte. Esta conclusão podemos tirar porque o número de jogadores é imenso e poucos atingem uma situação econômica que lhes garanta o futuro. (Nós, com a clássica exceção de Jorge Amado e Érico Veríssimo, e agora o José Mauro de Vasconcelos, não podemos nos sustentar escrevendo livros.)

— Você agora treina meu clube, Zagallo, que é o Botafogo, mas não me diga que isto compensa a possibilidade de fazer gols, como você fazia.

— A responsabilidade agora é bem maior porque não dependo mais do meu próprio esforço: dependo de minha capacidade de direção e do esforço dos jogadores dentro do campo. É o mesmo que sair de um lugar de simples funcionário para ocupar um lugar de chefia.

— Pergunto-lhe: o futebol é a coisa mais importante de sua vida?

— A coisa mais importante na minha vida é a minha família. Sou casado e tenho quatro filhos.

— Você escolheu o futebol ou calhou de descobrir ser um craque?

— Não, foi o destino. Eu estudava — formei-me em contador — e praticava esporte porque gostava, e até isso era contra a vontade de meus pais. Depois eles aceitaram que eu jogasse. E foi bom, porque assim criei minha independência financeira. Lamento muito apenas isso: não ter continuado a estudar e assim ter mais cultura. Mas o ritmo da vida impediu.

— Você tem tempo de ler? E o que você lê?

— O tempo é curto para leituras. Só leio jornais e revistas para estar a par da situação da vida. Mas para livro não tenho tempo.

— Você é de origem espanhola?

— Meus pais são brasileiros, mas minha árvore genealógica — é assim que se diz? — nos leva à Itália. Meus avós já eram brasileiros. Nasci em Maceió, em 9 de agosto de 1931, mas vim para o Rio com oito meses de idade.

— Qual é a coisa que você mais deseja atualmente?

— É continuar a ter saúde, porque sem ela não se faz nada.

— Como é que você encara o futebol, como arte, como expressão individual?

— O futebol é um dom, como o seu de escrever, porque ninguém pode ensinar a jogar futebol, pode apenas aprimorar as suas vocações. É um dom divino como para um cantor, como para um escritor. E, ao mesmo tempo, aliado ao dom divino, não deixa de ser uma arte. Você está satisfeita como escritora?
— perguntou-me.

— Não, mas é o que melhor sei fazer. O que você acha de Pelé e Garrincha?

— São jogadores excepcionais.

— Você também é um jogador excepcional. Disseram-me que no campo você é uma beleza de se ver jogar.

— Agradeço a sua bondade. E respondo ainda àquela sua outra pergunta: "Se de fato fosse chamado para dirigir a Seleção, não fugiria da responsabilidade, porque eu venci no futebol debaixo de muita luta e sacrifício. E como técnico de futebol é uma função espinhosa, principalmente técnico da Seleção Brasileira, se eu fosse chamado estaria mais uma vez servindo a minha pátria. Que é que você acha — perguntou-me — do ambiente dos Estados Unidos, principalmente essa perseguição à família Kennedy?

— Acho que não é simples coincidência: há políticos que pagaram aos assassinos para matar. Porque nos Estados Unidos é enorme o número de antidemocratas. Em certo sentido, os Estados Unidos estão mais atrasados que nós: lembre-se do problema dos negros naquela terra que se supõe democrática. Zagallo, qual é a coisa mais importante para você?

— A Paz. (Para mim também, mas depende de paz baseada em que termos. Por exemplo, não quero a paz da Espanha debaixo das botas de Franco.)

— Qual é a coisa mais importante para você como pessoa?

Zagallo ficou muito pensativo. Seu rosto demonstrava o esforço mais bonito do homem: o esforço de pensar e de se autoconhecer. Senti que estava sendo doloroso para ele escolher e que achava importante escolher. Finalmente disse:

— É não desejar mal ao próximo.

Mas tenho certeza de que ele quis dizer algo parecido com isso. Aliado à sua expressão fisionômica, de repente sublimizada, traduzo o que ele quis dizer: amar ao próximo como a si mesmo.

— O que é amor, Zagallo?

É provável que ele, como a maioria das pessoas, nunca tenha parado o movimento de vida para reflexionar sobre a vida, e sobretudo para se fazer essa pergunta capital: o que é o amor? Ficamos em silêncio, apesar da pressa, pois Zagallo já tinha sido chamado várias vezes, avisando que os jogadores estavam em campo esperando por ele. Mas o clima entre nós era de paciência. Afinal ele disse:

— É um sentimento recíproco.

✦ ✦ ✦

A ITALIANA

Rosa perdeu os pais quando era pequena. Os irmãos se espalharam pelo mundo e ela entrou para o orfanato de um convento. Lá, levava uma vida sóbria e dura com as outras crianças. Durante o inverno, o grande casarão permanecia frio, e os trabalhos não se interrompiam. Ela lavava roupa, varria os quartos, costurava. Enquanto isso as estações se sucediam. Com a cabeça raspada e o longo vestido de fazenda grosseira, às vezes com a vassoura na mão, espiava pelos vidros da janela. Outono era a estação de que mais gostava porque não era preciso sair para vê-lo; atrás dos vidros, as folhas caíam amareladas no pátio, e isso era o outono.

Nesse convento suíço, quando um homem pisava no patamar, lavava-se o chão e queimava-se álcool em cima. Depois vinha de novo o inverno, e as mãos se avermelhavam, abriam-se em feridas, a cama gelada impossibilitava o sono, e criava sonhos acordada. No dormitório escuro, com os olhos abertos sobre o lençol, ela espiava os pequenos pensamentos piscarem. De algum modo os pensamentos eram o paraíso.

Como e por que lhe veio aos 20 anos a determinação de sair do convento, não sei, nem ela soube explicar. Mas veio decidida, e contra todos. Era uma vontade obstinada, monótona, passiva. As irmãs se espantaram, disseram que ela iria para o inferno. Mas Rosa, como não retrucava sequer com um argumento, venceu. Saiu, foi empregar-se como criada.

Saiu com sua trouxa pequena, a cabeça raspada, a saia nos calcanhares.

— O mundo me pareceu... — e ela não soube me explicar.

Com seu rosto de italiana do Sul, os olhos redondos e as formas que tardavam a se afirmar, foi morar com uma família recomendada. Lá permaneceu dia e noite, meses a fio, sem ir à rua. Explicou-me que naquela época "não sabia sair". Usava apenas a maravilha do inverno fora do paraíso: espiava tudo pelas janelas abertas e ninguém diria se estava contente ou triste. Seu rosto ainda não sabia exprimir. Espiava pela janela aberta com a minúcia e a atenção de quem reza, com os braços cruzados e as mãos metidas nas mangas opostas.

Numa tarde em que tudo lhe pareceu vasto demais — uma tarde livre e sem trabalho era quase pecaminosa — sentiu que deveria se aplicar, ter um sentimento mais limitado e mais religioso: desceu as escadas, entrou na sala e tirou um livro da estante. Subiu de novo, sentou-se numa cadeira sem se encostar, pois ainda não aprendera a se dar prazeres, e começou a ler com grande austeridade. Mas a cabeça esférica, onde os cabelos já nasciam curtos e rígidos — a cabeça pôs-se então a flutuar. Fechou o livro, deitou-se, cerrou os olhos.

Esperaram-na para servir o jantar, mas ela não descia. Foram buscá-la. Seus olhos estavam crescidos, quentes, imóveis: ela ardia em febre. A dona da casa passou a noite a velá-la, mas nada havia a fazer, ela não se queixava, não pedia nada, e a febre a consumia. De manhã estava emagrecida, de olhos menos abertos. Assim passou mais um dia e mais uma noite. Então chamaram o médico.

O médico perguntou o que lhe sucedera, pois ali estavam todos os sintomas de febre nervosa. Rosa não dizia nada, nem

lhe ocorreria dizer, não estava habituada. Foi quando o médico olhou por acaso para a cabeceira da cama e viu o livro. Examinou-o e olhou-a espantado. O livro se chamava *Le corset rouge*. Ele disse que Rosa não podia de modo algum ler um livro assim. Que mal saíra do convento, e que sua inocência era perigosa. Rosa não respondia. Ele disse:
— Você não deve ler essas coisas, elas são mentira.
Só então Rosa abriu um pouco os olhos, pela primeira vez. O médico então jurou que o livro só dizia mentiras. Ele tinha jurado...
Então ela suspirou, sorriu tímida e triste:
— É que eu pensava que tudo o que se escreve num livro e que se publica é verdade — disse olhando com tanto pudor o primeiro homem bom.
O doutor disse — e quem pode imaginar o tom com que disse:
— Mas não é.
Ela dormiu magra e pálida. A febre diminuiu, ela se levantou. Aos poucos, com o tempo, as pessoas diziam: "Você tem cabelos muito pretos." Rosa dizia tocando-se: "É mesmo!"
De como, aos 40 anos, ficou tão alegre, não sei explicar. Cada gargalhada. Sei também que uma vez quis se suicidar. Não porque saíra do convento. Mas por amor. Ela explicou que naquela época do amor não sabia que "tudo era assim mesmo". Assim, como? Não me respondeu. Hoje dez anos mais velha que seu noivo, com quem dorme, ela ri sob a grande cabeleira e diz: não sei mesmo por que gosto mais do outono do que das outras estações, acho que é porque no outono as coisas morrem tão facilmente.
Também diz: não sou muito inteligente, tenho a impressão de que a senhora é mais do que eu. Também diz: "A senhora alguma vez já chorou como uma boba e sem saber por quê? Pois eu já!" — e cai na gargalhada.

UM HOMEM

Sua inteligência absolutamente fora do comum de tão grande, a princípio me deixou embaraçada. Tive que me habituar ao jargão da grande inteligência. É normalmente sério, mas tem um sorriso – não, não vou dizer que o seu sorriso lhe ilumina o rosto todo. Mas, enfim, é a verdade. Ele não tem medo do lugar-comum, o tal não engajamento o leva à atmosfera de sua inteligência. Esta muitas vezes usa sofismas, que são a astúcia de quem pode. Entendo-o não com a cabeça, que não alcançaria a sua, mas com minha pessoa inteira. Aliás, ele é uma pessoa inteira. Seus olhos muito negros não se desviam: ele não tem medo de olhar os homens no profundo dos olhos. Dá vontade de sorrir com ele. Se eu soubesse. Aliás, preciso me habituar a sorrir mais, senão pensam que estou com *problemas* e não com o rosto apenas sério ou concentrado. Voltando ao homem: quando ele diz "até amanhã", sabe-se que o amanhã virá. Ele tem um ligeiro mau gosto na escolha dos objetos de adorno que compra. Isso me dá ternura. Ele é inconsciente de que eu o vejo tanto, não tantas vezes, mas tanto.

❖ ❖ ❖

TRADUÇÃO ATRASADA

Como epígrafe de meu romance, *A paixão segundo G. H.*, escolhi, ou melhor, caiu-me por milagre nas mãos, depois do livro escrito, uma frase de Bernard Berenson, o crítico de arte. Usei-a como epígrafe, talvez sem mesmo que tivesse muito a ver com o livro, mas não resisti à tentação de copiá-la.

Só que cometi um erro: Não a traduzi, deixei em inglês mesmo, esquecendo de que o leitor brasileiro não é obrigado a entender outra língua. A frase em português é: "Uma vida completa talvez seja a que termine em tal plena identificação com o não eu, que não resta nenhum eu para morrer." Em inglês fica mais íntegra a frase, além de mais bonita.

GOSTOS ARCAICOS

Tive uma angustiosa sensação de perda um dia desses. É que, sem pensar muito e resolvendo na hora mesmo, mandei Luís Carlos, meu cabeleireiro, cortar os meus cabelos bem curtos. À medida que eram cortados e as mechas caíam mortas no chão, eu olhava para o espelho e via como estava assustada com minha decisão. E foi então que veio a noção de perda. Perda de quê? Ah, é tão antigo este sentimento que se perde na noite dos tempos até atingir a pré-história do mundo: Mulher jamais corta os cabelos, porque nos cabelos longos é que está a sua feminilidade. Inclusive, quando meus filhos eram menores, brincavam muito com meus cabelos compridos, e um dia desses fui fazer uma visita e uma menina de cinco anos resolveu, por conta própria, pentear-me toda e demoradamente. Foi muito bom sentir que aquelas mãozinhas estavam tendo prazer. Resignei-me a ter cortado, e me prometi que os deixaria crescer de novo. O que não impediu de, já em casa, resolver o contrário: porque cabelos longos custam a secar, exigem muito trato de escova, e precisa-se ir ao cabeleireiro para ficar embaixo dessa tortura maluca que é um secador de cabelos. Com os cabelos curtos, lavo-os eu mesma, fico um instante ao sol, e acabou-se. Mas surpreendi-me devaneando assim: será que como Sansão perdi minha força? Não, não a força geral, mas talvez minha força de mulher.

VIETCONGUE

Um de meus filhos me diz: "Por que é que você às vezes escreve sobre assuntos pessoais?" Respondi-lhe que, em primeiro lugar, nunca toquei, realmente, em meus assuntos pessoais, sou até uma pessoa muito secreta. E mesmo com amigos só vou até certo ponto. É fatal, numa coluna que aparece todos os sábados, terminar sem querer comentando as repercussões em nós de nossa vida diária e de nossa vida estranha. Já falei com um cronista célebre a este respeito, me queixando eu mesma de estar sendo muito pessoal, quando em 11 livros publicados não entrei como personagem. Ele disse que na crônica não havia escapatória. Meu filho, então, disse: "Por que você não escreve sobre vietcongue?" Senti-me pequena e humilde, pensei: que é que uma mulher fraca como eu pode falar sobre tantas mortes sem sequer glória, guerras que cortam da vida pessoas em plena juventude, sem falar nos massacres, em nome de quê, afinal? A gente bem sabe por quê, e fica horrorizada. Respondi-lhe que eu deixava os comentários para um Antonio Callado. Mas, de súbito, senti-me impotente, de braços caídos. Pois tudo o que fiz sobre vietcongue foi sentir profundamente o massacre e ficar perplexa. E é isso que a maioria de nós faz a respeito: sentir com impotência revolta e tristeza. Essa guerra nos humilha.

IR CONTRA UMA MARÉ

Lutei toda a minha vida contra a tendência ao devaneio, sempre sem jamais deixar que ele me levasse até as últimas águas. Mas o esforço de nadar contra a doce corrente tira parte de minha força vital. E, se lutando contra o devaneio, ganho no domínio da ação, perco interiormente uma coisa muito suave de se ser e que nada substitui. Mas um dia ainda hei de ir, sem me importar para onde o ir me levará.

✦ ✦ ✦

LEMBRANÇA DA FEITURA DE UM ROMANCE

Não me lembro mais onde foi o começo, sei que não comecei pelo começo: foi por assim dizer escrito todo ao mesmo tempo. Tudo estava ali, ou parecia estar, como no espaçotemporal de um piano aberto, nas teclas simultâneas do piano.

Escrevi procurando com muita atenção o que se estava organizando em mim, e que só depois da quinta paciente cópia é que passei a perceber. Passei a entender melhor a coisa que queria ser dita.

Meu receio era de que, por impaciência com a lentidão que tenho em me compreender, eu estivesse apressando antes da hora um sentido. Tinha a impressão, ou melhor, certeza de que, mais tempo eu me desse, e a história diria sem convulsão o que ela precisava dizer.

Cada vez acho tudo uma questão de paciência, de amor criando paciência, de paciência criando amor.

O livro foi se levantando por assim dizer ao mesmo tempo, emergindo mais aqui do que ali, ou de repente mais ali do que aqui: eu interrompia uma frase no capítulo 10, digamos, para escrever o que era o capítulo dois, por sua vez interrompido durante meses porque escrevia o capítulo 18. Esta paciência eu tive: a de suportar, sem nem ao menos o consolo de uma promessa de realização, o grande incômodo da desordem. Mas também é verdade que a ordem constrange.

Como sempre, a dificuldade maior era a da espera. (Estou sentindo uma coisa estranha, diria a mulher para o médico. É que a senhora vai ter um filho. E eu que pensava que estava morrendo, responderia a mulher.) A alma deformada, crescendo, se avolumando, sem nem ao menos se saber que aquilo é espera de algo que se forma e que virá à luz.

Além da espera difícil, a paciência de recompor por escrito paulatinamente a visão inicial que foi instantânea. Recuperar a visão é muito difícil.

E como se isso não bastasse, infelizmente não sei redigir, não consigo relatar uma ideia, não sei "vestir uma ideia com palavras". O que escrevo não se refere ao passado de um pensamento, mas é o pensamento presente: o que vem à tona já vem com suas palavras adequadas e insubstituíveis, ou não existe.

Ao escrevê-lo, de novo a certeza só aparentemente paradoxal de que o que atrapalha ao escrever é ter de usar palavras. É incômodo. É como se eu quisesse uma comunicação mais direta, uma compreensão muda como acontece às vezes entre pessoas. Se eu pudesse escrever por intermédio de desenhar na madeira ou de alisar uma cabeça de menino ou de passear pelo campo, jamais teria entrado pelo caminho da palavra. Faria o que tanta gente que não escreve faz, e exatamente com a mesma alegria e o mesmo tormento de quem escreve, e com as mesmas profundas decepções inconsoláveis: viveria, não usaria palavras. O que pode vir a ser a minha solução. Se for, bem-vinda.

ESCREVER

Escrever para jornal não é tão impossível: é leve, tem que ser leve, e até mesmo superficial: o leitor, em relação a jornal, não tem nem vontade nem tempo de se aprofundar.

Mas escrever o que se tornará depois um livro exige às vezes mais força do que aparentemente se tem.

Sobretudo quando se teve que inventar o próprio método de trabalho, como eu e muitos outros. Quando conscientemente, aos 13 anos de idade, tomei posse da vontade de escrever — eu escrevia quando era criança, mas não tomara posse de um destino — quando tomei posse da vontade de escrever, vi-me de repente num vácuo. E nesse vácuo não havia quem pudesse me ajudar.

Eu tinha eu mesma que me erguer de um nada, tinha eu mesma que me entender, eu mesma inventar por assim dizer a minha verdade. Comecei, e nem sequer era pelo começo. Os papéis se juntavam um ao outro – o sentido se contradizia, o desespero de não poder era um obstáculo a mais para realmente não poder. A história interminável que então comecei a escrever (com muita influência de O *lobo da estepe*, Hermann Hesse), que pena eu não a ter conservado: rasguei, desprezando todo um esforço quase sobre-humano de aprendizagem, de autoconhecimento. E tudo era feito em tal segredo. Eu não contava a ninguém, vivia aquela dor sozinha. Uma coisa eu já adivinhava: era preciso tentar escrever sempre, não esperar por um momento melhor porque este simplesmente não vinha. Escrever sempre me foi difícil, embora tivesse partido do que se chama vocação. Vocação é diferente de talento. Pode-se ter vocação e não ter talento, isto é, pode-se ser chamado e não saber como ir.

✦ ✦ ✦

A INSPIRAÇÃO

O busto grande, quadris largos, olhos castos, castanhos e sonhadores. Uma vez ou outra exclamava. Disse com ar alegre, aflito, muito rápido como para que não a ouvissem totalmente:

— Acho que eu não podia ser escritora, sou tão... tão resumida!

Um dia, porém, como escondida de si mesma, teve uma inspiração e anotou no caderno de despesas algumas frases sobre a beleza do Pão de Açúcar. Só algumas palavras, ela era resumida. Muito tempo depois, numa tarde em que estava só, lembrou-se de que escrevera alguma coisa sobre alguma coisa – sobre o Corcovado? Sobre o mar? Só se lembrava de que havia usado as palavras "beleza muito pitoresca". Foi procurar o antigo caderno de despesas. Por toda a casa. Móvel por móvel. Abria caixas de sapatos na esperança de ter sido tão secretiva quanto a sua inspiração a ponto de guardar o escrito revelador de sua alma numa caixa de sapatos. Teria sido uma boa ideia. Aos poucos a sufocação crescia, ela passava a mão pela testa — agora era mais do que o caderno de despesas que ela procurava, procurava o que a inspiração lhe ditara, vejamos, paciência, procuraremos de novo. O que estaria escrito no caderno? Lembrava-se de que era algo muito espiritual sobre alguma coisa pitoresca. Pitoresco era para ela o máximo. Procuremos, é questão de força de vontade, é questão de ir e pegá-lo. Que desastre — sentia imóvel no meio da sala, sem direção, sem saber onde mais procurar — que desastre. A casa calma à tarde. E em alguma parte havia uma coisa escrita, um pensamento íntimo, disso tinha certeza. Desabotoou afogueada a gola da blusa: não achar seria perder alguma coisa muito sua. Não desanime, dizia-se, procure entre os papéis, entre as cartas, entre as raras notícias que lhe mandavam. Ah, raciocinava ilogicamente, tivessem-lhe escrito mais e ela teria onde procurar. Mas sua vida ordenada era exposta, tinha poucos esconderijos, era limpa. O único esconderijo era a sua alma que uma vez se manifestara no caderno de despesas. Mas que felicidade ter móveis, caixas onde encontrar por acaso.

Uma vez ou outra procurava de novo. De vez em quando se lembrava do caderno de despesas num sobressalto de esperança. Até que, depois de alguns anos, um dia ela disse, modesta:

— Quando eu era mais moça, eu escrevia.

MENINO

— Mamãe, vi um filhote de furacão, mas tão filhotinho ainda, tão pequeno ainda, que só fazia mesmo era rodar bem de leve umas três folhinhas na esquina.

QUANDO CHEGAR A HORA DE PARTIR

— Você compreende, não é, mamãe, que eu não posso gostar de você deste mesmo modo a vida inteira.

QUE VIVA HOJE

... sem nenhum acontecimento me provocando, sem nenhuma expectativa, de tarde, esta tarde, eu, aplicando-me na caligrafia como uma criança de escola, eu, também uma das freiras que costuram, em labor de abelha bordo a fio de ouro: Viva Hoje.

✦ ✦ ✦

AS MARAVILHAS DE CADA MUNDO

Tenho uma amiga chamada Azaleia, que simplesmente gosta de viver. Viver sem adjetivos. É muito doente de corpo, mas seus risos são claros e constantes. Sua vida é difícil, mas é sua.

Um dia desses me disse que cada pessoa tinha em seu mundo sete maravilhas. Quais? Dependia da pessoa. Ela então resolveu classificar as sete maravilhas de seu mundo.

Primeira: ter nascido. Ter nascido é um dom, existir, digo eu, é um milagre.

Segunda: seus cinco sentidos que incluem em forte dose o sexto. Com eles ela toca e sente e ouve e se comunica e tem prazer e experimenta a dor.

Terceira: sua capacidade de amar. Através dessa capacidade, menos comum do que se pensa, ela está sempre repleta de amor por alguns e por muitos, o que lhe alarga o peito.

Quarta: sua intuição. A intuição alcança-lhe o que o raciocínio não toca e que os sentidos não percebem.

Quinta: sua inteligência. Considera-se uma privilegiada por entender. Seu raciocínio é agudo e eficaz.

Sexta: a harmonia. Conseguiu-a através de seus esforços, e realmente ela é toda harmoniosa, em relação ao mundo em geral, e a seu próprio mundo.

Sétima: a morte. Ela crê, teosoficamente, que depois da morte a alma se encarna em outro corpo, e tudo começa de novo, com a alegria das sete maravilhas renovadas.

RISPIDEZ NECESSÁRIA

Quando fui gravemente acidentada, depois dos primeiros cuidados de emergência no pronto-socorro, mandaram-me à clínica do Dr. Fabrini, pois eu precisaria de muitos enxertos.

Dr. Fabrini é um homem cortês, bondosíssimo e educado, pronto a sorrir discretamente se for o caso. O que não impede que às vezes tenha que ser de uma severidade aparentemente cruel.

Por exemplo: ele proibiu visitas nos primeiros dias de internação. Mas as visitas me distraíam da dor ininterrupta, e continuei a recebê-las. Dr. Fabrini soube e disse-me grave e áspero: "Mais uma visita que a senhora receba, e eu lhe dou alta mesmo no estado em que a senhora está." Assustei-me e obedeci. Só depois vim a entender: naqueles primeiros dias de visita eu estivera entre a vida e a morte, e Dr. Fabrini estava querendo me salvar.

Outra aparente rispidez. Passei quase três meses deitada. Até que recebi ordem de me pôr de pé e caminhar alguns passos; várias vezes por dia, com auxílio de uma enfermeira. A experiência foi penosíssima: só de me pôr de pé sobre aquelas pernas que já tinham perdido quase toda a flexibilidade, quanto mais andar. Então comecei a adiar o exercício diário, e terminei me negando a fazê-lo. Dr. Fabrini soube e me disse com voz dura e decisiva: "Ou a senhora começa a reaprender a andar agora, ou não será capaz de andar nunca mais." A ameaça de uma paralisia atemorizou-me, e, apesar da dor intolerável, andei todos os dias alguns passos.

Mais uma vez eu tinha sido salva pela sua apenas aparente dureza.

CONVERSA PUXA CONVERSA À TOA

Eu estava na copa tomando um café e ouvi a cozinheira na área de serviço cantando uma melodia linda, sem palavras, uma espécie de cantilena extremamente harmoniosa. Perguntei-lhe de quem era a canção. Respondeu: é bobagem minha mesmo.

    Ela não sabia que era criativa. E o mundo não sabe que é criativo. Parei de tomar o café, meditei: o mundo ainda será muito mais criativo. O mundo não se conhece a si próprio. Estamos tão atrasados em relação a nós mesmos. Inclusive a palavra *criativa* não será usada como palavra, nem mesmo vai se falar nela: apenas tudo se criará. Não é culpa nossa – continuei com meu café – se estamos atrasados de milhares de anos. Ao pensar em "milhares de anos à nossa frente", deu-me quase uma vertigem pois não consigo contar sequer com a cor que a terra terá. A posteridade existe e esmagará o nosso presente. E se o mundo se cria por ciclos, digamos, é possível que voltemos às cavernas e que tudo se repita de novo? Dói-me até o corpo ao pensar que não saberei jamais como o mundo será daqui a milhares de anos. Por outro lado, continuei, nós estamos engatinhando até depressa. E a toada que a moça cantava vai dominar esse mundo novo: vai-se criar sem saber. Mas por enquanto estamos secos como um figo seco onde ainda há um pouco de umidade.

    Enquanto isso a empregada estende roupa na corda e continua sua melopeia sem palavras. Banho-me nela. A empregada é magra e morena, e nela se aloja um "eu". Um corpo separado dos outros, e a isso se chama de "eu"? É estranho ter um corpo onde se alojar, um corpo onde sangue molhado corre sem parar, onde a boca sabe cantar, e os olhos tantas vezes devem ter chorado. Ela é um "eu".

❖ ❖ ❖

PARA UMA FRASE SOAR MELHOR

A editora dos livros de Bolso [Ediouro], que faz adaptações de romances para a leitura de adolescentes, distribui entre os adaptadores alguns exemplos do estilo por ela preferido. Na verdade a editora tem razão: as frases soam muito melhor. Vou dar exemplos que servirão para o estilo de qualquer pessoa que escreve, seja literatura ou não, cartas, relatórios etc.

Em vez de "uma vez consegui", "certa vez consegui". Não, o melhor modo de expor os exemplos é escrever a frase e, entre parênteses, anotá-la como ficaria melhor. Assim: "Uma vez consegui" (Certa vez consegui). "Prefiro morrer do que viver" (Prefiro morrer a viver). "Mas não havia árabes lá. Só havia um piquenique." (Mas não havia árabes lá. Só um piquenique). "Pelo menos é o que eu desejo" (É o que desejo, pelo menos). "Quase pisei numa cobra bem grande" (Quase pisei sobre uma grande cobra). "Verifiquei que tudo dormia tranquilamente" (Verifiquei que tudo estava tranquilo). "Depois de comermos, deitamo-nos para fazer a sesta" (Depois de comer, deitamo-nos para a sesta). "Quem o matou, uma vez que não foi você?" (Quem o matou, já que não foi você?). "Lembre-se, você disse que não vai contar" (Lembre-se, você prometeu não contar). "Tirei o meu chapéu" (Tirei o chapéu). "Ontem eu ia para a escola, quando aconteceu..." (Ontem, indo para a escola, aconteceu...). "Cansou-se de dizer para não fazer aquilo" (Cansou-se de recomendar que não fizesse aquilo). "Você disse que não podia haver nada pior do que..." (Você afirmou que não há nada pior do que...). "E que azar que deu?" (E deu azar?). "Arranjamos tudo isto e oito dólares por cima" (Arranjamos tudo isto e oito dólares ainda por cima). "Tomara que todos os dias acontecesse com a gente" (Tomara que todos os dias nos aconteça). "Custei a acreditar" (Custou-me acreditar). "Prefiro mais o cinema que o futebol" (Prefiro cinema a futebol). "Ele só falava a respeito das coisas que dão azar" (Ele só falava de coisas que dão azar). "Para que saber quando vai haver alguma coisa boa?" (Interessa saber quando vai acontecer algo bom?). "Um muro com três metros de altura" (Um muro de três metros). "Subimos o morro. No alto descobrimos..." (Subimos o morro. Lá em cima, descobrimos...) "Pegamos todo o nosso material" (Pegamos todas as nossas coisas) (referindo-se a roupas, mantimentos etc.). "Dentro em pouco, começou a trovejar" (pouco depois, começou a trovejar). "Ele era tal qual como o irmão" (Ele era tal qual o irmão). "Deram-lhe um tiro nas costas" (Deram-lhe um tiro pelas costas). "Tínhamos feito boa caçada, não havia dúvida" (Tínhamos feito boa caçada, sem dúvida). "João recuou para trás e feriu-se" (João recuou e feriu-se).

Acho que, como exemplos, bastam. Mas que não se torne mania esse tipo de correção. Senão, em vez de escrever, a pessoa ficará preocupada em exigir frase que soe melhor.

✦ ✦ ✦

SÓ PARA MULHERES

Uma vez me ofereceram fazer uma crônica de comentários sobre acontecimentos, só que essa crônica seria feita para mulheres e a estas dirigida. Terminou dando em nada a proposta, felizmente. Digo felizmente porque desconfio de que a coluna ia era descambar para assuntos estritamente fúteis-femininos, na extensão em que *feminino* é geralmente tomado pelos homens e mesmo pelas próprias mulheres: como se a mulher fizesse parte de uma comunidade fechada à parte, e de certo modo segregada.

Mas minha desconfiança de que descambaríamos para o estritamente feminino vinha de lembrar-me o dia em que uma moça veio me entrevistar sobre literatura e, juro que não sei como, terminamos conversando sobre a melhor marca de delineador líquido para maquiagem dos olhos. E parece que a culpa foi minha. Maquiagem dos olhos também é importante, mas eu não pretendia invadir as seções especializadas, por melhor que seja conversar sobre modas e sobre a nossa preciosa beleza fugaz.

Voltando ao jornalismo feminino. Quando eu trabalhava em redações de jornais, era repórter e redatora, fazia de tudo, menos a parte de polícia e a parte de notícias sociais. Depois, não podendo na ocasião dar horário integral, fiz páginas feminina para dois vespertinos. Num não havia assinatura. No outro eu escrevia mas quem assinava era Ilka Soares, a vedete das mais simpáticas e bonitas. Seu nome atraía leitoras que queriam saber sua opinião sobre modas, culinária, beleza etc.

Tudo isso veio à tona agora porque recebi a carta de uma leitora bastante jovem, pedindo-me conselhos gerais quando for convidada a sair para almoçar ou jantar com um rapaz.

Li duas vezes o meu nome para me certificar de que a carta era para mim mesma dirigida, e não para as ótimas redatoras de assuntos femininos do Caderno B. Era para mim mesma. Por que fui escolhida? Nunca saberei. A carta, vinda da capital paulista, era assinada por extenso. Mas tratarei a missivista pelas iniciais J.F. E aí vão meus modestos conselhos:

Mesmo que o rapaz não seja um modelo de elegância, gostará de sair com uma jovem que esteja bem-vestida. Mas detestará o encabulamento de sair com uma moça enfeitada como uma boneca, ou sofisticada demais, ou *fatal*. O principal a cuidar são os detalhes. Acessórios descuidados darão a você mesma e a ele uma sensação de relaxamento, e moça relaxada não é companhia lisonjeira.

Arrume-se direito antes de sair. Mas – e isto é importante – depois procure esquecer a própria aparência. Você já fez o que pôde – agora deixe o barco correr, use a segurança natural de quem sabe que se cuidou. Não fique a toda hora consultando o espelhinho de bolsa, ajeitando os cabelos, empoando-se ou corrigindo o batom. Lembre-se: você não saiu para ser *linda*, você saiu para gostar de ter saído; não saiu para se mostrar: saiu para conversar. Se o rapaz convidou você para sair com ele é porque gostou do seu *jeito*, do seu modo de ser, de sua aparência. Que essa ideia lhe baste para ter uma segurança simples em si mesma. Porque senão, que é que acontece? Você vai achar que deve ir para o primeiro encontro procurando ser melhor do que é. E o que faz para isso? Erroneamente muda seu penteado para alguma coisa terrivelmente sofisticada, e *toma emprestada* uma personalidade fabulosa, imagina você, mas diferente da sua. E o rapaz, em vez de encantado, fica surpreendido: marcou encontro com uma, e veio outra. De modo que vá para o primeiro encontro tão bem quanto puder, mas seja a mesma que você era – será muito mais confortável para ambos.

Se é um rapaz de classe média, seja *gentil* para com a carteira dele, sem no entanto mostrar clara ou indiretamente que está preocupada com o que ele pode gastar. Se vocês forem, por exemplo, almoçar no restaurante, deixe que ele próprio determine qual. E escolha no cardápio algo *meio-termo*: nem o mais caro nem o mais barato. E, por favor, coma o que pediu. Não pense que é delicadeza feminina ficar apenas *ciscando* no prato. É muito sem graça para o rapaz gastar com prazer e ver você rejeitar o que o seu dinheiro compra. Está certo, J.F.?

✦ ✦ ✦

MEDO DA ETERNIDADE

Jamais esquecerei o meu aflitivo e dramático contato com a eternidade.

Quando eu era muito pequena ainda não tinha provado chicles e mesmo em Recife falava-se pouco deles. Eu nem sabia bem de que espécie de bala ou bombom se tratava. Mesmo o dinheiro que eu tinha não dava para comprar: com o mesmo dinheiro eu lucraria não sei quantas balas.

Afinal minha irmã juntou dinheiro, comprou e ao sairmos de casa para a escola me explicou:

– Tome cuidado para não perder, porque esta bala nunca se acaba. Dura a vida inteira.

– Como não acaba? – Parei um instante na rua, perplexa.

– Não acaba nunca, e pronto.

Eu estava boba: parecia-me ter sido transportada para o reino de histórias de príncipes e fadas. Peguei a pequena pastilha cor-de-rosa que representava o elixir do longo prazer. Examinei-a, quase não podia acreditar no milagre. Eu que, como outras crianças, às vezes tirava da boca uma bala ainda inteira, para chupar depois, só para fazê-la durar mais. E eis-me com aquela coisa cor-de-rosa, de aparência tão inocente, tornando possível o mundo impossível do qual eu já começara a me dar conta.

Com delicadeza, terminei afinal pondo o chicle na boca.

– E agora que é que eu faço? – perguntei para não errar no ritual que certamente deveria haver.

– Agora chupe o chicle para ir gostando do docinho dele, e só depois que passar o gosto você começa a mastigar. E aí mastiga a vida inteira. A menos que você perca, eu já perdi vários.

Perder a eternidade? Nunca.

O adocicado do chicle era bonzinho, não podia dizer que era ótimo. E, ainda perplexa, encaminhávamo-nos para a escola.

– Acabou-se o docinho. E agora?

– Agora mastigue para sempre.

Assustei-me, não saberia dizer por quê. Comecei a mastigar e em breve tinha na boca aquele puxa-puxa cinzento de borracha que não tinha gosto de nada. Mastigava, mastigava. Mas me sentia contrafeita. Na verdade eu não estava gostando do gosto. E a vantagem de ser bala eterna me enchia de uma espécie de medo, como se tem diante da ideia de eternidade ou de infinito.

Eu não quis confessar que não estava à altura da eternidade. Que só me dava era aflição. Enquanto isso, eu mastigava obedientemente, sem parar.

Até que não suportei mais, e, atravessando o portão da escola, dei um jeito de o chicle mastigado cair no chão de areia.

– Olha só o que me aconteceu! – disse eu em fingidos espanto e tristeza. – Agora não posso mastigar mais! A bala acabou!

– Já lhe disse – repetiu minha irmã – que ela não acaba nunca. Mas a gente às vezes perde. Até de noite a gente pode ir mastigando, mas para não engolir no sono a gente prega o chicle na cama. Não fique triste, um dia lhe dou outro, e esse você não perderá.

Eu estava envergonhada diante da bondade de minha irmã, envergonhada da mentira que pregara dizendo que o chicle caíra da boca por acaso.

Mas aliviada. Sem o peso da eternidade sobre mim.

✦ ✦ ✦

DIVAGANDO SOBRE TOLICES

Depois de esporádicas e perplexas meditações sobre o cosmos, cheguei a várias conclusões óbvias (o óbvio é muito importante: garante certa veracidade). Em primeiro lugar concluí que há o infinito, isto é, o infinito não é uma abstração matemática, mas algo que existe. Nós estamos tão longe de compreender o mundo que nossa cabeça não consegue raciocinar senão à base de finitos. Depois me ocorreu que se o cosmos fosse finito, eu de novo teria um problema nas mãos: pois, depois do finito, o que começaria? Depois cheguei à conclusão, muito humilde minha, de que Deus é o infinito. Nessas minhas divagações também me dei conta do pouco que sabia, e isso resultou numa alegria: a da esperança. Explico-me: o pouco que sei não dá para compreender a vida, então a explicação está no que desconheço e que tenho a esperança de poder vir a conhecer um pouco mais.

O belo do infinito é que não existe um adjetivo sequer que se possa usar para defini-lo. Ele é, apenas isso: é. Nós nos ligamos ao infinito através do inconsciente. Nosso inconsciente é infinito.

O infinito não esmaga, pois em relação a ele não se pode sequer falar em *grandeza* ou mesmo em *incomensurabilidade*. O que se pode fazer é aderir ao infinito. Sei o que é o absoluto porque existo e sou relativa. Minha ignorância é realmente a minha esperança: não sei adjetivar. O que é uma segurança. A adjetivação é uma qualidade, e o inconsciente, como o infinito, não tem qualidades nem quantidades. Eu respiro o infinito. Olhando para o céu, fico tonta de mim mesma.

O absoluto é de uma beleza indescritível e inimaginável pela mente humana. Nós aspiramos a essa beleza. O sentimento de beleza é o nosso elo com o infinito. É o modo como podemos aderir a ele. Há momentos, embora raros, em que a existência do infinito é tão presente que temos uma sensação de vertigem. O infinito é um vir a ser. É sempre o presente, indivisível pelo tempo. Infinito é o tempo. Espaço e tempo são a mesma coisa. Que pena eu não entender de física e de matemática para poder, nessa minha divagação gratuita, pensar melhor e ter o vocabulário adequado para a transmissão do que sinto.

Espanta-me a nossa fertilidade: o homem chegou com os séculos a dividir o tempo em estações do ano. Chegou mesmo a tentar dividir o infinito em dias, meses, anos, pois o infinito pode constranger muito e confranger o coração. E, diante da angústia, trazemos o infinito até o âmbito de nossa consciência e o organizamos em forma humana simplificada. Sem essa forma ou outra qualquer de organização, nosso consciente teria uma vertigem perigosa como a loucura. Ao mesmo tempo, para a mente humana, é uma fonte de prazer a eternidade do infinito:

nós, sem entendê-lo, compreendemos. E, sem entender, vivemos. Nossa vida é apenas um modo do infinito. Ou melhor: o infinito não tem modos. Qual a forma mais adequada para que o consciente açambarque o infinito? Pois quanto ao inconsciente, como já foi dito, este o admite pela simples razão de também sê-lo. Será que entenderíamos melhor o infinito se desenhássemos um círculo? Errei. O círculo é uma forma perfeita, mas que pertence à nossa mente humana, restrita pela sua própria natureza. Pois na verdade até o círculo seria um adjetivo inútil para o infinito. Um dos equívocos naturais nossos é achar que, a partir de nós, é o infinito. Nós não conseguimos pensar no *existo* sem tomarmos como ponto de vista o a partir de *nós*.

Para falar a verdade, já me perdi e nem sei mais do que estou falando. Bem, tenho mais o que fazer do que escrever tolices sobre o infinito. É, por exemplo, hora do almoço e a empregada avisou que já está servido. Era mesmo tempo de parar.

✦ ✦ ✦

HUMBERTO FRANCESCHI

Estou feliz: tenho uma coisa preciosa que queria ter. E como queria! Sabia que só repousaria no momento em que a possuísse. E se nunca a possuísse, depois de morta, como nas histórias de fantasmas, minha alma voltaria e diria a Humberto de Morais Franceschi, num sussurro aterrorizador: cadê o que eu quis?

Não, vamos pôr ordem na minha alegria senão ninguém saberá do que estou falando.

Aconteceu-me estar numa repartição pública. Passaram-me para a antessala do personagem com quem eu ia falar e lá me sentei – por uns segundos apenas porque acabara de ver o que minha alma queria. Pendurado na parede oposta estava, em preto e branco, um enorme painel fotográfico de uma tal beleza – não, a palavra beleza não diz mais nada, foi usada demais: prefiro dizer que a fotografia me envolveu toda e que meu coração batia em ritmo diferente. Enquanto eu estava ali, quase em pânico de ver objetivamente o que meu coração secreto mais desejava, passou um funcionário graduado a quem interrompi perguntando: "De onde vem isso?" Pareceu-me que eu não queria nomear uma coisa que estava sendo eu, e eu é uma palavra secreta e cabalística, tanto que não pode ser substituída por nenhuma outra. Respondeu-me o senhor: "Este painel? é de Humberto Franceschi e se chama *Açude da Solidão*." "Mas ele é brasileiro?" "Claro que é", respondeu-me. "Por favor, dê-me por escrito seu nome e telefone", disse eu, e naquele momento eu não planejava nada ainda. Em casa, logo telefonei para Humberto, disse-lhe em termos simples o que sentira vendo o painel e queria o mesmo para mim, do tamanho maior possível pois queria, por assim dizer, encher uma parede com a paisagem.

Ele veio em casa ver as minhas paredes e pretendia ficar apenas uns 15 minutos: conversamos durante três horas.

Fiz confidências como se ele, que me conhecia tanto na fotografia, devesse saber do resto.

Humberto de Morais Franceschi me é um problema. Como tirá-lo de sua modéstia e fazê-lo admitir-se e se encarar como um criador, mesmo sabendo que a palavra criar assusta como responsabilidade? Na minha opinião Franceschi é um dos melhores fotógrafos artísticos do Brasil. E sei que ele poderia figurar entre os grandes do mundo. Só que o Brasil, como se repete à exaustão, é subdesenvolvido, o que atinge também os nossos artistas em matéria de repercussão. Sei que Franceschi é grande também porque tive a enorme sorte de ver, rever e tornar a ver em Washington, onde eu então morava, a maior exposição de fotografia do mundo: *A Família do Homem*. No meio de maravilhosos Cartier-Bresson, vi outros que seguiam com a máquina os momentos significativos que acompanham o Homem, do nascimento à morte, e que me emocionaram até me deixarem com os olhos molhados. Sei, portanto, que Humberto poderia figurar entre os que compuseram *A Família do Homem*.

A composição fotográfica de Humberto Franceschi – brasileiríssimo ("não poderia viver fora do Brasil porque, por exemplo, penso em português") (embora goste de viajar, o que é diferente de morar) (de mãe de tradicional família brasileira enquanto o pai era italiano) – bem, entrei na frase por tantas veredas de minha alegria que tenho que recomeçar: a composição fotográfica de Franceschi me fascina de tal modo, e de tal modo fulgura, que eu sabia que não ia ter sossego enquanto não tivesse um Franceschi em casa. E agora tenho. Neste momento em que escrevo, o grande painel está ainda encostado num canto, mas depois ele ocupará uma grande parte de uma parede – e de onde trabalharei poderei vê-lo, o meu *Açude da Solidão*. Mas é uma solidão que dá amplitude a quem a vê, aquela tão profunda que já não se chama solidão, chama-se ficar sozinho com Deus. Amplitude, profunda tranquilidade, grandeza da terra em que vivemos, sem no entanto cair na facilidade da grandiloquência. É um painel de amor à natureza e nossa terra, como se fosse ainda não habitada pelos humanos, fosse habitada por pássaros e brisa nas folhas. É também um painel de amor ao homem, filho da Natureza, cuja solidão Humberto de Morais Franceschi sente. Meu curto contato com ele deu-me a impressão de um homem que, apesar de lidar profissionalmente com nem sei quantos homens e mulheres, continua só. O painel ocupará um lugar todo especial na casa. E é meu! Nele, no meu açude, me banho toda. Quem não tiver um Franceschi em casa estará perdendo uma obra de arte. E uma fonte de vida.

✦ ✦ ✦

SÁBADO

Acho que sábado é a rosa da semana; sábado de tarde a casa é feita de cortinas ao vento, e alguém despeja um balde de água no terraço: sábado ao vento é a rosa da semana. Sábado de manhã é quintal, uma abelha esvoaça, e o vento: uma picada da abelha, o rosto inchado, sangue e mel, aguilhão em mim perdido: outras abelhas farejarão e no outro sábado de manhã vou ver se o quintal vai estar cheio de abelhas. Nos quintais da infância no sábado é que as formigas subiam em fila pela pedra. Foi num sábado que vi um homem sentado na sombra da calçada comendo de uma cuia carne-seca e pirão: era sábado de tarde e nós já tínhamos tomado banho. Às duas horas da tarde a campainha inaugurava ao vento a matinê de cinema: e ao vento sábado era a rosa de nossa insípida semana. Se chovia, só eu sabia que era sábado: uma rosa molhada, não? No Rio de Janeiro, quando se pensa que a semana exausta vai morrer, ela com grande esforço metálico se abre em rosa: na Avenida Atlântica o carro freia de súbito com estridência e, de súbito, antes do vento espantado poder recomeçar, sinto que é sábado de tarde. Tem sido sábado mas já não é o mesmo. Então eu não digo nada, aparentemente submissa: mas na verdade já peguei as minhas coisas e fui para domingo de manhã. Domingo de manhã também é a rosa da semana. Embora sábado seja muito mais. Nunca vou saber por quê.

A CRISE

Foi então que ela atravessou uma crise que nada parecia ter a ver com sua vida: uma crise de profunda sensibilidade. E um dos sintomas era a piedade pelos outros e por si própria. E a cabeça tão limitada, tão bem penteada pelo cabeleireiro da moda, mal podia suportar perdoar tanto. No Theatro Municipal, na sua frisa, não podia olhar o rosto de um tenor enquanto este cantava alegre – virava para o lado o rosto magoado, era insuportável, ela não suportava o patético da glória efêmera do cantor. Na rua, de repente, comprimia o peito – assaltada de perdão. Ela sofria muito.

Essa mesma senhora, que sofreu de sensibilidade como se passa por um sarampo, essa mesma senhora escolheu um domingo em que o marido viajava para procurar a bordadeira. Era mais um passeio que uma necessidade. Isso ela sempre soubera: passear. Como se ainda fosse a menina que passeia na calçada. Sobretudo neste sarampo-de-sensibilidade, passeava muito quando *sentia* que o marido a enganava. Assim foi procurar a bordadeira no domingo de manhã. Teve que subir por uma rua cheia de lama, de galinhas soltas e de crianças seminuas e barrigudas – onde fora se meter! No próprio centro da piedade. A bordadeira, na casinhola cheia de filhos com cara de fome, o marido tuberculoso – a bordadeira se deu ao luxo de recusar a bordar a toalha porque não gostava de fazer ponto de cruz! Saiu afrontada e perplexa. Sentia-se tão suja pelo calor da manhã, e um de seus prazeres era pensar que sempre fora imaculada. Em casa almoçou sozinha, deitou-se no quarto meio escurecido, oh pelo menos uma vez não *sentia* nada. Senão a perplexidade diante da liberdade de criação da bordadeira no entanto necessitada de dinheiro. Deitada talvez com um sentimento de espera. A liberdade?

Até que, dias depois, num chá de caridade, a sensibilidade se curou assim como uma ferida seca. Aliás, um mês depois, teve o seu primeiro amante, o primeiro de uma alegre série.

✦ ✦ ✦

DOAR A SI PRÓPRIO

Tendo lidado com problemas de enxerto de pele, fiquei sabendo que um banco de doação de pele não é viável, pois esta, sendo alheia, não adere por muito tempo à pele do enxertado. É necessário que a pele do paciente seja tirada de outra parte de seu corpo, e em seguida enxertada no lugar necessário. Isto quer dizer que no enxerto há uma doação de si para si mesmo.

Esse caso me fez devanear um pouco sobre o número de outros em que a própria pessoa tem que doar a si própria. O que traz solidão, e riqueza, e luta. Cheguei a pensar na bondade que é tipicamente o que se quer receber dos outros – e no entanto às vezes só a bondade que doamos a nós mesmos nos livra da culpa e nos perdoa. E é também, por exemplo, inútil receber a aceitação dos outros, enquanto nós mesmos não nos doarmos a autoaceitação do que somos. Quanto à nossa fraqueza, a parte mais forte nossa é que tem que nos doar ânimo e complacência. E há certas dores que só a nossa própria dor, se for aprofundada, paradoxalmente chega a amenizar.

No amor felizmente a riqueza está na doação mútua. O que não significa que não haja luta: é preciso se doar o direito de receber amor. Mas lutar é bom. Há dificuldades que só por serem dificuldades já esquentam o nosso sangue, que este felizmente pode ser doado.

Lembrei-me de outra doação a si mesmo: o da criação artística. Pois em primeiro lugar por assim dizer tenta-se tirar a própria pele para enxertá-la onde é necessário. Só depois de pegado o enxerto é que vem a doação aos outros. Ou é tudo já misturado, não sei bem, a criação artística é um mistério que me escapa, felizmente. Não quero saber muito.

LOUCURA DIFERENTE

A obra de arte é um ato de loucura do criador. Só que germina como não loucura e abre caminho. É, no entanto, inútil planejar essa *loucura* para chegar à visão do mundo. A pré-visão desperta do sono lento da maioria dos que dormem ou da confusão dos que adivinham que alguma coisa está acontecendo ou vai acontecer. A loucura dos criadores é diferente da loucura dos que estão mentalmente doentes. Estes, entre outros motivos que desconheço, erraram no caminho da busca. São casos para médicos, enquanto os criadores se realizam com o próprio ato de loucura.

UMA EXPERIÊNCIA AO VIVO

Antes de ter submetido meu livro de história infantil ao editor João Rui Medeiros, da José Álvaro Editora, fiz um teste com uma criança de cinco anos, outra de sete, outra de dez e a quarta de 12 anos, todas reunidas num só grupo. A leitura foi feita por um amigo meu que lê bem. Minha história sobre um coelho pensante tocou as quatro idades de modo diverso, e a leitura era frequentemente interrompida por sugestões e perguntas. A menina de cinco anos, que era mais linda que o coelho, interessou-se estritamente pelo mistério da fuga do animal. Interrompeu o ledor para dizer-lhe em segredo ao ouvido que o coelho tinha patas tão fortes que levantava sozinho o tampo de ferro de sua casinhola e o recolocava no lugar. Passou depois dias desenhando coelhos, e um deles saiu tão bom que foi pendurado no quadro-negro, e de honra, da escola. O menino de sete anos andava na época com problemas, tanto que a mãe recebia recados da professora da escola de que ele andava revoltado. Logo no início da história, interrompeu com desdém: "Esse coelho é de papel e usa óculos." Ora, ele é que estava ultimamente usando óculos, e também identificando a falsidade de sua situação com a ideia de um coelho meramente de papel. O menino de dez anos ouviu com a maior atenção e deu várias soluções, todas viáveis e inteligentes, para a fuga do coelho. O menino de 12 anos nada falou: era o filho da empregada e não ousava manifestar-se. Seus olhos porém brilhavam e de vez em quando ele trocava sorrisos com o menino de dez anos. Para mim valeu por uma *noite de autógrafos* mais real que as reais: a comunicação se fez, sentimo-nos unidos pelo coelho pensante, pelo calor mútuo, pela liberdade sem medo. Esqueci que eu escrevera a história e entrei completamente no jogo. O que também aconteceu com outros adultos presentes. As noites de autógrafos deviam ser assim.

◆ ◆ ◆

O "VERDADEIRO" ROMANCE

Bem sei o que é o chamado verdadeiro romance. No entanto, ao lê-lo, com suas tramas de fatos e descrições, sinto-me apenas aborrecida. E quando escrevo não é o clássico romance. No entanto é romance mesmo. Só que o que me guia ao escrevê-lo é sempre um senso de pesquisa e de descoberta. Não, não de sintaxe pela sintaxe em si, mas de sintaxe o mais possível se aproximando e me aproximando do que estou pensando na hora de escrever. Aliás, pensando melhor, nunca *escolhi* linguagem. O que eu fiz, apenas, foi ir me obedecendo.

Ir me obedecendo – é na verdade o que faço quando escrevo, e agora mesmo está sendo assim. Vou me seguindo, mesmo sem saber ao que me levará. Às vezes ir me seguindo é tão difícil – por estar seguindo em mim o que ainda não passa de uma nebulosa – que termino desistindo.

E os romances que escrevo que não passam do título? Porque seria muito difícil escrevê-los ou porque, já tendo uma ideia precisa do desenrolar-se da história, perco a curiosidade de escrevê-la. Embora representando grande risco, só é bom escrever quando ainda não se sabe o que acontecerá. Agora mesmo, neste próprio instante, ou melhor, há alguns instantes em que interrompi para atender o telefone, nasceu-me um título do que seria um conto ou um romance: *O montanhês. O* título é sem graça, bem sei. E sei o que seria: não se trataria de um homem das montanhas, mas da subida gradual de um homem através da vida até chegar a um cume simbólico, ou não simbólico de uma montanha, de onde ele veria o seu passado e também o que lhe restava ainda a subir, isto é, um pouco mais de futuro.

E o que ele via não era bonito, nem bom, nem ruim, nem feio, era o que fatalmente a vida fizera dele e sobretudo o que fatalmente ele fizera da vida. E aí vem o problema: até que ponto fora fatal o que ele fizera na vida e esta dele? Até que ponto houvera escolha? Estou me confundindo toda com esta história que jamais escreverei.

E eu, que já viajei bastante e não quero mais viajar, como é que nunca me ocorreu nem ocorrerá jamais escrever um livro de viagens? Com perdão da palavra, sou um mistério para mim. E, ainda fazendo parte desse mistério, por que leio tão pouco? O que era de se esperar é que eu tivesse verdadeira fome de leituras. Também para ver o que os outros fazem. No entanto só consigo ler coisas que, se possível, caminhem direto ao que querem dizer. Não, positivamente não me entendo. Bem, mas o fato é que mesmo não me entendendo, vou lentamente me encaminhando – e também para o quê, não sei. De um modo geral, para mais amor por tudo. É vago "mais amor por tudo"? Inclusive mais amor inclui uma alerteza maior para achar bonito o que nem mesmo bonito é. E, embora a palavra *humano* me arrepie um pouco, de tão carregada de sentidos variados e vazios essa palavra foi ficando, sinto que me encaminho para o mais humano. Ao mesmo tempo as coisas do mundo – os objetos – estão se tornando cada vez mais importantes para mim. Vejo os objetos sem quase me misturar com eles, vendo-os por eles mesmos. Então às vezes se tornam fantásticos e livres, como se fossem coisa nascida e não feita por pessoas. Se eu for me encaminhando para o mais *humano* não quer dizer que eu precise perder essa qualidade que tenho às vezes de enxergar a coisa pela coisa. Porque – e aí vou eu entrando com sofisma só para me defender – se sendo gente eu consigo ir, por que haveria de perder essa capacidade ao me tornar mais gente? Ah, Deus, sinto que é puro sofisma. Aliás o sofisma como forma de raciocínio sempre me atraiu um pouco, passou a ser um de meus defeitos. Explicável porque sempre tive que me defender muito, e com sofismas se consegue. Talvez, quem sabe, eu que agora me defendo menos, largue pelo caminho o raciocínio-sofisma. Talvez eu não precise mais ganhar para me defender. O sofisma faz ganhar muito em discussões – há anos que não discuto – e em explicação para si mesma das próprias ações inexplicáveis etc. De agora em diante eu gostaria de me defender assim: é porque eu quero. E que isso bastasse.

Bem, fui escrevendo ao correr do pensamento e vejo agora ter me afastado tanto do começo que o título desta coluna já não tem nada a ver com o que escrevi. Paciência.

♦ ♦ ♦

PERGUNTAS E RESPOSTAS
PARA UM CADERNO ESCOLAR

– Qual é a coisa mais antiga do mundo?
 – Poderia dizer que é Deus que sempre existiu.
 – Qual é a coisa mais bela?
 – O instante de inspiração.
 – E Deus quando criou o Universo não o fez no momento de Sua maior inspiração?
 – O Universo sempre existiu. O cosmos é Deus.
 – Qual das coisas é a maior?
 – O amor, que é o maior dos mistérios.
 – Das coisas qual é a mais constante?
 – O medo. Que pena que eu não possa responder: é a esperança.
 – Qual o melhor dos sentimentos?
 – O de amar e ao mesmo tempo ser amada, o que parece apenas um lugar-comum mas é uma de minhas verdades.
 – Qual é o sentimento mais rápido?

— O sentimento mais rápido, que chega a ser apenas um fulgor, é o instante em que um homem e uma mulher sentem um no outro a promessa de um grande amor.
— Qual é a mais forte das coisas?
— O instinto de ser.
— O que é mais fácil de se fazer?
— Existir, depois que passa o medo.
— Qual a coisa mais difícil de realizar?
— A própria relativa felicidade que vem do conhecimento de si mesmo.
(Depois as perguntas se tornaram mais complicadas.)
— Você é tímida como escritora?
— Na hora de escrever não sou tímida. Pelo contrário: entrego-me toda. Como pessoa sou às vezes inibida.
— Como nascem suas histórias? Elas são planejadas antes do ato de escrever?
— Não, vão se desenvolvendo à medida que escrevo, e nascem quase sempre de uma sensação, de uma palavra ouvida, de um nada ainda nebuloso.
— Como é que você se sente durante o ato de escrever? E depois de escrito o livro, você se preocupa com o destino dele?
— Enquanto escrevo o bom é que não dou mostra da grande excitação de que sou às vezes tomada. E por mais difícil que seja o trabalho, sinto uma felicidade dolorosa pois, com os nervos todos aguçados, fico sem a cobertura de um cotidiano banal. E depois de pronto o livro, de entregue ao editor, posso dizer como Julio Cortázar: retesa o arco ao máximo enquanto escreve e depois o solta de um só golpe e vai beber vinho com os amigos. A flecha já anda pelo ar, e se cravará ou não se cravará no alvo; só os imbecis podem pretender modificar sua trajetória ou correr atrás dela para dar-lhe empurrões suplementares com vistas à eternidade e às edições internacionais.

— O que acontece com a pessoa encabulada que você é, enquanto tem a ousadia de escrever?
— Desabrocho em coragem, embora na vida diária continue tímida. Aliás sou tímida em determinados momentos, pois fora destes tenho apenas o recato que também faz parte de mim. Sou uma ousada-encabulada: depois da grande ousadia é que me encabulo.
— Você conhece os seus maiores defeitos?
— Os maiores não conto porque eu mesma me ofendo. Mas posso falar naqueles que mais prejudicam a minha vida. Por exemplo, a grande *fome* de tudo, de onde decorre uma impaciência insuportável que também me prejudica.
— Você sente e participa dos problemas da vida nacional?
— Como brasileira seria de estranhar se eu não sentisse e não participasse da vida do meu país. Não escrevo sobre problemas sociais mas eu os vivo intensamente e, já em criança, me abalava inteira com os problemas que via ao vivo.

◆ ◆ ◆

AS GRANDES INDAGAÇÕES

Recebi de Belo Horizonte uma carta não assinada mas que, se supõe, requer resposta. Acontece porém que não sei responder. Talvez algum leitor saiba. Eis a carta:

> É fácil e possível explicar-se o fato de que 99% dos seres humanos passam sempre uma fase de sua vida sem saber dizer o significado de sua existência.
>
> Digamos que todos estes sentem-se nestas condições quando algo em sua vida rotineira não segue o curso normal — ou seja, quando saem da rotina. Também podemos dizer que isto acontece quando eles, afastando-se de sua vida de prazeres — e pensam ser felizes — têm tempo de pensar um pouco.

E com que se deparam? Apenas descobrem que todos os caminhos levam à velhice, seguida do fato irremediável da morte. Alguns não se assustam com esse futuro, e logo retornam à sua felicidade medíocre. Mas – e os outros que ainda não localizaram essa felicidade? Simplesmente perdem todo sentido da vida e passam o resto desta em busca de uma explicação lógica que lhes diga o que fazem aqui.

Preparar um mundo melhor para nossos filhos? Que farsa, se nossos pais, nossos avós e tataravós, enfim, gerações de milênios e milênios, desde nossos antepassados trogloditas, viveram sempre com este ideal. E o que encontramos? Só misérias, o mundo cheio de preconceitos, guerras, rixas, fome e podridão, no qual as novas gerações pouco a pouco descobrem o vazio de suas vidas. Ao homem deveria ser dado um mundo só de felicidade, em que sua função seria apenas a de conservá-lo belo e humano, para sua posteridade, e não dar-se a ele um mundo sujo e podre onde, só de enfrentá-lo, suja-se também até a alma – se é que esta existe.

Às ruas saem às vezes levas e levas de pessoas a protestarem contra os abusos – de que adianta? Nada. As coisas continuam as mesmas. Apenas exaltam-se os ânimos daqueles que levantaram o protesto. Não aludi a este fato querendo com isso dizer que os protestos deveriam surtir efeito e sim acrescentar a isto que as pessoas que lançam um protesto – seja contra o que for – o fazem não só por outrem, mas sim, protestam contra algo que já sentiram ou têm medo de sentir. É um mundo ou um circo?

De que adianta ao homem a evolução da ciência? De que nos adianta conhecer outros planetas se o nosso tem tantas coisas a serem conhecidas? É evidente que o progresso da ciência nos traz alívio para as dores físicas, conforto e descanso para nosso corpo, divertimentos para a nossa família. Mas... à custa de quê? A descoberta do átomo, que tanto promete à humanidade, já custou quantas vidas? Quantas mais custarão? O progresso da engenharia moderna, da ciência em geral, a evolução enfim de toda a humanidade trouxeram-nos apenas coisas bonitas? Não. Para cada melhora, um instrumento de destruição. Nessa sequência de inventos e descobertas muitas vezes o resultado é realmente benéfico, mas, enquanto procuramos soluções para os problemas externos, criamos dentro de nós um outro mundo onde o sofrimento é muito maior. Não esqueçamos de que o mundo é muito paciente, suporta há muitos milênios os sofrimentos dos homens. Mas os homens poderão suportar por outros milênios os sofrimentos que pouco a pouco se agigantam?

Enfim, gostaria que alguém me respondesse a esta pergunta: nascemos e estamos vivendo com sofrimentos e alegrias, sonhos e lembranças – mas com que fim estamos aqui? Ou melhor: qual é o sentido da vida? A explicação de nossa existência, qual é?

Você que talvez esteja lendo estas palavras que nunca lhe passaram pela cabeça como pensamento, pense bem, e depois me responda.

Essas perguntas, essas perplexidades, já ocorreram a muitos e muitos. Não sei se eles souberam responder. Eu, não. Só sei lhe dizer que a vida não tem lógica. E que a beleza de ver é ilógica também.

❖ ❖ ❖

DAS VANTAGENS DE SER BOBO

– O bobo, por não se ocupar com ambições, tem tempo para ver, ouvir e tocar no mundo.

– O bobo é capaz de ficar sentado quase sem se mexer por duas horas. Se perguntado por que não faz alguma coisa, responde: "Estou fazendo. Estou pensando."

— Ser bobo às vezes oferece um mundo de saída porque os espertos só se lembram de sair por meio da esperteza, e o bobo tem originalidade, espontaneamente lhe vem à ideia.
— O bobo tem oportunidade de ver coisas que os espertos não veem.
— Os espertos estão sempre tão atentos às espertezas alheias que se descontraem diante dos bobos, e estes os veem como simples pessoas humanas.
— O bobo ganha liberdade e sabedoria para viver.
— O bobo nunca parece ter tido vez. No entanto, muitas vezes o bobo é um Dostoiévski.
— Há desvantagem, obviamente. Uma boba, por exemplo, confiou na palavra de um desconhecido para a compra de um ar-refrigerado de segunda mão: ele disse que o aparelho era novo, praticamente sem uso porque se mudara para a Gávea onde é fresco. Vai a boba e compra o aparelho sem vê-lo sequer. Resultado: não funciona. Chamado um técnico, a opinião deste era a de que o aparelho estava tão estragado que o conserto seria caríssimo: mais valia comprar outro.
— Mas, em contrapartida, a vantagem de ser bobo é ter boa-fé, não desconfiar, e portanto estar tranquilo. Enquanto o esperto não dorme à noite com medo de ser ludibriado.
— O esperto vence com úlcera no estômago. O bobo nem nota que venceu.
— Aviso: não confundir bobos com burros.
— Desvantagem: pode receber uma punhalada de quem menos espera. É uma das tristezas que o bobo não prevê. César terminou dizendo a frase célebre: "Até tu, Brutus?"
— Bobo não reclama. Em compensação, como exclama!
— Os bobos, com suas palhaçadas, devem estar todos no céu.
— Se Cristo tivesse sido esperto não teria morrido na cruz.
— O bobo é sempre tão simpático que há espertos que se fazem passar por bobos.

— Ser bobo é uma criatividade e, como toda criação, é difícil. Por isso é que os espertos não conseguem passar por bobos.

— Os espertos ganham dos outros. Em compensação os bobos ganham vida.

— Bem-aventurados os bobos porque sabem sem que ninguém desconfie. Aliás não se importam que saibam que eles sabem.

— Há lugares que facilitam mais as pessoas serem bobas (não confundir bobo com burro, com tolo, com fútil). Minas Gerais, por exemplo, facilita o ser bobo. Ah, quantos perdem por não nascer em Minas!

— Bobo é Chagall, que põe vaca no espaço, voando por cima das casas.

— É quase impossível evitar o excesso de amor que um bobo provoca. É que só o bobo é capaz de excesso de amor. E só o amor faz o bobo.

◆ ◆ ◆

A POSTERIDADE NOS JULGARÁ

Quando for descoberto o remédio preventivo contra gripe, as gerações futuras nunca mais poderão nos entender. Gripe é uma das tristezas orgânicas mais irrecuperáveis, enquanto dura. Ter gripe é ficar sabendo de muitas coisas que, se não fossem sabidas, nunca precisariam ter sido sabidas. É a experiência da catástrofe inútil, de uma catástrofe sem tragédia. É um lamento covarde que só outro gripado compreende. Como poderão os futuros homens entender que ter gripe nos era uma condição humana? Somos seres gripados, futuramente sujeitos a um julgamento severo ou irônico.

TEU SEGREDO

Flores envenenadas na jarra. Roxas, azuis, encarnadas, atapetam o ar. Que riqueza de hospital. Nunca vi mais belas e mais perigosas. É assim então o teu segredo. Teu segredo é tão parecido contigo que nada me revela além do que já sei. E sei tão pouco como se o teu enigma fosse eu. Assim como tu és o meu.

DOMINGO

Que perfume, é domingo de manhã. O terraço está varrido. Liga o rádio, então. Almoçar tarde dá pensamentos, ele ri e dá-lhes uma forma. Se bebe água, mas domingo ninguém tem sede. E começa a beber vinho sem a ânsia da sede. Às quatro horas da tarde hastearão a bandeira no pavilhão. (Mas do que ele tem mesmo medo é dessas noites felizes de domingo.)

DEZ ANOS

— Amanhã faço dez anos. Vou aproveitar bem este meu último dia de nove anos.

Pausa, tristeza.

— Mamãe, minha alma não tem dez anos.

— Quanto tem?

— Acho que só uns oito.

— Não faz mal, é assim mesmo.

— Mas eu acho que se deviam contar os anos pela alma. A gente dizia: aquele cara morreu com 20 anos de alma. E o cara tinha morrido mas era com 70 anos de corpo.

Mais tarde começou a cantar, interrompeu-se e disse:

— Estou cantando em minha homenagem. Mas, mamãe, eu não aproveitei bem os meus dez anos de vida.

— Aproveitou muito bem.

— Não, não quero dizer aproveitar fazendo coisas, fazendo isso e fazendo aquilo. Quero dizer que não fui contente o suficiente. O que é? Você ficou triste?
— Não. Vem cá para eu te beijar.
— Viu? eu não disse que você ficou triste?! viu quantas vezes me beijou?! quando uma pessoa beija tanto outra é porque está triste.

❖ ❖ ❖

UM REINO CHEIO DE MISTÉRIO

No dia 21 de setembro comemorou-se o Dia da Árvore, o que deve ter dado trabalho a muito menino do primário, do qual certamente exigiriam uma redação sobre o tema: com a alma bocejando, os meninos devem ter dito que a árvore dá sombra, frutos etc.

Mas, ao que eu saiba, não se comemora o dia da planta, ou melhor, da plantação. E esse dia é importante para a experiência humana das crianças e dos adultos. Plantar é criar na Natureza. Criação insubstituível por outro tipo qualquer de criação.

Lembro-me de quando eu era menina e fui passar o dia numa granja. Foi um dia glorioso: lá plantei um pé de milho com muito amor e *excited*. Depois, de quando em quando, eu pedia notícias do que havia criado.

Mais tarde, na Suíça, plantei um pé de tomates numa lata grande, bonita. Quando começaram a aparecer os ainda pequenos tomates verdes e duros achei inacreditável que eu mesma lhes tivesse provocado o nascimento: eu entrara no mistério da Natureza. Cada manhã, ao acordar, a primeira coisa que fazia era ir examinar minuciosamente a planta: é como se a planta usasse a escuridão da noite para crescer. Esperar que algo amadureça é uma experiência sem par: como na criação artística em que se conta com o vagaroso trabalho do inconsciente. Só que as plantas são a própria inconsciência.

Nesse reino, que não é nosso, a planta nasce, cresce, amadurece e morre. Sem nenhum objetivo de satisfazer algum instinto. Ou estarei enganada, e há instintos os mais primários no reino vegetal? Meu tomateiro parecia ter tomates vermelhos porque assim queria, sem nenhuma outra finalidade que não a de ser vermelho, sem a menor intenção de ser útil. A utilização do tomate para se comer é problema dos humanos.

Um dos gestos mais belos e largos e generosos do homem, andando vagarosamente pelo campo lavrado, é o de lançar na terra as sementes.

E quando os tomates ficaram redondos, grandes e vermelhos? Chegara a hora da colheita. Não foi sem alguma emoção que vi num prato da mesa os tomates que eram mais meus que um livro meu. Só que não tive coragem de comê-los. Como se comê-los fosse um sacrilégio, uma desobediência à lei natural. Pois um tomateiro é arte pela arte. Sem nenhum proveito senão o de dar tomate.

O ritmo das plantas é vagaroso: é com paciência e amor que ela cresce.

Entrar no Jardim Botânico é como se fôssemos transladados para um novo reino. Aquele amontoado de seres livres. O ar que se respira é verde. E úmido. É a seiva que nos embriaga de leve: milhares de plantas cheias de vital seiva. Ao vento as vozes translúcidas das folhas de plantas nos envolvem num suavíssimo emaranhado de sons irreconhecíveis. Sentada ali num banco, a gente não faz nada: fica apenas sentada deixando o mundo ser. O reino vegetal não tem inteligência e só tem um instinto, o de viver. Talvez essa falta de inteligência e de instintos seja o que nos deixa ficar tanto tempo sentada dentro do reino vegetal.

Lembro-me de que no curso primário a professora mandava cada aluno fazer uma redação sobre um naufrágio, um incêndio, o Dia da Árvore. Eu escrevia com a maior má vontade e com dificuldade: já então não sabia seguir senão a inspiração.

Mas que seja esta a redação que em pequena me obrigavam a fazer.

◆ ◆ ◆

LEMBRANÇA DE UMA PRIMAVERA SUÍÇA

Essa primavera era bem seca, e o rádio estalava captando sua estática, a roupa se eriçava ao largar a eletricidade do corpo, o pente levantava os cabelos imantados, era uma dura primavera. E muito vazia. De qualquer ponto em que se estava, partia-se para o longe: nunca se viu tanto caminho. Falava-se pouco; o corpo pesava como seu sono; os olhos estavam grandes e inexpressivos. No terraço estava o peixe no aquário, tomamos refresco olhando para o campo. Com o vento, vem do campo o sonho das cabras. Na outra mesa do terraço, um fauno solitário. Olhamos o copo de refresco e sonhamos estáticos dentro do copo. "O que é que você disse?" "Eu não disse nada." Passavam-se dias e mais dias. Mas bastava um instante de sintonização e de novo captava-se a estática farpada da primavera: o sonho imprudente das cabras, o peixe todo vazio, uma súbita tendência ao roubo de frutas, o fauno coroado em saltos solitários. "O quê?" "Nada, eu não disse nada." Mas eu percebia um primeiro rumor, como um coração batendo embaixo da terra. Quieta, colava meu ouvido na terra e ouvia o verão abrir caminho por dentro, e meu coração embaixo da terra, oh nada! eu não disse nada! – e sentia a paciente brutalidade com que a terra fechada se abria por dentro em parto, e sabia com que peso de doçura o verão amadureceria 100 mil laranjas, e sabia que as laranjas eram minhas – só porque eu assim queria.

O PEQUENO MONSTRO

É o primeiro aluno da classe. Não brinca. (Seu segredo é um caracol.) O cabelo bem cortado, os olhos são delicados e atentos. Sua cortês carne de nove anos ainda é transparente. É de uma polidez inata: pega nas coisas sem quebrá-las. Empresta livros para os colegas, ensina a quem lhe pede, não se impacienta com a régua e o esquadro, não se comporta mal quando há tanto aluno desvairado.

Seu segredo é um caracol. Do qual não esquece um instante. Seu segredo é um caracol tratado com frio e torturante cuidado. Ele o cria numa caixa de sapatos com cuidado. Com gentileza, diariamente finca-lhe agulha e cordão. Com cuidado, adia-lhe atentamente a morte. Seu segredo é um caracol criado com insônia e precisão.

POESIA

— Fiz hoje na escola uma composição sobre o Dia da Bandeira, tão bonita, mas tão bonita... pois até usei palavras que eu não sei bem o que querem dizer.

ABSTRATO É O FIGURATIVO

Tanto em pintura como em música e literatura, tantas vezes o que chamam de abstrato me parece apenas o figurativo de uma realidade mais delicada e mais difícil, menos visível a olho nu.

◆ ◆ ◆

SCLIAR: TRINTA ANOS DE PINTURA

Começou no dia 15 de setembro, e se prolongará até 30 de outubro, no MAM, uma retrospectiva da pintura de Scliar. Aos domingos a entrada é franca; cerca de 4 mil pessoas têm comparecido aos domingos, e uma média de 100 diárias com entrada paga. Essa exposição é motivada por motivos que podem parecer antagônicos. Scliar acha que agora é que está realmente começando seu trabalho: "Passamos uma parte da vida tentando dominar os meios para que possamos transmitir nossas ideias, nossos sentimentos, mas para que eles sejam transmitidos precisamos estar convencidos desses meios de que dispomos, e isso leva uma parte de nossa vida em violento trabalho de disciplina e teimosia", disse-me ele. Scliar acha que hoje está começando a dispor desses meios, e tem apenas 50 anos. Então por que a retrospectiva? É que na realidade trata-se de um balanço para o pintor e para os outros. Num instante em que tantos contestam e tão poucos propõem, Scliar achou importante mostrar, para as pessoas de seu respeito e para as outras que não conhece, mas também respeita, que não se improvisa em arte. A exposição é belíssima.

Roberto Pontual escreveu e organizou para a Civilização Brasileira, um livro, *Scliar – o real em reflexo e transfiguração*. Com este livro, por ter marcado os últimos 30 anos de nossa arte, com alguns outros artistas que também a marcaram, Carlos Scliar funda a coleção Arte: Multicosmo, com reproduções magníficas de seus quadros. O trabalho de Roberto Pontual é um trabalho de amor, compreensão, respeito.

De Scliar, José Paulo Moreira da Fonseca disse: "Estamos diante de um pintor que reverencia o mundo visível, que não o quer distorcer. O que desaparece são as minúcias, o acidental. Eis a chave: uma síntese refinadíssima que o pintor realiza, mediante a qual Scliar vai retratar a essência das coisas, que em seus quadros surgem na sua face permanente, num ser acima das vicissitudes. A obra de Scliar oferece-nos, assim, uma tranquila reedificação do mundo, um espetáculo de ordem, onde o visual tangencia um rigor quase matemático, um *pré-modo* de ser, uma espécie de assembleia geral."

Walmir Ayala assim se manifestou: "... Carlos Scliar é um artista fixado no problema da clarificação, em busca de uma lucidez cuja manutenção provoca no debate permanente com os jovens, como se encontrasse neles a renovação permanente de um ponto obscuro a desvendar, como se visse neles a fonte de dúvidas impulsoras da confirmação, por acréscimo, do mundo de sutilezas colorísticas; Carlos Scliar é um homem preservando a sua identidade interior, economizando sua emoção, e que só se externa pelos caminhos nítidos da problemática estética, reservando, para o diálogo coracional com a maioria, o delicado sopro da flor que ergue intacta no meio do sangue e do drama, para a oferecer numa linguagem plástica que vivifica o silêncio..." "... Carlos Scliar está isento da dúvida gratuita, lança-se ao desvendamento do mistério pulsante, sob a matéria utilizada, com a frequência e a dedicação de um filósofo. Seu instinto é liderado pelo ócio da maturidade interior, seu vulcão se derrama sobre uma balança, e o fiel não falha nunca..."

Vinícius de Morais: "... Num meio artístico aloprado como o nosso, a coerência de Scliar como pintor é admirável. Seu caminho, com algumas raras paradas para respirar, tem sido sempre para frente e para o alto. E a coisa linda também nesse poeta do objetivo é que o sucesso e a prosperidade em nada afetaram o seu angelismo, em nada comprometeram a sua inata disciplina e frugalidade. Seus ternos são hoje de melhor pano e melhor corte, mas ele os veste com a mesma modéstia do menino que eu conheci em São Paulo, em casa de Oswald de Andrade..."

Em 1966, quando entrevistei Scliar para a revista *Manchete*, há muito tempo que não o via – talvez desde o tempo áureo da revista *Senhor* – de modo que os primeiros momentos de nosso encontro foram gastos em efusões mútuas de amizade. Eu simplesmente gosto de Scliar, isso é tão simples. E independentemente da grande admiração que tenho por ele. No meio de nossa conversa, Scliar disse:

– Acho que a comunicação é fundamental e eu sou um homem que gosta de gente, que tem confiança nos homens que trabalham e produzem tudo aquilo que nos rodeia. O que eu desejaria era conseguir que meus quadros fossem uma espécie de esperanto e incutissem esperança e força a todos.

E mais adiante: – Todas as coisas que eu te disse não impedem que eu seja um homem isolado. Mas acho que isso é próprio da condição de quem produz uma obra de arte. Mas penso também que essa mesma obra se multiplica, se amplia, se transforma em algo que eu não podia prever nos olhos dos que me veem.

E ainda me disse: – Acho que quando uma pessoa estrutura sua profissão, assume uma responsabilidade para consigo mesma e para com os outros. Creio que já deves ter percebido que sou um otimista, porque acredito nos destinos da humanidade. Isso pode te parecer vago, mas me considero um homem rico de tudo o que os outros construíram para mim. Minha responsabilidade começa no instante em que me dou conta disso e desejo retribuir. Por pouco que eu faça, se conseguir estimular ideias e sentimentos e outras coisas que não sei, naqueles que observarem os meus trabalhos, alguma coisa estarei construindo.

◆ ◆ ◆

SOBRE O SENTIDO DA VIDA

Não sei se meus leitores leram ou se lembram do que escrevi num sábado, 5 de setembro, sob o título de "As grandes indagações". Eu reproduzia uma carta recebida de Belo Horizonte que indagava se havia alguém que lhe explicasse o sentido da vida. Respondi que também eu não sabia, que só sabia que a vida não tem lógica, e que a beleza de viver é ilógica também.

A pergunta provocou um manancial de cartas: ao que parece o problema está com todo mundo. Destaco as cartas de Cecília (Rio), Miriam Estelita Lins Barbosa (Governador), Maria da Glória Teixeira Garcia (João Pessoa, Paraíba), Antônio Mauro (Rio), José (o sobrenome está ilegível) (São Paulo),

Carlos Alberto (Bahia). Recebi muitas outras cartas dizendo que a indagação contida na carta de Belo Horizonte tinha uma resposta: Deus.

Transcrevo uma, em que a vida é uma mulher e uma cidade, do Sr. Elói Terra, Porto Alegre, RS:

> Li a carta publicada no Caderno B (5/9/70). Na primeira leitura, ela me pareceu igual a tantas conversas que ouvi. Não fora seu nome assinando a coluna, eu teria esquecido a carta. Mas seu nome eu respeito. Não poderia admitir que ele fosse usado em vão. E tornei a ler a carta. Na segunda leitura, comecei a me familiarizar com certas passagens, assim como a gente se acostuma com as ruas principais de uma cidade, depois de alguns passeios. E tornei a passear pela carta, afastando-me cautelosamente das ruas principais. Espiei nas esquinas das ruas menores. Caminhei por elas. E comecei a gostar da cidade quando me atrevi a entrar nos seus becos e nas suas zonas proibidas. Caminhei muito e encontrei quase tudo o que as pessoas são capazes de fazer... mas não encontrei gente. E, confesso, senti crescer, convulso, no meu coração, um fiozinho de pânico. Uma cidade belamente construída, tão bela e tão forte quanto o mundo e quanto a vida, mas vazia de gente. Fui então ao cemitério da cidade. E lá encontrei muitos mortos que não quiseram me ouvir e só quiseram me contar suas desditas, me contar como morreram, e me contar como pensaram terem vivido. Eu os escutei. Havia mortos de câncer, mortos de bomba atômica, mortos de amor, de fome, de ódio, de miséria. E nenhum morrera porque um dia estivera vivo. E não havia flores no cemitério. E eu tentei falar-lhes novamente, e os mortos se retiraram indiferentes e se fecharam em seus túmulos. E eu tornei a ficar só na cidade bela e vazia. Voltei a percorrê-la à procura de quem me ouvisse. E quando, com o coração apertado pela tristeza, eu abandonava a cidade, veio

a mim uma voz muito suave. E eu me voltei e vi, bem junto do meu rosto, o rosto alvo de uma jovem mulher. Seu sorriso era suave. E ela beijou meus lábios e sussurrou: "Nascemos e estamos vivendo com sofrimentos e alegrias, sonhos e lembranças — mas com que fim estamos aqui? Veja! Agora há muitas pessoas nas ruas. Antes você não as viu, porque estava preocupado em encontrá-las. E as pessoas são esquivas. Elas não gostam de serem descobertas. Elas gostam de descobrir. Contradição? Não, meu querido amigo, não é contradição. É a vida, simplesmente. Veja como as pessoas têm vontade de se aproximar umas das outras. Mas veja também como elas têm medo. E você me pergunta qual é o sentido da vida, meu amigo. Olhe para mim. Sou bela? Sou feia? Sou protestante? Sou católica? Você tem certeza de que eu sou mulher? Não, meu amigo, você não tem certeza. Você *quer* ter certeza porque isso o consola e o anima. Mesmo ouvindo a minha voz macia, mesmo vendo meu rosto alvo, mesmo sentindo o meu perfume e se deixando envolver num sonho quando meus lábios tocaram os seus; mesmo assim você não tem certeza. Para descobrir se eu sou mulher, você precisa despir-me, acariciar-me e me possuir. E você tem coragem? Por que você não tenta? É assim que você quer encontrar uma explicação para a sua existência? Você é muito egoísta, muito presunçoso e muito infantil. O que você deseja é que eu me dispa e me ofereça a você, gratuitamente. Assim, meu amigo, você jamais me terá. Veja! Eu estou bem pertinho de você. E eu gosto de você. E eu o desejo. E eu o amo. E eu o estou chamando para mim. Abrace-me e renuncie à sua vocação de ser Deus. Seja homem, simplesmente. Quando estendi meus braços para a jovem mulher, ela se esquivou com um movimento cheio de graça. E sorriu e gritou duramente: "Vamos, idiota! Tente possuir-me! Eu não me entrego aos compassivos e aos perplexos. Estou sempre à espera dos guerreiros, dos ousados e daqueles que não temem possuir-me por saber que um dia haverão de perder-me. Vamos, idiota! Tente outra vez!" E eu tentei outra vez, e outra vez ela se esquivou. E feriu-me o rosto com uma pedra: "Vamos sonâmbulo! Desperta! Não morras de encanto e de desrespeito pelo meu rosto que te parece belo. Não sejas tão reverente para com as minhas mãos. Elas te feriram. Não vais reagir?"

Abaixei-me para apanhar a pedra e feri-la também. E ela se abaixou e segurou suavemente a minha mão, e encostou seu rosto no meu: "Você terá coragem de me ferir? Você terá coragem de ferir o meu coração? Pense, meu amor. Pense suavemente."

E a jovem mulher chorou e eu me comovi e apertei-a num abraço cheio de ternura. Deitei-a e aproximei meus lábios túrgidos e pedintes. E quando eu a beijei ela me mordeu ferozmente, com raiva. E se levantou e deu uma gargalhada: "Ainda me queres? Então me persegue. Corre que eu estou à tua espera, e tenho muito amor no meu coração. E tenho pedras nas minhas mãos. Vem buscar em mim a explicação da tua existência. Levanta-te! Persegue-me!"

E eu saí da cidade com gosto de sangue na boca, com amor e ódio no meu coração, com a jovem mulher nos meus pensamentos, com uma pedra na mão, com um morninho sentimento de ternura, com uma raiva imensa dos mortos lastimosos e com um enorme desejo de me tornar homem e poder possuir, um dia, a jovem mulher.

Assinado: Elói Terra.

✦ ✦ ✦

NADA MAIS QUE UM INSETO

Custei um pouco a compreender o que estava vendo, de tão inesperado e sutil que era: estava vendo um inseto pousado, verde-claro, de pernas altas. Era uma *esperança*, o que sempre me disseram que é de bom augúrio. Depois a esperança começou a andar bem de leve sobre o colchão. Era verde transparente, com pernas que mantinham seu corpo em plano alto e por assim dizer solto, um plano tão frágil quanto as próprias pernas que eram feitas apenas da cor da casca. Dentro do fiapo das pernas não havia nada dentro: o lado de dentro de uma superfície tão rasa já é a outra própria superfície. Parecia com um raso desenho que tivesse saído do papel e, verde, andasse. Mas andava, sonâmbula, determinada. Sonâmbula: uma folha mínima de árvore que tivesse ganho a independência solitária dos que seguem o apagado traço de um destino. E andava com uma determinação de quem copiasse um traço que era invisível para mim. Sem tremor ela andava. Seu mecanismo interior não era trêmulo, mas tinha o estremecimento regular do mais frágil relógio. Como seria o amor entre duas esperanças? Verde e verde, e depois o mesmo verde que, de repente, por vibração de verdes, se torna verde. Amor predestinado pelo seu próprio mecanismo semiaéreo. Mas onde estariam nela as glândulas de seu destino, e as adrenalinas de seu seco e verde interior? Pois era um ser oco, um enxerto de gravetos, simples atração eletiva de linhas verdes. Como eu? Eu. Nós? Nós. Nessa magra esperança de pernas altas, que caminharia sobre um seio sem nem sequer acordar o resto do corpo, nessa esperança que não pode ser oca, nessa esperança a energia atômica sem tragédia se encaminha em silêncio. Nós? Nós.

DOIS MODOS

Como se eu procurasse não aproveitar a vida imediata, mas sim a mais profunda, o que me dá dois modos de ser: em vida, observo muito, sou ativa nas observações, tenho o senso do ridículo, do bom humor, da ironia, e tomo um partido. Escrevendo, tenho observações por assim dizer *passivas*, tão interiores que *se escrevem* ao mesmo tempo em que são sentidas, quase sem o que se chama de processo. É por isso que no escrever eu não escolho, não posso me multiplicar em mil, me sinto fatal a despeito de mim.

✦ ✦ ✦

ANTES DA COPA

Fui uma vez apresentada a João Saldanha, antes de nossa vitória no México e antes que Zagallo o substituísse. A conversa teve em vista o interesse das mulheres pelo futebol. É um jogo masculino, mas a frequência feminina nos estádios aumenta cada dia mais. Será porque a moça de hoje entende de futebol e gosta de assistir a uma partida? Ou será porque nos campos desse jogo essencial é que se encontram os rapazes, possíveis namorados? O nome do dia, naquela época da conversa, era: João Saldanha.

Pessoalmente é um homem bonito e interessante, pouco afeito a qualquer pose: é ocupado demais para passar pelo que não é, ocupado que estava em dar conta do muito que já era.

Para a minha surpresa, disse-me que não é tarado por futebol, embora desde os oito anos de idade, mais ou menos, já se interessasse pelo jogo. Perguntei-lhe quais eram as nossas possibilidades para 1970. Nossos adversários, disse-me ele, nos incluem na lista dos favoritos, e isto significa que temos grandes possibilidades; do contrário, nem eu me meteria nisso. Perguntei-lhe quais eram os nossos inimigos ferozes no jogo de 1970. (Naquela época estávamos ainda em fase de classificação.) Respondeu-me que, neste sentido, a Colômbia e o Paraguai. Se passássemos pela classificação – e Saldanha estava absolutamente certo que sim – no México a coisa era muito equilibrada. Em todo caso, considerava a Inglaterra, Alemanha, Hungria, Argentina, Itália e Uruguai os mais temíveis, sem contar com o México, que era o dono da casa.

Para João Saldanha, a quem perguntei o que era preciso para ser um craque perfeito, seria conseguir igualar-se a Pelé, Garrincha, Di Stefano, Puskas ou Bobby Charlton. Sendo o brasileiro, e particularmente o jogador de futebol, um individualista, sendo um driblador por excelência até na sua própria vida, como é que (perguntei) você pretende ajustar essa personalidade do brasileiro à concepção mais moderna do futebol que só tende ao coletivo, à solidariedade, como chave da vitória? Concordou que o jogador brasileiro é grande individualista, mas que isso não era uma contradição em relação ao futebol de conjunto, pelo contrário: só era possível organizar-se grandes conjuntos com grandes individualistas ou craques. Por ter visto, disse-me ele, nossos jogadores atuarem em 62 países diferentes, nas mais diversas e importantes competições, é que sei que eles não tremem diante de uma grande batalha. Nossos jogadores atingiram uma maturidade internacional incontestável, e é por isso que os outros nos consideram entre os favoritos da Copa. Perguntei-lhe qual era a equação que iria usar para resolver a Copa, se era o muito usado 4-3-4. Respondeu-me que poderia ser o 4-3-4 ou até o 5-3-3. Eu quis saber quais eram as nossas possibilidades na Copa. Pois três anos antes da Copa de 1966, o treinador inglês Ramsey começou a sustentar que a Inglaterra ia ganhar o título, e terminou ganhando. A convicção da vitória é uma grande arma: não era outra que Churchill usava ao repetir tanto que ia ganhar a guerra. A convicção de Saldanha é que ganharíamos. Perguntei-lhe se não sentia falta do drible de Garrincha. O drible de Garrincha faz falta a qualquer time, disse, mas o drible de Jair também é muito bom. Indaguei: você crê que se ganhe *no grito*? "Se isso fosse possível a Itália seria imbatível, ninguém grita mais que o italiano – que afinal de contas canta ópera." Perguntei-lhe se sabia que ao aparecer na televisão seu ar *nonchalant* eletrizava as mulheres. Um pouco sem jeito, Saldanha sorriu. Sua mulher Teresa também riu. Fiquei sabendo que ele gostaria de ser jornalista, se não fosse o que é. João, já é coisa sabida, é meio temperamental, às vezes parece um irascível controlado, mas ele se considera um pacato cidadão brasileiro: apenas costuma reagir quando o agridem: "Nunca dei a primeira."

Muitos foram os momentos futebolísticos que mais o entusiasmaram: Brasil e Tchecoslováquia em 38, Brasil e Argentina no Pan-americano do México, os jogos de 58 na Suécia, Brasil e Espanha em 62, no Chile, e vários jogos do Botafogo, especialmente o de 57 contra o Fluminense e o do ano de 1967 contra o América, no final da Taça Guanabara.

Contei-lhe que tinha tido oportunidade de conversar com Zagallo (antes de ele substituir o Saldanha) e que o achei ótimo. Perguntei-lhe se ele poderia ser aproveitado de algum modo. Saldanha demonstrou muito calor em relação a Zagallo: ele era muito bem aproveitado no seu Botafogo.

Tínhamos tomado o segundo café e fumado vários cigarros. Depois todo mundo sabe: a substituição por Zagallo, nossa preparação, e finalmente a grande vitória.

✦ ✦ ✦

ESCLARECIMENTOS
AOS LEITORES QUE ME ESCREVEM

Recebo inúmeras cartas e infelizmente não tenho tempo de respondê-las, nem tenho secretária. Quanto a respondê-las neste espaço que o *Jornal do Brasil* me concede, devo dizer que o fiz umas duas vezes. Mas com toda razão Alberto Dines que me disse: se você utilizar o espaço para correspondência não haverá mais lugar para um só texto. É pena, porque é útil manter um contato mais direto com os leitores e gosto muito de receber cartas: leio-as com atenção e carinho.

RECADO A DRUMMOND

Outra coisa: não posso, não está na minha alçada, publicar textos literários que me mandam: além de eu não ser crítica, mudaria o teor de minha seção. Muitas vezes chego a lamentar, mas nada posso fazer, Ciro (Juiz de Fora).

E muito menos poesia, G. O. (São Paulo), apesar de você lembrar que todo brasileiro é poeta. Só abro uma exceção: publico alegremente qualquer poema de meu colega de última página do Caderno B, Sr. Carlos Drummond de Andrade. Drummond quer utilizar meu espaço publicando nele um poema seu? Seria uma honra para minha coluna (é claro, daria a você a remuneração). Falo sério, Drummond.

Um dia telefonei para Drummond para lhe dizer que havia sonhado com ele – não me lembro mais do enredo. E ele me respondeu: muito obrigado por deixar que eu visite você nos seus sonhos. Achei linda a resposta.

Pois olhe, Drummond, depois daquela vez já sonhei mais duas vezes com você, só que achei que não devia interrompê-lo telefonando-lhe para contar. Você continua, pois, me visitando. Seja bem-vindo. Prometo que o receberei em uma atmosfera translúcida, fosforescente talvez, ou de um escuro cheio de vaga-lumes piscando luz. Não estou fazendo propaganda de minhas noites, mas, modéstia à parte, digo-lhe vaidosa que sonho em cores. Para receber você, prepararei um bosque cheio de frutos, ou uma proximidade com o mais vasto azul dos mares ou uma mesa de toalha branca coberta de comidas de se comer. Meus sonhos estão à sua disposição.

EXPLICAÇÃO DE UMA VEZ POR TODAS

Recebo de vez em quando carta perguntando-me se sou russa ou brasileira, e me rodeiam de mitos.

Vou esclarecer de uma vez por todas: não há simplesmente mistério que justifique mitos, lamento muito. E a história é a seguinte: nasci na Ucrânia, terra de meus pais. Nasci numa aldeia chamada Tchetchelnik, que não figura no mapa de tão pequena e insignificante. Quando minha mãe estava grávida de mim, meus pais já estavam se encaminhando para os Estados Unidos ou Brasil, ainda não haviam decidido: pararam em Tchetchelnik para eu nascer, e prosseguiram viagem. Cheguei ao Brasil com *apenas dois meses de idade*.

Sou brasileira naturalizada, quando, por uma questão de meses, poderia ser brasileira nata. Fiz da língua portuguesa a minha vida interior, o meu pensamento mais íntimo, usei-a para palavras de amor. Comecei a escrever pequenos contos logo que me alfabetizaram, e escrevi-os em português, é claro. Criei-me em Recife, e acho que viver no Nordeste ou Norte do Brasil é viver mais intensamente e de perto a verdadeira vida brasileira que lá, no interior, não recebe influência de costumes de outros países. Minhas crendices foram aprendidas em Pernambuco, as comidas que mais gosto são pernambucanas. E através de empregadas, aprendi o rico folclore de lá.

Somente na puberdade vim para o Rio com minha família: era a cidade grande e cosmopolita que, no entanto, em breve se tornava para mim brasileira-carioca.

Quanto a meus *r* enrolados, estilo francês, quando falo, e que me dão um ar de estrangeira, trata-se apenas de um defeito de dicção: simplesmente não consigo falar de outro jeito. Defeito esse que meu amigo Dr. Pedro Bloch disse ser facílimo de corrigir e que ele faria isso para mim. Mas sou preguiçosa, sei de antemão que não faria os exercícios em casa. E além do mais meus *r* não me fazem mal algum. Outro mistério, portanto, elucidado.

O que não será jamais elucidado é o meu destino. Se minha família tivesse optado pelos Estados Unidos, eu teria sido escritora? em inglês, naturalmente, se fosse. Teria casado provavelmente com um americano e teria filhos americanos. E minha vida seria inteiramente outra. Escreveria sobre o quê? O que é que amaria? Seria de que Partido? Que gênero de amigos teria? Mistério.

♦ ♦ ♦

FINALMENTE CHEGOU O DIA – AD AETERNITATEM

Um de meus filhos, quando era bem pequeno, dirigiu-se a mim assustado:
— Me disseram que a gente está no século XX, é verdade?
— É sim – respondi olhando sua carinha ansiosa.
— Puxa, mamãe – exclamou espantado o menino –, como nós estamos atrasados!!!

AVISO SILENTE

Todas as visitações que tive na vida, elas vieram, sentaram-se e nada disseram. Entendi.

UM SER CHAMADO REGINA

Regina tem 82 anos de idade, e mora sozinha no seu minúsculo apartamento. Ninguém a chama de Dona Regina, nem crianças, nem adultos nem velhos: é Regina mesmo. Vai diariamente à beira da praia, e num banco se senta para tomar sol e ar livre. Apesar de ser um passarinho, tem dias que acorda de mau humor. Um dia desses estava sentada no banco e Alfredo, um menino amigo dela, convidou-a: "Regina, vamos brincar?"; não respondeu. O menino repetiu o convite. Então ela, com a voz débil de quem ainda não falou com ninguém naquele dia, resmungou qualquer coisa bem baixinho. Alfredo virou-se para a mãe, que estava perto, e disse, desolado: "Mamãe, Regina hoje está com as pilhas fracas!"

De vez em quando Regina escreve numa folha de papel alguma coisa, sem intuito de divulgação ou laivos de publicação. Mantém um diário.

Certa manhã uma vizinha do mesmo edifício passeava pela calçada da praia, empurrando o seu carrinho de bebê. O olhar da moça se cruzou um instante com o de Regina, e a moça lhe sorriu. Regina lhe deu de volta um levíssimo sorriso.

Quando a moça voltou para casa, encontrou, passada pela soleira da porta de seu apartamento, uma folha de papel.

Era um bilhete. Que assim dizia: "Obrigada pelo sorriso. Regina."

FUI ABSOLVIDA!

Recebi uma carta de seis páginas a respeito de meu livro infantil *A mulher que matou os peixes*. E a missivista responde a uma frase do livro: "Não é culpada não, pois os peixes morreram não por maldade mas por esquecimento. Você não é culpada."

A carta é assinada pela senhorita Inês Kopschitz Praxedes, que mora na Rua Maria Balbina Fortes, 87, Niterói. Só no fim da carta é que ela me diz que tem... dez anos de idade.

Inês me conta sobre os bichos que já teve ou tem. Já teve peixes vermelhos e outros de rio. Tem uma gata chamada *Nefertite*. Há também o gato *Fígaro*. Outro gato chamado *Pussy* e tem um apelido de *Marelo* porque tem manchas amarelas. Outra gata chamada *Casaca*, pois "sua mancha preta parece ser um casaco". Tem outra gata chamada *Feinha*. O último gato se chama *Pompom*; ele é magrinho, malhado e esperto. Um dia Inês viu uma barata se afogando na água, "salvei-a e dei-lhe o nome de *Rita*". Já teve ratos. Já criou três lagartixas grávidas que deram muitos ovos. Teve um coelho chamado *Dudu*. "Ele ficou doente e dizem que morreu de pneumonia. Eu já li *O mistério do coelho pensante* e gostei muito mesmo." Nunca teve patos, só galinhas. A primeira seu pai queria comer, mas tanto lhe pediu que a conseguiu salvar: chamava-se *Alice*. Ela morreu de uma doença esquisita. Tem uma galinha, esta viva e sadia, e que se chama *Catita*. A outra galinha se chamava *Susana*. Já duas vezes teve três pintinhos. *Ouro Prata, Paládio* e *Qui Qué Có*. Foram comidos pelo cachorro que tem e que se chama *Pipo*. A cadela *Lady* apareceu na varanda e ficou morando com Inês. Micos ela nunca teve, mas já ganhou duas tartarugas: *Touché* e *Felicia*. Tem um periquito chamado *Ando* (não entendi bem a caligrafia do nome), e outra periquita. *Sininha* foi outra. Tem uma maritaca chamada *Neneca*. De cada bicho, Inês, além do nome, me conta um acontecimento, seu modo de ser, o que comiam, onde dormiam. Comprei um cartão-postal onde tinha uma tartaruga e muitos ovinhos brancos. E agradeci-lhe não me considerar culpada, e ter sido absolvida. A senhorita Inês e eu somos amigas.

✦ ✦ ✦

ESPANHA

Quase não era canto, no sentido em que este é aproveitamento musical da voz. Quase não era voz, no sentido em que esta tende a dizer palavras. O canto flamenco é antes da voz ainda, é fôlego humano. Uma palavra ou outra às vezes escapava, revelando de que era feita aquela mudez cantada: de história de viver, amar, e morrer. Essas três palavras não ditas eram interrompidas por lamentos e modulações. Modulações de fôlego, primeiro estágio de voz que capta o sofrimento no seu primeiro estágio de gemido, e capta a alegria também no seu primeiro estágio de gemido. E de grito. E mais outro grito, este de alegria por se ter gritado. Em torno, a assistência aconchega-se escura e suja. Depois de uma das modulações que de tão prolongada morre em suspiro, o grupo esgotado como o cantor murmura um *olé* em amém, última brasa.

Mas há também o canto impaciente que a voz apenas não exprime: então um sapateado nervoso e firme o entrecorta, o *olé* que o interrompe a cada instante não é mais amém, é incitamento, é touro negro. O cantor, de dentes quase cerrados, dá à voz a cegueira da raça, mas os outros exigem mais e mais, até conseguirem o instante de espasmo: Espanha.

Ouvi também o canto ausente. É feito de um silêncio cortado de gritos da assistência. Dentro da clareira de silêncio, em semente ardente, um homem pequeno, seco, escuro, de mãos nas ilhargas, cabeça atirada para trás, marca com o duro taco dos sapatos o ritmo incessante do canto ausente. Nenhuma música. E nem é uma dança. O sapateado é antes da dança organizada – é o corpo manifestando-se, pés transmitindo até à ira em linguagem que Espanha entende. A assistência se concentra em fúria no próprio silêncio. De quando em quando a provocação rouca de uma cigana, toda de carvão e trapos vermelhos, em quem a fome se tornou ardor e ameaça. Não era espetáculo, não se assistia: quem ouvia era tão essencial como quem batia os pés em silêncio. Até à exaustão, comunicam-se durante horas através dessa linguagem que, se algum dia teve palavras, estas foram se perdendo pelos séculos – até que a tradição oral passou a ser transmitida de pai para filho apenas como ímpeto de sangue.

E vi o par da dança flamenca. Não sei de outra em que a rivalidade entre homem e mulher se pusesse tão a nu. Tão declarada é a guerra que não importam os ardis: por momentos a mulher se torna quase masculina, e o homem a olha admirado. Se o mouro em terra espanhola é o mouro, a moura perdeu diante da aspereza basca a moleza fácil: a moura espanhola é um galo até que o amor a transforme em Maja.

A conquista difícil nessa dança. Enquanto o dançarino fala com os pés teimosos, a dançarina percorrerá a aura do próprio corpo com as mãos em ventarola: assim ela se imanta, assim ela se prepara para tornar-se tocável e intocável. Mas, quando menos se espera, sua botina de mulher avançará e marcará de súbito três pancadas. O dançarino se arrepia diante dessa crua palavra, recua, imobiliza-se. Há um silêncio de dança. Aos poucos o homem ergue de novo os braços e, precavido – com temor e não pudor –, tenta com as mãos espalmadas sombrear a cabeça orgulhosa da companheira. Rodeia-a várias vezes e por momentos já se expõe quase de costas para ela, arriscando-se quem sabe a que punhalada. E se não foi apunhalado é que a dançarina de súbito reconheceu-lhe a coragem: este então é o seu homem. Ela bate os pés, de cabeça erguida, em primeiro grito de amor: finalmente encontrou seu companheiro e inimigo. Os dois recuam eriçados. Reconheceram-se. Eles se amam.

A dança propriamente dita se inicia. O homem é moreno, miúdo; obstinado. Ela é severa e perigosa. Seus cabelos foram esticados, essa vaidade da dureza. É tão essencial essa dança que mal se compreende que a vida continue depois dela: este homem e esta mulher morrerão. Outras danças são a nostalgia dessa coragem. Esta dança é a coragem. Outras danças são alegres. A alegria desta é séria. Ou a alegria é dispensada. É o triunfo mortal de viver o que importa. Os dois não riem, não se perdoam. Compreendem-se? Nunca pensaram em se compreender, cada um trouxe a si mesmo como único estandarte. E quem for vencido – nessa dança os dois são vencidos – não se adoçará na submissão, terá aqueles olhos espanhóis, secos de amor e raiva. O esmagado – os dois serão esmagados – servirá vinho ao outro como um escravo. Embora nesse vinho, quando vier a paixão do ciúme, possa estar o veneno da morte. O que sobreviver se sentirá vingado. Mas para sempre sozinho. Porque só esta mulher era a sua inimiga, só este homem era o seu inimigo, e eles se tinham escolhido para a dança.

✦ ✦ ✦

"A INDULGÊNCIA" MAIS PRODUTIVA

A escritora Dinah Silveira de Queiroz voltou a apresentar sua candidatura à Academia Brasileira de Letras, em carta dirigida ao presidente da entidade, professor Austregésilo de Athayde. Em 22 de julho último, a escritora havia apresentado pela primeira vez idêntico pedido, recusado. O que levou Dinah Silveira de Queiroz a reapresentar a questão foi – além do argumento anterior de que é indevida a discriminação contra as mulheres no terreno da associação para fins literários – o recente fato da aceitação pela Academia Francesa de uma candidatura feminina: a escritora e jornalista Françoise Parturier.

Dinah é detentora do prêmio distribuído pela ABL, o Machado de Assis, a mais alta láurea outorgada pela instituição, a que consagra o conjunto da obra do autor. No final do parecer assinado por Aníbal Freire, Pedro Calmon e outros acadêmicos falam sobre sua "faculdade descritiva em que se desdobram as mais diferentes situações psicológicas, interpretando o selvagem desassombro dos desbravadores da terra, Dinah Silveira de Queiroz fez arte pessoal, romance de estrutura complexa, admirável restauração de cenários e imagens que lhe asseguram posição inequívoca entre os nomes da literatura contemporânea. E a razão de se lhe conferir o Prêmio Machado de Assis de 1954, ano do quadricentenário de São Paulo, em cuja honra escreveu ela *A muralha*".

Por que esses mesmos argumentos não são usados para justificarem a entrada de Dinah na Academia?

Dinah é o que se chama de uma pessoa de sucesso. Mas nem o sucesso nem as agruras lhe tiraram a serenidade; até fisicamente ela parece sobrepairar às coisas, embora atenta a tudo:

seu estado de espírito normal é o da serenidade. Mas, explica ela, pode passar a uma cólera bíblica se bem que rápida; é quando lhe sobe à cabeça uma gota de sangue espanhol que possui na sua mescla racial.

Há mais de 30 anos dedica-se à literatura, começando com o famoso *Floradas na serra*. Desde então nunca mais deixou de escrever. Só em relação a crônicas, fez mais de nove mil...!, lidas pela Rádio Nacional sob o título de *Café da Manhã*. Essa comunicação, que não é, como frisa, propriamente a sua *literatura* (*Margarida la Rocque*, *Verão dos infiéis* etc.) dá-lhe no entanto vasto apoio de massa, o que a torna mais segura de si mesma. É sem dúvida um dos escritores que mais produzem. Mas primeiro, diz, teve que vencer uma terrível preguiça... Que nasceu preguiçosa. Quando começou a escrever, ia para a cama, recostava-se e *trabalhava* na maior indolência, o que em outros seria uma contradição. Desde *A muralha* passou a ditar e assim encontra tempo para fazer oito crônicas por semana e geralmente um livro em cada dois anos, além de cumprir seus compromissos sociais de mulher de diplomata. É casada com o ministro Dario Castro Alves. Mas Dinah é benevolente com os escritores fracassados:

— Todo escritor é um ser que procura lançar sua mensagem como a clássica do náufrago que encerra o bilhete na garrafa e o atira às ondas. Muita vez essa mensagem se perde. Mas acho que deve haver sempre pelo menos respeito por esse ato de comunicação a distância. Nunca ri nem cacoei de nenhum escritor malogrado. Nós temos sorte? Será a mão de Deus Pai, será a humildade de fazer e refazer? A verdade é que se a mensagem chega nós estamos salvos, somos escritores.

O processo de criação de que se serve para compor romances, contos etc. é um método que exige muita vivência com o assunto. Em geral deita-se, fica estirada, todos pensam que está descansando quando na verdade está estudando algum personagem ou circunstância. Mas quando toda a narrativa está *pronta* dentro dela, passa então a escrever quase sem interrupção. De seus livros o que mais prefere é *Margarida la Rocque*, talvez por ter sido escrito em uma fase de grande sofrimento.

Casada com diplomata, está em constante vaivém de um país para outro. Dormiu na Guiné, almoçou no Marrocos (com Rubem Braga), esteve no Kremlin, conversou com Khrushchev e depois com Paulo VI. Mas sofre de nostalgia do Brasil e sente-se muita vez como a cigana que nem sequer tem a carroça; mas seu marido, pela compreensão que lhe dá, compensa toda a saudade que sente. Jamais interrompeu suas crônicas que vieram de Madri, Moscou, Paris, Helsinque, Nova York. É uma espécie de pioneira da ficção científica entre nós. Os mundos a descobrir a tentam, mas o ser humano e sua nova filosofia, moralidade, senso de justiça, sua compreensão do sexo nas épocas que se sucederam a nossa, tudo isso é extremamente importante e sua curiosidade não termina só porque os homens pisaram na Lua. Mas, contra o argumento de que se está gastando muito na luta espacial, quando os problemas da Terra ainda não estão resolvidos, acha que o progresso é irreversível e impiedoso. Que ninguém perguntaria a Colombo se no seu tempo se deveria dar o dinheiro da empreitada a seus então míseros patrícios. O progresso vem a dar juros muito tarde, mas que virão, virão com certeza.

Quanto à sua experiência direta da vida na União Soviética, e diante de sua imaginação fértil, perguntei-lhe como pensava que seria a vida na Rússia no ano 2000. Respondeu: "Cada vez mais próxima do Ocidente."

Eis um leve esboço de um dos escritores mais lidos do Brasil.

✦ ✦ ✦

PALAVRAS APENAS FISICAMENTE

Na Itália *il miracolo* é de pesca noturna. Mortalmente ferido pelo arpão, larga no mar sua tinta roxa. Quem o pesca, desembarca antes de o sol nascer – sabendo com o rosto lívido e responsável que arrasta pelas areias o enorme peso da pesca milagrosa: *il miracolo amore.*

Milagre é lágrima caindo na folha, treme, desliza, tomba: eis milhares de *milágrimas* brilhando na relva.

The miracle tem duras pontas de estrela e muita prata farpada.

Le miracle é um octógono de cristal que se pode girar lentamente na palma da mão. Ele está na mão, mas é de se olhar. Pode-se vê-lo de todos os lados, bem devagar, e de cada lado é o octógono de cristal. Até que de repente – arriscando o corpo e já toda pálida de sentido – a pessoa entende: na própria mão aberta não está um octógono mas *le miracle*. A partir desse instante não se vê mais nada: tem-se.

Para passar de uma palavra física ao seu significado, antes destrói-se-a em estilhaços, assim como o fogo de artifício é um objeto opaco até ser, no seu destino, um fulgor no ar e a própria morte. Na passagem de simples corpo a sentido de amor, o zangão tem o mesmo atingimento supremo: ele morre.

O CETRO

Mas se nós, que somos os reis da natureza, havemos de ter medo, quem há de não tê-lo? É com uma garra trêmula que seguramos o cetro do poder.

POR NÃO ESTAREM DISTRAÍDOS

Havia a levíssima embriaguez de andarem juntos, a alegria como quando se sente a garganta um pouco seca e se vê que por admiração se estava de boca entreaberta: eles respiravam de antemão o ar que estava à frente, e ter esta sede era a própria água deles. Andavam por ruas e ruas falando e rindo, falavam e riam para dar matéria e peso à levíssima embriaguez que era a alegria da sede deles. Por causa de carros e pessoas, às vezes eles se tocavam, e ao toque – a sede é a graça, mas as águas são uma beleza de escuras – e ao toque brilhava o brilho da água deles, a boca ficando um pouco mais seca de admiração. Como eles admiravam estarem juntos!

Até que tudo se transformou em não. Tudo se transformou em não quando eles quiseram essa mesma alegria deles. Então a grande dança dos erros. O cerimonial das palavras desacertadas. Ele procurava e não via, ela não via que ele não vira, ela que estava ali, no entanto. No entanto ele que estava ali. Tudo errou, e havia a grande poeira das ruas, e quanto mais erravam, mais com aspereza queriam, sem um sorriso. Tudo só porque tinham prestado atenção, só porque não estavam mais bastante distraídos. Só porque, de súbito exigentes e duros, quiseram ter o que já tinham. Tudo porque quiseram dar um nome; porque quiseram ser, eles que já eram. Foram então aprender que, não se estando distraído, o telefone não toca, e é preciso sair de casa para que a carta chegue, e quando o telefone finalmente toca, o deserto da espera já cortou os fios. Tudo, tudo por não estarem mais distraídos.

1971

UM PRESENTE PARA VOCÊS

E para mim também. Não sei se algum leitor se lembra de um texto meu, de 14 de novembro de 1970, em que eu convidava Carlos Drummond de Andrade a visitar esta coluna, dando-me um poema seu. E que a remuneração seria, é claro, para ele. Pois não é que Drummond aceitou? Mas não quer remuneração: é flor dada.

E é hoje mesmo que seu poema vem nos visitar, aqui, nesta mesma seção: cuida assim no mesmo dia da sua coluna e cuida da minha, cavalheiro que ajuda a dama a descer do cavalo.

Há uma semana minha casa está em polvorosa. Tudo para preparar a chegada do poema de um poeta que vocês e eu amamos, o maior poeta do Brasil de todos os tempos. Mandei 15 faxineiros virem fazer rebrilhar minha casa, o chão está nos espelhando. Tirei os cristais guardados a mil chaves, fi-los refulgir e tilintar, para receber gélido champanha. Mandei buscar da Escócia um uísque, mas acho que o poeta não é de beber. Fui então ao Instituto do Café para eles me darem café tipo exportação, esse café que é brasileiro e que no entanto só se toma bem na Itália. Os 30 lustres da sala estão todos nervosos e assanhados de tantos reflexos e disflexos e tantas reverberações, brilhações e fulgurações, a réstias e raios, e doidos pingentes trêmulos da mais alvoroçada claridade – tudo iluminado, nada de pouca luz para recebermos o poema. As vidraças estão tão transparentes de limpas que a gente pode até se enganar e atravessá-las.

E as flores? Todas as jarras da casa estão transbordando de flores, montões de cravos vermelhos com corolas arrebitadas, botões entreabertos de dúzias de rosas brancas e amarelas, e outras tão vermelhas, das graúdas e quase comíveis. Mandei plantar depressa um jasmineiro-trepadeira nas paredes do terraço, já com jasmim, mas de perfume suave, só um pouco inebriante. Também mandei plantar no canto da sala uma moita de avencas fresquíssimas que se dobram sobre elas próprias em verdes curvas de suas milhares de folhinhas de samambaias, moita que dá vontade de se pôr o rosto dentro dela e receber em cheio o seu sensual agreste. Escolhi os eucaliptos os mais altos, e eles ultrapassam o teto que mandei abrir para que as estrelas da noite escura pisquem sobre nós. Sei que vocês estavam esperando receber a visita sábado de manhã. Mas na verdade hoje é noite e apesar da lua cheia o céu é escuro de uma pessoa se perder com delícia no seu alto negrume.

E que roupa usar? Uma túnica branca, não em sinal de pureza que não tenho, mas porque túnica branca é bonito. Lamentei ter cortado meus cabelos mas já era tarde, não dava tempo de mandá-los crescer.

E eis-me sentada no sofá, esperando. Cada minuto que passa, ele não vem. Temo que à última hora o poeta escolha melhor guarita para o seu poema. Embora eu ache que nós, leitores meus e eu, temos feito desta seção o melhor possível, começo a nos acusar da coluna ser desigual, às vezes bem fraca, mas o poeta sabe que quem escreve com frequência e dia certo é desigual. Será que ele escolheu a coluna de Carlinhos de Oliveira?

Mas tocam a campainha da porta. É o poeta que vos visita e me visita. Ei-lo:

O DEUS DE CADA HOMEM

    Quando digo "meu Deus"
    afirmo a propriedade.
    Há mil deuses pessoais
    em nichos da cidade.

Quando digo "meu Deus",
crio cumplicidade.
Mais fraco, sou mais forte
do que a desirmandade.

Quando digo "meu Deus",
grito minha orfandade.
O rei que me ofereço
rouba-me a liberdade.

Quando digo "meu Deus",
choro minha ansiedade.
Não sei que fazer dele
na microeternidade.

Carlos Drummond de Andrade

✦ ✦ ✦

O ÓBVIO ULULANTE

Num encontro social que tive com Nelson Rodrigues, disse-lhe que ia lhe fazer algumas perguntas. Mas que, sendo ele homem de muitas facetas, eu lhe pediria apenas uma: a da *verdade*. Ele aceitou prontamente e cumpriu. Parecia aliás ansioso para dizer algumas verdades. Eu também ando.

– Você se inclina mais para a esquerda ou para a direita?

– Eu me recuso absolutamente a ser de esquerda ou de direita. Sou um sujeito que defende ferozmente a sua solidão. Cheguei a essa atitude diante de duas coisas: lendo dois volumes sobre a guerra civil na História. Verifiquei então o óbvio ululante: de parte a parte todos eram canalhas. Rigorosamente todos. Eu não quero ser nem canalha de esquerda nem canalha de direita.

— Você se referiu à solidão. Você se sente um homem só?

— Do ponto de vista amoroso eu encontrei Lúcia. E é preciso especificar: a grande, a perfeita solidão exige uma companhia ideal. Mas, diante do resto do mundo sou um homem maravilhosamente só. Uma vez fiquei gravemente doente, doente para morrer. Recebi em três meses de agonia três visitas, uma por mês. Note-se que minha doença foi promovida em primeiras páginas de jornais. Aí eu sofri na carne e na alma esta verdade intolerável: o amigo não existe.

— Existe sim, Nelson, foi falta de sorte sua. Eu passei quase três meses no hospital e recebia visitas até de estranhos, e eu não sou o que se chama de simpática. Pergunto-me até o que é que eu dei aos outros para que viessem me fazer companhia. Não, não acredito que não se tenha amigos. É que são raros.

— Ou eu dou muito pouco ou os outros não aceitam o que eu tenho para dar.

— Mas você tem sucesso real – e sucesso vem quando se dá alguma coisa aos outros. Você dá.

— Eu tenho o que chamaria de amigos desconhecidos. São sujeitos que eu nunca vi, que cruzam comigo numa esquina, numa retreta, num velório. Certa vez fui a uma capelinha ver um colega morto. Eram duas horas da manhã. Uma mocinha saiu do velório com um caderninho na mão: quero ter a honra de apertar a mão do autor de *A vida como ela é*, e me pediu o autógrafo. Senti que estava vivendo um momento de pobre ternura humana. Eis o que eu queria dizer: o amigo possível e certo é o desconhecido com quem cruzamos por um instante e nunca mais. A esse podemos amar e por esses podemos ser amados. O trágico na amizade é o dilacerado abismo da convivência.

— Mas Hélio Pellegrino é seu amigo, e Otto Lara Resende é seu amigo.

— Não. Eu é que sou amigo de ambos. É possível que um de nós ame alguém. O difícil (não quero dizer impossível) é que esse alguém nos ame de volta. Hoje mesmo almocei com Hélio Pellegrino. Por causa de uma opinião minha, ele, com a sua cálida e bela voz de barítono de igreja, dizia para mim: é mentira, é mentira! Nunca me ocorrera nesta encarnação ou em vidas passadas, chamar Hélio Pellegrino de mentiroso. Naquele momento ele pôs entre nós a mais desesperada e radical solidão da terra. Tal agressividade não devia existir na história da amizade. E o Otto nunca me deu um telefonema! Estou dizendo isso com a maior, a mais honrada, a mais inconsolável amargura.

— Isso não quer dizer nada: Otto é meu amigo, e já o provou várias vezes, no entanto é raríssimo um telefonema seu. Nelson, você fala em encarnação e em vidas passadas. Você é esotérico? Ou teosofista? Acredita na reencarnação?

— Sou apenas cristão, se é que eu o sou. A única coisa que me mantém de pé é a certeza da alma imortal. Recuso-me a reduzir o ser humano à melancolia do cachorro atropelado. Que pulhas seríamos se morrêssemos com a morte.

— Mas aonde vai nossa alma, depois de mortos?

— Aí está o mistério e o mistério não impede evidentemente que a alma seja imortal. Você antes me perguntou em quantos empregos eu estava escrevendo. Tenho três colunas *diárias, obrigatórias* (escrevo muito mais para atender a pedidos insuportáveis): num faço duas crônicas e no outro também faço uma crônica de futebol. Quando vou escrever um romance ou uma peça de teatro estou em plena estafa e tenho que fazer um superesforço. Acho que minhas condições de trabalho são desumanas. Eu me considero um fracassado. Não me realizei nem acho que alguém se realize. Mas a coisa mais importante do mundo é o amor, e, para uma pessoa como indivíduo, é a solidão. Sou um romântico num sentido quase caricatural. Acho que todo amor é eterno e, se acaba, não era amor. Para mim, o amor continua além da vida e além da morte. Digo isso a você e sinto que se insinua nas minhas palavras um ridículo irresistível, mas vivo a confessar que o ridículo é uma das minhas dimensões mais válidas.

— Nelson, você tem conversado, como todo mundo, com muitas pessoas. Todas as conversas se parecem com essa nossa?

— Não, eu estou fazendo um esforço, um abnegado esforço, para não trapacear com você.

É preciso dizer que, durante os minutos que demorou nossa conversa, ele não sorriu nenhuma vez: com a verdade grave não se sorri, parecia dizer.

— Você é um homem de sucesso. Até que ponto o sucesso interfere na sua vida pessoal?

— Não interfere justamente porque eu e Lúcia fundamos a nossa solidão.

— Você está gostando de conversar comigo?

— Profundamente. O que conta na vida são os momentos confessionais.

✦ ✦ ✦

CARNAVAL

Quis o "destino" (!) que meu caminho se cruzasse com o do Sr. Clóvis Bornay, que dispensa apresentações. Confesso que imaginava – *quando* e *se* pensava por um instante nele – um Clóvis Bornay pernóstico, futilmente simpático. Para a minha agradável surpresa encontrei um Bornay de conversa mansa, que fala com simplicidade e com amor de suas coisas, usando uma sinceridade quase ingênua de quem não tem medo de ser ridicularizado ou atacado.

Nesse dia eu estava com um humor péssimo que foi melhorando à medida que, espantada, eu me inteirava da vida de um dos maiores, senão o maior, carnavalesco de todos os tempos.

O mais curioso é que nem se pode chamá-lo de "carnavalesco" propriamente dito, uma vez que não brinca no carnaval: ele apenas se mostra. Mas, enfim, carnaval é carnaval, e vale tudo.

Bornay é brasileiro, filho de pais brasileiros de origem francesa por parte de pai e de espanhola por parte de mãe. Acha ele que começou a se interessar por carnaval logo após o nascimento, que se deu no auge da folia. Diz que se lembra de que, ainda no colo, os mascarados o apavoravam. (Essa lembrança deve ser posterior pois é pouco provável que Bornay guarde memórias tão primárias.) Passou do pavor ao amor ao perceber que os mascarados eram pessoas amigas e alegres, e começou a participar das festas desde a infância, quando já se fantasiava: aqui no Rio as casas viravam verdadeiras oficinas de fantasias usadas pela família inteira. Perguntei-lhe se alguma vez ele chegara a se fantasiar de mulher. Disse que não, sua fantasia era um lençol amarrado na cabeça e na cintura até os pés, e no rosto uma máscara de caveira; barato e prático. Mas em 1937, completando idade suficiente, compareceu ao Municipal com uma fantasia idealizada por ele mesmo, e com o título de Príncipe Hindu, confeccionada com o aproveitamento de pedras de cristal de um lustre abandonado no porão da casa. Tal foi o sucesso dessa primeira aparição em público que se tornou um hábito em sua vida, nos 34 anos consecutivos. As ideias da fantasia vêm exclusivamente dele, porque precisa se identificar primeiro com o personagem, depois ir em busca do material adequado ao estilo, à forma, à época. E tudo isso sob o maior segredo, até os meados da confecção, quando passa a precisar de botas ou sapatos, ou do joalheiro para a montagem de coroas e anéis ou do fabricante de armas, espadas, lanças. Então a notícia se espalha um pouco. E mais no fim do ano os locutores de televisão fazem-lhe perguntas, e "não seria elegante ocultar". Nunca mede de antemão os gastos de uma roupa: o material e a mão de obra atingem a preços tão elevados que o desanimariam. Adquire o material aos poucos e paga parceladamente a mão de obra, já que vive de honorários de trabalhos. Com as economias, os desenhos de fantasias para outros, e os prêmios já ganhos é que custeia a fantasia do ano seguinte. A economia é possível pois, como é óbvio, é solteiro e não faz vida noturna, não bebe nem fuma nem joga e, ao contrário do que aconselham os amigos, não compra carro e continua a andar de ônibus, tal é seu "amor à cidade do Rio de Janeiro": acha justo contribuir pessoalmente para "esta bela terra". Cada ano apresenta três fantasias diferentes.

Perguntei-lhe:

— Que fantasia o senhor me aconselharia a vestir no carnaval?

— Espere, espere... já estou quase sabendo... estou pensando no nome... Achei! É Firmamento. Seria uma túnica de renda negra cravejada de estrelas e de brilhantes. Na cabeça a meia-lua e numa das mãos uma taça de prata derramando estrelas...

Considera seu concorrente Evandro de Castro Lima um grande nome da alta-costura que descobriu a mágica forma de embelezar o carnaval carioca. Quanto a si mesmo, seu maior desejo é atingir a perfeição... Perguntei-lhe se tivesse um filho, gostaria que ele se fantasiasse com luxo e tudo. Disse que gostaria porque era uma forma de arte. O mais importante era interpretar a personalidade para ser então um modelo de fantasia, e para isso era preciso ser um bom ator:

— Faz-se mister ter a inteligência de um gênio, a força de um Hércules, a bondade de um Cristo, as alegrias de uma criança, a ternura como de uma mulher e as artimanhas de um demônio: eis então o bom ator.

Mas não passa o ano inteiro só pensando nos três dias de carnaval. Porque o maior amor de sua vida é o Museu Histórico Nacional, onde exerce a função de museólogo: seu trabalho é tão apaixonante que o absorve o ano inteiro, restando apenas a fuga de quatro dias de folia. Na quarta-feira de cinzas já é encontrado a postos no seu gabinete de trabalho, a cabeça no lugar. – Quem ficou de cabeça virada fui eu, que não sou museóloga: fiquei querendo ardentemente minha túnica de renda negra cravejada de cristais, a espargir estrelas duma taça de prata.

✦ ✦ ✦

UM BRASILEIRO POUCO CONHECIDO: LEOPOLDO NACHBIN

Pouco conhecido e no entanto é honra para nosso país.

Trata-se do maior matemático do Brasil e um dos quatro maiores do mundo. Insegura como sempre, mas audaciosa como sempre, eu disse a Leopoldo que para mim a Matemática e a Física não eram resultado apenas de um alto raciocínio: eram uma arte tão arte que eu as comparava à de uma fuga de Bach, por exemplo. Para a minha alegria, Leopoldo contou-me que o matemático Jean Dieudonné pensava e dissera a mesma coisa.

No Ginásio Pernambucano descobriu espontaneamente sua vocação. A paixão pela Matemática ficou ligada à satisfação intelectual de, graças ao seu próprio esforço, ter compreendido alguns aspectos do mecanismo do raciocínio matemático: descobriu sozinho certos fatos matemáticos, e depois teve uma mistura de alegria e tristeza ao constatar que já eram resultados conhecidos, tais como a teoria da aceleração normal e o desenvolvimento de Laplace de um determinante.

Por causa de sua vocação, sua mãe, a irmã e ele transferiram-se para o Rio, onde havia melhores condições de estudo. Aos 19 anos publicou seu primeiro artigo de pesquisa, nos Anais da Academia Brasileira de Ciências. No ano seguinte, publicou artigos na Itália e na Argentina, ampliando suas relações internacionais. Beneficiou-se muito no contato pessoal com André

Weil, um dos maiores de nosso tempo e que passara três anos no Brasil, de 1945 a 1947. Também lucrou do contato com Jean Dieudonné, que viveu dois anos entre nós. A inclinação de analista de Leopoldo Nachbin foi anterior à influência de Weil, Dieudonné e Stone. Aos 20 anos recebeu uma oferta de estudar com Gleb Wataguin, famoso físico italiano, mas recusou porque reconhecia que sua estrutura mental era mais a de um matemático que a de um físico. Sob a influência de Weil e Stone passou dois anos na Universidade de Chicago. Convidado a permanecer definitivamente nos Estados Unidos, optou pelo retorno ao Brasil para inscrever-se, em 1950, num concurso à cátedra da Universidade do Brasil: já decorreram 20 anos e o concurso ainda não foi realizado.

Sua pesquisa é mais próxima da francesa do que da norte-americana, embora tenha passado mais tempo nos Estados Unidos que na França. Mas a Matemática é universal, não tem caráter nacional. E a troca pessoal de informações entre os pesquisadores é importante.

Fala-se hoje em *operação-retorno* ao Brasil dos nossos cientistas radicados no estrangeiro; mas é indispensável assegurar-lhes oportunidades frequentes de visitas curtas ou prolongadas aos grandes centros internacionais: só assim se elevará o nosso nível científico.

Nachbin foi professor do Centro Brasileiro de Pesquisas Físicas, quando fundado pelo grande César Lattes. Em 1952 participou da criação do Instituto de Matemática Pura e Aplicada, que se tornou o maior centro matemático do Brasil. Em 1959-60 passou quatro meses na Universidade Brandeis, instituição famosa nos EUA: foi quando desenvolveu seu trabalho sobre a teoria da aproximação ponderada. Em 1960 foi convidado para um simpósio internacional na Universidade Hebraica de Jerusalém. De 1961 a 63, foi professor da Sorbonne. Nesse período realizou conferências em várias universidades da Alemanha, Bélgica, Escócia, França, Holanda, Inglaterra, Itália, Polônia, Suécia e Suíça. Em 62, concederam-lhe o Prêmio Moinho Santista e foi convidado para ser o primeiro coordenador do Instituto Central de Matemática da Universidade de Brasília, a de melhor estrutura. Em 63 a Universidade de Chicago convidou-o para ser professor permanente, em condições muito favoráveis. Não aceitou por estar por demais ligado sentimentalmente ao Brasil. Em 65 dois de seus livros foram traduzidos para o inglês. Em 1966, teve o gosto de receber o título de Doutor Honoris Causa da Universidade de Pernambuco, sua terra natal.

Em setembro de 1970 houve em Nice, França, o Congresso Internacional de Matemática, e Nachbin foi o único sul-americano a fazer parte da comissão organizadora do Congresso e a presidir uma de suas sessões. Em seguida participou do Simpósio Internacional de Análise Funcional (sua especialidade), na Bélgica, como conferencista convidado. Nessa ocasião recebeu uma medalha da Universidade de Liège, prêmio concedido a mais três matemáticos mundialmente conhecidos: professor Kothe (Alemanha), professor Yosida (Japão) e professor Nirenberg (Estados Unidos).

◆ ◆ ◆

A PESCA MILAGROSA

Então escrever é o modo de quem tem a palavra como isca: a palavra pescando o que não é meramente palavra, é mais entrelinha. Quando essa não palavra morde a isca, escreveu-se alguma coisa. Uma vez que se pescou a entrelinha, podia-se com alívio jogar a palavra fora. Mas aí cessa a analogia: a não palavra, ao morder a isca, incorporou em si própria a palavra indispensável. O que salva então é *distraidamente* (não sei explicar melhor. Às vezes não consigo explicar melhor e 25 anos depois encontro o meio).

LEMBRAR-SE

Escrever é tantas vezes lembrar-se do que nunca existiu.

Como conseguirei saber do que nem ao menos sei? Assim: como se me lembrasse. Com um esforço de *memória*, como se eu nunca tivesse nascido.

Nunca nasci, nunca vivi: mas eu me lembro, e a lembrança é em carne viva.

CRÔNICA SOCIAL

— ... perfeito, perfeito, perfeito, o jantar. Poderia ser transportado na íntegra — mesa, comensais sentados nas cadeiras em torno dela, comidas, garçons com bandejas de prata — para outra casa, quiçá outro país, como se diz de obra de arte "que não conhece fronteiras".

E a consciência de cada conviva de que é de cada um deles que depende a falta de erro, a perfeição? Reunião, algumas finíssimas, é uma reunião em torno de alguma gafe que não é cometida? A tensão do grande jantar, a tensão da perfeição crescendo, a pele do tambor esticando-se. Risco excitante.

Para cada um a gafe própria que não será cometida. Que gafe, afinal? É o *eu* aparecer de súbito, como não convidado. Cada um é a própria gafe muda sob a delicada conversa. Gafe que sob o sorriso quase de sonho atraí, atraí sádica, perseguidora, estou chegando perto, estou chegando perto, numa sorridente tortura de pesadelo. Porque mais um minuto, mais um instante — e — e o eu acontece.

Depois, entre conhaque, licores e fumaças, a perfeição esticada cada vez mais tênue, cada vez mais tênue, o melhor é voltar depressa para casa e o eu suspirar aliviado. Está cada vez mais tênue. Esporte perigoso esse.

A ACADEMIA BRASILEIRA DE LETRAS

O que me fez nunca ir assistir a sessões públicas da Academia? Falta de motivação? Ou talvez simplesmente considerasse a Academia uma espécie de clube de cavalheiros ingleses, onde se lê jornal, conversa-se, bebe-se alguma coisa, sem a interferência sempre perturbadora de mulheres.

Deve haver algo de secreto e profundo e que age como chamariz na Academia Brasileira de Letras. Senão, como explicar que um candidato, em vez de ter o prazer de ser escolhido, tenha, para ser eleito, que ir pessoalmente pedir voto a todos os acadêmicos, um por um? Como explicar que João Cabral de Melo Neto, que é tímido, o tenha feito? Senão como explicar que um homem como Guimarães Rosa adiasse sua posse por três anos, por ter intuído que, ao pôr o fardão, ficaria emocionado a ponto de sofrer um enfarte? No entanto achou que valia a pena arriscar. Mistério.

Tive oportunidade de me avistar com o acadêmico Austregésilo de Athayde, quarto presidente da ABL, portanto um acadêmico típico. Há 11 anos que ele é presidente. Homem simpático, afável. Fiquei sabendo de várias coisas. Por exemplo, a finalidade principal da Academia está nos estatutos: defender a língua portuguesa e promover a literatura.

Eles promovem a literatura através da concessão de prêmios literários. Distribuem por ano 16 prêmios, de 1 milhão antigo cada. O Prêmio Machado de Assis para o conjunto de obra, no valor de 10 milhões antigos. Os recursos desse prêmio são oferecidos pela Fundação Jurzikowski, que criou a Mercedes-Benz do Brasil e que, ao morrer, deixou em testamento 6 mil dólares para a Academia. Esta também distribui prêmios com verbas oriundas da herança do livreiro Francisco Alves. A Academia ainda publica um dicionário mandado fazer sob os seus auspícios. Publica, além de seus anais, a *Revista Brasileira* e os *Discursos Acadêmicos*.

Tive curiosidade de saber o que acontecia nas reuniões das quintas-feiras: depois do chá com bolinhos, estudam as personalidades literárias ou acontecimentos literários.

Quanto à já clássica pergunta sobre a entrada de mulheres na Academia disse: "A objeção não é à entrada da mulher na Academia e sim à reforma dos estatutos para permitir essa entrada. Os acadêmicos de três gerações consideram que não se deve alterar a lei fundamental da instituição."

♦ ♦ ♦

UM POETA MULHER

Eu mesma não sei como consegui quebrar o pudor que Marly de Oliveira tem de aparecer em público. E nem todos talvez saibam quem ela é. Vou apresentá-la com grande alegria: trata-se de um dos maiores expoentes de nossa atual geração de poetas, que é rica em poesia. É muito jovem, mas, quando ainda mais jovem, já era professora de Língua e Literatura Italianas e Literatura Hispano-americana na PUC, na Faculdade Católica de Petrópolis, e na Faculdade Católica de Friburgo, o que a obrigava a cansativas viagens semanais.

Já escreveram sobre Marly, entre outros, Alceu Amoroso Lima, Walmir Ayala, José Guilherme Merquior, Antônio Houaiss. E, em Roma, um dos maiores poetas italianos, Ungaretti.

Por que o grande público não a conhece? Por que se compram menos livros de poesia? Porque Marly é modesta a ponto de me espantar que chegue a permitir a publicação de seus livros. Acontece, porém, que há um ciclo fatal no escritor: a obra entra em gestação, é executada, e depois, como um filho que tem de nascer, é publicada, já não pertence mais ao autor. Basta, porém, ler Marly para admirá-la, respeitá-la e, o que é tão importante, amá-la.

Pessoalmente, é muito bonita, com bastos cabelos negros e uma voz feita para amar adultos e ninar criança: Marly é casada com um diplomata, Lauro Moreira, e tem uma filhinha. Além de poeta, faz críticas da maior erudição, agudeza e sensibilidade. Até agora publicou cinco livros de poesia: *Cerco da primavera* (ganhou o prêmio do Instituto Nacional do Livro), *Explicação de Narciso*, *A suave pantera* (prêmio da Academia Brasileira de Letras, dedicado a mim e, segundo ela, em mim inspirado porque eu tinha a suavidade e a possibilidade de violência de uma pantera...!?). O quarto e o quinto foram reunidos num só volume: *O sangue na veia* e *A vida natural*. Está agora em Buenos Aires onde vive há poucos anos, escrevendo outro livro de poemas.

Transcrevo aqui um poema seu, "Contato", dedicado a Carlos Drummond de Andrade:

Baixa um frio, uma luz
sobre o ansioso invocar, a numerosa
vã espera de lábios dissonantes;
no entanto, ah se conforta,
em meio aos desencontros inditosos,
ao desejo de amar que não encontra
senão em si pegadas indiciantes
de amor, saber que o mesmo amor já pode
prescindir do que se lhe deveria,
em vez da chama, a fria
luz de um deserto frio, em vez do órgio
festim, este calado,
indefenso aceitar que me consome,
de tal modo em mim vive o não deserto
e o longe simulado é aceso perto.

E de tal modo penso
na seiva que circula, na água viva
sob o vivo deserto, o quente, o úmido
de sombra que se esquiva,
não ao amor, não ao entendimento,
àqueles de que dispomos para ouvir
e ver e então gustar: parcos sentidos,
fonte imprecisa de um comunicar,
sensível quanto mais firme e disposto,
tanto pode o alvoroço
do descobrir, tanto desconcertar
o que se entende ou faz,
naquela distração ditosa e vaga
de quem passeia silencioso um cais,
sem pensar em mistério ou nunca mais.

Cobiçada verdura,
sonhos que abrem janelas ao sem-fim
do intocado e perfeito, onde os dissímiles
do que existe e de mim
não se repelem, buscam-se amorosos
no real, como o entendo, sempre firme,
e tão de certo modo irreversível,
apesar dessa viva sucessão
de espelhos, que bem pode confundir
o apreender e o sentir
duplicativos, que na aceitação
talvez sem entender
esteja o que procura a minha mão
tocando a tua mão, num mesmo ato
de amor ou de contato.

♦ ♦ ♦

BICHOS (I)

Às vezes me arrepio toda ao entrar em contato físico com bichos ou com a simples visão deles. Pareço ter certo medo e horror daquele ser vivo que não é humano e que tem os nossos mesmos instintos, embora mais livres e mais indomáveis. Um animal jamais substitui uma coisa por outra, jamais sublima como nós somos forçados a fazer. E move-se, essa coisa viva! Move-se independente, por força mesmo dessa coisa sem nome que é a Vida.

Fiz notar a uma pessoa que os animais não riem, e ela me falou que Bergson tem uma anotação a respeito no seu ensaio sobre o riso. Embora às vezes o cão, tenho certeza, ri, o sorriso se transmite pelos olhos tornados mais brilhantes, pela boca entreaberta arfando, enquanto o rabo abana. Mas o gato não ri nunca. No entanto sabe brincar: tenho longa prática de gatos. Quando eu era pequena tinha uma gata de espécie vulgar, rajada de vários tons de cinza, sabida com aquele senso felino, desconfiado e agressivo que os gatos têm. Minha gata vivia parindo, e cada vez era a mesma tragédia: eu queria ficar com todos os gatinhos e ter uma verdadeira gataria em casa. Ocultando de mim, distribuíam os filhotes não sei para quem. Até que o problema se tornou mais agudo pois eu reclamava demais a ausência dos gatinhos. E então, um dia, enquanto eu estava na escola, deram minha gata. Meu choque foi tamanho que adoeci de cama com febre. Para me consolarem presentearam-me com um gato de pano, o que era para mim irrisório: como é que aquele objeto morto e mole e "coisa" poderia jamais substituir a elasticidade de uma gata viva?

Por falar em gata viva, um amigo meu não quer mais saber de gatos, encheu-se para sempre deles depois que teve uma gata em periódica danação: eram tão fortes os seus instintos, tão imperativos, que na época de cio, depois dos longos miados plangentes que ecoavam pelo quarteirão, ficava de repente meio histérica e se jogava de cima do telhado, machucando-se toda no chão. "Cruz-credo", benzeu-se uma empregada a quem contei o fato.

Da lenta e empoeirada tartaruga carregando seu pétreo casco, não quero falar. Esse animal que nos vem da era terciária, dinossáurico, não me interessa: é por demais estúpido, não entra em relação com ninguém, nem consigo próprio. O ato de amor de duas tartarugas não deve ter calor nem vida. Sem ser cientista, aventuro-me a prognosticar que a espécie vai daqui a poucos milênios acabar.

Sobre galinhas e suas relações com elas próprias, com as pessoas e sobretudo com sua gravidez de ovo, escrevi a vida toda, e falar sobre macacos também já falei.

Mulher feita, tive um cachorro vira-lata que comprei de uma mulher do povo no meio do burburinho de uma rua de Nápoles porque senti que ele nascera para ser meu, o que ele também sentiu em alegria enorme, imediatamente me seguindo já sem saudade da ex-dona, sem sequer olhar para trás, abanando o rabo e me lambendo. Mas é uma história comprida, a de minha vida com esse cão que tinha cara de mulato-malandro brasileiro, apesar de ter nascido e vivido em Nápoles, e a quem dei o nome rebuscado de Dilermando pelo que nele havia de pernosticamente simpático e de bacharel do começo do século. Desse Dilermando eu teria muito a contar. Nossas relações eram tão estreitas, sua sensibilidade estava de tal modo ligada à minha que ele pressentia e sentia minhas dificuldades. Quando eu estava escrevendo à máquina, ele ficava meio deitado ao meu lado, exatamente como a figura da esfinge, dormitando. Se eu parava de bater por ter encontrado um obstáculo e ficava muito desanimada, ele imediatamente abria os olhos, levantava alto a cabeça, olhava-me, com uma das orelhas de pé, esperando. Quando eu resolvia o problema e continuava a escrever, ele se acomodava de novo na sua sonolência povoada de que sonhos – porque cachorro sonha, eu vi. Nenhum ser humano me deu jamais a sensação de ser tão totalmente amada como fui amada sem restrições por esse cão.

Quando meus filhos nasceram e cresceram um pouco, demos-lhes um cão enorme e belo, que pacientemente deixava o menino lhe montar o dorso e que, sem que ninguém o tivesse incumbido, vigiava por demais a casa e a rua, acordando de noite todos os vizinhos com seus latidos de advertência. Dei a meus filhos pintinhos amarelos que andavam rente atrás de nós, embaralhando-nos os passos, como se fôssemos a galinha-mãe, aquela coisa mínima carecia de mãe como os humanos. Dei também dois coelhos, dei patos, dei micos: é que as relações entre homem e bicho são singulares, não substituíveis por nenhuma outra. Ter bicho é uma experiência vital. E a quem não conviveu com um animal falta um certo tipo de intuição do mundo vivo. Quem se recusa à visão de um bicho está com medo de si próprio.

Mas às vezes me arrepio vendo um bicho. Sim, às vezes sinto o mudo grito ancestral dentro de mim quando estou com eles: parece que não sei mais quem é o animal, se eu ou o bicho, e me confundo toda, fico ao que parece com medo de encarar meus próprios instintos abafados que, diante do bicho, sou obrigada a assumir, exigentes como são, que se há de fazer, pobre de nós. Conheci uma mulher que humanizava os bichos, conversando com eles, emprestando-lhes suas próprias características. Mas eu não humanizo os bichos, acho que é uma ofensa – há de respeitar-lhes a natura – eu é que me animalizo. Não é difícil, vem simplesmente, é só não lutar contra, é só entregar-se.

Mas, indo bem mais fundo, chego muito pensativa à conclusão de que não existe nada mais difícil que entregar-se totalmente. Essa dificuldade é uma das dores humanas.

Segurar um passarinho na concha meio fechada da mão é terrível. Ele espavorido esbate desordenadamente e velozmente as asas, de repente se tem na mão semicerrada milhares de asas finas se debatendo esvoaçantes, e de repente se torna intolerável e abre-se depressa a mão libertando-o, ou entrega-se-o depressa ao dono para que este lhe dê a maior liberdade relativa de uma gaiola. Enfim, pássaros eu os quero nas árvores ou voando, mas longe de minhas mãos. Talvez algum dia, em contato mais continuado no Largo do Boticário com os pássaros de Augusto Rodrigues, eu venha a ficar íntima deles, e a gozar-lhes a levíssima presença. ("Gozar-lhes a levíssima presença" me dá a sensação de ter escrito frase completa por dizer exatamente o que é, é engraçada a sensação, não sei se estou ou não com razão, mas isso já é outro problema.)

Ter uma coruja nunca me ocorreria. Mas uma amiguinha minha achou por terra na mata de Santa Teresa um filhote de coruja, todo sozinho, à míngua de mãe. Levou-o para casa, aconchegou-o, alimentou-o, dava-lhe murmúrios, terminou descobrindo que ele gostava de carne crua. Quando ficou forte era de se esperar que fugisse imediatamente mas demorou a ir em busca do próprio destino, o de reunir-se aos de sua raça: é que se afeiçoara essa estranha ave à minha amiguinha. Relutou muito, via-se: afastava-se um pouco e logo volta. Até que num arranco, como se estivesse em luta consigo mesmo, libertou-se voando para as profundezas do mundo.

✦ ✦ ✦

BICHOS (CONCLUSÃO)

A mudez do coelho, seu modo de comer depressinha-depressinha as cenouras, sua desinibida relação sexual tão frequente quanto veloz – não sei por que acho as tais relações mútuas dos coelhos de uma grande futilidade, nem parecem ter raízes profundas. O coelho faz-me ficar de um meditativo vazio: é que simplesmente nada tenho a ver com ele, somos estranhos, minha raça não vai com a dele. O curioso é que pode ser aprisionado e parece até conformado, mas não é domesticável: apenas aparente é a sua resignação. Em verdade, fútil e assustado como é, ele é um livre, o que não combina com sua superficialidade.

Quanto a cavalos, já escrevi muito sobre cavalos soltos no morro do pasto (*A cidade sitiada*), onde de noite o cavalo branco, rei da natureza, lançava para o ar o seu longo relincho de glória. E já tive perfeitas relações com eles. Lembro-me de mim adolescente, de pé, com a mesma altivez do cavalo, passando a mão pelo seu pelo aveludado, pela sua crina agreste. Eu me sentia assim: "a moça e o cavalo."

Os peixes no aquário não param nem um segundo de nadar. Isso me inquieta. Além do mais acho esse peixe de aquário um ser vazio e raso. Mas deve ser engano meu, pois não só eles devoram comida como procriam: e é preciso ser matéria viva para isso. O que me intriga é que, pelo menos nos peixes de aquário, o instinto falha: eles comem até estourar, não sabem parar, eis um peixe morto. São seres aterrorizados quando pequenos, perigosos quando grandes. Além de pertencerem a um reino que não me é familiar, o que de novo me inquieta.

Sei de uma história muito bonita. Um espanhol amigo meu, Jaime Vilaseca, contou-me que morou uns tempos com parte de sua família que vivia em pequena aldeia num vale dos altos e nevados Pireneus. No inverno os lobos esfaimados terminavam descendo das montanhas até a aldeia, farejando presa, e todos os habitantes se trancavam atentos em casa, abrigando na sala ovelhas, cavalos, cães, cabras, calor humano e calor animal, todos alertas ouvindo o arranhar das garras dos lobos nas portas cerradas, escutando, escutando...

Mas sei da história de uma rosa. Parece estranho falar nela quando estou me ocupando de bichos. Mas é que agiu de um modo tal que lembra os mistérios instintivos e intuitivos do animal. Um médico amigo meu, Dr. Azulay, psicanalista, autor de *Um Deus esquecido*, de dois em dois dias trazia para o consultório uma rosa que ele punha na água dentro de uma dessas jarras muito estreitas, feitas especialmente para abrigar o longo talo de uma só flor. De dois em dois dias a rosa murchava e meu amigo a trocava por outra. Mas houve uma determinada Rosa. Era cor-de-rosa, não por artifícios de corantes ou enxertos, porém do mais requintado rosa pela natureza mesmo. Sua beleza alargava o coração em amplidões. E parecia tão orgulhosa da turgidez de sua corola toda aberta, das próprias pétalas grossas e macias, que era com uma altivez linda que se mantinha quase ereta. Pois não ficava totalmente ereta: com infinita graciosidade inclinava-se bem levemente sobre o talo que era fino. E uma relação íntima estabeleceu-se entre o homem e a flor: ele a admirava e ela parecia sentir-se admirada. E tão gloriosa ficou, e com tanto amor era observada, que se passavam os dias e ela não murchava: continuava de corola toda aberta e túmida e fresca como flor nova. Durou em beleza e vida uma semana inteira. Só depois começou a dar mostras de algum cansaço. Depois morreu. Foi com relutância que meu amigo a trocou por outra. E nunca a esqueceu. O curioso é que uma paciente sua que frequentava o consultório perguntou-lhe sem mais nem menos: "E aquela rosa?" Ele nem perguntou qual, sabia da que a paciente falava. Essa rosa, que viveu mais longamente por amor, era lembrada porque a paciente, tendo visto o modo como o médico olhava a flor, transmitindo-lhe em ondas a própria energia vital, intuíra cegamente que algo se passava entre ele e a rosa. Esta – e deu-me vontade de chamá-la de "joia da vida" – tinha tanto instinto de natureza que o médico e ela haviam podido se viverem um ao outro profundamente, como só acontece entre bichos e homens.

E eis que de repente fiquei agora mesmo com saudade de Dilermando, meu cão, uma saudade aguda e dolorida e desconsolável, a mesma que tenho certeza ele sentiu quando foi obrigado a viver com outra família porque eu ia morar na Suíça e haviam me informado erradamente que lá os hotéis, onde teríamos que permanecer algum tempo, não permitiam a entrada de animais. Lembro-me, e a lembrança ainda me faz sorrir, de que uma vez, morando ainda na Itália, vim ao Brasil, deixando Dilermando com uma amiga. Quando voltei, fui à minha amiga para buscá-lo para casa. Mas acontece que nesse ínterim se tornara inverno e eu estava com um casaco de peles. O cão ficou parado me olhando, petrificado. Depois aventurou cautelosamente aproximar-se e sentiu o odor do casaco, talvez de algum animal ameaçador. E ao mesmo tempo, para a sua confusão, farejava meu cheiro. Tornou-se inquietíssimo, chegava a rodar em torno de si mesmo. E eu imóvel, esperando que ele viesse a mim, e me sentisse: se eu me precipitasse, ele se assustaria. Quando comecei a sentir calor na sala aquecida, tirei o casaco e da distância mesmo joguei-o longe num divã. Dilermando, ao me farejar puramente, atirou-se de repente num grande salto sobre mim, um pulo fantástico do chão ao meu peito, inteiramente alvoroçado, fora de si, me fazendo tanta festa doida que me deixou bem arranhada nos braços e no rosto, mas eu ria de prazer, e sorria às fingidas e rápidas mordidas leves que ele aloucadamente me dava, não doíam, eram mordidas de amor.

Não ter nascido bicho parece ser uma de minhas secretas nostalgias. Eles às vezes clamam do longe de muitas gerações e eu não posso responder senão ficando desassossegada. É o chamado.

❖ ❖ ❖

"CRIAR UM QUADRO É CRIAR UM MUNDO NOVO"

Um homem alto, um pouco curvo, olhar de grande mansidão, pele morena, ar ascético de monge: eis Iberê Camargo, um dos nossos grandes pintores. Estávamos no seu ateliê, que fica numa cobertura na Rua das Palmeiras: como Iberê nota, parecia-nos que o terraço era um tombadilho e que em breve, no calor que fazia, iríamos zarpar. Bebemos água gelada, tomamos café requentado – até que mais tarde sua esposa, Maria, uma das mais simpáticas Marias, vem e nos faz um café expresso que me dá saudade da Itália. Conversamos sobre assuntos gerais.

– Iberê, por que é que você pinta? – perguntei-lhe de repente.

– Sabe que essa pergunta já me foi feita no questionário da Editora Vozes? Dei a seguinte resposta: só poderia responder por que é que eu pinto quando tiver descoberto o que eu sou como ser.

– Essa resposta bem serviria para quando eu mesma me pergunto por que escrevo. Teria antes de ir ao profundo último de meu ser. Você crê que se realizaria em outra forma de arte?

– No meu modo de entender, a obra só existe realizada e portanto só o realizado é que pode responder à pergunta, sem risco de um indivíduo se julgar, por exemplo, um autor possível. Há tanta gente que diz "se eu fizesse", "se eu pudesse", "se eu tivesse tempo", mas não faz nada, talvez porque realmente nada tenha a fazer.

– Qual é o processo criador de um pintor versus o processo criador de um escritor em prosa ou poesia?

– Suponho, Clarice, que a diferença que existe seja apenas na diferença de elementos. O pintor usa a cor, a tinta, a linha. O escritor usa a frase. Mas o impulso criador deve ser o mesmo. Que é que você acha? que é de uma natureza diversa?

– Acho que a fonte é a mesma. Mas fiquei impressionada com Lúcio Cardoso que, depois da doença, não conseguia escrever nem ditar, pois não falava, mas pintava com a mão esquerda, já que a direita estava inutilizada: por que não escrevia com a mão esquerda? O médico explicou-me que no cérebro existe, se entendi bem, uma parte de onde sai a escritura, a palavra, e outra de onde sai a pintura.

— Mas ele pintava como escrevia? Não. Pintar é um artesanato, é saber usar os instrumentos. Assim como o escritor luta por criar com a palavra. Não há um caso de um pintor que tenha feito uma obra definitiva na primeira tentativa. Na literatura, há?

— Talvez Rimbaud.

Ficamos pensando um pouco, em silêncio. Perguntei-lhe então:

— Antes de começar a pintar um quadro você o visualiza já pronto ou vai passo a passo descobrindo o mundo particular desse quadro?

— Criar um quadro é criar um mundo novo. O artista é o primeiro espectador de sua obra. As soluções anteriores, os conhecimentos adquiridos não servem para a obra nova. Eu só consigo pintar quando consigo esquecer o que aprendi. Se não fosse assim, creio que estaria apenas a refazer os quadros já pintados. E, portanto, teriam apenas o mérito de uma cópia, de uma réplica. Não, Clarice, acho que quando empreendemos uma viagem, buscando alguma coisa que intuímos, nós marcamos o rumo, escolhemos o ponto cardeal de nossa meta. Mas não é antever o que, só à chegada, se revela. Um amigo meu, psicanalista, professor Décio de Sousa, falecido em outubro de 1970, costumava dizer que quando se espera um filho não se sabe de que cor serão seus olhos, sabe-se apenas que vai nascer um filho. Clarice, você sabe melhor do que eu que o personagem vive sua vida à revelia do autor, surpreende o autor. Será que era isso que Pirandello queria com *Seis personagens em busca de um autor*?

— Há lugares onde você trabalha melhor do que em outros, você disse. Será por isso que vai tanto a Porto Alegre?

— Eu só trabalho bem... como se pode dizer? Com os meus chinelos? Na tranquilidade de meu ambiente, com minhas coisas, na minha teia. Você sabe que o grande obstáculo que encontrei em Genebra, onde fui pintar o grande painel para a Organização Mundial de Saúde, foi exatamente Genebra. O Rio Grande do Sul, que é pátio onde nasci, me leva a trabalhar bem. Você sabe que cresci em Restinga Seca, que naquela ocasião não passava de um vilarejo. Saí de lá com quatro anos de idade. Mas a paisagem de Restinga Seca me ficou impressa de um modo indelével. Alguém me disse: você saiu de lá aos quatro anos, portanto não pode se lembrar... Respondi: como poderei eu esquecer o lugar onde engoli o primeiro gole de ar e senti nos olhos o primeiro clarão?

— Como se processou em você o abandono da figura, para tornar-se um não figurativo?

— Eu não abandonei a figura, apenas a transformei. Quanto à sua pergunta sobre se lutei para ser um pintor realizado e com nome, não, eu jamais tive essas preocupações. E fico até muito surpreendido quando alguém me considera com destaque... E você, acha importante ter nome?

— Não, isso é apenas a parte social do problema. O que importa realmente é estar diante do papel em branco à espera das palavras que exprimam. Esse é que é o momento crucial. Iberê, mudando de assunto, por que os carretéis foram ponto de partida na sua obra?

— Os carretéis foram também as minhas fantasias de criança, o meu brinquedo. É natural que se tivessem transformado em símbolos na obra que faço.

— O rosto humano chega a lhe interessar de algum modo?

— Assim, com a visão do pintor, não tive um interesse especial pelo rosto humano. Mas como pessoa acho que o rosto reflete muito o indivíduo. O rosto revela a pessoa. Acho que quem se corrompe por dentro se corrompe por fora. Se não, Clarice, não haveria necessidade de maquiar os atores, de lhes dar um aspecto especial.

— Diga-me: até que ponto uma cor exprime, e só ela, aquilo que o pintor está sentindo? Por que exatamente o marrom e depois em seu lugar o vermelho?

— Na minha opinião, a cor vale no seu contexto, nas suas relações. Enquanto que uma cor isolada será *fria* ou *quente*. E a intensidade de sua medida é também estabelecida no confronto com outras cores.

— Até que ponto você se sente liberado depois que dá à luz um quadro? Para por um tempo? Ou a ânsia de criar se segue imediatamente?

Profunda reflexão de Iberê. Fico esperando. Até que ele diz: após a realização de um quadro, ou de uma série, segue-se um esvaziamento que por seu turno é substituído por uma gestação que se processa, e o período criador renasce então. Você tem a mesma experiência?

— Igual. Sinto um esvaziamento que se pode chamar sem exagero de desesperador. Mas para mim é pior: a germinação e a gestação para o novo trabalho podem demorar anos, anos esses em que eu feneço. Qual o conselho que você daria aos novos pintores?

— Deixe eu pensar nisso. (Ficou com a cabeça metida entre os dois braços cruzados, depois disse: vou tomar um copo d'água, e quando voltou disse: esta pergunta é a mais difícil.)

Tomei também um copo d'água e ficamos em silêncio esperando. Pergunta terrível, sabe? disse Iberê. "Tome o tempo que quiser", respondi-lhe. Afinal Iberê Camargo disse:

— Não se persuadirem de que inventaram a pintura. E você? que conselho daria a novos escritores?

— Trabalhar, trabalhar e trabalhar.

— Jaspers — disse Iberê — escreveu que a nova geração tem as mãos furadas.

Confesso que não entendi bem o que Jaspers quis dizer e que Iberê repetira.

✦ ✦ ✦

DE NATURA FLORUM

"E plantou Javé Deus um jardim no Éden, que fica no Oriente, e colocou nele o homem que formara." (Gen, II, 8)

DICIONÁRIO

Néctar — Suco doce que muitas flores contêm e que os insetos buscam com avidez.

Pistilo — Órgão feminino da flor, que geralmente ocupa seu centro e contém o rudimento da semente.

Pólen — Pó fecundante, produzido nos estames e contido nas anteras.

Estame — Órgão masculino da flor, composto pelo estilete e pela antera na sua parte inferior em torno do pistilo que, como acima foi dito, é o órgão feminino da flor.

Fecundação — União de dois elementos de geração (masculino e feminino), da qual resulta o fruto fértil.

Rosa — É a flor feminina, dá-se toda e tanto que para ela própria só resta a alegria de se ter dado. Seu perfume é de um mistério feminino, se profundamente aspirada, toca no fundo do coração e deixa o corpo todo perfumado. O modo de ela se abrir em mulher é belíssimo. Suas pétalas têm um gosto bom na boca, é só experimentar. As vermelhas ou as *príncipe negro* são de grande sensualidade. As amarelas dão um alarme alegre. As brancas são a paz. As cor-de-rosa são em geral mais carnudas e têm a cor por excelência. As alaranjadas são sexualmente atraentes.

Cravo – Tem uma agressividade que vem de certa irritação. São ásperas e arrebitadas as pontas de suas pétalas. O perfume do cravo é de algum modo mortal. Os cravos vermelhos berram em violenta beleza. Os brancos lembram o pequeno caixão de criança defunta; seu cheiro então se torna pungente.

Girassol – É o grande filho do Sol, tanto que já nasce com o instinto de virar sua enorme corola para o lado de sua mãe. Não importa se o Sol é pai ou mãe, não sei. Será o girassol flor feminina ou masculina? Acho masculina. Mas uma coisa é certa; o girassol é russo, provavelmente ucraniano.

Violeta – É introvertida, sua introspecção é profunda. Ela não se esconde, como dizem, por modéstia. Ela se esconde para poder entender o seu próprio segredo. O seu perfume é uma glória mas que exige da pessoa uma busca: seu perfume diz o que não se pode dizer. Um ramo de violetas equivale a "ama os outros como a ti mesmo".

Sempre-viva – É uma sempre morta. Sua secura tende à eternidade. Seu nome em grego quer dizer *sol de ouro*.

Margarida – É uma flor alegrezinha. É simples: só tem uma camada de pétalas. Seu centro amarelo é uma brincadeira infantil.

Palma – Não tem perfume. Ela se dá altivamente – pois é altiva – em forma e cor. É francamente masculina.

Orquídea – É formosa, é *exquise* e antipática. Não é espontânea. Ela quer redoma. Mas é uma mulher esplendorosa, isto não se pode negar. Também não se pode negar que é nobre; é epífita, isto é, nasce sobre outra planta sem contudo tirar dela a sua nutrição. Minto: adoro orquídeas.

Tulipa – Só é tulipa quando em largo campo coberto delas, como na Holanda. Uma única tulipa simplesmente não é.

Florzinha dos trigais – Só dá no meio do trigo. Tem na sua humildade a ousadia de se mostrar em diversas formas e cores. A flor do trigal é bíblica. Na Espanha é usada para enfeitar os presépios, junto a ramos de trigo, do qual jamais se separa.

Angélica – Tem um perfume de capela. Traz êxtase místico. Lembra a hóstia. Muitos têm vontade de comê-la e encher a boca com o seu perfume intenso e sagrado.

Jasmim – É dos namorados: eles andam de mãos dadas balançando os braços, e se dão beijinhos suaves, eu diria ao som odorante do jasmim.

Estrelícia – É masculina por excelência. Tem uma agressividade de amor e de sadio orgulho. Parece ter crista de galo e, como o galo, tem o seu canto, só que não espera pela aurora – quando se a vê realmente, ela dá o seu grito visual de saudação ao mundo, que este é sempre nascido.

Azaleia – Há quem a chame de azaléa, mas prefiro mesmo azaleia. É espiritual e leve; é uma flor feliz e que dá felicidade. Ela é humildemente bela. As pessoas que se chamam Azaleia – como minha amiga Azaleia – adquirem as qualidades da flor: é uma alegria pura lidar com elas. Recebi de Azaleia muitas azaleias brancas que perfumaram a sala toda.

Dama-da-noite – Tem perfume de lua cheia. É fantasmagórica e um pouco assustadora: só sai à noite, com seu cheiro embriagador, misterioso, silente. É também das esquinas desertas e em trevas, dos jardins de casas de luzes apagadas e janelas fechadas. É perigosa.

Flor de cactos – A flor de cactos é suculenta, às vezes grande, cheirosa e de cor brilhante: vermelha, amarela e branca. É a vingança sumarenta que ela faz para a planta desértica: é o esplendor nascendo da esterilidade despótica.

Edelvais – Encontra-se apenas nas grandes alturas, embora nunca acima de 3.400 metros de altitude. Essa Rainha dos Alpes, como também é chamada, é o símbolo da conquista do homem. É branca e lanosa. Raramente atingível: é uma aspiração humana.

Gerânio – Flor de canteiro de janela na Suíça, em São Paulo, no Grajaú. Tem o sarcófilo, isto é, folha suculenta, muito cheiroso.

Vitória-régia – No Jardim Botânico do Rio há enormes, até quase dois metros de diâmetro. Aquáticas, lindas de morrer. Elas são o Brasil grande. Evoluentes: no primeiro dia brancas, depois rosadas ou mesmo avermelhadas. Espalham grande tranquilidade. A um tempo majestosas e simples. Apesar de viverem no nível das águas, elas dão sombra.

✦ ✦ ✦

VOCÊS SE LEMBRAM DE GLÓRIA MAGADAN?

Um dia desses recebi inesperadamente uma carta de Glória Magadan, a que distraiu milhares de pessoas com suas novelas pela televisão. A carta era para me enviar uma crítica da Venezuela sobre *Paixão segundo G.H.* e a tradução de um dos meus contos de *Laços de família* numa revista. A Editora Monte Avila, da Venezuela, não teve a delicadeza de me mandar a crítica. E o conto, publicado numa revista, é ilícito: não me pediram permissão para traduzi-lo, nada me pagaram, o livro *Laços de família* tem contrato de edição com a Editorial Sudamericana, de Buenos Aires, enquanto que meu contrato com a Venezuela é com outro livro de contos, além de *Paixão segundo G.H.* E ainda por cima estropiaram o título: em vez de "Imitação da Rosa", puseram "Convite à Rosa". Meu advogado, Dr. Sílvio Campelo, vai tomar conta disso.

Mas vocês se lembram de Glória Magadan? Está escrevendo para diversos canais de televisão da América Latina, o que a obriga a viajar constantemente, mas vai se radicar em Caracas. Está trabalhando, intensamente, e lamentando que o dia só tenha 24 horas. Mas trata-se de um negócio próprio e, como diz ela, sumamente estimulante: "Representa um desafio, e isso gera entusiasmo. Eu sempre trabalhei para os outros. Quero passar pela experiência de trabalhar para mim mesma."

Com a carta, relembrei-me de meu encontro com Glória Magadan. O que tem de prolixa nas novelas, tem de lacônica na vida real. Não é lacônica no sentido de se furtar a falar, mas responde sucintamente às perguntas.

Trata-se de uma criatura jovem ainda, vaidosa mas sem excessos. Morava num apartamento de alto luxo: novela dá dinheiro.

Conversei antes com sua secretária. Esta estava de minivestido vermelho com muitos dizeres psicodélicos impressos. O que ainda mais vem provar que a juventude de hoje, por assumir trajes ou cabeleiras estranhas para os mais velhos, é séria e capaz de um trabalho altamente eficiente. Perguntei-lhe quando Glória Magadan trabalhava.

– Levanta pelas cinco da manhã e trabalha mais ou menos até 10 e meia. Eu é que trabalho de 10 da noite em diante, quando tudo está calmo.

– Que espécie de trabalho?

– Traduzir os capítulos do espanhol para o português. Ela fala português mas escreve em espanhol.

A secretária trabalhava bem: nas novelas não se sentia o menor travo de outra língua. E de dia cuida dos interesses de Glória. Invejei de novo Glória: eu que precisaria de uma secretária que se ocupasse de minha vida inteira, não tinha nenhuma. (Por favor que não se apresente ninguém, vou me arranjando como posso, e tenho a ajuda de uma amiga que não quer que eu diga o seu nome.) Finalmente Glória Magadan estava ali. Simples, e até com um tom modesto.

– Glória, você sabe que é uma glória nacional?

— Não sabia não. Alegra-me sobretudo você ter dito *nacional*.

— Como é que você julga suas próprias novelas?

— Honestamente? É tanto uma forma de escape para o público quanto é uma catarse para mim.

— Em que você aplicaria sua imaginação tremenda, se não houvesse novela pela televisão?

— Ih! Francamente não sei. Acho que meu tipo de imaginação é muito dirigida. Nunca pensei que podiam não existir novelas.

— Eu soube que você recebe muitas cartas pedindo, por exemplo, que mude o destino de um ou outro personagem. Neste caso, o que é que você faz, sabendo que esta carta representa o desejo das massas?

— Eu mudo.

— Você tem tempo para ler?

— Ler é um vício. Eu *faço* o tempo. Leio de seis a sete livros por semana (estudei leitura dinâmica). E durmo muito pouco também.

— Que livros de literatura moderna você lê?

— Nesse momento ando lendo Miller, Truman Capote. (Sinceramente, surpreendi-me.)

— O que você fazia em Cuba, seu país?

— O mesmo: escrevia novelas.

— Há quantos anos você escreve novelas?

— Vou parecer uma múmia egípcia... Mas faz 20 anos.

Não só ela não tem aparência de múmia, como é uma mulher em florescente maturidade.

— Qual é o seu modo de trabalhar: planejando tudo ou inventando aos poucos?

— Eu invento aos poucos. Faço um esquema muito geral. Meu modo de escrever é muito espontâneo.

— Você com a penetração que tem no grande público, não poderia elevar um pouco seu nível?
— Perderia a penetração.
— Glória, qual é a sua própria novela?
— Ih! Sou uma pessoa que nasceu em uma época de transição, e subitamente se viu enfrentando uma das mudanças mais radicais. Sendo uma pessoa da classe média, me vi num país em que a classe média foi esmagada, destruída. E onde todos os valores espirituais foram substituídos violentamente por outros. Senti-me estrangeira no meu próprio país. E nunca me senti estrangeira em outros países. É uma experiência novelesca.
— Você é quem escreveu *O Sheik de Agadir*?
— Fui sim.
— Então, muito obrigada. Há alguns anos passei quase três meses no hospital por causa de queimaduras. E de noite o que me aliviava a dor contínua era a sua novela. As enfermeiras vinham clandestinamente ao meu quarto ver e ouvir.
— Muito obrigada.

◆ ◆ ◆

AO CORRER DA MÁQUINA

Meu Deus, como o amor impede a morte! Não sei o que estou querendo dizer com isso: confio na minha incompreensão, que tem me dado vida instintiva e intuitiva, enquanto que a chamada compreensão é tão limitada. Perdi amigos. Não entendo a morte. Mas não tenho medo de morrer. Vai ser um descanso: um berço enfim. Não a apressarei, viverei até a última gota de fel. Não gosto quando dizem que tenho afinidade com Virgínia Woolf (só a li, aliás, depois de escrever o meu primeiro livro): é que não quero perdoar o fato de ela se ter suicidado. O horrível dever é ir até o fim. E sem contar com ninguém. Viver a própria realidade. Descobrir a verdade. E, para sofrer menos, embotar-me um pouco. Pois não posso mais carregar as dores do mundo. Que fazer, se sinto totalmente o que as outras pessoas são e sentem? Eu vivo *na delas* mas não tenho mais força. Vou viver um pouco *na minha*. Vou me impermeabilizar um pouco mais. – Há coisas que jamais direi: nem em livros e muito menos em jornal. E não direi a ninguém no mundo. Um homem me disse que no Talmude falam que há coisas que se podem contar a muitos, há outras a poucos, e outras a ninguém. Acrescento: não quero contar nem a mim mesma certas coisas. Sinto que sei de umas verdades. Mas não sei se as entenderia mentalmente. E preciso amadurecer um pouco mais para me achegar a essas verdades. Que já pressinto. Mas as verdades não têm palavras. Verdades ou verdade? Não, nem pensem que vou falar em Deus: é um segredo meu.

Está fazendo um dia lindo de outono. A praia estava cheia de um vento bom, de uma liberdade. E eu estava só. E naqueles momentos não precisava de ninguém. Preciso aprender a não precisar de ninguém. É difícil, porque preciso repartir com alguém o que sinto. O mar estava calmo. Eu também. Mas à espreita, em suspeita. Como se essa calma não pudesse durar. Algo está sempre por acontecer. O imprevisto me fascina.

Com duas pessoas eu já entrei em comunicação tão forte que deixei de existir, sendo. Como explicar? Olhávamo-nos nos olhos e não dizíamos nada, e eu era a outra pessoa e a outra pessoa era eu. É tão difícil falar, é tão difícil dizer coisas que não podem ser ditas, é tão silencioso. Como traduzir o profundo silêncio do encontro entre duas almas? É dificílimo contar: nós estávamos nos olhando fixamente, e assim ficamos por uns instantes. Éramos um só ser. Esses momentos são o meu segredo. Houve o que se chama de comunhão perfeita. Eu chamo isso de: estado agudo de felicidade. Estou terrivelmente lúcida e parece que estou atingindo um plano mais alto de humanidade.

Foram os momentos mais altos que jamais tive. Só que depois... Depois eu percebi que para essas pessoas esses momentos de nada valiam, elas estavam ocupadas com outras. Eu estivera só, toda só. É uma dor sem palavra, de tão funda. Agora vou interromper um pouco para atender o homem que veio consertar o toca-discos. Não sei com que disposição voltarei à máquina. Música não ouço há bastante tempo pois estou procurando me dessensibilizar. Mas um dia desses fui pegada desprevenida, ao ver o filme *Cada um vive como quer*. Tinha música e eu chorei. Não é vergonha chorar. É vergonha eu contar em público que chorei. Pagam-me para eu escrever. Eu escrevo, então.

Pronto, já voltei. O dia continua muito bonito. Mas a vida está muito cara (isso por causa do preço que o homem pediu pelo conserto). Preciso trabalhar muito para ter as coisas que quero ou de que preciso. Acho que livros não pretendo nunca mais escrever. Só vou escrever para este jornal. Eu queria um emprego de poucas horas por dia, digamos duas ou três horas, e que me fizesse (o emprego) lidar com pessoas. Tenho jeito para isso, embora pareça um pouco ausente às vezes. Mas, quando estou com uma pessoa verdadeira, fico verdadeira também. Se vocês pensam que vou recopiar o que estou escrevendo ou corrigir este texto, estão enganados. Vai é assim mesmo. Só que lerei para corrigir erros datilográficos.

A propósito de uma pessoa de quem estou me lembrando agora e que usa uma pontuação completamente diferente da minha, digo que a pontuação é a respiração da frase. Acho que já disse uma vez. Escrevo à medida de meu fôlego. Estarei sendo hermética? Porque parece que em jornal se tem de ser terrivelmente explícito. Sou explícita? Pouco se me dá.

Agora vou interromper para acender um cigarro. Talvez volte à máquina ou talvez pare por aqui mesmo.

Voltei. Estou agora pensando em tartarugas. Quando escrevi sobre bichos, disse, de pura intuição, que a tartaruga era um animal dinossáurico. Depois é que vim a ler que é mesmo. Tenho cada uma. Um dia vou escrever sobre tartarugas. Elas me interessam muito. Aliás, todos os seres vivos, que não o homem, são um escândalo de maravilhamento. Parece que, se fomos modelados, sobrou muita matéria energética e formaram-se os bichos. Para que serve, meu Deus, uma tartaruga? O título do que estou escrevendo agora não devia ser "Ao correr da máquina". Devia ser mais ou menos assim, em forma interrogativa: "E as tartarugas?" E quem me lê se diria: é verdade, há muito tempo que não penso em tartarugas. Agora vou acabar mesmo. Adeus. Até sábado que vem.

❖ ❖ ❖

O PASSEIO DA FAMÍLIA

Aos domingos a família ia ao cais do porto espiar os navios. Debruçavam numa murada, e se o pai vivesse talvez ainda tivesse diante dos olhos a água oleosa, de tal modo ele olhava fixamente as águas oleosas. As filhas se inquietavam obscuramente, chamavam-no para ver coisa melhor: olhe os navios, papai!, ensinavam-lhe elas, inquietas.

Quando escurecia, a cidade iluminada se tornava uma grande metrópole com banquinhos altos e giratórios em cada bar. A filha menor quis se sentar num dos bancos, o pai achou graça. E isso era alegre. Ela então fez mais graça para alegrá-lo e isso já não era tão alegre. Para beber, escolheu uma coisa que não fosse cara, se bem que o banco giratório encarecesse tudo. A família, de pé, assistia à cerimônia com prazer. A tímida e voraz curiosidade pela alegria. Foi quando conheceu Ovomaltine de bar, nunca antes tal grosso luxo em copo alteado pela espuma, nunca antes o banco alto e incerto, *the top of the world*. Todos assistindo. Lutou desde o princípio contra o enjoo de estômago, mas foi até o fim, a responsabilidade perplexa da escolha infeliz, forçando-se a gostar do que deve ser gostado, desde então misturando, à mínima excelência de seu caráter, uma indecisão de coelho. Também a desconfiança assustada de que o Ovomaltine é bom, "quem não presta sou eu". Mentiu que era ótimo porque de pé eles presenciaram a experiência da felicidade cara: dela dependia que eles acreditassem ou não num mundo melhor?

Mas tudo isso era rodeado pelo pai, e ela estava bem dentro dessa pequena terra na qual caminhar de mão dada era a família. De volta o pai dizia: mesmo sem termos feito nada, gastamos tanto.

Antes de adormecer, na cama, no escuro. Pela janela, no muro branco: a sombra gigantesca e balouçante de ramos, como de uma árvore enorme, que na verdade não existia no pátio, só existia um arbusto magro; ou era sombra da Lua.

Domingo ia ser sempre aquela noite imensa e meditativa que gerou todos os futuros domingos e gerou navios cargueiros e gerou água oleosa e gerou leite com espuma e gerou a Lua e gerou a sombra gigantesca de uma árvore apenas pequena e frágil. Como eu.

ENCICLOPÉDIA PARA MULHERES

Ando traduzindo, para a Editora Delta, uma enciclopédia para as mulheres. E estou aprendendo um bocado de coisas, é um gosto traduzi-las e saber que as informações, em estilo simples, serão lidas. Toda mulher deveria ter uma (ainda não está pronta), pois vai da cultura (parte que me coube até agora, só tomara que me deem também a parte de maquiagem) a coisas estritamente femininas como maquiagem, saber viver, trabalhos manuais (eu bordei inúmeras toalhas de mesa, mas só em ponto simples ou ponto cheio, não sei aprender ponto complicado) etc. Nós, mulheres, afinal temos a nossa vez: julgaram-nos importantes a ponto de nos darem uma enciclopédia.

RIO SÃO FRANCISCO

Um amigo meu, o Chico, me contou que estava no sertão e foi com sua namorada a um banho de rio, o rio São Francisco. Mal chegaram – foi questão de dois minutos, o tempo suficiente de a namorada tirar a saia – apareceram milagrosamente, ninguém sabe de onde, uns 50 garotos de cinco a 15 anos de idade. Todos pretos, filhos da *beira* (beira é como eles chamam as margens do rio São Francisco), boquiabertos. Disseram que nunca haviam visto mulher branca, a quem logo chamaram de *galega*. E ainda mais de biquíni. O Brasil é enorme e tem de tudo, é só questão de lhe dar a oportunidade de sair da ignorância.

POR FALAR EM BANHO

Numa dessas manhãs fui muito cedo à praia. Era um dia de calor insuportável, mês de março, mas a praia ainda estava deserta, pelo menos essa foi a primeira impressão que tive. Logo desfeita pela visão de quatro freiras, duas de preto e duas de branco, todas apanhando alguma coisa na areia. Pareciam, as de branco, duas pombas. Não aguentei a curiosidade, fui para uma delas. E perguntei-lhe: "Posso ajudar em alguma coisa? O que é que as senhoras estão procurando?" "Nada, só conchas, estamos só brincando, enquanto esperamos que venham nos buscar." Uma era do Rio mesmo e mora na rua Oriente, as três outras são de Belo Horizonte e vieram aqui para se tratar: devem ir à praia todos os dias, embora lhes seja proibido entrar no mar.

Foi muito bonito ver e ouvir as quatro religiosas chilreando e brincando.

✦ ✦ ✦

UMA NOVIDADE, UMA GRANDEZA

Sempre que se encontra alguém não visto há um certo tempo, pergunta-se: que é que há de novo? E na maioria das vezes a resposta é: nada, tudo como sempre. Mas desta vez há coisa nova.

Tive o privilégio de ser convidada por Humberto Franceschi para ver previamente sua exposição que começa, no Museu de Arte Moderna, no dia 11 de maio e termina em 11 de junho. Mas é melhor ir logo, antes que vendam todos os painéis. O meu já está reservado. É uma exposição de fotografias em cores, formando grandes painéis. Franceschi nunca quis, por uma espécie de timidez, reconhecer sua própria grandeza. Quando o conheci, disse que nunca faria uma exposição, que não passava de um fotógrafo de publicidade muito bem-sucedido. Eu lhe disse que sua fotografia seria aceita até por um Cartier-Bresson.

Por que então esta de agora? Minha interpretação é a seguinte: ele finalmente teve que aceitar a pesada e grave responsabilidade da grandeza. É indescritível o que esse homem faz em arte com uma máquina fotográfica. Há painéis em cores experimentais onde ele simplesmente nos dá a luz. É por um processo de fracionamento de movimento: determina-se uma sequência e fixa-se a fração desta sequência. Tem um painel lindíssimo que foi fotografado com simples elementos de papel, vidro e metal. Como é que ele conseguiu essa variedade de tons? Conseguiu com uma combinação de luzes, frequência e exposições simultâneas.

Outro painel é a fotografia em cores de uma solução de aspirina ampliada basicamente 400 vezes e depois transformada por filtros em contraste de combinações ordenadas. Um outro é uma verdadeira explosão de cor: simplesmente nos dá a paixão – a paixão de viver – partindo do mesmo processo, abandonando a cor real e usando, como artista, a liberdade na seleção das cores. É, juro, inteiramente diferente de tudo o que a gente já tenha visto. Vi outro que nem sei descrever: trata-se apenas de um canto de janela e de uma parede com vários azulejos, deixando porém uma parte da parede nua e crua: tudo isso em cor é inimaginável. Mas é por assim dizer tocável pelas mãos. Tem outro painel que parece arte bizantina, num alto nível de abstração: é só ornamento como que também chinês.

Abre parênteses: deram-me um disco onde, entre outras músicas, cantadas em português pelo grupo The Fevers, há uma, "Sufferin' in the Land", que foi traduzida por "Sinto mas não sei dizer". Essa frase é, aliás, o refrão da música, muito boa. Lá para o meio cantam assim: "Espalharam por aí que Clarice gosta de sofrer – sinto mas não sei dizer". Respondo por todas as Clarices, sejam elas quem forem: não gosto nada de sofrer simplesmente porque dói muito, está bem?, mas às vezes é inevitável. Em relação aos painéis de Franceschi é que eu digo: sinto, mas não sei dizer. Fecha o parêntese.

Quem tiver, como eu tenho às vezes, uma sede de verde – vou de quando em quando banhar esse meu coração perplexo na Floresta da Tijuca – terá em casa um repousante e vivo verde.

Tem um painel em que Humberto Franceschi consegue o mais difícil em arte: a pura simplicidade. É uma natureza-morta que capta o que há de mais silente nas frutas da terra que representam a vida. Enriquece uma casa com seu vivo silêncio.

Tem um em que ele capta a luz em movimento (sinto, mas não sei dizer). Em outro, partindo de um cartaz já existente há mais de três anos, foi feita uma nova transformação de cores, com escala cromática mais bem definida. Tem um painel que fotografa (não se esqueçam de que tudo é em cor) o fogo e a levíssima fumaça: ele consegue nos dar essa quase palpável coisa etérea.

Um dos quadros é um recanto de jardim com cores tão alegres, mas tão felizes, que fazem a gente sorrir sem querer. Eu poderia descrever um outro painel com uma frase que publiquei não me lembro em que livro meu: "Não faz sentido, mas eu entendo" (sinto, mas não sei dizer).

Há um painel que nos dá a paz e a tranquilidade a que aspiramos: parece uma aurora iluminando o verde da Floresta da Tijuca. Outro que de tal modo – talvez por questão de perspectiva – é vivo que eu tive tentação de entrar nele e caminhar. Não, ninguém segura Franceschi.

Há uma fotografia com cores alaranjadas e luminosas, e também cor de terra, onde se vê a majestosa tranquilidade de montanhas.

Essa exposição é importante: ela nos coloca no plano universal da arte.

Tenho em casa um Franceschi em painel preto e branco, a quem devo muitas de minhas inspirações, e que me acalma os nervos, quando eriçados. Todos os que entram na minha sala ficam imediatamente impressionados. Tenho a sorte de ter alguns quadros dados muito bonitos mesmo. Diante do painel de Franceschi as pessoas se espantam e dizem: "Eu não poderia ter um assim?" Acho que esse meu painel é um refúgio na doçura maternal da natureza. Sinto, mas não sei dizer.

Outro é uma combinação de retículas gráficas de cores combinadas que permite uma multiplicação de formas e dá uma variação infinita. Isso eu sei que nunca antes foi feito no mundo: trata-se de uma experiência altamente bem-sucedida.

Ele não queria vender os painéis, queria guardá-los consigo. Mas eu lhe expliquei que não tinha direito de não vendê-los: feita a gestação, feita a produção, é como com os filhos: têm o próprio destino. E que as pessoas tinham pleno direito de tê-los na sua própria casa.

Enfim, estou confusa com tanta beleza: sinto, mas não sei dizer.

◆ ◆ ◆

DIA DA MÃE INVENTADA

Localização – Casa de Menores Abandonados; construção antiga, colonial; inúmeros pavilhões com salas amplas; teto alto; janelões gradeados.
Número de Crianças – 600.
Idade das Crianças – varia.
Cronologia – data da fundação, cerca de 1778.
Fundador – um português milionário, proprietário da casa; preocupado com problema do menor abandonado.
Finalidade – abrigar, educar, encaminhar crianças órfãs ou abandonadas pelos pais.
Personagem – Irmã Isabel; Congregação Vicentina; hábito branco; estatura média; gorducha; risonha; muito criativa; dinâmica; falante; rosto atento que se pode transformar em severo por causa da seriedade; move-se fácil e agilmente no seu hábito branco sempre imaculado; capacidade de líder; nada convencional; um ser muito vivente; resolve rápido; não parece ter consciência de sua inteligência; espontaneidade; considera tudo como possível; tomada uma resolução, não hesita em executá-la; não tem medo do trabalho.
Fato – Irmã Isabel, recentemente nomeada para o cargo de Irmã Superiora na Casa de Menores Abandonados, o que vale dizer, diretora. Aos poucos vai-se atualizando com a Casa. Lê 600 fichas de crianças. Nota que suas crianças são na maioria filhas de pais desconhecidos. Verifica, por exemplo, o fichário: João de Deus, nascido em 10 de dezembro de 1965, natural do estado da Guanabara, cor preta, filiação: nenhuma, espaço em branco. Aos poucos, vai conhecendo as crianças, uma por uma. A grande maioria lhe pergunta: quem é minha mãe? No começo, embaraçada, desvia o assunto. Mas as crianças insistem: quem é minha mãe? Meditação profunda da Irmã Isabel. Dor profunda também. Procura de solução impossível. Fica horas pensativa diante do grande fichário, morde os lábios.

Consequência — toma uma resolução. Pega ficha por ficha, sem se incomodar que são 600. No espaço "filiação", escreve em cada uma que não tenha filiação: um nome de mãe inventada. Enche o espaço com centenas de Marias, Anas, Virgínias, Helenas, Madalenas, Sofias etc.

Conclusão — chama, uma por uma, as crianças que não têm filiação e informa: o nome de sua mãe é Maria ou Ana ou Sofia etc. Alegria das crianças: agora todas têm mães, embora que ausentes, mas cada criança, tornada alegre, se conforma que a mãe não venha visitá-la: é que Irmã Isabel sempre dá um motivo, explicando a falta de presença da mãe. Mãe inventada. Falsa. Imaginária. No papel apenas, porém viva, quente, cheia de amor.

Fim — tendo dito, considero por hoje encerrada a minha seção.

✦ ✦ ✦

ANTES DE O HOMEM APARECER NA TERRA

Ganhei — não posso dizer de quem nem como me veio às mãos — uma pedra de Vila Velha. Vila Velha é uma região do Paraná, indo de Curitiba ao município de Ponta Grossa. A época da pedra: última deglaciação da Terra, 360 milhões de anos. Os geólogos chegaram a essa conclusão estudando as camadas da crosta da Terra, aplicando o processo do carbono. É em fósseis que eles aplicam esse processo. Minha pedra é portanto de antes do aparecimento do homem na Terra. Amo pedras. Então por esta fiquei louca de paixão: dá uma sensação estranhíssima segurá-la nas mãos de hoje. Como me tinha sido dada por uma grande amiga minha, eu quis reparti-la com alguém que me fosse caro. Mas ninguém conseguia partir a pedra. Foi-se então a um marmorista que finalmente a partiu. Ficou muito espantado e disse: nunca vi pedra igual na minha vida. Ele notou — e vejo agora — a presença de pequenas pepitas de ouro, sobretudo na parte avermelhada da pedra.

Um rapaz, de 20 anos, chamado Sérgio Fonta, veio jantar aqui em casa. Viu a pedra, contei-lhe a história, ele a pegou. Ele é poeta. Na mesma noite, saindo de nossa casa, veio-lhe a inspiração. Fez um poema sobre ela e o dedicou a mim, para minha alegria. Eis o poema de Sérgio Fonta:

O Poema da Pedra
a Clarice Lispector

Pedra
e
Desomem.
Homem?
A distância o afasta,
Passa a pasta dos séculos
Cada vez mais.
Ser e
Não ser o primeiro
Ou a primeira
Coisa.
Homem?
E a pedra?
Desomem.
Antes de seu rastro,
De seu cheiro.
Pedra, homem.
Pedra há muito tempo pedra.
Um passado de poço.
Multi-horas
Canalizadas à sua frente,
Você nem gente,
Sem saber,
Sem berrar
Essa angústia universal.

Anterior
À cena e ao beijo escapado,
Ao grito e ao riso degolado.
A pedra e
Todos os segredos.
Os irremovíveis segredos.
A pedra e o
Silêncio.

Rio, 16 de março de 1971.

DESCULPEM, MAS SE MORRE

Morreu o grande Guimarães Rosa, morreu meu belo Carlito, filho de meus amigos Lucinda e Justino Martins, morreu meu querido cunhado, o embaixador do Brasil nos Estados Unidos, Mozart Gurgel Valente, morreu o filho do Dr. Neves Manta, morreu uma menina de 13 anos do meu edifício deixando a mãe tonta, morreu o meu tonitruante amigo Marino Besouchet. Desculpem, mas se morre.

MAS HÁ A VIDA

Mas há a vida que é para ser intensamente vivida, há o amor. Há o amor. Que tem que ser vivido até a última gota. Sem nenhum medo. Não mata.

A TEMPESTADE DE 28 DE MARÇO, DOMINGO

Não sei se vocês se lembram de um domingo, 28 de março, partida de futebol entre Botafogo e Vasco. O dia tinha sido insuportavelmente quente, a praia estava um inferno. A tarde foi pior ainda. Rezei por uma grande chuva. Mas não entendi depois por que aquela "fúria dos elementos da natureza". Uma amiga e eu tínhamos programado uma ida ao Açude da Solidão, para compará-lo com o meu painel de Franceschi. De repente, acossada pelo calor e prevendo que alguma coisa ruim ia acontecer, disse: Não quero ir à Floresta da Tijuca. Ela concordou. E saímos para dar uma volta de carro. Fomos ao Leblon, visitamos a igreja da Lagoa, que é muito bonita, a igreja, quero dizer. E o tempo começou a escurecer. O céu ficou negro. Eu disse: Vamos comprar uns sanduíches no Rick e levar para casa porque vai cair uma grande tempestade.

 Estávamos no carro quando ela estalou. Nunca tinha visto coisa igual. Em breve as rodas estavam metidas até o meio na água e na lama. Nada víamos pela frente. Minha amiga quis desistir. Eu disse: Vá indo pelo meio da rua, e assim não há perigo de subirmos numa calçada e, como você disse, entrar de repente por um edifício adentro. Mas não se enxergava nada. Só os raios azuis, e depois ouviam-se as trovoadas. Isso não é dever de escola primária: "Descrevam uma tempestade." Essa eu vivi mesmo, com risco de vida. E sabendo que um de meus filhos estava no jogo, no Maracanã. Eu queria que todos os meus, família e amigos, estivessem em casa. Porque finalmente chegamos. Só depois veio a reação ao medo que eu tivera e contivera: tive uma série de calafrios. Minha amiga, que estava toda molhada, tomou um gole de uísque. Meu telefone, como sempre, não dava linha (por favor, Companhia Telefônica, veja se melhora o meu, porque telefone se tornou um instrumento infernal para mim).

 Mas uma das pessoas de minha família telefonou e eu soube que todos estavam em casa. Meu desejo era telefonar para os amigos e saber se estavam abrigados. Rezei pelo meu filho que eu não sabia como ia voltar. Mas de repente me deu uma grande calma. Eu disse para minha amiga: Pode ir para sua casa e eu vou dormir, que estou caindo de sono. Ela foi, demorou uma hora para atravessar Botafogo. Deixei um bilhete para meu filho. E fui dormir. Eu havia confiado em Deus.

❖ ❖ ❖

MÁQUINA ESCREVENDO

Sinto que já cheguei quase à liberdade. A ponto de não precisar mais escrever. Se eu pudesse, deixava meu lugar nesta página em branco: cheio do maior silêncio. E cada um que olhasse o espaço em branco, o encheria com seus próprios desejos.

Vamos falar a verdade: isto aqui não é crônica coisa nenhuma. Isto é apenas. Não entra em gênero. Gêneros não me interessam mais. Interessa-me o mistério. Preciso ter um ritual para o mistério? Acho que sim. Para me prender à matemática das coisas. No entanto, já estou de algum modo presa à terra: sou uma filha da natureza: quero pegar, sentir, tocar, ser. E tudo isso já faz parte de um todo, de um mistério. Sou uma só. Antes havia uma diferença entre mim e o escrever (ou não havia? não sei). Agora mais não. Sou um ser. E deixo que você seja. Isso o assusta? Creio que sim. Mas vale a pena. Mesmo que doa. Dói só no começo.

Agora vou falar de umas verdades que me deixam espantada. É sobre bichos.

Uma pessoa que conheço disse que o siri, quando se lhe pega por uma perna, esta se solta para que o corpo todo não fique aprisionado pela pessoa. E que, no lugar dessa perna caída, nasce outra.

Outra pessoa que conheço estava hospedada numa casa e foi abrir a porta da geladeira para beber um pouco de água.

E viu a coisa.

A coisa era branca, muito branca. E, sem cabeça, arfava. Como um pulmão. Assim: para baixo, para cima, para baixo, para cima. A pessoa fechou depressa a geladeira. E ali perto ficou, de coração batendo.

Depois veio a saber do que se tratava. O dono da casa era perito em caça submarina. E pescara uma tartaruga. E lhe tirara o casco. E lhe cortara a cabeça. E pusera a coisa na geladeira para no dia seguinte cozinhá-la e comê-la.

Mas enquanto não era cozida, ela, sem cabeça, nua, arfava. Como um fole.

Já falei aqui sobre tartarugas. Escrevi o seguinte: "Da lenta e empoeirada tartaruga carregando seu pétreo casco, não quero falar. Esse animal que nos vem da Era Terciária, dinossáurico (quando eu escrevi 'dinossáurico' não sabia que era mesmo, estava só adivinhando), não me interessa: é por demais estúpido, não entra em relação com ninguém, nem consigo próprio. É uma abstração. O ato de amor de duas tartarugas não deve ter calor nem vida. Sem ser cientista, aventuro-me a prognosticar que a espécie vai daqui a poucos milênios acabar."

Esqueci de dizer que acho a tartaruga inteiramente imoral.

Alguém, adivinhando que era falso o meu não interesse por tartarugas, emprestou-me um livrinho sobre elas, em inglês. Eis um trecho traduzido desse livrinho:

"As tartarugas são répteis raros e antigos. Seus ancestrais apareceram pela primeira vez há uns 200 milhões de anos, muito antes que os dinossauros. Enquanto estes animais grandes há muito tempo se extinguiram, as tartarugas, com sua forma estranha e sem beleza, conseguiram sobreviver, e têm permanecido relativamente imutáveis pelo menos durante 150 milhões de anos."

Sem o casco, sem a cabeça, arfando, para cima, para baixo, para cima, para baixo. Com vida.

Como compreender uma tartaruga? Como compreender Deus?

O ponto de partida deve ser: "Não sei." O que é uma entrega total.

A máquina continua escrevendo. Por exemplo, ela vai escrever o seguinte: quem atinge um alto nível de abstração está em fronteira com a loucura. Que os grandes matemáticos e físicos o digam. Conheço um grande homem abstrato que faz de conta que é como todo mundo: come, bebe, dorme com a mulher, tem filhos. Assim ele se salva de se tornar um x ou uma raiz quadrada. Quando penso que, muito menina ainda, eu dava aulas particulares explicativas de matemática e português a ginasianos, mal acredito. Porque hoje seria incapaz de resolver uma raiz quadrada. Quanto a português, era com o maior tédio que eu dava as regras de gramática. Depois, felizmente, vim a esquecê-las. É preciso antes saber, depois esquecer. Só então se começa a respirar livremente.

Agora a máquina vai parar. Até sábado próximo.

✦ ✦ ✦

VIAJANDO POR MAR (1ª PARTE)

Nota: um dia telefonei para Rubem Braga, o criador da crônica, e disse-lhe desesperada: "Rubem, não sou cronista, e o que escrevo está se tornando excessivamente pessoal. O que é que eu faço?" Ele disse: "É impossível, na crônica, deixar de ser pessoal." Mas eu não quero contar minha vida para ninguém: minha vida é rica em experiências e emoções vivas, mas não pretendo jamais publicar uma autobiografia. Mas aí vão minhas recordações de viagem por mar.

Fiz na minha vida várias viagens por mar. À medida que eu for escrevendo vou me lembrando delas.

A primeira foi com menos de dois meses de idade, da Alemanha (Hamburgo) ao Recife: não sei que meio de transporte meus pais usaram para chegar da Ucrânia, onde nasci, para

Hamburgo, onde meu pai procurou emprego mas, felizmente para nós todos, não achou. Nada sei sobre essa viagem de imigrantes: devíamos todos ter a cara dos imigrantes de Lasar Segall.

Outra viagem de mar de que me lembro foi na terceira classe de um navio inglês: de Recife ao Rio de Janeiro. Foi terrivelmente *exciting*. Eu não sabia inglês e escolhia no cardápio o que meu dedo de criança apontasse. Lembro-me de que uma vez caiu-me feijão-branco cozido, e só. Desapontada, tive que comê-lo, ai de mim. Escolha casual infeliz. Isso acontece.

Estou agora me lembrando de uma viagem que fizemos de Gênova ao Rio, "tomei um Ita no Norte". Meu primeiro filho já tinha nascido. Espero que hoje os navios do Ita sirvam melhor; a comida era péssima, gordurosíssima, eu fazia o possível para alimentar sem perigo o meu menino de oito meses.

Veio depois a nossa viagem para Nova York, eu esperando bebê, já chorando de saudade do Brasil. Era um navio inglês, primeira classe, e fabuloso. Mas não aproveitei nada: estava triste demais. Levei uma babá de 16 anos para me ajudar. Só que as intenções dela não eram de todo a de ajudar: fascinavam-na a viagem e a vida de diplomatas. E a Avani, carregada de livros de inglês e de cabeça inteiramente virada pela sua boa sorte, nem olhava para meu menino. E o destino dessa moça é algo de fantástico: eu, que não sei cozinhar, mas tenho a invenção, ensinei-a a cozinhar a ponto dela saber fazer suflê de chocolate (um dia darei a receita, San Tiago Dantas gostou muito: vem fervendo do forno e derrama-se por cima, na hora mesmo da pessoa se servir, creme de leite gelado e batido). Bem. Essa moça foi se desenvolvendo, aprendendo coisas de mim – apesar de me invejar e de me dizer que um dia o nome dela também ia sair no jornal – aprendendo a se vestir, a ter modos, a estudar. Mas quando nasceu o meu caçula, no entanto, ela pensava que recém-nascido tomava café com leite, e se surpreendeu que eu o amamentasse. Depois peguei uma segunda ajudante, a portuguesa Fernanda, que só me deixou para unir-se a um coronel americano. Passamos seis anos e meio em Washington. Eu voltei com meus filhos e Avani ficou. Casou-se com um inglês. E está tão bem que, quando estive no Texas para fazer uma conferência, e telefonei-lhe para Washington, ela me implorou de saudade: "Venha me ver!" Eu disse: "Não tenho tempo nem dinheiro." E ela respondeu aos gritos: "Mas eu pago, eu pago!" Meu filho menor apelidou-a de Ava, em vez de Avani. Ela, que se apaixonara pela criança, adotou o nome, e assim ficou: Ava para cá, Ava para lá.

Da minha triste viagem para Nova York guardo um diploma de passagem pelo Equador, grande festa no navio, da qual não participei: tratava-se de jogar as pessoas mesmo vestidas na piscina. Só bebi champanha gelado, ultrasseco.

Acho que foram só essas viagens por mar. O resto foi tudo de avião, que adoro: voar é bom. E gosto de me arriscar. Fiquei contentíssima ao saber que há agora um avião para Cabo Frio. Pretendo usá-lo para um fim de semana.

VIAGEM DE TREM

Devo ter viajado de trem da Ucrânia para a Romênia e desta para Hamburgo. Nada sei, recém-nascida que eu era.

Mas me lembro de uma memorável viagem de trem, com 11 anos de idade, de Recife a Maceió, com meu pai. Eu já era altinha, e pelo que se revelou, já meio mocinha. Na viagem de ida – quase um dia inteiro – um rapaz de seus 18 anos, lindo de morrer e que comeu no mínimo uma dúzia de laranjas, e que tinha os olhos verdes pestanudos de preto, simplesmente veio pedir licença a meu pai para ficar conversando comigo. Meu pai disse que sim. Eu não cabia em mim de emoção: namoramos o tempo todo sob o olhar aparentemente distraído de meu pai.

Em Maceió, onde íamos ficar um dia apenas, aconteceu outro milagre. Houve uma festa dada para meu pai. E havia lá um menino de 13 anos, considerado marginal. Contava-se que, uma vez, à saída de uma festa, acompanhando uma senhora de noite para casa, beliscara-lhe o braço. Pois esse menino me quis. E me pediu para passear com ele. Eu era completamente inocente, mas instintivamente compreendi alguma coisa e disse que não. Tomou meu endereço em Recife e recebi dele um cartão-postal todo florido, com palavras de amor. Perdi o cartão, perdi o amor. Ficou-me a lembrança. A volta foi no dia seguinte à festa – todos na estação, inclusive o menino marginal – e sei que alguma coisa aconteceu também *bouleversante* mas não me lembro o quê.

✦ ✦ ✦

JÁ ANDEI DE CAMELO, A ESFINGE, A DANÇA DO VENTRE (Conclusão)

Numa de minhas viagens à Europa, o avião, não sei por que motivo, teve que mudar de rota. E fui inesperadamente passar três dias no Egito. Vi antes as pirâmides de noite. Fui de carro, a noite estava completamente escura. Saltei e perguntei: mas onde estão as pirâmides? Pois estavam a uns dois metros de distância. Assustei-me. De dia elas são menos perigosas. De dia vi o deserto do Saara: as areias não são brancas, são cor de creme. E havia o mercador de camelos. Por uma ninharia dava-se uma volta de camelo: sentei-me entre duas corcovas. É um bicho estranhíssimo: remói a comida sem parar. Disseram-me que tem dois estômagos ou estou inventando? Vi a Esfinge. Não a decifrei. Mas ela também não me decifrou. Encaramo-nos de igual para igual. Ela me aceitou, eu a aceitei. Cada uma com o seu mistério.

Em Marrocos fui levada a ver a famosa *dança do ventre*. Fiquei boba. Duvido que adivinhem ao som de que música a dançarina mexeu terrivelmente a barriga. Pois foi ao som de "Mamãe, eu quero, mamãe eu quero mamar".

FALANDO EM VIAGENS

Quando fui ao Texas, logo ao chegar ao hotel, telefonei para o cônsul brasileiro para lhe avisar onde eu iria ficar, caso me mandassem algum telegrama: no campus da Universidade. Ele – esqueci o seu nome, felizmente, e é óbvio que se me lembrasse não diria aqui – ele era diferente dos outros diplomatas. Mas julgou-se no dever de me convidar a jantar. Levou-me, esse representante do nosso país, a um restaurante de terceira classe, daqueles com toalhas quadriculadas de vermelho e preto. Nos Estados Unidos comer carne é caro, o peixe é barato. Antes que eu escolhesse o que queria comer, ele disse para o garçom: – Peixe para a senhora. Surpreendi-me: não era restaurante especialista em peixe. E acrescentou, juro: – E para mim um bife grosso bem sangrento. Foi cortando sua carne, que invejei, que me contou suas desventuras de homem desquitado. O peixe, é claro, estava péssimo. Para facilitar-lhe as economias e para me ver livre dele, não quis sobremesa.

No campus eu tinha um quarto maravilhoso, todo forrado de madeira, com uma televisão enorme e ar-refrigerado: eu ia ficar lá somente oito dias mas morria de saudade e de solidão. Eram oito conferências seguidas de debates. Aviso às feministas: eu era a única mulher do grupo. Mas ser feminista é *uca*, não é *ipa*. (Aliás não querer nunca ser *uca* aí mesmo é que se é.) A minha conferência caía num sábado, encerrando o ciclo. Mas não fui boba: antes da cerimônia de discursos de encerramento, pedi licença para sair porque as lojas ainda estavam abertas e eu queria comprar mais brinquedos para trazer para meus filhos.

Voltei literalmente carregada de brinquedos, tive que comprar uma mala para levá-los comigo. Foi um verdadeiro Natal quando voltei. E um alívio para mim. E, por assim dizer, de algum modo previ uma morte violenta no Texas: a do presidente John Kennedy. Previ, contando para os meus familiares qual era a atmosfera onipotente e sangrenta do verão no Texas: ia acontecer alguma coisa. Excluindo os professores da Universidade, que eram ótimos, e que me convidavam para o *breakfast*, como é hábito nos Estados Unidos.

Lá conheci Gregory Rabassa, americano, tradutor de português e espanhol, que veio a traduzir meu livro *A maçã no escuro* para a Editora Knopf. Gregory, nunca lhe agradeci, não escrevo cartas: mas muito obrigada, foi um trabalho de amor o seu. Só que não entendi uma coisa: no prefácio sobre literatura brasileira, que ele conhece a fundo, disse que eu era mais difícil de traduzir que Guimarães Rosa, por causa da minha "sintaxe". Eu lá tenho sintaxe, coisa alguma. Não entendo. Aceito. Gregory Rabassa deve saber o que diz.

Com ou sem sintaxe, eis aqui o relato fiel de minhas viagens. Podia falar em Argel, em Lisboa, que eu amei, em Paris, na Polônia. Na Polônia eu estava a um passo da Rússia. Foi-me oferecida uma viagem à Rússia, se eu quisesse. Mas não quis. Naquela terra eu literalmente nunca pisei: fui carregada de colo. Mas lembro-me de uma noite, na Polônia, na casa de um dos secretários da Embaixada, em que fui sozinha ao terraço: uma grande floresta negra apontava-me emocionalmente o caminho da Ucrânia. Senti o apelo. A Rússia me tinha também. Mas eu pertenço ao Brasil.

ESTIVE NA GROENLÂNDIA...

Quando fui com Alzira Vargas Amaral Peixoto à Holanda, para que ela batizasse o petroleiro *Getúlio Vargas*, fomos também evidentemente a Paris. Na volta para os Estados Unidos, num inverno atroz, neve a nunca mais acabar, o avião teve que fazer um desvio. E fomos simplesmente, à meia-noite, parar na Groenlândia. Infelizmente só no aeroporto. Fazia um frio que já não tinha nome. Vi o tipo de alguns groenlandeses: altos, esguios, louríssimos. Eu disse a Alzira: faz de conta que fomos à cidade também. Ela concordou. E mantemos segredo, as duas: dizemos que já visitamos a Groenlândia. Estou quebrando o segredo, Alzira...

ESTIVE EM BOLAMA, ÁFRICA

Também por desvio de rota, eis-me na possessão portuguesa africana, Bolama. Lá tomei *breakfast* e vi os africanos. Os portugueses, pelo menos aqueles que eu vi, tratavam os negros a chicote. Falam os negros um português de Portugal engraçadíssimo. Perguntei a um menino de seus oito anos que idade tinha. Respondeu: 53 anos de idade. Caí para trás. Perguntei ao português que me acompanhava no *breakfast*: como é que se explica isso? Ele respondeu: não sabem a idade, a senhora podia perguntar àquele velho a sua idade e ele poderia lhe responder dois anos. Perguntei: mas é necessário tratá-los como se não fossem seres humanos? Respondeu-me: de outro modo eles não trabalham. Fiquei meditativa. A África misteriosa. Neste mesmo momento em que alguém me lê, lá está a África indomável vivendo. Lamento a África. Gostaria de poder fazer um mínimo que fosse por ela. Mas não tenho nenhum poder. Só o da palavra, às vezes. Só às vezes.

✦ ✦ ✦

SEM TÍTULO

Como é que ousaram me dizer que eu mais vegeto que vivo? Só porque levo uma vida um pouco retirada das luzes do palco.

Logo eu, que vivo a vida no seu elemento puro. Tão em contato estou com o inefável. Respiro profundamente Deus. E vivo muitas vidas. Não quero enumerar quantas vidas dos outros eu vivo. Mas sinto-as todas, todas respirando. E tenho a vida de meus mortos. A eles dedico muita meditação. Estou em pleno coração do mistério. Às vezes minha alma se contorce toda. Tenho uma amiga que tem cálculos renais. E, quando uma pedra quer passar, ela vive o inferno até que passe. Espiritualmente, muitas vezes uma pedra quer passar, então eu me contorço toda. Depois que ela passa, fico toda pura. É mentira dizer que a gente não pode ser ajudada. Sou ajudada pela mera presença de uma pessoa vivendo. Sou ajudada pela saudade mansa e dolorida de quem eu amei. E sou ajudada pela minha própria respiração. E há momentos de riso ou de sorriso. De alegria, a mais alta. Uma pessoa um dia escreveu-me: eu te deixaria por Deus. Eu entendo. Será que essa pessoa já pôde me deixar e me trocar por Deus? Ou tem saudade de mim? Creio que tem saudade de mim e que por momentos é possuída por Deus. No momento em que escrevo, minha nudez é casta. E é bom escrever: é a pedra passando enfim. Entrego-me toda a esses momentos. E possuo a minha morte. Já tenho uma grande saudade dos que eu deixarei. Mas estou tão leve. Nada me dói. Porque estou vivendo o mistério. A eternidade antes de mim e depois de mim. O símbolo do mistério é em Vila Velha, Paraná: ela é de antes do aparecimento do homem na Terra. O silêncio que devia haver naquele tempo não habitado. A energia silenciosa. De tempo que sempre existiu. O tempo é permanente. Nunca terminará. Não é lindo isso? Também tenho outra pedra, ainda mais antiga: os geólogos chegaram à conclusão de que vem da época da formação da Terra. O Brasil é muito antigo. Seus vulcões já estão extintos. Interrompi um instante de escrever para pegar nessa pedra e entrar em comunhão com ela. Deram-me também um pequeno diamante: parece uma gota de luz na palma de minha mão. Tenho fortes tentações e fortes desejos. Para superar tudo isso, passo 40 dias no deserto. Tenho junto de mim um copo de água. De vez em quando tomo um gole. Assim estou saciando todas as minhas sedes. Vou agora ensinar um modo hindu de se ter paz. Parece brincadeira mas é verdade. É assim: que se imagine um buquê de rosas brancas. Que se visualize sua brancura macia e perfumada. Depois, que se pense num buquê de rosas vermelhas, *príncipe negro*: são encarnadas, apaixonadas. Depois, que se visualize um buquê de rosas amarelas, que são, como já escrevi, um grito de alarme alegre. Depois, que se imagine um buquê de rosas rosadas, no seu recato, pétalas grossas e aveludadas. Depois, que mentalmente se reúnam esses quatro grandes buquês numa enorme corbelha. E, finalmente, que se tire cor-de-rosa, talvez, por ser tão recatada na sua palidez e por ser a rosa por excelência, e que se a leve mentalmente a um jardim e se a reponha no seu canteiro. Os hindus conseguem paz com essa mentalização. Penso na Índia, que provavelmente nunca conhecerei. Mas a fome não espiritualiza ninguém. Só a fome deliberada. Está chovendo, são quatro horas da madrugada. O vento sacode as portas fechadas de meu terraço. Mas meu corpo está quente. Era para eu sentir frio, mas estou quente e viva. Hoje de tarde vou ter um encontro muito importante. Respeito profundamente a alma de quem eu vou encontrar. E essa pessoa me respeita muito. Talvez seja um encontro em silêncio. Mandaram-me de Minas Gerais uma carta: nela estava desenhado o meu rosto e o homem dizia que me amava com mudo fervor. Eu respondi dizendo que todo fervor é mudo. E agradeci eu ser o objeto desse fervor. O desenho é muito bom. Pergunto-me se esse homem me conheceu pessoalmente, de quando eu estive em Belo Horizonte dando uma conferência. É um desenho mais fiel do que uma fotografia. E quem é Gilberto? Que me mandou um desenho em que apareço de corpo inteiro, com um cigarro na mão. Ao lado, Gilberto escreveu o título de livros meus e desenhos alusivos aos títulos. E, ao lado direito, muito juvenilmente, Gilberto escreveu: "Linda! Fascinante! Fatal!" Gilberto, não existe gente fatal, só no cinema mudo. O desenho também é muito bom. Você me conheceu pessoalmente, Gilberto? Desculpe, mas não me lembro de você. E você só assinou "Gilberto", não mandou no envelope nenhum endereço, é por isso que estou respondendo aqui. Para tornar o encontro de hoje de tarde alegre vou me vestir muito bem e me perfumar. E, se falarmos, serão palavras de alegria. Que perfume usarei? Acho que já sei qual. Não digo que perfumes eu uso: são o meu segredo. Uso perfume para mim mesma. Estou lembrando de meu pai: ele dizia que eu era muito perfumada. Meus filhos também são. É um dom que Deus dá ao corpo. Humildemente agradeço. E um dia talvez eu vá à Índia. Farei talvez um empréstimo no Banco e terei dinheiro para ir e ficar uma semana lá. Terei coragem de ir sozinha? É preciso que eu tenha o endereço de alguém lá que me guie. Eu gostaria tanto de ir... Vou terminar agora porque tenho um espaço determinado neste jornal. Vou ler um pouco. Sobre diamantes. Numa revista italiana que diz: "*Tra le pietre prezíose é la piú bella, la piú ricercata, é l'idea stessa di pietra preziosa.*"

❖ ❖ ❖

XICO BUARK ME VISITA

Essa grafia, Xico Buark, foi inventada por Millôr Fernandes, numa noite no Antonio's. Gostei como quando eu brincava com palavras em criança. Quanto ao Chico, apenas sorriu um sorriso duplo: um por achar engraçado, outro mecânico e tristonho de quem foi *aniquilado* pela fama. Se Xico Buark não combina com a figura pura e um pouco melancólica de Chico, combina com a qualidade que ele tem de deixar os outros o chamarem e ele vir, com a capacidade que tem de sorrir conservando muitas vezes os olhos verdes abertos e sem riso. Não é um garoto, mas se existisse no reino animal um bicho pensativo e belo e eternamente jovem que se chamasse garoto, Francisco Buarque de Holanda seria dessa raça montanhosa.

Gostei tanto de Chico que o convidei para a minha casa. Com simplicidade ele aceitou.

Apareceu perto das quatro da tarde: naquele tempo, às cinco horas tinha uma lição de música com Vilma Graça, e havia um ano que estava estudando Teoria Musical, para depois estudar piano.

Quanto a momentos decisivos na sua vida, é muito moço para saber se eram de fato decisivos esses momentos, se no final de contas contaram ou não. Nasceu com a estrela na testa: tudo lhe correu fácil e natural como um riacho de roça. Para ele, criar não é muito laborioso. Às vezes está procurando criar alguma coisa e dorme pensando nisso, acorda pensando nisso – e nada. Em geral cansa e desiste. No outro dia a coisa estoura e qualquer pessoa pensaria que era gratuita, nascida naquele momento. Mas essa explosão vem do trabalho anterior inconsciente e aparentemente negativo.

O problema lhe interessa: fez-me várias perguntas sobre o meu modo de trabalhar. Eu lhe disse: "Você, apesar de rapaz que veio de cidade grande e de uma família erudita, dá impressão de que se deslumbrou ao mesmo tempo que deslumbra os outros com sua fala particular: já se habituou ao sucesso? Dá impressão de que você se deslumbrou com as próprias capacidades, entrou numa roda-viva e ainda não pôs os pés no chão."

Chico acha que tem cara de bobo porque suas reações são muito lentas, mas que no fundo é um vivo. Só que pôr os pés no chão no sentido prático o atrapalha um pouco. Acha que o sucesso faz parte dessas coisas exteriores que não contribuem em nada para ele: a pessoa tem sua vaidade, alegra-se, mas isso não é importante. Importante é aquele sofrimento de quem procura buscar e achar. Hoje, disse-me, acordei com um sentimento de vazio danado porque ontem terminei um trabalho.

Falamos do processo de criar de Villa-Lobos e ele contou uma frase dele dita a Tom Jobim: Villa-Lobos estava um dia trabalhando em sua casa e havia uma balbúrdia danada em volta. O Tom perguntou: "Como é, maestro, isso não atrapalha?" Ele respondeu: "O ouvido de fora não tem nada a ver com o ouvido de dentro." E isso Chico invejava. Também gostaria de não ter prazo para entrega das músicas, e de não fazer sucesso: ele é interrompido nas ruas e nas ruas mesmo é obrigado a dar autógrafos.

Chico tem um ar de *bom rapaz*, desses que todas as mães com filhas casadoiras gostariam de ter como genro. Esse ar de bom rapaz vem da bondade misturada com bom humor, melancolia e honestidade. Tem o ar crédulo, mas diz que não é, é apenas muito preguiçoso.

Claro que gostou quando o maestro Isaac Karabtchevsky dirigiu "A banda" no Teatro Municipal, mas o que lhe interessa mesmo é criar. Desde pequeno faz versinhos. Pedi-lhe que fizesse assim de improviso um versinho e que, para pô-lo à vontade, eu esperaria na copa. Daí a minutos Chico me chamou, rindo: *Como Clarice pedisse/ Um versinho que eu não disse/ Me dei mal/ Ficou lá dentro esperando/ Mas deixou seu olho olhando/ Com cara de Juízo Final.*

Perguntei-lhe se já experimentara sentir-se em solidão ou se sua vida tinha sempre esse brilho justificável. Eu aconselhei que de vez em quando ficasse sozinho, senão seria submergido, pois até o amor excessivo dos outros podia submergir uma pessoa. Ele concordou e disse que sempre que podia dava suas retiradas.

Logo que entrou para Arquitetura, quando começou a trocar a régua T pelo violão, a coisa parecia vagabundagem. Mas depois a família se conformou.

Estava em fase de procura e no dia anterior acabara um trabalho que era só de música, que exigia prazo. Mas para uma canção nova estava sempre disponível. A coisa mais importante para Chico é trabalho e amor, e, como indivíduo, quer exatamente ter a liberdade para trabalhar e amar. De brincadeira perguntei-lhe o que era amor. "Não sei definir", disse-me, "e você?" "Nem eu", respondi.

◆ ◆ ◆

CONVERSA MEIO A SÉRIO COM TOM JOBIM (I)

Tom Jobim foi o meu padrinho no I Festival de Escritores, não me lembro em que ano, no lançamento de meu romance *A maçã no escuro*. E na nossa barraca ele fazia brincadeiras: segurava o livro na mão e perguntava:

— Quem compra? Quem quer comprar?

Não sei, mas o fato é que vendi todos os exemplares.

Um dia, faz algum tempo, Tom veio me visitar: há anos que não nos víamos. Era o mesmo Tom: bonito, simpático, com o ar de pureza que ele tem, com os cabelos meio caídos na testa. Um uísque e conversa que foi ficando mais séria. Reproduzirei literalmente nossos diálogos (tomei notas, ele não se incomodou).

— Tom, como é que você encara o problema da maturidade?

— Tem um verso do Drummond que diz: "A madureza, esta horrível prenda..." Não sei, Clarice, a gente fica mais capaz, mas também mais exigente.

— Não faz mal, a gente exige bem.

— Com a maturidade, a gente passa a ter consciência de uma série de coisas que antes não tinha, mesmo os instintos os mais espontâneos passam pelo filtro. A polícia do espaço está presente, essa polícia que é a verdadeira polícia da gente. Tenho notado que a música vem mudando com os meios de divulgação, com a preguiça de se ir ao Theatro Municipal. Quero te fazer esta pergunta a respeito da leitura de livros, pois hoje em dia estão ouvindo televisão e rádio de pilha, meios inadequados. Tudo o que escrevi de erudito e mais sério fica na gaveta. Que não haja mal-entendido: a música popular, considero-a seriíssima. Será que hoje em dia as pessoas estão lendo como eu lia quando garoto, tendo o hábito de ir para a cama com um livro antes de dormir? Porque sinto uma espécie de falta de tempo da humanidade – o que vai entrar mesmo é a leitura dinâmica. Que é que você acha?

— Sofro se isso acontecer, que alguém leia meus livros apenas no método do vira-depressa-a-página dinâmico. Escrevi-os com amor, atenção, dor e pesquisa, e queria de volta como mínimo uma atenção completa. Uma atenção e um interesse como o seu, Tom. E no entanto o cômico é que eu não tenho mais paciência de ler ficção.

— Mas aí você está se negando, Clarice!

— Não, meus livros, felizmente para mim, não são superlotados de fatos, e sim da repercussão dos fatos no indivíduo. Há quem diga que a música e a literatura vão acabar. Sabe quem disse isso? Henry Miller. Não sei se ele queria dizer para já ou para daqui a 300 ou 500 anos. Mas eu acho que nunca acabarão.

Riso feliz de Tom:

— Pois eu, sabe, também acho!

— Acho que o som da música é imprescindível para o ser humano e que o uso da palavra falada e escrita é como a música, duas coisas das mais altas que nos elevam do reino dos macacos, do reino animal.

— E mineral também, e vegetal também! (Ele ri.) Acho que sou um músico que acredita em palavras. Li ontem o teu "O búfalo e a imitação da rosa".

— Sim, mas é a morte às vezes.

— A morte não existe, Clarice. Tive uma experiência que me revelou isso. Assim como também não existe o *eu* nem o *euzinho* nem o *euzão*. Fora essa experiência que não vou contar, temo a morte 24 horas por dia. A morte do eu, eu te juro, Clarice, porque eu vi.

– Você acredita na reencarnação?

– Não sei. Dizem os hindus que só entende de reencarnação quem tem consciência das várias vidas que viveu. Evidentemente, não é o meu ponto de vista: se existe reencarnação, só pode ser por um despojamento.

Dei-lhe então a epígrafe de um de meus livros: é uma frase de Bernard Berenson, crítico de arte: "Uma vida completa talvez seja aquela que termina em tal identificação com o não eu que não resta um eu para morrer."

– Isto é muito bonito – disse Tom –, é o despojamento. Caí numa armadilha porque sem o eu, eu me neguei. Se nós negamos qualquer passagem de um eu para outro, o que significa reencarnação, então a estamos negando.

– Não estou entendendo nada do que estamos falando, mas faz sentido. Como podemos falar do que não entendemos! Vamos ver se na próxima reencarnação nós dois nos encontraremos.

✦ ✦ ✦

CONVERSANDO A SÉRIO COM TOM JOBIM (II)

Depois falamos sobre o fato de que a sociedade industrial organiza e despersonaliza demais a vida. E se não cabia aos artistas o papel de preservar não só a alegria do mundo como a consciência do mundo.

– Sou contra a arte de consumo. Claro, Clarice, que eu amo o consumo... Mas do momento em que a estandardização de tudo tira a alegria de viver, sou contra a industrialização. Sou a favor do maquinismo que facilita a vida humana, jamais a máquina que domina a espécie humana. Claro, os artistas devem preservar a alegria do mundo. Embora a arte ande tão alienada e só dê tristeza ao mundo. Mas não é culpa da arte porque ela tem o papel de refletir o mundo. Ela reflete e é honesta. Viva Oscar Niemeyer e viva Villa-Lobos! Viva Clarice Lispector! Viva Antônio Carlos Jobim! A nossa é uma arte que denuncia. Tenho sinfonias e músicas de câmara que não vêm à tona.

— Você não acha que é seu dever o de fazer a música que sua alma pede? Pelas coisas que você disse, suponho que significa que o nosso melhor está dito para as elites?

— Evidentemente que nós, para nos expressarmos, temos que recorrer à linguagem das elites, elites estas que não existem no Brasil... Eis o grande drama de Carlos Drummond de Andrade e Villa-Lobos.

— Para quem você faz música e para quem eu escrevo, Tom?

— Acho que não nos foi perguntado nada a respeito e, desprevenidos, ouvimos no entanto a música e a palavra, sem tê-las realmente aprendido de ninguém. Não nos coube a escolha: você e eu trabalhamos sob uma inspiração. De nossa ingrata argila de que é feito o gesso. Ingrata mesmo para conosco. A crítica que eu faria, Clarice, nesse confortável apartamento no Leme, é de sermos seres rarefeitos que só se dão em determinadas alturas. A gente devia se dar mais, a toda hora, indiscriminadamente. Hoje quando leio uma partitura de Stravinsky ainda mais sinto uma vontade irreprimível de estar com o povo, embora a cultura jogada fora volte pelas janelas — estou roubando C. D. A.

— Talvez porque nós todos sejamos parte de uma geração quem sabe se fracassada?

— Não concordo absolutamente.

— É que eu sinto que nós chegamos ao limiar de portas que estavam abertas — e por medo ou pelo que não sei, não atravessamos plenamente essas portas. Que no entanto têm nelas já gravado o nosso nome. Cada pessoa tem uma porta com seu nome gravado, Tom, e é só através dela que essa pessoa perdida pode entrar e se achar.

— Batei e abrir-se-vos-á.

— Vou confessar a você, Tom, sem o menor vestígio de mentira: sinto que se eu tivesse tido coragem mesmo, eu já teria atravessado a minha porta, e sem medo de que me chamassem de louca. Porque existe uma nova linguagem, tanto a musical quanto a escrita, e nós dois seríamos os legítimos representantes das portas estreitas que nos pertencem. Em resumo e sem vaidade: estou simplesmente dizendo que nós dois temos uma vocação a cumprir. Como se processa em você a elaboração musical que termina em criação? Estou simplesmente misturando tudo, mas não é culpa minha, Tom, nem sua: é que nossa conversa está meio psicodélica.

— A criação musical em mim é compulsória. Os anseios de liberdade nela se manifestam.

— Liberdade interna ou externa?

— A liberdade total. Se como homem fui um pequeno-burguês adaptado, como artista me vinguei nas amplidões do amor. Você desculpe, eu não quero mais uísque por causa de minha voracidade, tenho é que beber cerveja porque ela locupleta os grandes vazios da alma. Ou pelo menos impede a embriaguez súbita. Gosto de beber só de vez em quando. Gosto de tomar uma cerveja mas de estar bêbado não gosto.

Foi devidamente providenciada a ida da empregada para comprar cerveja.

✦ ✦ ✦

CONVERSA MEIO A SÉRIO COM TOM JOBIM (III)

— Tom, toda pessoa muito conhecida, como você, é no fundo o grande desconhecido. Qual é a sua face oculta?

— A música. O ambiente era competitivo, e eu teria que matar meu colega e meu irmão para sobreviver. O espetáculo do mundo me soou falso. O piano no quarto escuro me oferecia uma possibilidade de harmonia infinita. Esta é a minha face oculta. A minha fuga, a minha timidez me levaram inadvertidamente, contra a minha vontade, aos holofotes do Carnegie Hall. Sempre fugi do sucesso, Clarice, como o diabo foge da cruz. Sempre quis ser aquele que não vai ao palco. O piano me oferecia, de volta da praia, um mundo insuspeitado, de ampla liberdade – as notas eram todas disponíveis e eu antevi que se abriam os caminhos, que tudo era lícito, e que poderia ir a qualquer lugar desde que se fosse inteiro. Subitamente, sabe, aquilo que se oferece a um menor púbere, o grande sonho de amor estava lá e este sonho tão inseguro era seguro, não é, Clarice? Sabe que a flor não sabe que é flor? Eu me perdi e me ganhei, enquanto isso sonhava pela fechadura com os seios de minha empregada. Eram lindos os seios dela através do buraco da fechadura.

— Tom, você seria capaz de improvisar um poema que servisse de letra para uma canção?

Ele assentiu e, depois de uma pequena pausa, me ditou o que se segue:

Teus olhos verdes são maiores que o mar.
Se um dia eu fosse tão forte quanto você
eu te desprezaria e viveria no espaço.
Ou talvez então eu te amasse.
Ai! que saudades me dá da vida que nunca tive!

— Como é que você sente que vai nascer uma canção?

— As dores do parto são terríveis. Bater com a cabeça na parede, angústia, o desnecessário do necessário são os sintomas de uma nova música nascendo. Eu gosto mais de uma música quanto menos mexo nela. Qualquer resquício de *savoir-faire* me apavora.

— Gauguin, que não é meu predileto, disse uma coisa que não se deve esquecer, por mais dor que ela nos traga. É o seguinte: "Quando tua mão direita estiver hábil, pinta com a esquerda, quando a esquerda ficar hábil, pinta com os pés." Isso responde ao seu terror do *savoir-faire*?

— Para mim a habilidade é muito útil, mas em última instância a habilidade é inútil. Só a criação satisfaz. Verdade ou mentira, eu prefiro uma forma torta que diga, do que uma forma hábil que não diga.

— Você é quem escolhe os intérpretes e os colaboradores?

— Quando posso escolher intérpretes, escolho. Mas a vida veio muito depressa. Gosto de colaborar com quem eu amo, Vinícius, Chico Buarque, João Gilberto, Nílton Mendonça etc. E você?

— Faz parte de minha profissão estar mesmo sempre sozinha, sem intérpretes e sem colaboradores. Escute, todas as vezes em que eu acabei de escrever um livro ou um conto, pensei com desespero e com toda a certeza de que nunca mais escreveria nada. Você, que sensação tem quando acaba de dar à luz uma canção?

— Exatamente a mesma. Eu sempre penso que morri depois das dores do parto.

Veio a cerveja.

— A coisa mais importante do mundo é o amor, a coisa mais importante para a pessoa como indivíduo é a integridade da alma, mesmo que no exterior ela pareça suja. Quando ela diz que sim, é sim, quando ela diz que não, é não. E durma-se com um barulho desses. Apesar de todos os santos, apesar de todos os dólares. Quanto ao que é o amor, amor é se dar, se dar, se dar. Dar-se não de acordo com o seu eu — muita gente pensa que está se dando e não está dando nada — mas de acordo com o eu do ente amado. Quem não se dá, a si próprio detesta, e a si próprio se castra. Amor sozinho é besteira.

— Houve algum momento decisivo na sua vida?
— Só houve momentos decisivos na minha vida. Inclusive ter de ir, aos 36 anos, aos Estados Unidos, por força do Itamarati, eu que gostava já nessa época de pijama listrado, cadeira de balanço de vime, e o céu azul com nuvens esparsas.
— Muitas vezes, nas criações em qualquer domínio, podem-se notar tese, antítese e síntese. Você sente isso nas suas canções? Pense.
— Sinto demais isso. Sou um matemático amoroso, carente de amor e de matemática. Sem forma não há nada. Mesmo no caótico há forma.
— Quais foram as grandes emoções de sua vida como compositor e na sua vida pessoal?
— Como compositor nenhuma. Na minha vida pessoal, a descoberta do eu e do não eu.
— Qual é o tipo de música brasileira que faz sucesso no exterior?
— Todos os tipos. O Velho Mundo, Europa e Estados Unidos estão completamente exauridos de temas, de força, de virilidade. O Brasil, apesar de tudo, é um país de alma extremamente livre. Ele conduz à criação, ele é conivente com os grandes estados de alma.

✦ ✦ ✦

UM FENÔMENO DE PARAPSICOLOGIA

Uma vez um episódio me foi contado sucintamente por uma mocinha. Eu lhe pedi então que anotasse o que me dissera, sem fazer literatura nem estilo, apenas como lembrete para mim, pois eu pretendia fazer uma espécie de conto do que ela narrara.

A moça pegou um bloco de papel e sentou-se num canto de minha sala, meio de costas para mim. E eu fiquei sentada pensando e sentindo, esperando, vendo de través sua mãozinha rápida demais a correr sobre o papel, enquanto eu compunha mentalmente a história que ali mesmo desenvolvi completamente.

Ela parou e disse: – Não sei como continuar.

Então, como se eu já tivesse lido o que ela escrevera antes, ditei-lhe a parte mais importante.

Em breve a mocinha disse: – Está pronto, vou ler alto para você porque minha letra não é boa.

Ao ouvir, meus olhos se abriram em grande surpresa: ali estava a história quase como eu pretendia contá-la e como a forjara enquanto ela escrevia!

Interrompi a moça para lhe dizer:

– Mas você escreveu como eu, com minhas próprias palavras! A história está por assim dizer pronta! Como é isso?

Ela respondeu:

– Quando eu estava escrevendo tinha a impressão nítida de que você estava ditando para mim, e era só eu copiar. Foi tão fácil.

Não pode ter sido o estilo que usou influenciado pelo meu, pois ela confessou que não lera senão algumas páginas minhas e que não aguentara ler mais, tocava-lhe demais o coração. Além de que o nosso convívio pessoal era recentíssimo...

O que na verdade aconteceu é que a mocinha havia sido meu receptáculo.

Estou contando esse fato verídico sem entendê-lo. O mistério das relações humanas me fascina.

SALMO DE DAVI, Nº 4

Ouve-me quando eu clamo, ó Deus da minha justiça. Na angústia me deste largueza, tem misericórdia de mim e ouve a minha oração. Filho dos homens, até quando convertereis a minha glória em infâmia? Até quando amareis a vaidade e buscareis a mentira? Sabei pois que o Senhor separou para Si aquele que lhe é querido. Perturbai-vos e não pequeis. Falai com o vosso coração sobre a vossa cama e calai-vos. Oferecei sacrifício de justiça e confiai no Senhor. Muitos dizem: quem nos mostrará o Bem? Senhor, exalta sobre nós a luz do teu rosto. Puseste alegria no meu coração mais do que no tempo em que multiplicavam-se teu trigo e o teu vinho. Em paz também me deitarei e dormirei porque só Tu, Senhor, me fazes habitar em segurança.

DESENCONTRO

Eu te dou pão e preferes ouro. Eu te dou ouro mas tua fome legítima é de pão.

VIVER

Ele teve a sensação de ser. Não poderia explicar, tão profundo, nítido e largo que era. A sensação de ser era uma visão aguda, calma e instantânea de se ser o próprio representante da vida e da morte. Então, ele não quis dormir, para não perder a sensação da vida.

É PRECISO PARAR

Estou com saudade de mim. Ando pouco recolhida, atendo demais ao telefone, escrevo depressa, vivo depressa. Onde está *eu*?
    Preciso fazer um retiro espiritual e encontrar-me enfim – enfim, mas que medo – de mim mesma.

◆ ◆ ◆

GENARO

Tanto na cor como nas formas, as tapeçarias e pinturas de Genaro de Carvalho tinham uma criatividade audaciosa, sem ser chocante. Sente-se em cada tapete o rigoroso artesanato que o próprio Genaro exigia: ele era hoje o tapeceiro como os da Idade Média e da Renascença. Era o maior artista que tínhamos no gênero, além de pioneiro da tapeçaria no Brasil. Há mais de 20 anos Genaro se dava, com calmo fervor, a seu *métier*, sempre se renovando, tanto na temática como na técnica. "Nunca fui interessado em ser um artista *dernier cri* somente original." Foi a busca de novas soluções práticas que o levou a realizar às vezes, na tapeçaria, a textura de várias camadas com a aplicação de materiais insólitos.

Quando estive em Salvador, conheci-o e conversamos. Como lhe veio a ideia de fazer tapeçaria? amor pela contextura do material ou amor pelo objeto?

— Porque sobretudo acho a tapeçaria uma coisa lindíssima. Criar é sobretudo não morrer. É uma necessidade vital, orgânica, indispensável. E cotidiana, Se eu não criasse artes, certamente criaria outra coisa de que gostasse.

Reproduzirei parte de um texto que o próprio Genaro escreveu no catálogo de uma de suas exposições:

> A arte que faço é uma arte de amor, sempre foi. Faço porque gosto, e desejo que outros gostem também. Nunca foi nem será uma arte hermética, não é uma arte de revolta nem de protesto, mas isso não quer dizer que eu esteja de acordo com as dores do mundo contemporâneo. Sou participante e testemunha de todos os conflitos e acontecimentos. Vejo e sinto o grande desencontro, a luta pela sobrevivência. Considero que o homem atual, atingido no cerne de seu ser pelas mais diversas situações aflitivas, necessita pelo menos de uma pausa, ou de um alento que lhe retempere as forças, restituindo-lhe o ânimo. A arte que faço é uma tentativa de proporcionar esse momento. Se puder contribuir com um pouco de alegria e otimismo, a missão a que me propus estará cumprida. Sou um *anti-shocking*, um *anti-impacto*, um *antitrágico*. A vida está

cheia de choques, de impactos e de tragédias. Para que lembrar na arte? Ademais, há muitas coisas que não se podem remediar.

— Genaro, não estou completamente de acordo com você. Acho que a arte, denunciando o sofrimento humano, consola o homem com sua compreensão. Acho que arte serve de base para se poder mais profundamente sentir e pensar. Mas voltemos à tapeçaria: você usa o tear e o que mais?

— Uso o tear, as mãos, o pincel, a tela, o amor e a vontade.

— A experiência brasileira na tapeçaria difere da experiência europeia?

— Minha volta ao Brasil foi uma volta necessária. Eu começava a olhar os céus azuis, as folhinhas, e a sonhar com uma arte tropical exuberante, e sobretudo regionalista. Falar de mim, Clarice, é falar de minha mulher, Nair, que sempre me incentivou, é falar de meus amigos que sempre me incentivaram e que me ensinaram a gostar do que faço como gosto dos quadros de Di Cavalcanti, Milton Dacosta etc. Como todo homem sou uma data: tenho compromissos com minha geração. Considero que a tapeçaria é um trabalho regional. Cada lugar tem a sua tradição e o seu processo, que às vezes remonta a séculos. Isso faz com que a tapeçaria realizada na França, por exemplo, difira da realizada na Tchecoslováquia ou na Pérsia. Portugal tem um tipo de lavor popular que se tornou famoso.

— Qual a fagulha que faz com que você queira criar?

— O momento de inspiração pode nascer das mais simples coisas, de um pequeno detalhe, de uma planta balançando ao vento, de heras subindo por um muro. Às vezes me inspiro em meus próprios quadros. Mas é preciso que eu esteja alegre. Acho que uma pessoa alegre pode fazer grandes coisas.

— Sua arte reflete exuberância, mas vinda da introspecção. Estou certa ou errada?

— Está certa.

— Você acha que sua tapeçaria seria a mesma se você não morasse na Bahia? Refiro-me à influência de cores e luzes?

— A Bahia é minha eterna namorada, e realmente suas cores e luzes me fascinam, a luminosidade de seus poentes, o amarelo dos seus coqueiros flexíveis e farfalhantes. Pode ser lugar-comum ou letra de samba, mas é a verdade.

Esse homem morreu.

❖ ❖ ❖

VOCÊ É UM NÚMERO

Se você não tomar cuidado vira número até para si mesmo. Porque a partir do instante em que você nasce classificam-no com um número. Sua identidade no Félix Pacheco é um número. O registro civil é um número. Seu título de eleitor é um número. Profissionalmente falando você também é. Para ser motorista, tem carteira com número, e chapa de carro. No Imposto de Renda, o contribuinte é identificado com um número. Seu prédio, seu telefone, seu número de apartamento — tudo é número.

Se é dos que abrem crediário, para eles você é um número. Se tem propriedade, também. Se é sócio de um clube tem um número. Se é imortal da Academia Brasileira de Letras tem o número da cadeira.

É por isso que vou tomar aulas particulares de Matemática. Preciso saber das coisas. Ou aulas de Física. Não estou brincando: vou mesmo tomar aulas de Matemática, preciso saber alguma coisa sobre cálculo integral.

Se você é comerciante, seu alvará de localização o classifica também.

Se é contribuinte de qualquer obra de beneficência também é solicitado por um número. Se faz viagem de passeio ou de turismo ou de negócio recebe um número. Para tomar um avião, dão-lhe um número. Se possui ações também recebe um, como acionista de uma companhia. É claro que você é um número no recenseamento. Se é católico recebe número de batismo. No registro civil ou religioso você é numerado. Se possui personalidade jurídica tem. E quando a gente morre, no jazigo, tem um número. E a certidão de óbito também.

Nós não somos ninguém? Protesto. Aliás é inútil o protesto. E vai ver meu protesto também é número.

Uma amiga minha contou que no Alto Sertão de Pernambuco uma mulher estava com o filho doente, desidratado, foi ao Posto de Saúde. E recebeu a ficha número 10. Mas dentro do horário previsto pelo médico a criança não pôde ser atendida porque só atenderam até o número 9. A criança morreu por causa de um número. Nós somos culpados.

Se há uma guerra, você é classificado por um número. Numa pulseira com placa metálica, se não me engano. Ou numa corrente de pescoço, metálica.

Nós vamos lutar contra isso. Cada um é um, sem número. O simesmo é apenas o si-mesmo.

E Deus não é número.

Vamos ser gente, por favor. Nossa sociedade está nos deixando secos como um número seco, como um osso branco seco exposto ao sol. Meu número íntimo é 9. Só. 8. Só. 7. Só. Sem somá-los nem transformá-los em novecentos e oitenta e sete. Estou me classificando com um número? Não, a intimidade não deixa. Vejam, tentei várias vezes na vida não ter número e não escapei. O que faz com que precisemos de muito carinho, de nome próprio, de genuinidade. Vamos amar que amor não tem número. Ou tem?

MISTÉRIO: CÉU

Não me lembro quando estive em Caxambu, acompanhando meu pai. E uma noite, com uma amiga, mas dessas que não enchem o ar com palavras, fomos para um descampado. E lá, meio inclinada para trás, olhei para o céu. O céu no campo é de um azul-marinho profundo e veem-se como cristais milhares de estrelas. Olhando para o céu fiquei tonta de mim mesma.

Como?! Como o ser humano é genial. Como é que foram inventar o planetário?

No dia 25 de julho de 1971 fui ver o céu no planetário. Era domingo. E nesse dia iam mostrar Júpiter em particular. O céu é coisa de louco ou de gênio. Fiquei muito contente de ver o Sol. E era dia do signo Sagitário, que é meu. Júpiter é o mais poderoso de todos os planetas. Tem uma série de satélites.

Depois de 15 de agosto vou ver o planeta Marte. Será que algum planeta, além da Terra, é habitado? Somos uns privilegiados. Sobra tanta matéria-prima aqui conosco que até animais temos, animais puros como o tigre e um animal horrível cujo nome não quero escrever.

Juro que nós devíamos ser mais unidos: porque o Universo é tão grande que ultrapassa qualquer linha de horizonte. Se nós não nos amarmos estamos perdidos. É melhor nós nos encontrarmos em Deus.

✦ ✦ ✦

SOU UMA PERGUNTA

Quem fez a primeira pergunta?
Quem fez o mundo?
Se foi Deus, quem fez Deus?
Por que dois e dois são quatro?
Quem disse a primeira palavra?
Quem chorou pela primeira vez?
Por que o Sol é quente?
Por que a Lua é fria?
Por que o pulmão respira?

Por que se morre?
Por que se ama?
Por que se odeia?
Quem fez a primeira cadeira?
Por que se lava roupa?
Por que se tem seios?
Por que se tem leite?
Por que há o som?
Por que há o silêncio?
Por que há o tempo?
Por que há o espaço?
Por que há o infinito?
Por que eu existo?
Por que você existe?
Por que há o esperma?
Por que há o óvulo?
Por que a pantera tem olhos?
Por que há o erro?
Por que se lê?
Por que há a raiz quadrada?
Por que há flores?
Por que há o elemento terra?
Por que a gente quer dormir?
Por que acendi o cigarro?
Por que há o elemento fogo?
Por que há o rio?
Por que há gravidade?
Por que e quem inventou os óculos?
Por que há doenças?
Por que há saúde?
Por que faço perguntas?
Por que não há respostas?
Por que quem me lê está perplexo?

Por que é que a língua sueca é tão macia?
Por que fui a um coquetel na casa do Embaixador da Suécia?
Por que a adida cultural sueca tem como primeiro nome Si?
Por que estou viva?
Por que quem me lê está vivo?
Por que estou com sono?
Por que se dão prêmios aos homens?
Por que a mulher quer o homem?
Por que o homem tem força de querer a mulher?
Por que há o cálculo integral?
Por que escrevo?
Por que Cristo morreu na cruz?
Por que minto?
Por que digo a verdade?
Por que existe a galinha?
Por que existem editoras?
Por que há o dinheiro?
Por que pintei um jarro de vidro de preto opaco?
Por que há o ato sexual?
Por que procuro as coisas e não encontro?
Por que existe o anonimato?
Por que existem os santos?
Por que se reza?
Por que se envelhece?
Por que existe câncer?
Por que as pessoas se reúnem para jantar?
Por que a língua italiana é tão amorosa?
Por que a pessoa canta?
Por que existe a raça negra?
Por que é que eu não sou negra?
Por que um homem mata outro?
Por que neste mesmo instante está nascendo uma criança?
Por que o judeu é raça eleita?

Por que Cristo era judeu?
Por que meu segundo nome parece duro como um diamante?
Por que hoje é sábado?
Por que tenho dois filhos?
Por que eu poderia perguntar indefinidamente por quê?
Por que o fígado tem gosto de fígado?
Por que a minha empregada tem um namorado?
Por que Parapsicologia é ciência?
Por que vou estudar Matemática?
Por que há coisas moles e há coisas duras?
Por que tenho fome?
Por que no Nordeste há fome?
Por que uma palavra puxa outra?
Por que os políticos fazem discurso?
Por que a máquina está ficando tão importante?
Por que tenho de parar de fazer perguntas?
Por que existe a cor verde-escuro?
Por quê?
É porque.
Mas por que não me disseram antes?
Por que adeus?
Por que até o outro sábado?
Por quê?

✦ ✦ ✦

PERDÃO, EXPLICAÇÃO E MANSIDÃO

Estou escrevendo sobre um texto aqui publicado e chamado "Você é um número". Do dia 7 de agosto, sábado. E escrevendo com a maior pressa para logo atingir quem por acaso tenha sido atingido do modo errado.

Senti – mas senti mesmo – no ar quanto desagradei com o tal texto. Eu própria me ofendia. E sabia que ofendia os outros. Não. Você não é um número. Nem eu.

Porque há o inefável. O amor não é um número. A amizade não é. Nem a simpatia. A elegância é algo que flutua. E se Deus tem número — eu não sei. A esperança também não tem número. Perder uma coisa é inefável: nunca sei onde as coloquei. Inclusive perco até a lista de coisas a não perder. Morte é inefável. Mas a vida também o é. Inclusive ser é de um provisório impalpável. Consideração também. A criatividade.

Isto que estou escrevendo parece um labirinto, mas tem largos portões de saída. Inclusive uma criança chamada Clarice deu-me um quadro muito bonito que era um labirinto verde. E tudo isto é inefável. Vi um papagaio verde no domingo — um louro — que emitia sons e estava aprendendo a imitar a fala humana. E tudo isto é inefável. É inefável o fato de eu ter acabado de escrever um conto chamado "Labirinto" também. Clarice e Clarice se entendem.

Explico por que quero tomar lições de Matemática. É que tudo é tão insolúvel. Então procurei encontrar um meio de achar soluções. Juro que preciso de soluções. Não posso ficar assim completamente no ar. E agradeço a carta que recebi do dia 10 de agosto. Transcrevo-a literalmente:

> Liberdade eu tomo de te escrever e se tu me permites respondendo à tua crônica "Você é um número", publicada no *Jornal do Brasil* de 7 de agosto de 1971 — sábado. Lendo-a aflorou em mim um sentido de defesa ao número e que eu espero que tu compreendas. Não tenho segundas intenções. Lê por favor o que te envio.

A carta aí faz uma grande pausa e continua:

> E por que te preocupa o número? Tu não vives em função do número do Félix Pacheco, embora ele te seja necessário. Tu vives em função da palavra e do pensamento. E tu não medes

as palavras e tu não contas os pensamentos. Corre em tua veia o sangue que não se soma. E a Matemática não é o essencial. Tu não precisas aprendê-la porque tu sabes mais do que ela. Porque tu amas o Belo e o Belo não se divide. É íntegro apesar de existir em várias formas.
 Tu caminhas em campos abertos e claros e tu sentes o que não se apalpa. Então por que te preocupar com o número que nada te traz?
 Deixa que o número viva e não te confundas com a sua existência pois não é ele o alimento do teu espírito.

 A carta é assinada à máquina e só o primeiro nome. Não posso citá-lo porque é o nome de uma pessoa que não gostaria de ser confundida pois não é de todo a espécie de pessoa que escreveu a carta. Estou sendo entendida?
 Peço-lhe desculpas. Profundamente. Até o ar que respiramos é inefável e inefável é o que senti quando li sua carta. Para não perder o bom humor vou pôr o seguinte entre parênteses: as teclas de sua máquina precisam de séria limpeza. Quase tanto quanto as minhas. Porque mal se lê o que está escrito.
 Continuo: olhe, pessoa anônima, estou agora passando a limpo um livro que em breve será publicado. E que é duro como um diamante. Pode até às vezes faiscar. E só nas últimas páginas é que uso a mansidão e a revolta e a aceitação.
 E como pretendo escrever uma história infantil chamada *A vida de Laura* – é o nome de uma galinha – precisarei descansar um pouco e cortar qualquer brilho excessivo aos olhos e qualquer aspereza. Porque é preciso mansidão e muita quando se fala com crianças. Vou inclusive simplesmente repousar. E falar devagar. Sem pressa contar a minha história de galinha. Nessa história há alegrias e tristezas e surpresas. Não vê que até já estou mais mansa?

TRÊS ENCONTROS QUE SÃO QUATRO

Foi triste o encontro. Não via esta pessoa há muito tempo mesmo. Fiquei surpreendida: a alma desta pessoa tinha murchado e pendia solta sem sequer aflição. Tentei como pude insuflar-lhe vida como se insufla vida num afogado. Mas a pessoa não queria se salvar. Continua *bacana* e de caráter imaculado. Perdeu-se, porém. É urgente que ele se encontre consigo próprio. Só então passará a ter sentimentos.

O segundo encontro foi rapidíssimo: coisa de tomar o mesmo elevador. Há muito tempo eu não via esta pessoa. E o que vi me agradou: era uma pessoa cansada porém em plena atividade.

O terceiro encontro – como nos *Três mosqueteiros* que na verdade são quatro – foi duplo: revi as duas filhas de Aluísio e Solange Magalhães. Uma tem meu nome e é engraçado a gente se falar. Parece que se está tendo o diálogo perfeito. Deu-me dois quadros por ela desenhados e em um deles escreveu: "Para Clarice de Clarice." E havia a quarta mosqueteira que era Carolina. São o que se pode esperar de uma criança: limpidez e pureza e criatividade e afeto e naturalidade. Foi um encontro feliz.

❖ ❖ ❖

UM INSTANTE FUGAZ

Eu ia andando por uma rua movimentada quando, em direção oposta à minha, para o meu lado, um hippie apareceu. Ele me olhou, antes distraído e, depois, demonstrando grande surpresa, fixo. E riu para mim. Então ri para ele. Ele fez menção de parar. Mas eu tinha hora marcada, além de ter, em largo sentido, caminho próprio, e não parei. Mas como nos havíamos visto já de longe, e cada vez mais perto, nós nos vimos bem. Foi um encontro muito profundo.

De que rimos nós? Do nosso encontro que era de alegria. Da tolice do mundo também.

Imagino que, se eu parasse, eu diria: oi! E ele responderia: oi! Ou melhor, como era um hippie estrangeiro, ele falaria em inglês: *hi!* (pronuncia-se: rai) E me perguntaria: *Who are you?* (Quem é você?) Eu diria: *I am* (eu sou). Ele me perguntaria: como é que chamam você, que número você tem? Eu responderia: meu número é Clarice, e o seu? Ele diria o dele. Aposto que seria John. Tinha cara de.

John, eu nunca esquecerei você. Nem com o passar de anos. Porque nós fomos eternos naquele instante. Foi um instante apenas, mas nele fizemos um comentário do mundo e de nós próprios. Meu irmão.

Esse, tenho certeza, não fumava maconha: tinha em si a capacidade de êxtase, como eu. Há os que já têm o LSD em si, sem precisar tomá-lo. John, você vem de uma família, como eu. E precisou, como eu, fazer do mundo também sua família. Mas por que tanta surpresa ao me ver, John? Você devia saber que eu existo. Desculpe eu não ter parado, como você queria. Eu não podia, acredite.

Tão diferente do que me aconteceu um dia desses. Um dia desses eu estava num táxi que parou diante do sinal vermelho. Um outro táxi, paralelo ao meu, tinha como motorista um homem de seus 30 anos, com passageiro dentro. Eu olhava inteiramente distraída para o ar, sem perceber que o que estava olhando era uma pessoa. Essa pessoa olhou para mim, fixou-me mais e inesperadamente piscou o olho para mim. Desviei o olhar. Tão cinema mudo, isto. E tão barato (não o cinema mudo em si). Não é que esse motorista tenha me ofendido. Mas ele era tão inútil. E queria me inutilizar também. Eu nunca deixo.

Enquanto que John me deixou plena e útil.

John, onde é que você dorme? Eu ainda não sou tão livre: preciso de uma casa e de uma cama para dormir. E não sei dormir na casa dos outros. Tem que ser a minha. Ou então um hotel. Você teria dinheiro para uma viagem? Acho que sim, você estava com um traje hippie bonito e essas coisas custam caro.

John, num momento de muito desespero, eu pedi a Deus que me arranjasse uma ajuda. E a ajuda veio: um homem que não conheço me telefonou. Aí eu chorei ao telefone. Ele disse: não chore que chorar enfraquece. Eu disse: mas às vezes é como a chuva de que se precisa quando tem estiagem demais e tudo fica muito seco. Eu lhe pedi para me telefonar de novo às seis da tarde. Ele disse que não podia. Mas às seis em ponto me telefonou. Eu já não estava desesperada, até rimos. No dia seguinte ele me telefonou de novo. Conversamos. Por conta própria ele disse que ia fazer um juramento: o de jamais contar a ninguém que me conhecia. Eu disse: se você precisar contar, conte, não se prenda a um juramento. Ele disse: não, eu juro porque é por demais sagrado.

John, eu li que a angústia é a vertigem da liberdade. No entanto eu estou tendo essa vertigem, mas sem angústia. Como é que se explica? Eu estou séria, mas por dentro estou sorrindo. Não sei de quê. É que viver me faz sorrir. É um sorriso misterioso. Vem de florestas interiores, de lagos e açudes e montanhas e céu. Sou toda misteriosa, John. Você é mais claro que eu. Você é um riso, um olhar de surpresa. Até sempre.

◆ ◆ ◆

UM HOMEM CHAMADO HÉLIO PELLEGRINO

Considero Hélio Pellegrino um dos seres humanos mais completos que conheço. Qual o seu traço marcante? Um amor que ele distribui quase sem sentir, amor no sentido de amizade e tolerância. Mas nem por isso ele é um *bonzinho*: pelo contrário, é firme como ele só, é capaz de entrar em violentas discussões e agregar-se ao que for importante. Com todo o seu temperamento, é no entanto capaz de julgar uma situação com grande isenção de espírito ou fazer uma crítica literária de muita agudez. Como poeta é ótimo. E, segundo me disseram, também como psicanalista. Mas felizmente não se trata de uma pessoa perfeita: é mais uma pessoa se aperfeiçoando dia a dia.

É bom estar com Hélio: a gente se sente compreendida, sente-se alegre porque ele é capaz de alegria, sente-se profundo porque ele é um ser humano profundo; rir com ele é ótimo, e chorar perto dele também deve dar certo, imagino. Quando estou com Hélio Pellegrino sinto-me valorizada como pessoa. E faço-lhe muitas perguntas, algumas infantis, mas acontece que com ele se aprende muito. Eu, pelo menos, aprendi.

– Hélio, é bom viver, não é? é pelo menos a impressão que você me dá – disse-lhe eu um dia desses.

– Viver – essa *difícil alegria*. Viver é jogo, é risco. Quem joga pode ganhar ou perder. O começo da sabedoria consiste em aceitarmos que perder também faz parte do jogo. Quando isso acontece, ganhamos alguma coisa de extremamente precioso: ganhamos nossa possibilidade de ganhar. Se sei perder, sei ganhar. Se não sei perder não ganho nada, e terei sempre as mãos vazias. Quem não sabe perder acumula ferrugem nos olhos e se torna cego, cego de rancor. Quando a gente chega a aceitar com verdadeira e profunda humildade as regras do jogo existencial, viver se torna mais do que bom: se torna fascinante. Viver bem é consumir-se, é queimar os carvões do tempo que nos constitui. Somos feitos de tempo, e isso significa: somos passagem, movimento sem trégua, finitude. A cota de eternidade que nos cabe está encravada no tempo. É preciso garimpá-la com incessante coragem para que o gosto do ouro possa fulgir em nossos lábios. Se assim acontece, somos alegres e bons, e a nossa vida tem sentido.

Uma vez perguntei-lhe por que escrevia esporadicamente e não assumia de uma vez por todas o seu papel de escritor e criador. Respondeu que escrevia menos esporadicamente do que publicava; que escrever e criar constituíam para ele uma experiência radical de nascimento. Gostaria de permanecer para sempre fiel a um pequeno trecho do *Diário íntimo* de Kafka, fazendo dele a sua fórmula de vida: "Há dois pecados humanos capitais, dos quais todos os outros decorrem: a impaciência e a preguiça. Por causa de sua impaciência, foi o homem expulso do Paraíso. Por causa da sua preguiça, não retornou a ele. Talvez não exista senão um pecado capital, a impaciência. Por causa da impaciência foi o homem expulso, por causa dela não consegue voltar. Tenhamos paciência – uma longa, interminável paciência – e tudo nos será dado por acréscimo."

Eu lhe disse que meu sonho impossível seria o de ter várias vidas: numa eu seria só mãe, em outra eu só escreveria, em outra eu só amava. Respondeu-me que era um homem de muitos amores, isto é, de muitos interesses, e que para tão longos amores tão curta era a vida: não havia ninguém que conseguisse, no tempo de uma vida, esgotar todas as suas possibilidades. Que, se tivesse várias vidas, gostaria de ser: 1º) filósofo profissional; 2º) romancista; 3º) marido de Clarice Lispector, a quem se dedicaria com veludosa e insone dedicação...; 4º) chofer de caminhão; 5º) morador em Resende, apaixonado por uma moça triste, debruçada à janela de uma casa, saída de um quadro de Volpi; 6º) seresteiro, poeta, cantor, com música de Chico Buarque.

Para Hélio a coisa mais importante do mundo é a possibilidade de ser-com-o-outro, na calma, cálida e intensa mutualidade do amor. O Outro é o que importa, antes e acima de tudo. E amor é surpresa, susto esplêndido – descoberta do mundo. Amor é dom, demasia, presente. "Dou-me ao Outro e, aberto à sua alteridade, por mediação dele, recebo o dom de mim, a graça de existir, por ter-me dado."

Perguntei uma vez ao Hélio: você, que é analista e me conhece, diga – sem nenhum elogio – quem sou eu, já que você me disse quem é você, pois preciso conhecer o homem e a mulher. Respondeu-me: você é uma dramática vocação de integridade e totalidade. Você busca, apaixonadamente, o seu self – centro nuclear de confluência e de irradiação de força – e esta tarefa a consome e faz sofrer. Você procura casar, dentro de você, luz e sombra, dia e noite, Sol e Lua. Quando o conseguir – e este é trabalho de uma vida – descobrirá em você o masculino e o feminino, o côncavo e o convexo, o verso e o anverso, o tempo e a eternidade, o finito e a infinitude, o yang e o yin, na harmonia do tao – totalidade. Você então conhecerá homem e mulher – eu e você: nós.

✦ ✦ ✦

AMOR

Uma vez há muito tempo encontrei numa fila qualquer um amigo e estávamos conversando quando ele se espantou e me disse: olhe que coisa esquisita. Olhei para trás e vi – da esquina para a gente – um homem vindo com o seu tranquilo cachorro puxado pela correia.

Só que não era cachorro. A atitude toda era de cachorro e a do homem era a de um homem com o seu cão. Este é que não era. Tinha focinho acompridado de quem pode beber em copo fundo, rabo longo, mas duro – é verdade que poderia ser apenas uma variação individual da raça. Pouco provável no entanto. Meu amigo levantou a hipótese de quati. Mas achei o bicho com muito mais andar de cachorro para ser quati. Ou seria o quati mais resignado e enganado que já vi. Enquanto isso o homem calmamente se aproximando. Calmamente não. Havia certa tensão nele. Era uma calma de quem aceitou a luta: seu ar era de um natural desafiador. Não se tratava de um pitoresco: era por coragem que andava em público com o seu estranho bicho. Meu amigo sugeriu a hipótese de outro animal de que na hora não se lembrou o nome. Mas nada me convencia. Só depois entendi que minha atrapalhação não era propriamente minha: vinha de que aquele bicho ele próprio já não sabia o que era, e não podia portanto me transmitir uma imagem nítida.

Até que o homem passou perto. Sem um sorriso, costas duras, altivamente se expondo; não, nunca foi fácil ser julgado pela fila humana que exige mais e mais. Fingia prescindir de admiração ou piedade. Mas cada um de nós reconhece o martírio de quem está protegendo um sonho.

– Que bicho é esse? – perguntei-lhe e intuitivamente meu tom foi suave para não feri-lo com uma curiosidade. Perguntei que bicho era aquele mas na pergunta o tom talvez incluísse: por que você faz isso? Que carência é essa que faz você inventar um cachorro? E por que não um cachorro mesmo então? Pois se os cachorros existem! Ou você não teve outro modo de possuir a graça desse bicho senão com uma coleira? Mas você esmaga uma rosa se apertá-la com carinho demais. Sei que o tom é uma unidade indivisível por palavras. Mas estilhaçar o silêncio em palavras é um dos meus modos desajeitados de amar o silêncio. E é quebrando o silêncio que muitas vezes tenho matado o que compreendo. Se bem que – glória a Deus – sei mais silêncio que palavras.

O homem sem parar respondeu curto embora sem aspereza.

E era quati mesmo. Ficamos olhando. Nem meu amigo nem eu sorrimos. Este era o tom e esta era a intuição. Ficamos olhando.

Era um quati que se pensava cachorro. Às vezes com seus gestos de cachorro retinha o passo para cheirar coisas – o que retesava a correia e retinha um pouco o dono na usual sincronização de homem e cachorro. Fiquei olhando aquele quati que não sabia quem era. Imagino: se o homem o leva para brincar na praça, tem uma hora que o quati se constrange todo: "Mas santo Deus, por que é que os cachorros me olham tanto e latem feroz para mim?" Imagino também que depois de um perfeito dia de cachorro o quati se diga melancólico olhando as estrelas: "Que tenho afinal? Que me falta? Sou tão feliz como qualquer cachorro, por que então este vazio e esta nostalgia? Que ânsia

é esta, como se eu só amasse o que não conheço?" E o homem
— o único a poder delivrá-lo da pergunta — este homem nunca
lhe dirá quem ele é para não perdê-lo para sempre.

Penso também na iminência de ódio que há no quati. Ele
sente amor e gratidão pelo homem. Mas por dentro não há como a verdade deixar de existir: e o quati só não percebe que
o odeia porque está vitalmente confuso.

Mas se ao quati fosse de súbito revelado o mistério de sua
verdadeira natureza? Estremeço ao pensar no fatal acaso que
fizesse esse quati se deparar com outro quati, e neste reconhecer-se, ao pensar nesse instante em que ele ia sentir o mais feliz
pudor que nos é dado: eu... nós... Bem sei que ele teria direito
quando soubesse de massacrar o homem com o ódio pelo que
de pior um ser pode fazer a outro ser: adulterar-lhe a essência
a fim de usá-lo. Eu sou pelo bicho e tomo o partido das vítimas do amor ruim. Mas imploro ao quati que perdoe o homem
e que o perdoe com muito amor. Antes de abandoná-lo.

✦ ✦ ✦

TRECHOS

O mais difícil é não fazer nada: ficar só diante do cosmos. Trabalhar é um atordoamento. Ficar sem fazer nada é a nudez final.
Há uns que não aguentam. Então vão se divertir. Estou escrevendo de madrugada. Talvez porque não queira ficar só diante
do mundo. Mas de algum modo estou acompanhada. Não sei
explicar. É bom.

Contaram-me que numa novela o homem não sabia para
que serviam as lavandas (tacinhas cheias de água morna, com
gotas de limão, por exemplo, para lavar as pontas dos dedos
depois do jantar) (embora não se tenha comido com as mãos).
Então me lembrei de um tempo em que eu cheguei ao refinamento (!?) de fazer o garçom em casa passar as lavandas a cada

convidado do seguinte modo: cada lavanda com uma pétala de rosa boiando no líquido. Seria um ritual de benfazer? Hoje não faria mais isso. Ou faria? Não sei onde estão minhas lavandas. Com o tempo foram sumindo. Talvez roubadas. Ficou-me a lembrança.

    Estou escrevendo com muita facilidade, e com muita fluência. É preciso desconfiar disso.

    Lembro-me de uma embaixatriz em Washington que mandava e desmandava nas mulheres dos diplomatas que lá serviam. Dava ordens brutas. Dizia por exemplo à mulher de um secretário de embaixada: não venha à recepção vestida com um saco. A mim – não sei por quê – nunca disse nada, nenhuma palavra grosseira: respeitava-me. Às vezes se sentia angustiada, e me telefonava perguntando se podia ir me visitar. Eu dizia que sim. Ela vinha. Lembro-me de uma vez em que – sentada no sofá de minha própria casa – ela me confiou em segredo que não gostava de certo tipo de pessoa. Fiquei surpreendida: pois eu era exatamente essa pessoa. Ela não sabia. Desconhecia-me ou pelo menos parte de mim.

    Por pura caridade – para não embaraçá-la – não lhe contei o que eu era. Se contasse ela ficaria numa situação péssima e teria que me pedir desculpas. Ouvi calada. Depois ela ficou viúva e veio para o Rio. Telefonou-me. Tinha um presente para mim e pediu que eu a visitasse. Não fui. Minha bondade (?) tem limites: não posso proteger quem me ofende. Ou posso? Posso. Tenho sido obrigada a perdoar muito.

* * *

Recebi um convite nominal para um desfile de modas; o famoso costureiro lançava as modas da nova estação. Pergunto-me eu: por que este convite? Para que eu mencione o fato nesta coluna? Eu entenderia se fosse uma "elegante" ou uma "grande compradora". Mas sou simples e não faço grandes compras. É claro que não vou: será de noite e eu preferirei dormir. Mas bem que eu tinha vontade de assistir ao desfile. Coisa de doido um desfile. Mas gosto de ter uma roupa nova. O costureiro escreveu meu nome com dois *ss*. Isso acontece de vez em quando. Quero é com *c* mesmo. Irei ao desfile? Esta é a questão.

* * *

Um domingo de tarde sozinha em casa dobrei-me em dois para a frente – como em dores de parto – e vi que a menina em mim estava morrendo. Nunca esquecerei esse domingo. Para cicatrizar levou dias. E eis-me aqui. Dura, silenciosa e heroica. Sem menina dentro de mim.

* * *

Hoje de manhã, quando amanhecer e o sol nascer, irei à praia. Entrarei n'água. É tão bom. Ah, quantas dádivas! Por exemplo, eu ainda estar viva e poder entrar na água do mar. Às vezes, de volta da praia, não tomo chuveiro: deixo o sal ficar na pele, meu pai dizia que era bom para a saúde. Na verdade estou sem doença alguma. Mas doença é coisa imprevisível. Meu pai morreu em plena maturidade: choque operatório. Fiquei perplexa. Mas de algum modo as pessoas são eternas. Quem me lê também.

* * *

Há dias em que recebo até três livros. Então pedi a meu amigo Jaime Vilaseca, espanhol, artesão, para me fazer uma nova estante. Ficou linda. Fiquei vendo-o trabalhar. Ele estava achando tão bom trabalhar que começou a cantarolar vagamente uma canção espanhola. Dei Coca-Cola para ele e para sua mulher, Gilda. Quanto aos livros, há uma inflação na literatura. Escreve-se demais. Mas arranjei um editor para um rapaz que me pareceu hippie. Perguntei-lhe se fumava maconha. Ele sorriu diante da pergunta direta e disse: mas não sou viciado.

* * *

Uma pessoa me contou que Rubem Braga disse que eu só era boa nos livros, que não fazia crônica bem. É verdade, Rubem? Rubem, eu faço o que posso. Você pode mais, mas não deve exigir que os outros possam. Faço crônicas humildemente, Rubem. Não tenho pretensões. Mas recebo cartas de leitores e eles gostam. E eu gosto de recebê-las.

♦ ♦ ♦

DIES IRAE

— Esta — se disse o homem como se fosse para uma guerra — esta é a minha prece do possesso. Estou conhecendo o inferno da paixão. Não sei que nome dar ao que me toma ou ao que estou com voracidade tomando senão o de paixão. O que é isso que é tão violento que me faz pedir clemência a mim mesmo? É a vontade de destruir como se para este momento de destruir eu tivesse nascido. Momento que virá ou não. A minha escolha depende de eu poder ou não me ouvir. Deus ouve, mas eu ouvirei? A força de destruição ainda se contém um instante em mim. Não posso destruir ninguém ou nada pois a piedade me é tão forte como a ira. Então quero destruir a mim — que sou a fonte da paixão. Não quero pedir a Deus que me aplaque, mas amo tanto a Deus que tenho medo de tocar nele com o meu pedido. Meu pedido queima. Minha própria prece é perigosa de tão ardente e poderia destruir em mim a imagem de Deus, que ainda quero salvar em mim. No entanto só a Ele eu poderia pedir que pusesse a mão sobre mim e arriscasse queimar a dele. Não me atendas porque meu pedido é tão violento que me atemoriza. Mas a quem pedir — neste rápido instante de trégua — se já afastei os homens? Afastei os homens. Fui fechando as doçuras de minha natureza a cada golpe que recebia e as doçuras negadas foram se enegrecendo como nuvens simples que vão se fechando em escuridão e eu abaixo a cabeça à tempestade. Como seria a ira divina se esta minha me deixa cega de força total? Se esta cólera só destruísse a mim. Mas tenho de proteger os outros – os outros têm sido a fonte de minha esperança. Que faço para não usar esta onipotência que me toma? O que me direi eu? Senão a verdade. Senão a verdade. Só outra coisa eu conheci tão total e cega e forte como esta minha vontade de me espojar na violência: a doçura da compaixão. Só isto ainda posso tentar pôr no outro prato da balança – pois no primeiro prato estão o sangue e o ódio ao sangue que dói. Que estou querendo? Quero que a cada uma de minhas dores corresponda hoje e agora um ato de cólera.

Mas eu sei o que foram as minhas dores. A cólera é fácil expô-la. Mas a dor – esta me envergonhava. Porque minha dor vem de que não saí feliz de meus outros pecados mortais. Minha violência – que é em carne viva e só quer como pasto a carne viva – esta violência vem de que outras violências vitais minhas foram esmagadas. Minhas outras violências pecadoras que se pareciam tanto com um direito meu. No começo elas se pareciam tanto com minhas maiores suavidades. Eu tinha nascido simplesmente e também simplesmente quis ir tomando para mim o que queria. E a cada vez que não podia e a cada vez que era proibido, a cada vez que me negavam eu sorria e pensava que era um manso sorriso de resignação. Mas era a dor que se mascarava em bondade. Eu sabia que era dor errada diante de Deus – e pior diante de mim – quem quer que eu seja. Cada vez que meus pecados não venciam, eu sofria mas sem me sentir com direito de sofrer e tinha de esconder não apenas a dor. O que estava sendo pisado em mim? na minha verdade de outrora o que estava sendo pisado em mim? Os pecados mortais.

Os pecados mortais clamavam em mim por mais vida. Clamavam com vergonha. Os pecados mortais em mim pediam o direito de viver. Minha gula pelo mundo: eu quis comer o mundo e a fome com que nasci pelo leite – esta fome quis se estender pelo mundo e o mundo não se queria comível. Ele se queria comível sim – mas para isso exigia que eu fosse comê--lo com a humildade com que ele se dava. Mas fome violenta é exigente e orgulhosa. E quando se vai com orgulho e exigência o mundo se transmuta em duro aos dentes e à alma. O mundo só se dá para os simples e eu fui comê-lo com o meu poder e já com esta cólera que hoje me resume. E quando o pão se virou em pedra e ouro aos meus dentes eu fingi por orgulho que não doía, eu pensava que fingir força era o caminho nobre de um homem e o caminho da própria força. Eu pensava que a força é o material de que o mundo é feito e era com o mesmo material que eu iria a ele. E depois foi quando o amor pelo mundo me tomou: e isso já não era a fome pequena, era a fome ampliada. Era a grande alegria de viver – e eu pensava que esta sim, é livre. Mas como foi que transformei sem nem sentir a alegria de viver na grande luxúria de estar vivo? No entanto no começo era apenas bom e não era pecado. Era um amor pelo mundo quando o céu e a terra são de madrugada, e os olhos ainda sabem ser tenros. Mas eis que minha natureza de repente me assassinava, e já não era uma doçura de amor pelo mundo: era uma avidez de luxúria pelo mundo. E o mundo de novo se retraiu e a isso chamei de traição. A luxúria de estar vivo me espantava na minha insônia sem eu entender que a noite do mundo e a noite do viver são tão doces que até se dorme. Que até se dorme, meu Deus. E a água – na minha luxúria de viver – a água se derramava pelos dedos antes de chegar à boca. E eu amava o outro ser com a luxúria de quem quer salvar e ser salvo pela alegria. Eu não sabia que só o meio-termo não é pecado mortal. Eu tinha vergonha do meio-termo. Os pecados são mortais não porque Deus mata, mas porque eu morro deles. Eu é que não pude arcar com os pecados mortais. O que não consegui com eles é isto o que hoje me violenta e a que respondo com violência. Os meus pobres meios canhestros não me conseguiram nem terra nem céu e a fúria me toma. Ah mas se por um instante eu entender que a fúria é contra os meus erros e não contra os dos outros – então esta cólera se transformará nas minhas mãos em flores. Em flores e em coisas leves e em amor. Eu ainda não sei controlar meu ódio mas já sei que meu ódio é um amor irrealizado e meu ódio é uma vida ainda nunca vivida. Pois vivi tudo – menos a vida. E é isto o que não perdoo em mim e como não suporto não me perdoar então não perdoo os outros. A este ponto cheguei: como não consegui a vida quero matá-la. A minha cólera – que é ela senão reivindicação? – a minha cólera – eu tenho que saber neste minuto raro de escolha – a minha cólera é o verso de meu amor. Se eu quiser escolher finalmente me entregar sem orgulho à doçura do mundo então chamarei minha ira de amor. Tanto temi jurar-me para sempre com esta primeira palavra que mal ouso pronunciar (amor) que fugi para a violência e para os olhos ensanguentados da paixão. Tudo, mas tudo por medo de me prostrar aos teus pés e aos pés anônimos *do outro* que sempre Te representou. Que rei sou eu que não se curva? Tenho de escolher entre a quebra do orgulho e o amor--correnteza da ignorância e da doçura. A minha verdade antiga ainda me serve? Deus proibiu os sete pecados não por exigência de perfeição, mas apenas por piedade de nós. De mim que como os outros também tento não ser dele e tento não ser dos outros. Eu sei que os outros são Ele. Neste instante tenho de escolher entre amar ou ter ódio. Sei que amar é mais lento e a urgência me consome. Cobre minha fúria com Teu amor já que também eu sei que minha ira é apenas não amar. Minha ira é arcar com a intolerável responsabilidade de não ser uma erva. Sou uma erva que se sente onipotente e se assusta. Tira de mim a falsa onipotência destruidora. Faz com que neste instante de escolha eu entenda que aquele que fere está no mesmo pecado que eu:

no orgulho que leva à ira e portanto ele fere assim como estou querendo ferir só porque não acredita. Só porque não confia. Só porque se sente um rei espoliado. Ajuda aos que sofrem de ira porque eles estão apenas precisando se entregar a Ti. Mas como Tua grandeza me é incompreensível faz com que Tu te apresentes a mim sob uma forma que eu entenda: sob a forma do pai ou da mãe, do amigo, do irmão, da amante, do filho. Ira, transforma-te em mim em perdão já que és o sofrimento de não amar.

◆ ◆ ◆

CARTA SOBRE MARIA BONOMI

Amigo,

ouça-me, pois quero falar. desejo explicar a você – que deve ter ficado surpreendido – por que não fui ao encerramento da exposição de gravuras de Maria Bonomi. Exposição esta a que eu daria como título geral: Exposição Águia. Se bem que Maria tenha, entre outras, exposto uma série impressionante sobre o terror e nesse caso também poderia ser chamada Exposição Terror.

A exposição atraiu uma multidão que precisava de uma verdade. E nesta se abeberou até sentir-se saciada e plena. As gravuras de Maria são tocáveis e no entanto delas emana, como um véu, o inefável. Mesmo no MAM Maria improvisou um ateliê e na frente dos visitantes fazia matrizes e gravava. O trabalho criador é tão misterioso que se podem ver os processos se elaborando e no entanto continuarem no seu mistério.

Não fui ao encerramento porque estava tão cansada – mas tão cansada que só podia fazer uma coisa: deixar-me cair na cama e dormir. E resolvi que merecia ir para fora do Rio dormir por assim dizer uma semana. Meu subconsciente estava exausto, de tanto ser mexido, e sobrecarregado por eu ter caído – sem o ter provocado – no chamado tumulto criador: não conseguia mais parar de escrever. Eu dava, dava e dava como sangue irrompe de uma veia seccionada. Estava também machucada e o meu bico de águia se partindo. Pretendia, quando refeita, de novo levantar-me e ter um impulso para um novo voo talvez de águia, quisera eu.

É que a ideia de Águia de Maria Bonomi me persegue.

A águia de grandes asas abertas e de longo bico adunco de marfim – pois é o que vejo na sua abstração – por um instante imobilizada. O suficiente para que Maria pudesse lhe capturar a imagem majestosa e projetá-la na solidez maciça da madeira, matéria-prima assaz nobre.

Imagino Maria no seu ateliê usando as mãos – instrumento mais primitivo do homem. Com suas belas mãos potentes é que pega os instrumentos e imprime a heroica força humana do espírito, cortando e alisando e entalhando. E pouco a pouco os dormentes sonhos de Maria vão se transmutando em madeira feita forma. Esses objetos são tocáveis e por assim dizer estremecíveis. E delicados no seu grande vigor aniquilável. Objetos insólitos que por vezes clamam e protestam em nome de Deus contra a nossa condição, que é dolorosa porque existe inexplicavelmente a morte.

Meu amigo, há entre mim e Maria Bonomi um tipo de relação extremamente confortador e bem lubrificado. Ela é eu e eu é ela e de novo ela é eu. Como se fôssemos gêmeas de vida. E o livro que eu estava tentando escrever e que talvez não publique corre de algum modo paralelo com a sua xilogravura. Inclusive o ela-eu-eu-ela-ela-eu é devidamente e publicamente registrado e lacrado pelo fato de eu ser madrinha de batismo de seu filho Cássio. Maria escreve meus livros e eu canhestramente talho a madeira. E também ela é capaz de cair em tumulto criador – abismo do bem e do mal – de onde saem formas e cores e palavras.

Vi as matrizes. Pesada devia ter sido a cruz de Cristo se era feita desta sólida madeira compacta e opaca e real que Maria Bonomi usa. Nada sei sobre o exercício interior, espiritual de Maria até que nasça a gravura. Desconfio que é o mesmo processo que o meu ao escrever alguma coisa mais séria do que a seção dos sábados, mais séria no sentido de mais funda. Mas que processo? Resposta: mistério.

Disse-me Maria que escolhesse uma gravura para mim. E eu – ingenuizada por um instante – pedi logo o máximo: não a gravura, mas a própria matriz. E escolhi a Águia. Foi depois que me dei conta do muito que havia pedido e assustou-me a própria audácia: como é que eu havia ousado querer essa enorme e pesada joia de madeira de lei? Arrependi-me imediatamente. Vi que não era merecedora de possuir tanta e tal vitalidade na minha sala. Mas Maria insistiu em atender o meu anterior desejo ambicioso. Pedi-lhe então que pelo menos guardasse o objeto de arte. Até que chegasse o momento que eu esperava atingir em que me sentiria pronta para receber a matriz e pendurá-la na parede. E então chamaria pessoas para comemorarmos a Águia.

Mas quando voltei do lugar onde tinha ido dormir – eis que vejo surpresa na sala a própria Águia. Foi um choque de magnificência. Eu ainda não merecia, mas ela estava tão bela que pensei: os que menos merecem talvez sejam os que mais carecem.

A matriz grande e pesada – dá uma tal liberdade à sala! É que Maria Bonomi gravou a íntima realidade vital da águia e não sua simples aparência.

Convido desde já meus amigos para virem ver. Está bem na entrada da sala, e com luz especial para serem notadas as saliências e reentrâncias da escura madeira imantada. É como se eu estivesse sentindo a constante e subjetiva presença de Maria em casa. Fiquei feliz.

    Sua

Clarice

♦ ♦ ♦

AMOR, QUATI, CÃO, FEMININO E MASCULINO

Talvez algum leitor ainda se lembre de um texto meu publicado nesta seção sob o título de "Amor" – em 11 de setembro passado. Talvez se lembre de que se tratava de um homem que vi que transformava um quati em cachorro, com coleira e tudo, e o quati estava confuso quanto à própria raça. Também contei que o quati, se visse outro quati, reconheceria quem ele mesmo era. E então como que lhe pedi que, livre da natureza que lhe fora impingida, não julgasse o homem porque este o fizera por ser carente de amor. Sim, isso antes de abandoná-lo, é claro. Porque, descoberta a própria identidade, o ser é e não retrocede.

    Um leitor resolveu outra história sobre o quati e o homem, narrativa cheia de peripécias, algumas talvez arbitrárias, algumas profundas. É dessas histórias que a criança ouve de olhos arregalados, mesmo sem entender tudo, antes de dormir. Dirige-se o inventor a mim como C.L. e a assinatura é uma letra única, e ainda por cima ilegível. Copio as aventuras do quati na íntegra:

    "O dono do quati pensou que o bicho havia encontrado outro dono. Sentiu saudades e aquela dor própria de dono de quati, mas *ficou na dele*. Não demorou muito e o quati, que havia desaparecido, retornou à casa do primeiro dono, ainda com a marca da coleira no pescoço. Não se pode afirmar que tenha havido um segundo dono no destino canino do quati.

"– Muito bem – disse-lhe o homem – agora terás que latir. Ele sabia que o quati nunca poderia fazer isto. O bicho esgueirou-se e foi deitar no leito com o qual se havia acostumado. Durante dois dias o dono do quati não fez outra coisa senão cuidar de uma rosa que tentou conservar dentro de um copo com água. A rosa morreu. Depois disso, tentou fazer com que o quati o acompanhasse e se comportasse como cachorro, mesmo sem o uso da coleira. O bicho não se saiu bem. O dono do quati andou pensando em levá-lo para alguma floresta distante, soltá-lo e deixá-lo morrer de liberdade, mas no fundo ele gosta do bicho, não como se gosta de um cachorro ou de um quati, mas como se este fosse gente, porque o dono do quati não sabe gostar de pessoas verdadeiras. No fim eu direi o motivo.

"Primeiro vou contar-lhe que, quando o quati ainda era filhote, seu pai foi brutal e covardemente morto por um desses homens que se dizem caçadores a serviço da virtude, mas de fato odeiam todo animal sadio e livre. A mãe do quati, não tendo encontrado outro de sua espécie, resolveu aceitar a companhia de um cachorro. Foi este cachorro quem primeiro tentou adulterar a essência do quati órfão, não para transformá-lo em cachorrinho, mas deixar bem evidente que quem nasceu quati jamais teria a dignidade de um cachorrão e haveria de ser sempre um quati qualquer miserável.

"O padrasto cachorrão não gerara filhos e o pequeno quati era um belo espécime de olhos vivos. Isto talvez explique muita coisa. O próprio filho do quati, recalcado, e não compreendendo nada da vida, embora nunca esquecesse a imagem do pai bem-amado, passou a sonhar ser cachorro. Foi fácil encontrar alguém que, paternalmente, lhe colocasse uma coleira. O pitoresco desta história é que o homem que se transformou no dono de um quati, também foi criado por um cachorro e mamou numa cadela.

"Nunca foi órfão, mas o pai fugiu às suas responsabilidades antes de ficar noivo com aquela que veio a ser a mãe do dono de um quati. A mulher abandonada foi escravizada por uma família de mercadores que a levaram para longe de sua terra natal. Quando a criança nasceu, constatou-se que o leite materno era fraco. Nessa época ainda não havia leite em pó e o leite de vaca não servia. Uma ama de leite seria muito cara, em se tratando de beneficiar o filho de uma escrava. Na casa dessa gente estranha ocorrera um fato extraordinário: na mesma época, uma mulher que se transformara em cadela, dera à luz um lindo garoto e seu leite era suficiente para alimentar também o filho da escrava.

"Enquanto este mamava na robusta cadela (que não gostava dele evidentemente), o desta, inclusive por estar muito gordo, era amamentado pela escrava. Você pode imaginar a confusão que se gera na alma das pessoas quando estas coisas acontecem. O filho da escrava cresceu com problemas afetivos em relação a pessoas e a cachorros e sempre com inveja do seu irmão colaço. Tentou um dia adotar um quati como se este fosse um cachorro e quis amá-lo como se fosse gente. O filho da escrava sabe que o amor humano inteiro para ele é impossível, mas o amor que houver não pode ser ruim. O amor, se é amor, nunca pode ser ruim. Pode ser ódio disfarçado.

"Para todos os personagens dessa história e para todos nós, a grande tarefa é o reencontro da essência perdida, a conquista da integridade, a realização da totalidade. A tarefa é o espírito."

✦ ✦ ✦

DE COMO EVITAR UM HOMEM NU

Trata-se de um filme que não escandalizaria ninguém. E no entanto foi proibida a sua exibição no Brasil. Embora, contraditoriamente, tenham permitido a sua venda para o mercado exterior. É um filme da Condor Filmes S/A – argumento, roteiro e direção de Nelson Pereira dos Santos.

Só não gosto do título – *Como era gostoso o meu francês* – que dá uma ideia jocosa de um filme nada jocoso.

Época: século XVI: França Antártica. Após escapar da morte a que fora condenado, Jean (Arduíno Colasanti) encontra um grupo de portugueses que naufragam em pleno território inimigo (Brasil). Os portugueses aprisionam o francês e entregam-lhe dois pequenos canhões para serem usados contra os índios. Estes atacam de surpresa e prendem Jean, tomando-o como um poderoso português, pois estava, durante o combate, manejando os canhões. Jean torna-se escravo de Cunhambebe (Eduardo Imbassaí), grande chefe dos índios tupinambás, e que pretende devorar Jean a fim de possuir os poderes do artilheiro e, assim, mais força na sua luta contra os portugueses.

Na aldeia tupinambá, o prisioneiro é guardado por uma viúva, Seboipep (Ana Maria Magalhães), que cumpre também o papel de esposa até o dia da execução de Jean. Com o passar das luas, Jean vai compreendendo a língua e os costumes dos índios e adota-lhes os hábitos. Obtém pólvora para os seus canhões e com eles participa de uma guerra contra os índios amigos dos portugueses (e portanto inimigos dos tupinambás). Quando espera ser libertado, vê que Cunhambebe apenas o estivera provando como guerreiro, a fim de devorá-lo em grande festa.

Este filme precisou de cinco anos de preparação e pesquisas. As fontes de pesquisas são sérias: Biblioteca Nacional, Museu do Índio, Serviço de Proteção ao Índio, Museu do Homem (Paris).

Os livros consultados: *Civilização tupinambá* (Metraux), *Viagem ao Brasil* (Hans Staden), *Tupinambás* (Jean de Léry), *Civilização tupinambá* (Florestan Fernandes) – além de outros cronistas da época (século XVI).

Os diálogos foram escritos em tupi-guarani por Humberto Mauro. O francês quinhentista (lindo), por especialistas franceses. Foram quatro meses de filmagem intensa. Os locais eram nas praias e matas entre Parati e Angra dos Reis.

Este filme – de muita beleza e de enorme interesse porque afinal se trata de origens do Brasil – custou Cr$ 760.000,00 (setecentos e sessenta mil cruzeiros) – cerca de 150 mil dólares.

Para garantir a autenticidade, houve não só construção de tabas e reconstituição de guarda-roupa dos personagens portugueses e do francês, mas também o uso de objetos e adornos indígenas para garantir a legitimidade. Mais de 500 figurantes aparecem no filme. Este foi realizado com a colaboração do Exército brasileiro, cidade de Parati, Funai, Museu da Polícia Militar do Rio de Janeiro, Forte de São João.

Todo o elenco foi depilado completamente, de acordo com as características raciais dos índios. As pinturas de corpo são rigorosamente de acordo com as minuciosas pesquisas feitas.

Pois este filme foi interditado no território nacional e liberado para exportação (!!). Foi considerado atentatório ao pudor, aos costumes e à moral. Mas a Censura implicou verdadeiramente com o nu masculino. Depois de alguma discussão deixaram passar o nu masculino dos índios – mas disseram que o nu do homem branco (o francês que viveu entre os índios e adotou-lhes o modo de viver) não seria permitido em hipótese nenhuma...

Talvez seja inocência minha, mas por favor me respondam: qual é a diferença entre o corpo nu de um índio e o corpo nu de um homem branco?

Assisti ao filme em salinha de projeção particular. Havia outras pessoas assistindo também. Duas delas eram freiras de alto nível eclesiástico. A opinião delas: filme belíssimo, de uma *grande pureza*, de um valor histórico inestimável por causa de toda a reconstituição. Disseram que era um filme poético. A única cena realmente impura – disseram – seria aquela em que um mercador francês demonstrou sua cupidez diante do tesouro dos índios – aí é que se reconhece uma civilização de agora.

Espera-se – tem-se mesmo muita esperança – uma liberação também para território nacional: não é justo que os estrangeiros usufruam coisa nossa sem nós também participarmos dela. A esperança vem também de que no filme inteiro não há um só gesto ou intenção obscenos ou simples sugestão maliciosa. E garanto-vos que a nudez de Arduíno Colasanti é casta. Será que daqui a pouco nos escandalizaremos se virmos um menino branco nu? Por que em menino pode e em adulto não pode? Lembro-me de um verso que uma pessoa, José Augusto (S. Paulo), me mandou:

"Saí nu na rua
e não me entenderam.
Vou pôr terno e gravata."

Melhor, por via das dúvidas, pôr terno e gravata nos tupinambás.

❖ ❖ ❖

O USO DO INTELECTO

Talvez esse tenha sido o meu maior esforço de vida: para compreender a minha não inteligência, o meu sentimento, fui obrigada a me tornar inteligente. (Usa-se a inteligência para entender a não inteligência. Só que depois o instrumento – o intelecto – por vício de jogo continua a ser usado – e não podemos colher as coisas de mãos limpas, diretamente na fonte.)

A EXPERIÊNCIA MAIOR

Eu antes tinha querido ser os outros para conhecer o que não era eu. Entendi então que eu já tinha sido os outros e isso era fácil. Minha experiência maior seria ser o âmago dos outros: e o âmago dos outros era eu.

MENTIR, PENSAR

O pior de mentir é que cria falsa verdade. (Não, não é tão óbvio como parece, não é um truísmo: sei que estou dizendo uma coisa e que apenas não sei dizê-la do modo certo, aliás o que me irrita é que tudo tem de ser *do modo certo*, imposição muito limitadora.) O que é mesmo que eu estava tentando pensar? Talvez isso: se a mentira fosse apenas a negação da verdade, então este seria um dos modos, por negação, de provar a verdade. Mas a pior mentira é mentira *criadora*. (Não há dúvida: pensar me irrita, pois antes de começar a tentar pensar eu sabia muito bem o que eu sabia.)

◆ ◆ ◆

AS PONTES DE LONDRES

Todas as vezes que penso em Londres revejo as suas pontes. Achei muito natural estar na Inglaterra, mas agora quando penso que lá estive meu coração se enche de gratidão. Vi em Londres uma terra estranha e viva, cinzenta – tudo o que é cinzento misteriosamente vibra para mim, como se fosse a reunião de todas as cores amansadas.

Estive em contato com a feiura dos ingleses, que é uma das coisas que mais atraem na Inglaterra. É uma feiura tão peculiar, tão bela – e isso não são meras palavras. Fazia muito frio, e o vento dava ao rosto e às mãos aquela vermelhidão crua que torna cada pessoa extremamente real. As mulheres fazem compras com as cestas, os homens da City usam chapéu-coco. E o Tâmisa é sujo, tem lama. Já houve peste em Londres. Uma vez se incendiou a cidade inteira. A peste e o incêndio estavam presentes na minha estada em Londres.

As pessoas bebem café horrível, em xícara grande, mas o café fumega. Fumegante como toda a ilha, cujas pontes enegrecidas surgem da quase constante névoa. O fog se exala das pedras do chão e envolve as pontes.

As pontes de Londres são muito emocionantes. Umas são sólidas e ameaçadoras. Outras são puro esqueleto. Quanto aos ingleses, não são tão inteligentes. Mas a Inglaterra é um dos países mais inteligentes do mundo. Estávamos de carro. Entre uma cidade e outra, as cidadezinhas inglesas dão mil voltas em torno de si, e a chuva fina cai nos vidros do carro. Nas ruas o povo usa roupas tão malfeitas que terminaram se tornando um estilo belo. E agasalham mesmo. Vejo uma criança de capotão escuro e meias grosseiras e capuz enterrado abaixo das orelhas, com o rosto vívido e magro, olhos espertos e cara vermelha – e aquela entonação pura das vozes inglesas, interrogativas e orgulhosas.

Só agora sei quanto amei o vento de Londres que me fazia os olhos lacrimejar de raiva e a pele gritar de irritação.

E depois tem as estradas, o campo inglês que é diverso de qualquer outro campo. Lembro-me de árvores tão altas.

E depois há o desejo de viajar de todo inglês – e isso é um movimento inquieto e amplo.

No teatro em Londres uma coisa essencial se passa. É de tremer de frio e de emoção: o ator inglês é o homem mais sério da Inglaterra. Em poucas horas ele dá a cada um aquilo importante que se perde na vida diária. Quando se sai, é a chuva escura, a rua molhada, as velhas ruas inglesas onde de noite há o desejo de perigo. Vai-se jantar. Uma comida péssima irrita, no restaurante de comida tipicamente inglesa. Mas pode-se ir para um restaurante de comida alegre, dos estrangeiros, em Londres mesmo.

Lembro-me que houve Idade Média na Inglaterra, e isso está nas torres. A segurança de certos ingleses chega às vezes a se tornar engraçada. Nas ruas andam depressa, é um povo lutador. E se o mundo não fosse tão doloroso, seria bonito ver a luta pela sobrevivência.

E depois há a saudade dos escritores mortos. Tenho muita saudade de Lawrence.

A rainha é suave, os jornais têm um jeito provinciano, e quando os ingleses e inglesas são bonitos, passam logo a ter uma extraordinária beleza. E a criança inglesa é sempre linda, e quando abre a boca para falar, aí é que fica lindíssima.

Tudo isso se chama saudade: procuro recuperar Londres na memória, nessas notas. E assim fica apenas anotado, com a maior rapidez, antes que o sentimento passe.

◆ ◆ ◆

A ANTIGA DAMA

Morava numa pensão da Rua São Clemente. Era volumosa, e cheirava a quando a galinha vem meio crua para a mesa. Tinha cinco dentes e a boca seca, árida.

Sua reputação passada não fora inventada: ainda falava francês com quem tivesse oportunidade, mesmo que a pessoa também falasse português e preferisse não corar com a própria pronúncia. A ausência de saliva tirava-lhe qualquer volubilidade da voz, dava-lhe uma contenção. Havia majestade e soberania naquele grande volume sustentado por pés minúsculos, na potência dos cinco dentes, nos cabelos ralos que, escapando do coque magro, esvoaçavam à menor brisa.

Mas houve a segunda-feira de manhã em que ela, em vez de sair de seu minúsculo quarto, veio da rua. Estava lisa e com o pescoço claro, sem nenhum cheiro de galinha. Disse que passara o domingo na casa do filho, onde pernoitara. Estava de vestido preto de um cetim já fosco. Em vez de ir para o quarto mudar de roupa, vestir um de seus vestidos de algodão barato, e ser apenas uma pessoa sozinha que mora numa pensão, sentou-se na sala de visitas, prolongando o domingo, e disse que a família era a base da sociedade. A propósito de qualquer coisa, referiu-

-se de passagem a um banho de imersão que tomara na confortável banheira da nora – o que explicava a sua falta de cheiro e o pescoço não encardido. Deixando sem jeito os pensionistas ainda de pijama e robe, ficou sentada horas junto ao jarro da sala, só tendo conversas adequadas a um suposto salão invisível.

De tarde, via-se que os sapatos abotinados já lhe apertavam demais os pés. Continuou, porém, de dama na sala de visitas, levantada a grande cabeça de profeta.

Mas, na hora em que elogiou o jantar magnífico da casa do filho, seus olhos se fecharam de náusea. Depressa foi para o banheiro, ouviram-na vomitar, recusou ajuda quando lhe bateram à porta do quartinho.

Na hora do jantar, apareceu e pediu apenas uma xícara de chá: estava de olheiras marrons, com o largo vestido de estampadinho de ramagem, e de novo sem cinta e sutiã. O que ainda restara de estranho era a pele mais clara. Alguns pensionistas evitaram olhá-la e à sua derrota. Não falou com ninguém. O Rei Lear. Estava quieta, grande, despenteada, limpa. Fora feliz inutilmente.

CISNE

Mas foi no voo que se explicaram seus braços compridos e desajeitados: eram asas. E o olho um pouco estúpido, aquele olhar estúpido só combinava com as larguras do pensamento pleno. Andava mal no diário, mas voava. Voava tão bem que até parecia arriscar a vida, o que era um luxo. Andava ridículo, cuidadoso, o pato feio. No chão, ele era um paciente.

DOMINGO DE TARDE

O jardim está ensopado de chuva, como são grossas as gotas, e o ar brilha. Só a corola da rosa vermelha continua opaca. Os seixos escorrem, as vidraças da sala escorrem, as folhas pesam no ar, e na lama treme em espinhos a roseira de rosas empinadas. O temporal de verão aumenta. O que me pergunto muito pensativa atrás da vidraça: em que terá dado a alegria do Concurso Hípico?

O ERRO DOS INTELIGENTES

Mas é que o erro das pessoas inteligentes é tão mais grave: elas têm os argumentos que provam.

✦ ✦ ✦

FUGIR COM O CIRCO

Paulo Autran tem mais de 20 anos de palco. E Paulo Autran é um nome que vale o mesmo que dizer: bom teatro. Em mais de 20 anos, quanta experiência acumulada. O fruto dessa experiência: cada vez mais, melhor como ator e, tenho certeza, mais aperfeiçoado como ser humano. Trata-se de um homem moço particularmente belo. Trata-se de uma pessoa que compreende os outros. Fora do palco não age como vedete. Eis o homem.

Paulo Autran não é pseudônimo, é seu nome mesmo. Boa sorte a sua com um nome harmonioso destes, que promete tanto, e que soa aos ouvidos como o nome de alguém como ele, que está cumprindo os desígnios de bom ator. Conhecemo-nos há vários anos. E um dia, conversando, perguntei-lhe até que ponto *Morte e vida Severina* nos representava. Respondeu: João Cabral nos apresenta o subdesenvolvimento e a peça, sendo profundamente brasileira, é universal na medida em que esse tema tem interesse mundial.

— Você se refere aos países chamados subdesenvolvidos ou à condição humana e o fruto da falta de justiça social?

— O poema de João Cabral mostra o homem desemparado diante de uma natureza hostil e de condições sociais adversas. É o subdesenvolvimento com todas as suas implicações humanas e sociais.

Nas excursões por diversos estados do Brasil, Autran tem levado em cena principalmente *Liberdade, Liberdade, Édipo Rei*, de Sófocles, *O burguês fidalgo* e *Morte e vida Severina*.

Lembrei-me de quando assisti com grande emoção à *Morte e vida Severina* pelo Tuca. E, ainda por cima, sou muito amiga de João Cabral. Paulo Autran bem que gostaria de conhecê-lo pessoalmente, não só por carta. Mas quando João Cabral passou pelo Rio, Autran estava viajando no Sul, exatamente representando *Morte e vida Severina*.

Autran era advogado de "promissora carreira", já ganhando algum dinheiro, mas totalmente enfastiado e irritado com a profissão, sem o menor horizonte além dela. Começou a fazer teatro amador como diversão, até que Tônia Carrero o convidou para juntos ingressarem no teatro profissional.

— Foi minha descoberta, foi minha sorte.

O diretor que mais influiu na sua carreira, dando-lhe base técnica e teórica, foi Adolfo Celi. Também aprendeu muito com Ziembinski, Luciano Salce, Silveira Sampaio, Flávio Rangel etc.

Autran me diz que em todas as capitais brasileiras se encontra gente interessada por teatro, e sensível e inteligente, nem podia dizer especificamente que plateia era a melhor. Os papéis que mais lhe agradaram foram muitos: *Otelo, Entre quatro paredes, Liberdade, Liberdade, Depois da queda*.

Por intermédio das excursões de Paulo Autran pelos estados, ele dá aos brasileiros, não somente aos cariocas e paulistas, a oportunidade de assistirem a teatro bom. Nunca sonhou em escrever para o teatro. Tem ótima voz: de qualquer ponto da plateia ouve-se cada sílaba que ele pronuncia. Estudou muito a impostação de voz, a sua colocação, mas dicção nunca. Esta lhe é natural. Felizmente está conseguindo viver e viver razoavelmente só com o teatro, e isso porque jamais teve a finalidade de enriquecer na vida.

Perguntei-lhe, ao falar das excursões, como é que ele se tinha dado nessa vida de circo ambulante.

– Circo. É. É bem a palavra e eu gosto sim. Gosto talvez porque eu esteja realizando o sonho de todo menino em *fugir com o circo*.

Paulo Autran calcula que já deve ter feito em teatro umas 100 peças. O século XX será forçosamente o século de Brecht, segundo Autran. Dos novíssimos gosta regularmente de Albee, José Vicente (autor de O *assalto*), Plínio Marcos e muitos outros.

✦ ✦ ✦

ESTUDO DE UM GUARDA-ROUPA

Parece penetrável porque tem uma porta. Ao abri-la, vê-se que se adiou o penetrar: pois por dentro é também uma superfície de madeira, como uma porta fechada. Função: conservar no escuro os travestis. Natureza: a da inviolabilidade das coisas. Relação com pessoas: a gente se olha ao seu espelho sempre em luz inconveniente porque o guarda-roupa nunca está em lugar adequado: *gauche*, fica de pé onde couber, sempre descomunal, corcunda, tímido, sem saber como ser mais discreto. Guarda-roupa é enorme, intruso, triste, bondoso. Cerra-se, porém, a porta-espelho – e eis que, ao movimento, na nova composição do quarto em sombra, entram frascos e frascos de vidro de claridade fugitiva. (Rápida esperteza do guarda-roupa, contribuição ao quarto, indício de vida dupla, influência no mundo, eminência parda, o verdadeiro poder nos bastidores.)

RECONSTITUIÇÃO HISTÓRICA DE UMA DAMA NOBRE

Nascida no Castelo de la Possonière, no vale do Loire. As pregas na cintura alta, já embaixo do busto, os longos cabelos pouco lavados. Fiava linho. Os bosques do castelo. A lua verde como uma emboscada. Os rouxinóis e o poço. Sua voz cantando fina, fina. O grande território dividia-se em regiões militares. Avermelhados pelo vento os servos escovavam os cavalos. As grandes chaves de ferro. O vento soprava, e na sombra da alcova o leito branco. Os cães no pátio: 15 galgos ladravam. O ferreiro e as forjas, fole e bigorna, as forjas martelando. Aproximava-se o galopar com poeira, apeavam. Em torno do poço, ao vento do Loire, em guirlanda, as margaridas. Muito cobre, prata. O tio bispo. A taça de ouro. A visita periódica do diretor espiritual: as mãos cruzadas no regaço. Sua época foi sua vida. Extinta no ano de 1513, sepulta na capela do bosque. Cem anos depois, os ossos foram transladados e depois de novo transladados. Até que dela ficou o castelo em que viveu e a bela região do Loire. E, no museu, "obra de anônimo século XVI", vaso que um dia pintara, dado ao estudo da arte decorativa de seu tempo.

LEMBRANÇA DE UM HOMEM QUE DESISTIU

Até que ponto terá sido compreensível para ele mesmo o seu próprio ato de renúncia do mais alto cargo? Mal posso imaginar o seu desarvoramento solitário. Quando um ato irracional provoca monstruoso eco, o homem provavelmente se sente quase inocentado diante daquilo que seu grito provocou: de vibração em vibração, o desabar da avalancha. A verdade de sua demissão ele mesmo não sabe, talvez nunca saiba, pois já se afogou sob os pretextos e explicações. Ele foi *pessoal*, o que é crime num homem público. O sacrifício de um líder ou de um santo ou de um artista – que chegaram àquilo que são exatamente por terem sido de início altamente pessoais – o seu sacrifício é o de não o serem mais. A cruz deles é esquecer-se de sua própria vida. É nesse esquecer-se que acontece então o fato mais essencialmente humano, aquele que faz de um homem a humanidade: a dor pessoal adquire uma vastidão em que os outros todos cabem e onde se abrigam e são compreendidos; pelo que há de amor na renúncia da dor pessoal, os quase mortos se levantam. O verdadeiro sentido de Cristo seria a imitação de Cristo. Só que o próprio Cristo foi a imitação de um Cristo.

O Brasil inteiro poderia ter subido através daquele homem, através do que ele em si mesmo sabia sobre o medo, a ambição. Ele se conhecia: devia saber da própria tendência ao desatino. Até através disso nós cresceríamos. Assim como a transcendência da vontade de matar – por se conhecer esse abismo – vem impedir que os outros se matem. Mas aquele homem público se restringiu a si mesmo. Da grandeza dos defeitos humanos ele fez defeitos mesquinhos. Criminoso por pequenez. Era um homem a ser guiado, não a guiar. Ele o provou. Não há como perdoar-lhe, senão lembrando que somos fracos.

✦ ✦ ✦

HOJE NASCE UM MENINO

Na manjedoura estava calmo e bom.

Era de tardinha e ainda não se via a estrela-guia. Por enquanto a alegria serena de um nascimento – que sempre renova o mundo e fá-lo começar pela primeira vez – por enquanto a alegria suave pertencia apenas a uma pequena família judia. Alguns outros sentiam que algo acontecia na terra, mas ver ninguém via ou ao certo sabia.

Na tarde já escurecida, na palha cor de ouro, tenro como um cordeiro, refulgia o menino, tenro como o nosso filho.

Bem de perto a cara de um boi e outra de jumento olhavam. E esquentavam o ar com o hálito do corpo.

Era depois do parto, e tudo úmido repousava, tudo úmido e morno respirava.

Maria descansava o corpo cansado – sua tarefa no mundo e diante dos povos e de Deus seria a de cumprir o seu destino, e ela agora repousava e olhava a criança doce.

José, de longas barbas ali sentado, meditava, apoiado no seu cajado: seu destino, que era o entender, se realizara.

O destino da criança era o de nascer.

Ouvia-se, como se fosse no meio da noite calada, aquela música de ar que cada um de nós já ouviu e de que é feito o silêncio. Era extremamente doce e sem melodia, mas feita de sons que poderiam se organizar em melodia. Flutuante, ininterrupta. Os sons como 15 mil estrelas. A pequena família captava a mais primária vibração do ar – como se o silêncio falasse.

O silêncio do Deus grande falava. Era de um agudo suave, constante, sem arestas, todo atravessado por sons horizontais e oblíquos. Milhares de ressonâncias tinham a mesma altura e a mesma intensidade, a mesma ausência de pressa, noite feliz, noite sagrada.

E o destino dos bichos ali se fazia e refazia: o de amar sem saber que amavam. A doçura dos brutos compreendia a inocência dos meninos. E antes dos reis, presenteavam o nascido com o que possuíam: o olhar grande que eles têm e a tepidez do ventre que eles são.

Este menino, que renasce em cada criança nascida, iria querer que fôssemos fraternos diante da nossa condição e diante do Deus. O menino iria se tornar homem e falaria.

Hoje em muitas casas do mundo nasce um Menino.

1972

CONVERSA DESCONTRAÍDA: 1972

Há quanto tempo não vejo um pôr do sol? E os que vi foram por acaso felizes. Talvez haja um pouco de pudor no fato de nunca ter ido à praia para ver o sol descer apaziguando-se e poder fixá-lo sem se me ofuscarem os olhos – e sem o brilho duro de seta fincada no meio-dia. Mas no ocaso o sol em declínio é doçura. E uma parte de nossa Terra transforma-se em obscuro berço embalante.

A gradual escuridão me amedronta um pouco, bicho que sou e que toma cautela. Escuridão? medo e espanto. O dia morrendo em noite é um grande mistério da Natureza.

O que é Natureza? Pergunta difícil de se responder porque nós também fazemos parte dela e sem distância suficiente para encará-la: em mim ela brota de meu âmago qual semente que rompe a terra. Natureza – como explicar o seu significado único e total? como entender sua simplicidade enigmática? Nem me lembro como ou quando me ensinaram ou li essa palavra – mas não a explicaram. E no entanto entendi. Quem não sabe o que é jamais chegará a saber. Há coisas que não se aprendem.

Espanta-me a Natureza neste mundo que é Deus. E num planeta em que até entre as areias do deserto acontece a vida.

Ainda langorosa do fim do ano, vou então falar do deserto, já que comecei. Estive uma vez à beira do Saara, além das pirâmides. O deserto. A perder-se de vista. Por todos os lados a perdição. A visão de sua extensão nos é cortada pela linha do horizonte onde se curva a Terra. Pois o deserto tem linha de horizonte como o mar, e, como o mar, é tão profundo.

Experimentei temor ao olhar para o deserto. Quereria depressa atravessá-lo e já estar do outro lado. Também outra vez sobrevoei o Saara e o mesmo temor avisou-me o coração. Imaginei-me perdida e sozinha nas areias infindáveis onde não há rumos, meu Deus. Eu gritaria em vão por socorro.

Vou parar por aqui mesmo para não fabricar angústia em ninguém: o que se quer é um 1972 sem muita angústia. Uma ponte bem lançada que se estenda com graça e leveza levando-nos a 1973 sem se sentir.

Falei em angústia. O que é angústia? Na verdade minha tendência a indagar e a significar já é em si uma angústia. Esta começa com a vida. Cortam o cordão umbilical: dor e separação. E enfim choro de viver.

Viver? Viver é coisa muito séria. É sem brincadeira nenhuma. Embora aqui esteja eu a brincar de ano precioso e novo. Levo a vida deveras e frente a frente. Nestes momentos de "agora mesmo" estou vivendo tão leve que mal pouso na página, e ninguém me pega porque dou um jeito de escorregar. Tive que aprender.

Às vezes não se precisa ter medo da angústia: ela pode ser fértil e dar frutos de alegria e pureza. Mas "é preciso não ter medo de criar", escrevi eu mesma há muitos anos. Estou é achando muito esquisito eu me citar...

Criação é coisa secreta e de natureza obscura. De que ponto do ser nasceu em Stravinsky o *Pássaro de fogo*? Da alma, está bem. Mas onde fica a alma do ser?

Nunca me imaginei escrevendo sobre "alma". Mas a conversa arrastou consigo outra conversa e eis-me aqui de corpo e alma presentes num jornal. O que se chama de essência está em alguma parte do ser. Qual é a essência da vida?

Ah, o que desconheço me ultrapassa. A verdade ultrapassa-me com tanta paciência e doçura.

Queria ultrapassar-me em 1972 e andar à minha própria frente. Sem dor. Ou só com dores de parto que dão um nascimento de coisa nova. Também porque, ao ultrapassar-se, sai-se de si e se cai no "outro". O outro é sempre muito importante.

O verão está instalado no meu coração.

E de tudo – resta esta última frase que me veio isolada, solta e sem se explicar. Assim somos nós? Sem explicação?

Se assim somos, amém.

1972? Amém.

Recuso-me a ser um fato consumado.

Por enquanto sobrenado na preguiça. Adeus.

✦ ✦ ✦

O ESTADO ATINGIDO

Depois da época de palavras de amor, de palavras de raiva, de palavras, as relações entre os dois tornaram-se aos poucos impossíveis de resultar numa frase ou numa realidade clara. À medida que estavam casados há tanto tempo, as divergências, as desconfianças, certa rivalidade jamais chegavam à tona, embora elas existissem entre eles como o plano dentro do qual se entendiam. Esse estado quase impedia uma ofensa e uma defesa, e jamais uma explicação. Formavam o que se chama um casal comum.

CADERNO DE NOTAS

"Todos aqueles que fizeram grandes coisas fizeram-nas para sair de uma dificuldade, de um beco sem saída." Traduzo isso do francês, frase encontrada num caderno de notas antigo. Mas, quem escreveu isso? quando? Não importa, é uma verdade de vida, e muitos poderiam tê-la escrito.

EXERCÍCIO

É curiosa esta experiência de escrever mais leve e para muitos, eu que escrevia "minhas coisas" para poucos. Está sendo agradável a sensação. Aliás, tenho me convivido muito ultimamente e descobri com surpresa que sou suportável, às vezes até agradável de ser.

Bem. Nem sempre.

SUPONDO O CERTO

Suponhamos que o telefone ande em toda a cidade enguiçado, o que é verdade. Suponhamos que eu faça uma ligação, e dê sinal de ocupado, o que é verdade. Suponhamos que de repente o sinal de desocupado está soando em chamada, o que é verdade. Suponhamos que não atendam, o que é verdade. Suponhamos que em vez de ser atendido o número discado, ouço uma linha cruzada, o que é verdade. Suponhamos que por curiosidade simples passo a ouvir a conversa entre um homem e uma mulher, o que é verdade. Suponhamos que, no final da conversa, eu ouça uma frase límpida, o que é verdade. Suponhamos que a frase límpida seja "Deus te abençoe", o que é verdade. Suponhamos que eu me sinta então toda abençoada, pois a frase foi também para mim, o que é verdade? Sim. A frase era para mim. Não suponho mais. Digo apenas "sim" ao mundo.

SUPONDO O ERRADO

Suponhamos que eu seja uma criatura forte, o que não é verdade. Suponhamos que ao tomar uma resolução eu a mantenha, o que não é verdade. Suponhamos que eu escreva um dia alguma coisa que desnude um pouco a alma humana, o que não é verdade. Suponhamos que eu tenha sempre o rosto sério que vislumbro de repente no espelho ao lavar as mãos, o que não é verdade.

Suponhamos que as pessoas que eu amo sejam felizes, o que não é verdade. Suponhamos que eu tenha menos defeitos graves do que tenho, o que não é verdade. Suponhamos que baste uma flor bonita para me deixar iluminada, o que não é verdade. Suponhamos que eu finalmente esteja sorrindo logo hoje que não é dia de eu sorrir, o que não é verdade. Suponhamos que entre meus defeitos haja muitas qualidades, o que não é verdade. Suponhamos que eu nunca minta, o que não é verdade. Suponhamos que um dia eu possa ser outra pessoa e mude de modo de ser, o que não é verdade.

◆ ◆ ◆

TENTATIVA DE DESCREVER SUTILEZAS

O dançarino hindu faz gestos hieráticos, quadrados, e para. É que parar por vários instantes também faz parte. É a dança do estatelamento: os movimentos imobilizam as coisas. O dançarino passa de uma imobilidade a outra, dando-me tempo para a estupefação. E muitas vezes sua imobilidade súbita é a ressonância do salto anterior: o ar parado ainda contém todo o tremor do gesto. Ele agora está inteiramente parado. Existir se torna sagrado como se nós fôssemos apenas os executantes da vida.

Esta é a dança do homem, que tem a ciência dos números e das alturas, e a quem uma veemência maior é permitida.

Quanto à mulher hindu, ela não se espanta nem me espanta. Seus movimentos são tão continuados e envolventes como a imobilidade corredia de um rio. Tem as curvas longas das mulheres antigas. As cadeiras daquela ali são largas demais e reduzem as possibilidades de seu pensamento. São mulheres sem crueldade. E na dança muda renovam o primitivo sentido da graça. Mesmo a sensualidade é ainda a mesma graça, apenas um pouco mais intensa.

A plateia mal tolera, tão monótona é esta dança já determinada há séculos. E também porque é iniludível o nosso mal-estar diante do Oriente: é um outro modo de saber a vida, o deles. E depois há o outro mal-estar: sente-se que eles não acreditam em nós. Há então certos movimentos dos dançarinos que desanimam todo o Ocidente. Eles acreditam em máscaras, acreditam num amor maior: são coisas antigas, serenas demais.

O interminável programa que folheio anuncia agora que três mulheres dançarão "mostrando todo o encanto feminino". Que decepção. As três mulheres que aparecem mal se movimentam. Procura-se o "encanto feminino", e veem-se três mulheres se movendo tranquilas, como se isso bastasse. E o pior é que de repente basta. Como se nos dissessem: eis aqui a fruta mais rara, e nos mostrassem a laranja de todos os dias. Surpreendida, vejo que a laranja é rara entre as mais raras.

Minha tendência, que é só ambicionar a saciedade, espanta-se com o frugal que eles nos dão. Gordos e brancos, nós nos instaláramos nas poltronas, à espera das oferendas dos Reis Magos. Mas eles nos devolvem à nossa pobreza de saciados, tomando como tácito que a fome é simples. Dançam então sem malícia, expondo as costas a nossos dardos. A essa altura já temos vergonha de revelar-lhes que possuímos muito mais – não aquilo, é verdade, porém muito mais. Com um sorriso encabulado, procuramos fazer as honras desse banquete de pobre, fingindo agradecidos que estamos comendo faisão. Com mal-estar, deixamos que nos descalcem e nos banhem com óleos. O que eles fazem sorridentes, límpidos, sem humildade. Será que o hábito antigo nos mandaria em seguida untar-lhes os pés escuros? Sinto que assim deveria ser. Mas o que me ofende é que eles nem sequer o esperam de nós.

A dança é tão calma que pouco a pouco aprofunda as horas. O programa não terminará jamais? Amarrada pelo fato de já estar no teatro, eles me torturam sem pressa, mostrando pouco a pouco como pés nus têm a mesma inteligência indicativa de mãos, como a pele escura é a mais certa, mostrando como é que se vivia atrás de uma Bíblia tão grande que até ímpia ela também é – fascinando-me com a repetição exaustiva da mesma verdade. Até que, de tanto olhar, compreendo especiarias, galeões, perfume de canela, e a importância dos rios se revela: as cidades se constroem ao lado de águas. O címbalo tem um som que passarei a chamar de *peregrino*. Os espíritos puros só podem ser invocados com címbalos. Em torno dos tornozelos e dos pulsos, os guizos revelam em vibração leve as intenções mais delicadas do corpo.

Mas os nomes dos dançarinos são doces e maduros, fazem bem à boca. Mrinalini, Usha, Anirudda, Arjuna. Suavidades um pouco acres, estranhamente reconhecíveis: já comi ou não comi dessas frutas? Só se foi enquanto eu, Eva, entediada experimentava das árvores.

Os músicos ficam sentados no próprio palco, sobre as pernas cruzadas iogamente. A música é um monólogo plangente, soa como o vento quando se tem um pouco de medo do vento. É uma melopeia invariável que foi transplantada de espaços maiores para o tamanho do teatro, assim como um animal de campo que dá voltas pacientes na jaula. Entre os músicos, um homem bem magro é o cantor. O canto é leve, parece inventado apenas pela garganta.

E lentamente vai me adormecendo na cadeira, lentamente me hipnotizando em serpente.

❖ ❖ ❖

A GELEIA VIVA COMO PLACENTA

Este sonho foi de uma assombração triste. Começa como pelo meio. Havia uma geleia que estava viva. Quais eram os sentimentos da geleia. O silêncio. Viva e silenciosa, a geleia arrastava-se com dificuldade pela mesa, descendo, subindo, vagarosa, sem se esparramar. Quem pegava nela? Ninguém tinha coragem. Quando a olhei, nela vi espelhado meu próprio rosto mexendo-se lento na sua vida. Minha deformação essencial. Deformada sem me derramar. Também eu apenas viva. Lançada no horror, quis fugir da minha semelhante – da geleia primária – e fui ao terraço, pronta a me lançar daquele meu último andar. Era noite fechada, e isso eu via do terraço, e eu estava tão perdida de medo que o fim se aproximava: tudo o que é forte demais parece estar perto de um fim. Mas antes de saltar do terraço, eu resolvia pintar os lábios. Pareceu-me que o batom estava curiosamente mole. Percebi então: o batom também era de geleia viva. E ali estava eu no terraço escuro com a boca úmida da coisa viva.

Quando já estava com as pernas para fora do balcão, foi que vi os olhos do escuro. Não "olhos no escuro": mas os olhos do escuro. O escuro me espiava com dois olhos grandes, separados. A escuridão, pois, também era viva. Aonde encontraria eu a morte? A morte era geleia viva, eu sabia. Vivo estava tudo. Tudo é vivo, primário, lento, tudo é primariamente imortal.

Com uma dificuldade quase insuperável consegui acordar-me a mim mesma, como se eu me puxasse pelos cabelos para sair daquele atolado vivo.

Abri os olhos. O quarto estava escuro, mas era um escuro reconhecível, não o profundo escuro do qual eu me arrancara. Senti-me mais tranquila. Tudo não passara de um sonho. Mas percebi que um dos meus braços estava para fora do lençol. Como um sobressalto, recolhi-o: nada meu deveria estar exposto, se é que eu ainda queria me salvar. Eu queria me salvar? Acho que sim: pois acendi a luz da cabeceira para me acordar inteiramente. E vi o quarto de contornos firmes. Havíamos – continuava eu em atmosfera de sonho – havíamos endurecido a geleia viva em parede, havíamos endurecido a geleia viva em teto; havíamos matado tudo o que se podia matar, tentando restaurar a paz da morte em torno de nós, fugindo ao que era pior que a morte: a vida pura, a geleia viva. Fechei a luz. De repente um galo cantou. Num edifício de apartamentos, um galo? Um galo rouco. No edifício caiado de branco, um galo vivo. Por fora a casa limpa, e por dentro o grito? assim falava o Livro. Por fora a morte conseguida, limpa, definitiva – mas por dentro a geleia elementarmente viva. Disso eu soube, no primário da noite.

✦ ✦ ✦

A LUCIDEZ PERIGOSA

Estou sentindo uma clareza tão grande que me anula como pessoa atual e comum: é uma lucidez vazia, como explicar? assim como um cálculo matemático perfeito do qual, no entanto, não se precise. Estou por assim dizer vendo claramente o vazio. E nem entendo aquilo que entendo: pois estou infinitamente maior do que eu mesma, e não me alcanço. Além do quê: que faço dessa lucidez? Sei também que esta minha lucidez pode-se tornar o inferno humano – já me aconteceu antes. Pois sei que – em termos de nossa diária e permanente acomodação resignada à irrealidade – essa clareza de realidade é um risco. Apagai, pois, minha flama, Deus, porque ela não me serve para viver os dias. Ajudai-me a de novo consistir dos modos possíveis. Eu consisto, eu consisto, amém.

COMO ADORMECER

Em noites de insônia inventei um modo de adormecer infantil em que eu me falo baixo e muitas vezes dá certo. É um pouco assim, se me lembro: "Retrogredi: sou uma criança pequena. Eu me deito e todos dormem comigo. Nada de mau pode acontecer. Tudo é bom e suave. A alma é eterna. Nunca ninguém morre. O prazer de ser criança é grande e doce. Deus se espalha pelo meu corpo: sua doçura é sentida como um paladar pelo corpo todo. Está bom, está bom. Deus me ilumina toda mas bem em penumbra para sua luz não me despertar. Sou uma criança: não tenho deveres, só direitos. O prazer de estar viva é o de adormecer. Sinto esse viver lentíssimo como um sabor pelas pernas e pelos braços. Minha alma está enfim entregue. Nada mais tenho a entregar. Nada me segura mais: vou. Vou para a beatitude. A beatitude me guia e me leva pela mão. A beatitude em vida."

EM BUSCA DO PRAZER

E tanto sofrimento por estar, às vezes sem nem saber, à cata de prazeres. Não sei como esperar que eles venham sozinhos. E é tão dramático: basta olhar numa boate à meia-luz os outros: a busca do prazer que não vem sozinho e de si mesmo. A busca do prazer me tem sido água ruim: colo a boca e sinto a bica enferrujada, escorrem dois pingos de água morna: é a água seca. Não, antes o sofrimento legítimo que o prazer forçado.

EU ME ARRANJARIA

Se o meu mundo não fosse humano, também haveria lugar para mim: eu seria uma mancha difusa de instintos, doçuras e ferocidades, uma trêmula irradiação de paz e luta: se o mundo não fosse humano eu me arranjaria sendo um bicho. Por um instante então desprezo o lado humano da vida e experimento a silenciosa alma da vida animal. É bom, é verdadeiro, ela é a semente do que depois se torna humano.

ATÉ A MÁQUINA?

Mandei consertar minha máquina de escrever. Inserido ao redor do rolo (ou como quer que se chame o que vocês sabem) ainda estava o papel onde o consertador de máquinas tentara escrever para ver se esta já estava sem defeito. No papel estava escrito:

s d f g ç l k j a e v que Deus seja louvado p oy 3 c

✦ ✦ ✦

O PIANISTA

Ele era baixo e magro, andava com um passo leve como se o corpo não o perturbasse. A moça da portaria da pensão do Catete, em transporte de enlevo, disse dele: "O maravilhoso poder de exprimir seus sentimentos pela música!"
 Ele tocava de noite, quando os hóspedes deixavam mais vazio o salão. Devia ter tocado em tempos idos razoavelmente bem, quanto à técnica. Quanto aos "seus sentimentos" não podiam se exprimir pela música senão em duas variantes primárias: ora o pianíssimo, ora o fortíssimo. Passava de um para outro sem aviso, o que na verdade exprimia os sentimentos primários da moça da portaria. Quanto aos seus mesmo, talvez essas duas únicas variações indicassem apenas uma gama pobre ou monótona de emoções. Quanto ao seu físico, ainda, seu terno veio por engano para outro quarto, foi como se ele todo estivesse pendurado pelo cabide – um ombro mais alto que o outro, ombros que não eram estreitos mas de algum modo discretos ou tímidos. Não foi difícil adivinhar que o terno não era dele. "Do estrangeiro?", perguntaram. "É estrangeiro?", retrucaram com uma pergunta. Não era.
 Esqueci de dizer que ele parecia albino. E era míope: daí, talvez, indiretamente, só poder tocar pianíssimo ou fortíssimo, como se só no bruto contraste ele *visse*. Eu o conheci, e foi um homem que quase se matou. Mas não se matou. Talvez tivesse encontrado um meio-termo entre o pianíssimo e o fortíssimo. Como a maioria das pessoas.

POR QUÊ?

Um dia o rapaz viu sua namorada na esquina conversando com duas amigas. Por que sentiu ele um mal-estar como se ela sempre tivesse mentido e só agora ele tivesse a prova? No entanto, ela nunca dissera que não saía ou que não ria nem conversava. Mas a ideia que ele fizera dela fora traída pela visão nova: junto das amigas, ela parecia uma outra pessoa.

O pior é que também ela não se sentiu bem quando ele contou que a tinha visto. Fez-lhe muitas perguntas: como é que eu estava? com que roupa? eu estava rindo? E ele sentiu que, se houvesse possibilidade de se explicar – e não havia – proibiria que ela se encontrasse com as amigas. Ela pensaria erradamente em ciúmes. A ideia de que ela pudesse imaginar com simplicidade coisas favoráveis a si própria, como se objeto precioso de ciúme, deu-lhe pena dela e ele achou-a ridícula.

De qualquer maneira, desde que vira nova faceta dela ao estar conversando na esquina, de algum modo a desprezava. Como não entendia por quê, procurava acusá-la: parece uma criada que depois de lavar os pratos vai de mãos vermelhas conversar na esquina. Mas não era a verdade, nem ele conseguiu se convencer com o próprio argumento. Só que agora permanecia frio quando ela lhe contava, por exemplo, o que sonhara de noite. Olhava-a de olhos bem abertos e sem carinho, bem abertos para não recebê-la, como se lhe dissesse: você pensa que me engana? Você é outra pessoa, eu vi você conversando na esquina.

Nunca mais se entenderam bem, e o namoro não durou muito. Terminou friamente, sem saudades.

AINDA IMPOSSÍVEL

Respondi que eu gostaria mesmo era de poder um dia afinal escrever uma história que começasse assim: "Era uma vez..." Para crianças? Perguntaram. Não, para adultos mesmo, respondi já distraída, ocupada em me lembrar de minhas primeiras histórias aos sete anos, todas começando com "era uma vez". Eu as enviava para a página infantil das quintas-feiras do jornal de Recife, e nenhuma, mas nenhuma mesmo, foi jamais publicada. E mesmo então era fácil de ver por quê. Nenhuma contava propriamente uma história com os fatos necessários a uma história. Eu lia as que eles publicavam, e todas relatavam um acontecimento. Mas se eles eram teimosos, eu também.

Desde então, porém, eu havia mudado tanto, quem sabe agora já estava pronta para o verdadeiro "era uma vez". Perguntei-me em seguida: e por que não começo? agora mesmo? Será simples, senti eu.

E comecei. No entanto, ao ter escrito a primeira frase, vi imediatamente que ainda me era impossível. Eu havia escrito: "Era uma vez um pássaro, meu Deus."

✦ ✦ ✦

VERÃO NO BAILE

Com o leque a gorda matrona pensa alguma coisa. Ela pensa o leque e com o leque se abana. E com o leque fecha de súbito o pensamento num estalido, vazia, sorridente, rígida pela cinta apertada, ausente. O leque distraído e aberto no peito. "Também sei, elas arranjarão casamento", concorda ela como visita que é recebida na sala de visitas. Mas um alvoroço controlado, eis que se abana com mil asas de pardal.

ALDEIA NAS MONTANHAS DA ITÁLIA

Os homens têm lábios vermelhos e se reproduzem. As mulheres se deformam amamentando. Quanto aos velhos, os velhos não são excitados. O trabalho é duro. A noite, silenciosa. Não há cinemas. Na porta de casa a beleza das moças é a de ficar de pé no escuro. A vida é triste e ampla como deve ser uma vida na montanha.

SAGUÃO NA TIJUCA

Na Zona Norte sopra um vento quente, um siroco. No saguão cinco moças sem cor já tomaram o banho da tarde, os cabelos secam ao siroco. Têm olhos pretos, braços redondos e bocas desbotadas. Elas são as filhas. Para que falar? Sentai-vos e tocai vossas guitarras. Não há nada a lhes dizer. Ali não há nada a salvar. Nem tudo simboliza alguma coisa, e isso é tão importante como o oposto. São apenas cinco moças de boca desbotada que deixo no saguão mesmo, e que lá fiquem. E se não quiserem ficar, que saiam. Cinco moças sem cor simbolizam cinco moças sem cor. Eis que estou vendo esse harém de bocas desbotadas, e sem crueldade ou amor à seleção natural, não me politizo, não me poetizo, não acho que está certo ou errado; está é isso mesmo.

Mas o siroco, sim, traz cavalos e areias, vindos do deserto.

A COZINHEIRA FELIZ

Não sabia ler, eu li alto para ela a carta. "Teresinha meu amor. Estás sempre em meu coração. Desde o momento em que a vi meu coração tornou-se cativo de seus encantos. Ao vê-la tão meiga e bela senti Minha Alma perturbada minha vida até então vazia e triste. Tornou-se cheia de luz e esperança acesa em meu peito a chama do amor. O amor que despertou em mim. Teresinha queridinha do coração é iluminado pela sua pureza e encontra em meu coração a grandeza de minha sinceridade. Que felicidade podemos encontrar um dia num coração que pulse Junto ao nosso, irmanados nas doçuras e agruras da vida um coração amigo que nos conforte uma alma pura que nos adore e leve ao céu doce balada de amor a mulher querida com que sonhamos. Eternamente seu apaixonado Edgar. Da Terezinha querida peço-lhe uma Resposta. Estrada São Luís, 30-C, Santa Cruz é o meu endereço."

ANTES ERA PERFEITO
Ter nascido me estragou a saúde.

AS NEGOCIATAS
Depois que descobri em mim mesma como é que se pensa, fazendo comigo mesma negociatas, nunca mais pude acreditar no pensamento dos outros.

POR DISCRIÇÃO
Deus lhe deu inúmeros pequenos dons que ele não usou nem desenvolveu por receio de ser um homem completo e sem pudor.

✦ ✦ ✦

MINHA PRÓXIMA E EXCITANTE VIAGEM PELO MUNDO
Amanhã vou partir para a Europa. De onde mandarei meus textos para este jornal.

 Minha sede será Londres. E de lá planejarei minhas viagens. Por exemplo, vou a Paris ver de novo a *Mona Lisa*, pois estou com saudade. E comprar perfumes. E sobretudo reclamar com a Maison Carven por eles não fabricarem mais o meu perfume, o que mais combina comigo, Vert et Blanc. Irei ao teatro também. E à Rive Gauche.

Voltarei então para Londres onde permanecerei uma, duas semanas. E seguirei para a minha amada Itália. Roma antes. Depois Florença.

É em Roma que, por intermédio de conhecidos mútuos, entrarei em contato com Onassis e há possibilidades de combinar um cruzeiro pelo Mediterrâneo.

Irei à Grécia que só conheço de rápida passagem. Preciso realmente ver de novo a Acrópole.

E preciso voltar a ver as pirâmides e a Esfinge. A Esfinge me intrigou: quero defrontá-la de novo, face a face, em jogo aberto e limpo. Vou ver quem devora quem. Talvez nada aconteça. Porque o ser humano é uma esfinge também e a Esfinge não sabe decifrá-lo. Nem decifrar a si mesma. No que nós nos decifrássemos, teríamos a chave da vida.

Quero tomar banhos de mar em Biarritz – porque lá eu vi as ondas mais altas, o mar mais compacto e mais verde e turbulento. E majestoso. San Sebastián não quero rever.

Mas quero voltar a Toledo e a Córdoba. Em Toledo reverei os El Greco.

Pegarei na Europa a primavera, o que já em si é motivo para uma viagem para lá. Irei a Israel, essa comunidade antiga e a mais nova: quero ver como é que se vive sob padrões diferentes.

E Portugal? Tenho que voltar a Lisboa e Cascais. Em Lisboa procurarei minha amiga e grande poeta Natércia Freire. E dar-lhe-ei um texto meu, atendendo a seu pedido de colaboração para o Suplemento de Letras e Artes (*Diário de Notícias de Lisboa*), suplemento esse que ela dirige. Irei ao Chiado. E de novo pensarei em Eça de Queirós. Preciso relê-lo. Sei que vou gostar de novo – como se fora a primeira leitura – do suculento estilo de Eça.

Voltarei a Londres, onde passarei em descanso e teatros e pubs duas semanas.

De lá darei um pulo na Libéria, em Monróvia. Estive na Libéria, mas não cheguei a ir à capital.

Se alguém pensa que fui vencedora na Loteria Esportiva, está enganado. O melhor da história é que viajarei sem gastar um centavo. Só gastarei o que despender nas compras. Depois ensinarei como é que se consegue tal formidável barganha: não é impossível, tanto que eu consegui e sem maiores esforços. Não, não foi por charme que eu tenha feito: quando faço charme é sem sentir e sem querer, simplesmente acontece. O charme, quero dizer.

Estará na hora de não poder mais morrer de saudades do Brasil. Voltarei via Nova York, onde ficarei duas semanas, me perdendo na multidão. A multidão de Nova York é o meio mais fácil de a pessoa ficar solitária. Se eu ficar sozinha demais procurarei o nosso Consulado. Para rever brasileiros e poder de novo usar a nossa difícil língua. Difícil mas fascinante. Sobretudo para se escrever. Asseguro-vos que não é fácil escrever em português: é uma língua pouco trabalhada pelo pensamento e o resultado é pouca maleabilidade para exprimir os delicados estados do ser humano.

E – enfim – voltarei ao Rio. Antes darei um pulo a Belém do Pará, para rever os meus amigos Francisco Paulo Mendes, Benedito Nunes (qual é o endereço deles? Por favor me escrevam) e tantos outros importantes para mim. Eles, vai ver, já me esqueceram. Eu não esqueci deles. Em Belém já passei seis meses, muito felizes. Sou grata a esta cidade.

Uma vez no Rio, e depois de abraçar todos os amigos, irei para Cabo Frio por uma semana, na casa de Pedro e Míriam Bloch. Voltarei depois ao Rio e recomeçarei, toda renovada, a minha luta diária e inglória e enigmática.

Sim. Tudo isto.

Mas só se fosse de verdade...

O fato é que hoje é 1º de abril e desde criança não engano ninguém nesse dia. Infelizmente não vejo meio de fazer essa viagem sem dinheiro. O Onassis entrou no 1º de abril de puro *penetra* que ele é. Na verdade não tenho muito interesse em conhecê-lo.

Desculpem a brincadeira. Mas é que não resisti.

◆ ◆ ◆

O ATO GRATUITO

Muitas vezes o que me salvou foi improvisar um ato gratuito. Ato gratuito, se tem causas, são desconhecidas. E se tem consequências, são imprevisíveis.

O ato gratuito é o oposto da luta pela vida e na vida. Ele é o oposto da nossa corrida pelo dinheiro, pelo trabalho, pelo amor, pelos prazeres, pelos táxis e ônibus, pela nossa vida diária enfim – que esta é toda paga, isto é, tem o seu preço.

Uma tarde dessas, de céu puramente azul e pequenas nuvens branquíssimas, estava eu escrevendo à máquina – quando alguma coisa em mim aconteceu.

Era o profundo cansaço da luta.

E percebi que estava sedenta. Uma sede de liberdade me acordaria. Eu estava simplesmente exausta de morar num apartamento. Estava exausta de tirar ideias de mim mesma. Estava exausta do barulho da máquina de escrever. Então a sede estranha e profunda me apareceu. Eu precisava – precisava com urgência – de um ato de liberdade: do ato que é por si só. Um ato que manifestasse fora de mim o que eu secretamente era. E necessitava de um ato pelo qual eu não precisava *pagar*. Não digo *pagar com dinheiro*, mas sim, de um modo mais amplo, pagar o alto preço que custa viver.

Então minha própria sede guiou-me. Eram 2 horas da tarde de verão. Interrompi meu trabalho, mudei rapidamente de roupa, desci, tomei um táxi que passava e disse ao chofer: vamos ao Jardim Botânico. "Que rua?" perguntou ele. "O senhor não está entendendo", expliquei-lhe "não quero ir ao bairro e sim ao Jardim do bairro." Não sei por que olhou-me um instante com atenção.

Deixei abertas as vidraças do carro, que corria muito, e eu já começara minha liberdade deixando que um vento fortíssimo me desalinhasse os cabelos e me batesse no rosto grato de olhos entrefechados de felicidade.

Eu ia ao Jardim Botânico para quê? Só para olhar. Só para ver. Só para sentir. Só para viver.

Saltei do táxi e atravessei os largos portões. A sombra logo me acolheu. Fiquei parada. Lá a vida verde era larga. Eu não via ali nenhuma avareza: tudo se dava por inteiro ao vento, no ar, à vida, tudo se erguia em direção ao céu. E mais: dava também o seu mistério.

O mistério me rodeava. Olhei arbustos frágeis recém-plantados. Olhei uma árvore de tronco nodoso e escuro, tão largo que me seria impossível abraçá-lo. Por dentro dessa madeira de rocha, através de raízes pesadas e duras como garras — como é que corria a seiva, essa coisa quase intangível e que é vida? Havia seiva em tudo como há sangue em nosso corpo.

De propósito não vou descrever o que vi: cada pessoa tem que descobrir sozinha. Apenas lembrarei que havia sombras oscilantes, secretas. De passagem falarei de leve na liberdade dos pássaros. E na minha liberdade. Mas é só. O resto era o verde úmido subindo em mim pelas minhas raízes incógnitas. Eu andava, andava. Às vezes parava. Já me afastara muito do portão de entrada, não o via mais, pois entrara em tantas alamedas. Eu sentia um medo bom — como um estremecimento apenas perceptível de alma — um medo bom de talvez estar perdida e nunca mais, porém nunca mais! achar a porta de saída.

Havia naquela alameda um chafariz de onde a água corria sem parar. Era uma cara de pedra e de sua boca jorrava a água. Bebi. Molhei-me toda. Sem me incomodar: esse exagero estava de acordo com a abundância do Jardim.

O chão estava às vezes coberto de bolinhas de aroeira, daquelas que caem em abundância nas calçadas de nossa infância e que pisávamos não sei por quê, com enorme prazer. Repeti então o esmagamento das bolinhas e de novo senti o misterioso gosto bom.

Estava com um cansaço benfazejo, era hora de voltar, o sol já estava mais fraco.

Voltarei num dia de muita chuva – só para ver o gotejante jardim submerso.

Nota: peço licença para pedir à pessoa que tão bondosamente traduz meus textos em braile para os cegos que não traduza este. Não quero ferir olhos que não veem.

✦ ✦ ✦

TAQUICARDIA A DOIS

Estava minha amiga falando comigo ao telefone. Eis senão quando lhe entra pela sala adentro um passarinho. Minha amiga reconheceu: era um sabiá. A empregada se assustou, minha amiga ficou surpresa. Era preciso que ele achasse o caminho da janela para ir embora e escapar da prisão da sala. Depois de esvoaçar muito, pousou num quadro acima da cabeça de minha amiga, que continuou o telefonema, porém mais atenta ao sabiá do que às palavras.

Foi quando ela sentiu uma coisa pelas costas nuas – era verão, o vestido não tinha costas: o sabiá tinha-se aninhado nela e parecia estar muito bem. É preciso dizer que minha amiga tem uma voz muito suave. Ela sabia que qualquer movimento súbito seu, e o sabiá se assustaria quase mortalmente. Desligou o telefone.

Também é preciso dizer que minha amiga tem mão e jeito leves, é capaz de segurar a corola de uma flor sem fazê-la murchar. Foi com seu jeito leve que pegou no sabiá, que se deixou pegar.

E lá ficou de sabiá na mão. O coraçãozinho do sabiá batia em louca taquicardia. E o pior é que minha amiga estava toda taquicárdica. Ali, pois, ficaram os dois tremendo por dentro: a amiga sentindo o próprio coração palpitar depressa e na mão sentindo o bater apressadinho e desordenado do sabiá.

Então ela se levantou devagar para não assustar o que estava vivo na sua mão. Chegou junto da janela. O sabiá compreendeu. Minha amiga espalmou a mão, onde o sabiá permaneceu por uns instantes. E de súbito deu uma voada lindíssima de tanta liberdade.

ASSIM TAMBÉM NÃO

Tinha eu acabado de entrar num táxi quando, antes que este se pusesse em movimento, apareceu um homem moço mas de cabelos já grisalhos e parcos, pôs a cabeça dentro do táxi e disse:

— A senhora se incomoda de dizer para onde vai?

Respondi-lhe que ia para Copacabana. Então ele pediu num tom implorador: deixe eu entrar que salto antes, a essa hora está difícil de encontrar táxi. Eu disse que ele entrasse. Entrou e sentou-se ao lado do chofer. E começou, virado para trás: porque ele era casado, porque era muito feliz, porque não se incomodava que sua mulher envelhecesse porque era sempre a mulher amada, porque hoje lhe mandara rosas sem ser aniversário de nada, porque... Bem — pensei — este engana sua mulher fartamente.

Eu já estava enjoada de tanto amor conjugal e por causa também do tom ligeiramente fora de foco que ele usava nas suas mentiras não sei por que necessárias. Foi quando meu passageiro disse: eu fico aqui. O táxi parou, ele desceu, botou a cabeça dentro da janela e disse para o meu espanto ofendido:

— A senhora é um perfeito cavalheiro.

✦ ✦ ✦

REFÚGIO

Conheço em mim uma imagem muito boa, e cada vez que eu quero eu a tenho, e cada vez que ela vem ela aparece toda. É a visão de uma floresta, e na floresta vejo a clareira verde, meio escura, rodeada das alturas das árvores, e no meio desse bom escuro estão muitas borboletas, um leão amarelo sentado, e eu sentada no chão bordando. As horas passam como muitos anos, e os anos se passam realmente, as borboletas cheias de grandes asas enfeitadas e o leão amarelo com manchas – mas essas manchas são apenas para que se veja que ele é amarelo, pelas manchas se vê como ele seria se não fosse amarelo. Por aí se vê quanto é precisa a minha visão. O bom dessa imagem é a penumbra, que não exige mais do que a capacidade de meus olhos e não ultrapassa minha visão. E ali estou eu, com borboleta, com leão. Minha clareira tem uns minérios, que são as cores. Só existe uma ameaça: é saber com apreensão que fora dali estou perdida, porque nem sequer será a floresta (esta eu conheço de antemão, por amor), será um campo vazio (e este eu conheço de antemão através do medo) – tão vazio que tanto me fará ir para um lado como para outro, um descampado tão sem tampa e sem cor de chão que nele eu nem sequer encontraria um bicho para mim. Ponho a apreensão de lado, suspiro para me refazer, e fico toda gostando de minha intimidade com o leão e as borboletas: nenhum de nós pensa, a gente só gosta. Também eu, nessa visão-refúgio, não sou em preto e branco: sem que eu me veja, sei que para eles eu sou colorida, embora sem ultrapassar a capacidade de visão deles, o que os inquietaria, e nós não somos inquietantes. Sou com manchas azuis e verdes só para estas mostrarem que não sou azul nem verde – olha só o que não sou! A penumbra é de um verde-escuro e úmido, eu sei que já disse isso mas repito por gosto de felicidade: quero a mesma coisa de novo e de novo. De modo que, como eu ia sentindo e dizendo, lá estamos. E estamos muito bem. Para falar a verdade, nunca estive tão bem. Por quê? Não quero saber por quê. Cada um de nós está no seu lugar, eu me submeto com prazer ao meu lugar de paz. Vou até repetir um pouco mais minha visão porque está ficando cada vez melhor: o leão amarelo pacífico e as borboletas voando caladas, eu sentada no chão bordando e nós assim cheios de gosto pela clareira verde. Nós somos contentes.

ESTILO

– Que é isso que você está escrevendo?
 – Estou batendo à máquina um requerimento.
 – Deixa eu ler. Foi você mesma que escreveu? "A abaixo-assinada vem requerer a V. Sª..." Puxa, você nunca escreveu tão grã-fino!

UM DEGRAU ACIMA: O SILÊNCIO

Até hoje eu por assim dizer não sabia que se pode não escrever. Gradualmente, gradualmente até que de repente a descoberta tímida: quem sabe, também eu já poderia não escrever. Como é infinitamente mais ambicioso. É quase inalcançável.

✦ ✦ ✦

DIÁLOGO DO DESCONHECIDO

– Posso dizer tudo?
 – Pode.
 – Você compreenderia?
 – Compreenderia. Eu sei de muito pouco. Mas tenho a meu favor tudo o que não sei e – por ser um campo virgem – está

livre de preconceitos. Tudo o que não sei é a minha parte maior e melhor: é a minha largueza. É com ela que eu compreenderia tudo. Tudo o que não sei é que constitui a minha verdade.

◆ ◆ ◆

DIA DAS MÃES

— Eu — disse-me a bailarina do corpo de baile do Municipal —, eu dancei uma vez sem saber que estava grávida. E depois me culpei tanto por isso, mas foi uma dança lenta que não fazia mal. Depois quando desconfiei, mandei fazer o teste. Você não imagina o que senti quando o homem me entregou o papel onde estava escrito positivo. Minha alegria foi tão intensa, mas tão doida, que abracei e beijei o homem espantado do laboratório e lhe disse: "Muito obrigada." Imagine, como se aquele desconhecido fosse o pai.

O sol estava se pondo enquanto a bailarina falava. Ela era muito frágil, quase sem peso, com busto de menina-moça.

— Mas o médico me avisou logo de saída que eu podia perder a criança. Porque tenho o aparelho genital infantil, sou fértil mas não posso conceber, não tem lugar para o feto. Então passei meses na cama para ver se assim eu não perdia a criança. Eu ficava deitada, falando com o bichinho que estava dentro de mim. Eu lhe dizia: "Olha, bichinho, nós dois havemos de vencer e você vai nascer, é assim mesmo, é difícil nascer." Parecia até que ele me ouvia e respondia: "Está sendo difícil." Eu tinha tanta vontade de ouvir ele chorar... como forma de resposta à vida: chorar a vida é uma resposta. Conversávamos horas. Ninguém entendia o êxtase sofrido que me acontecia, e depois também ninguém entendeu.

Ficamos em silêncio. Ela estava sentada no tapete escarlate, toda leve, com as pernas cruzadas à moda budista. Mas o dorso mantinha-se suavemente ereto e hierático pelo hábito das poses de balé.

— Foi então que comecei a perder sangue. Eu mal acreditava, não queria acreditar. E quanto mais sangue se derramava, mais desesperada eu ficava. Até que aconteceu: perdi meu filho. Era um menino. Cheguei a vê-lo, pedi para vê-lo: lá estava ele todo aconchegado dentro do óvulo. Lembrei-me de um passarinho recém-nascido que uma vez vi e que tinha o corpo mínimo quase transparente e um bico enorme. Parecia que eu dera à luz um passarinho. Comecei a chorar. Eu não chorava de desânimo, eu chorava a morte de uma criança. Todos me diziam: "Mas, Gisele, não era ainda uma criança, era apenas um feto..." Ninguém entendia que para uma mulher tão pequena como eu o feto era uma criança. E muito menos entenderam quando pedi a meu pai para enterrá-lo no jardim. Não queria que ele fosse jogado no lixo, o meu bicho. Parece que é proibido enterrar um feto no cemitério. Mas meu pai, vendo meu estado, me concedeu isto: plantou meu filho no jardim, embaixo de uma amendoeira grande que estava na época de folhas amarelecendo.

Enquanto ela falava eu imaginava a terra do jardim com o ser ali enrodilhado no seu frágil óvulo, murchando, murchando. Fiquei calada.

— O pior, como eu já disse, era o sentimento de culpa: imagine só, eu ter dançado balé naquele estado. Mas às vezes eu conseguia raciocinar mais claro: você não tem culpa, eu me dizia, a causa da morte não foi a dança, foi aquela história de infantil. Mas eu achava que não tinha feito tudo por ele, que talvez tivesse faltado alguma coisa.

Já era o final do crepúsculo: estávamos na sombra mas não acendi nenhuma luz.

— Mas não desisto, disse baixo.

— Não desiste de quê?

— De ter um filho. O médico disse que de novo eu poderia perder. Mas, mesmo que numa segunda gravidez eu perca, não desisto: ficarei grávida muitas vezes e aceito a possibilidade de perder. Até que um dia, lá para um dia, eu com muito cuidado conserve ele em mim nove meses, dando até então muita coisa boa para ele ir bebendo e comendo através de meu sangue que vou enriquecer. Até que ele nasça. E será uma vitória nossa, minha e dele. Porque eu sei: é mesmo difícil nascer.

Olhei-a quase no escuro. Sofrida, machucada, corajosa. Sim, ela era uma mãe, a dançarina de Degas.

◆ ◆ ◆

SEM AVISO

Tanta coisa que então eu não sabia. Nunca tinham me falado, por exemplo, deste sol duro das três horas. Também não me tinham avisado sobre este ritmo tão seco de viver, desta martelada de poeira. Que doeria, tinham-me vagamente avisado. Mas o que vem para a minha esperança do horizonte, ao chegar perto se revela abrindo asas de águia sobre mim, isso eu não sabia. Não sabia o que é ser sombreada por grandes asas abertas e ameaçadoras, um agudo bico de águia inclinado sobre mim e rindo. E quando nos álbuns de adolescente eu respondia com orgulho que não acreditava no amor, era então que eu mais amava; isso eu tive que saber sozinha. Também não sabia no que dá mentir. Comecei a mentir por precaução, e ninguém me avisou do perigo de ser tão precavida; porque depois nunca mais a mentira descolou de mim. E tanto menti que comecei a mentir até a minha própria mentira. E isso — já atordoada eu sentia — isso era dizer a verdade. Até que decaí tanto que a mentira eu a dizia crua, simples, curta: eu dizia a verdade bruta.

O POUCO QUE SE PEDE

"Eu sei que a vida me agrada", continuei com aquela cruel vontade de descrever uma coisa para sempre perdida. "E não tem nada a ver com uma casa bonita como esta... me bastariam dois quartos e cozinha... mas com todas as minhas coisas... e limpa como um espelho... e ficar tranquilo... no domingo passearmos juntos... comer juntos, dormir juntos... pense, Gino, como será bom!" (*La Romana*, romance do italiano Alberto Moravia).

MORAVIA

Por falar em Moravia, lembro-me de quando esteve aqui no Rio. Era por ocasião do Primeiro Festival de Escritores, e ele estava em uma das barracas. Fui-lhe apresentada, e Moravia, que iria depois a um restaurante com um grupo de amigos e conhecidos, convidou-me para ir também. No jantar meu lugar era ao seu lado. Mas que conversa. Quase impossível. Um homem amargo e terrivelmente irônico. O desprezo pelos outros e por si mesmo. Fazia-me perguntas atrás de perguntas, brincando com o garfo. Jantei mal. Terminei zangada: "Por que o senhor me faz tantas perguntas, se não parece nem um pouco interessado pelas respostas? O senhor nem sequer me ouve." Ao que ele respondeu com inesperada doçura, quebrando pela primeira vez o tom irônico e mordaz: "Estou ouvindo tudo." Fiquei com tanta pena.

Mas a mulher dele é um caso. Faz perguntas sem ironia nem desprezo, mas com que rispidez. É muito consciente do próprio valor, embora sem vaidades. Vai direto ao assunto, olha inquisitivamente o interlocutor, interrompe sem mais nem menos as respostas que não lhe interessam: o interlocutor, surpreendido com a súbita interrupção, fica um pouco desarvorado. Chama-se Elsa, se não me engano. Dizem que é uma ótima escritora, alguns acham-na superior a Moravia; nunca a li. O que sei é que formam um casal difícil. Mas que jantar, perdi a fome, o que não perdoo.

E por falar em escritores, estou relendo com gosto trechos do romance *Quarup*, de Antonio Callado. É muito, é muitíssimo excelente. Prende desde a primeira página à última. Eu ia dizer que as leitoras de espírito delicado não o deviam ler, pois trata-se de um livro franco, realmente sem meias palavras em matéria de fatos. Mas resolvi, muito pelo contrário: as de espírito delicado também o devem ler, para ficarem menos delicadas, para se fortificarem. Vida é vida, e não adianta fugir: quando a gente foge, ela corre atrás. É melhor ir ao encontro dela. É mais bonito para uma pessoa.

♦ ♦ ♦

POR MEDO DO DESCONHECIDO (TRECHO)

Então isso era a felicidade. De início se sentiu vazia. Depois os olhos ficaram úmidos: era felicidade, mas como sou mortal, como o amor pelo mundo me transcende. O amor por essa vida mortal a assassinava docemente aos poucos. E o que é que se faz quando se fica feliz? Que faço da felicidade? Que faço dessa paz estranha e aguda que já está começando a me doer como uma angústia e como um grande silêncio? A quem dou minha felicidade que já está começando a me rasgar um pouco e me assusta. Não, ela não queria ser feliz. Por medo de entrar num terreno desconhecido. Preferia a mediocridade de uma vida que ela conhecia. Depois procurou rir para disfarçar a terrível e fatal escolha. E pensou com falso ar de brincadeira: "Ser feliz? Deus dá nozes a quem não tem dentes." Mas não conseguiu achar graça. Estava triste, pensativa. Ia voltar para a morte diária.

SOBRE ESCREVER

Às vezes tenho a impressão de que escrevo por simples curiosidade intensa. É que ao escrever eu me dou as mais inesperadas surpresas. É na hora de escrever que muitas vezes fico consciente de coisas, das quais, sendo inconsciente, eu antes não sabia que sabia.

◆ ◆ ◆

ENERGIA ATÔMICA E O BRASIL

Quem diria, na minha infância, que um dia eu me defrontaria com um dos meus ídolos de Recife? E logo um de quem Einstein disse: "Só você é capaz de seguir meus passos."

Eu tinha meus sete anos e Mário Schenberg era rapaz feito, e sua fama corria em Recife, minha terra. Não sei quando ele abriu suas grandes asas e foi para o mundo, no caso, São Paulo. Agora é físico, principalmente teórico, embora também tenha participado de equipes experimentais. Em 1968, quando entrei em contato com ele, estava redigindo um trabalho sobre eletromagnetismo e gravitação, além de participar da colaboração Brasil-Japão sobre raios cósmicos. Estava ensinando Mecânica Racional, Celeste e Superior no Departamento de Física da Faculdade de Filosofia, Ciências e Letras da Universidade de São Paulo, e, no ano anterior, dera um curso de pós-graduação no Centro Brasileiro de Pesquisas Físicas do Rio de Janeiro.

A maioria de nós não alcança esses assuntos e fica na escuridão. O que eu alcancei foi a ideia de alguma coisa de uma extraordinária beleza. Algo assim como a música de câmara. Quando estudei no ginásio Matemática e Física, percebi que nesses dois ramos do conhecimento humano a intuição tinha um papel preponderante, embora meus professores achassem que se tratava apenas de uma capacidade aguda de raciocínio. É claro, o raciocínio tem enorme importância, mas também é claro que a intuição tem seu papel na Física e na Matemática. E para mim tudo aquilo em que entra intuição é uma forma de arte; Física e Matemática são de um poético tão alto que já é banhado de luz. São uma arte tão arte que as comparo a Bach. Para a minha alegria, eu depois vim a saber que o matemático Jean Dieudonné pensava e dissera a mesma coisa.

Mário Schenberg tem uma bela cabeça de homem que lembra muito a cabeça de um imperador romano. Quando fala, fecha os olhos por um longo tempo.

Desde 1934, quando foi criada a Faculdade de Filosofia, Ciências e Letras da Universidade de São Paulo, vêm sendo realizadas no Brasil pesquisas sobre Física Atômica, Física Nuclear e Física das Partículas Elementares. Naquela ocasião o professor Gleb Watghin fundou o Departamento de Física da Faculdade. Depois da última guerra, os estudos sobre aproveitamento de energia nuclear começaram a ser feitos em São Paulo, Guanabara e, mais tarde, em Belo Horizonte, Recife e outros pontos do país. O principal centro de pesquisas sobre as aplicações da energia nuclear é o Instituto de Energia Atômica, de São Paulo, que pertence à Comissão Nacional de Energia Nuclear, fundado pelo professor Marcelo Damy de Sousa Dantas.

Mas não existe um volume suficiente de pesquisas atômicas no Brasil. O número de pesquisadores e as instalações de que dispomos são ainda inteiramente inadequados para o trabalho a ser realizado. Perguntei a Mário se haveria para o mundo o perigo da reação em cadeia. Respondeu-me que houvera receios de que uma reação nuclear em cadeia pudesse se propagar, escapando inteiramente ao controle do homem, mas era receio infundado: a humanidade pode ser destruída numa guerra atômica mas não por esse processo. Em relação à paz, a energia atômica será num futuro não muito remoto a principal fonte de energia à disposição da humanidade: dentro de algumas décadas as reservas de combustíveis fósseis, sobretudo petróleo e carvão, estarão provavelmente esgotadas, e restarão a energia atômica e a energia solar como principais fontes de energia utilizadas, sobretudo a atômica. No caso de um país subdesenvolvido, terá importância extraordinária a aplicação de explosivos atômicos em grandes obras de engenharia, de mineração, na produção de petróleo ou de gás etc. Quanto aos isótopos radioativos artificiais (substâncias produzidas artificialmente em reatores ou em aparelhos nucleares), possuem numerosas aplicações de extraordinária importância na indústria, na agricultura, na medicina e na pesquisa tecnológica em geral. Basta citar uma aplicação de excepcional importância para o Brasil, grande produtor de alimentos: a esterilização destes por radiações permite a sua conservação por períodos imensos.

◆ ◆ ◆

UMA LIÇÃO DE ESCULTURA

Uma vez o escultor Mário Cravo, num catálogo de sua exposição, escreveu: "*Três Estados do Ferro*, título dado à presente mostra, surge de 16 anos de colóquio mantido com o ferro, material insólito e frágil, ao mesmo tempo bárbaro e terno. Os estados são os diferentes tipos de tratamento de superfície das esculturas." E explica o primeiro estado do ferro: é encontrado nas esculturas lixadas ou levemente polidas, protegidas por uma tênue camada de verniz sintético e incolor, para evitar a ferrugem e a perda de brilho. O segundo estado, segundo Mário Cravo, está em esculturas de menor porte, de cor amarelo-brilhante: aplicação de latão em fusão sobre a superfície do ferro rubro. "Em alguns casos adiciono o cobre à tal técnica de revestimento e notamos sua presença através de tons levemente róseos." E o último e terceiro estado: as esculturas oxidadas, que deixam o escultor frente a frente com a matéria. "A predominância é de marrom-avermelhado, característica do óxido de ferro. A superfície grossa vem dos respingos da solda elétrica." E, acrescenta Cravo, "finalmente o ferro descobre sua quietude baça, presente ao escultor, que tantos anos levou para aceitar a oxidação como valor imanente à própria obra".

Mário Cravo trabalha em um enorme ateliê: todo o porão de uma casa imensa. Acha que o que faz um homem um artista é primeiro ser essencialmente homem. Segundo, ter uma dose acima da média de sensibilidade. Terceiro, a capacidade de controlar e orientar em termos construtivos essa força interior. Quarto, querer, como todo homem, transformar o mundo, interferir nele.

Teve como primeiro mestre um velho santeiro baiano, o último de sua estirpe: Pedro Ferreira. Este o introduziu nas técnicas tradicionais da escultura em madeira. Depois, no Rio de Janeiro, Humberto Cozzo transmitiu-lhe seus conhecimentos da modelagem em barro. Seu último mestre foi um iugoslavo: Ivan Mestrovic, com quem aprendeu a trabalhar em pedra e mármore. Mas só aprende o indivíduo que tem potencializadas certas características fundamentais. Por exemplo, um homem que tem aversão ao uso das mãos estará menos aparelhado para absorver a técnica. Há necessidade de perseverança, continuidade, intensidade etc. A escultura tem muito a ver com a ação física, embora esta seja resultante por sua vez de uma válvula sensorial e intelectual. Parte do *eu* é transmitida. O *eu* construtivo, no sentido de contribuir para a existência do próprio homem. Cravo crê firmemente que o trabalho de arte é carregado de responsabilidades éticas, não importa a forma exterior que ele toma. A arte é feita por homens e para homens. O resto são variações sobre temas de interesses pessoais ou de serventia ideológica. Na sua opinião os maiores escultores do mundo no momento são Marino Marini e César. David Smith também é um grande escultor. No Brasil, no passado, frei Agostinho da

Piedade, Francisco Chagas, o Cabra, e obviamente o Aleijadinho. Contemporâneos: Bruno Giorgi e Franz Weissmann.

Considera-se um escultor figurativista mesmo quando faz coisas não figurativas. As suas formas mais puras, mais despojadas, têm relação com o mundo orgânico: são núcleos, formas germinantes, óvulos ou ovulação, crescimento etc., todos eles termos essencialmente figurativos, embora não apresentados em forma humana ou animal. Está preocupado em sintetizar estruturalmente, economicamente, o universo baiano, em princípio. A passagem da forma humana à forma atual: a todo parto antecede uma gestação. Não quer dizer que esteja excluída a volta à figura humana. Não aceita a dualidade da mesma forma que recusa limitar o problema de arte da humanidade à estreita faixa do figurativo e do não figurativo. O rosto humano lhe interessa como tema para fazer escultura quando está na sua fase esse detalhe do corpo humano. O dedão grande do pé pode ser mais expressivo se feito por um grande artista do que a mais linda face de uma donzela executada por uma senhora rica e entediada que se dedique à escultura.

Mário Cravo vive exclusivamente da arte: vende bastante bem para um escultor brasileiro que nasceu, vive e trabalha em Salvador. Se desejasse viver em alguma parte do mundo que conhece, já estaria lá: é um homem integrado no seu meio. E baiano, já adulto, descobriu a terra ideal para o trabalho: senão estaria no Rio, em São Paulo, em São Francisco etc., pois já teve chances.

Trabalha com modelos, por que não? Os seus modelos são a planta que brota no chão junto de sua casa, os pássaros, a natureza, os deuses, os homens com seus costumes, seus mitos e tudo o mais.

✦ ✦ ✦

BROWNEA GRANDICEPS: ROSA-DA-MONTANHA

Deus e Roberto Burle Marx fazem paisagens. Sem que uma fira a outra: a paisagem do grande artista não machuca a natureza. Sua vegetação lembra a de uma paisagem submersa ondulante que às vezes atrai como tentáculos de animais submarinos. Às vezes sua paisagem parece simplesmente erguida da terra como fruto desta. São delicadíssimas as paisagens que ele cria mas reais, isto é, abrangendo também a violência e a singularidade que a vegetação natural tem.

Nunca teve a intenção de imitar a natureza. O que procura fazer é ordenar seus elementos segundo sua necessidade interior. Para Burle Marx fazer jardins é organizar, é ordenar, baseando-se em leis estéticas, leis de composição, onde volumes, texturas, cores se harmonizam ou são utilizados em contrastes, em oposição para estabelecer choques, dramatizando às vezes as plantas enquanto as outras acompanham em surdina.

Uma vez pedi a Roberto alguns nomes de plantas que anotei: alguns me fascinam. Falou em *Esterhasia*, que é esplêndido, em *Hymanaea courbaril*, *Brownea grandiceps*, que são rosas-da--montanha, *Elizabeth princeps*, e esta atinge com sua folhagem elegante até 30 metros; *Marime grande*. E *Clusia*, grande flora.

Quase sempre ele desenha antes no papel o tipo de paisagem que lhe vem por inspiração. Em muitos casos os projetos estão ligados à arquitetura: a paisagem deve sempre ser uma obra de arte, quer seja idealizada para um indivíduo ou para uma comunidade. As qualidades artísticas devem ser as mesmas, porém Roberto tem mais prazer quando o jardim é arquitetado para uma cidade onde haja um grande número de indivíduos.

Há algo de matemático na criação de seu mundo: a Matemática está sempre ligada a problemas de ordenação. No desenho de jardins existe um lado imponderável, porém, como na própria natureza. Como nesta, ele trabalha com elementos perecíveis que vivem, crescem e também morrem, é inevitável. A ideia de criar com elementos vivos veio de seu amor à planta: cada uma se lhe revela de maneira diferente, na cor, no ritmo das florações. E as plantas, por seu turno, sofrem a ação da luz que pode acentuá-las ou esmaecê-las. Por exemplo: em Brasília a luminosidade é diferente da luminosidade do Rio. E lá onde o número de fábricas ainda não é suficiente para brumas e fog, e também pela altitude, a forma das plantas tem uma nitidez diferente.

Esse grande amor por plantas vem da infância: lembra-se de sua mãe podando roseiras. Mas a flora brasileira lhe foi revelada em inúmeras visitas ao Jardim Botânico de Dahlen, em Berlin: teve vontade de utilizá-la. Depois, quando morava na Rua Ribeiro da Costa (aliás, tio de Lúcio Costa), começou a fazer uma série de experimentos com plantas, plantando tinhorões brancos ao lado de coléus de folhagem violeta e marrom. Lúcio Costa viu e logo o convidou para fazer o jardim de uma casa moderna, e esse convite induziu-o a fazer jardins.

Como outros artistas, o seu problema é o de não cair na facilidade de fórmulas. A tendência da vida é imitar ou aceitar o estabelecido, é tão difícil procurar a porta estreita. Burle Marx procura comparar o seu trabalho com o que existe de melhor, não só em matéria de jardins, mas também de literatura e música.

De animais nós entendemos e adivinhamos porque também nós o somos. Mas na verdade de vegetação e paisagem, o que temos dentro de nós que nos faz amá-las e entendê-las? É o ciclo de vida até que a planta se transforma em frutos, que por sua vez contêm sementes e todos os elementos para ser raiz, tronco e folhas.

Burle Marx dialoga sempre com os seus auxiliares: a vontade de ser útil às comunidades, de induzi-las a compreender suas intenções, é para ele necessidade de continuação. Deseja que suas experiências possam vir a ser úteis aos que virão depois dele.

No seu trabalho, se às vezes não consegue expressar exatamente o que queria, seu desejo é o de sempre consegui-lo na nova obra que esteja realizando. A pintura está intimamente ligada à sua vocação artística. Aliás, começou por pintar, fazer joias, tapeçarias, painéis pintados, murais. É fascinado também pela música, pelo teatro, pela literatura. Mas o tempo de uma vida não é suficiente para se fazer tudo o que se gosta. Tem que haver uma grande dose de renúncia.

♦ ♦ ♦

O PRESENTE

... amor será dar de presente um ao outro a própria solidão? Pois é a coisa mais última que se pode dar de si.

COMER

A comida estava ruim, mas que bom: ela me renovará toda para uma futura comida boa que nem ao menos sei quando virá.

Blanchette de Veau. Fomos ao restaurante somente e exclusivamente para comer. Conversar, só se calhasse. Quando o maître diz "recomendando *Blanchette de Veau*", meu corpo que às vezes tem a intuição de uma sabedoria, meu sábio corpo me disse que não. Recorro ao argumento de que "molho branco não me interessa". Minha amiga, grande e delicada devoradora do que é bom, explica-me que molho branco tem os seus segredos etc. Resolvemos então seriamente arriscar a meio: pedimos *Blanchette* e um *Tournedos* com molho de vinho para dividirmos.

Bem que hesitei em me conformar com o que sentia aos primeiros bocados, tinha medo de estar sentindo errado. Disse meio a receio: você não sente que tem aí alguma coisa um pouco chamuscada, não digo queimada mesmo, mas chamuscada. Ainda não descobri o que é, pois na primeira fome misturei tudo na boca. Ela, minha amiga, me diz calmamente: o arroz *pegou*.

Quanto à *Blanchette*. Certas comidas requintadas demais estão no limiar do enjoo de estômago. Requintada demais dá cócega ruim: e eis atingido o limiar. Pois também comida boa tem algo de rude nela.

Quanto ao *Tournedos*, novo erro. Mas carne tem que resistir um pouco aos dentes! O filé que se corta como manteiga me avisa logo que, pelo menos a mim, não me entenderam.

Embora bastante relativo, tive pois um grande desgosto em matéria de comer. E nada conseguia me tirar o gosto do fracasso que já era de alma. Nunca, nunca mais comerei nada, disse-me eu em cólera, pois sou imatura bastante para não suportar bem um prazer frustrado. "Cortei com essa história de comer bem, não dá certo", disse eu amarga para a minha amiga. "Vai voltar", disse ela tranquila, descendente que é de uma mulher sábia e prática. Sua mãe é tão prática que, em caso de doença de família, faz logo as duas coisas essenciais: dá o remédio e logo em seguida vai para o quarto rezar. E tudo fica resolvido.

Mas esta já é outra história. Para finalizar a primeira, a vontade de comer terminou realmente voltando. Mas *Blanchette de Veau* – nunca mais. Não sou de brincadeiras.

HOMEM SE AJOELHAR

É bom. Sobretudo porque a mulher sabe que está sendo bom para ele: é depois de grandes jornadas e de grandes lutas que ele enfim compreende que precisa se ajoelhar diante da mulher. E, depois, é bom porque a cabeça do homem fica perto dos joelhos da mulher e perto de suas mãos, no seu colo, que é sua parte mais quente. E ela pode fazer o seu melhor gesto: nas mãos, que ficam a um tempo frementes e firmes, pegar aquela cabeça cansada que é fruto entre seu e dela.

DAR-SE ENFIM

O prazer é abrir as mãos e deixar escorrer sem avareza o vazio-pleno que se estava encarniçadamente prendendo. E de súbito o sobressalto: ah, abri as mãos e o coração, e não estou perdendo nada! E o susto: acorde, pois há o perigo do coração estar livre!

Até que se percebe que nesse espraiar-se está o prazer muito perigoso de ser. Mas vem uma segurança estranha: sempre ter-se-á o que gastar. Não ter pois avareza com esse vazio-pleno: gastá-lo.

♦ ♦ ♦

UM NOME A NÃO ESQUECER: LARA

Foi assim. Recebi um convite da Galeria do Grupo B (Rua das Palmeiras 19, Botafogo) para a exibição de Lara, de quem nunca havia ouvido falar. Mas ao abrir o envelope tive uma surpresa-choque-feliz: lá estava a reprodução de um desenho que imediatamente me fascinou e me chamou.

Não vou tentar descrever a arte do desenhista Lara. Só quero falar de sua voluptuosa força, da sensualidade vital das estruturas nítidas, de suas curvas que são organicamente ligadas a outras formas curvas. O grafismo de Lara lembra apenas vagamente Didier Moreau, só que o nosso desenhista é mais potente e usa menos do que eu chamaria de liberdade arbitrária. (Lara não conhece o trabalho de Moreau nem nunca ouviu falar dele.) Moreau desenha figuras humanas muito eróticas. Mas em Lara o erotismo – próprio do que é vivo, do ar, do mar, das plantas, de nós – o erotismo está espalhado pela veemência do traço, dispensando nudez ou movimentos que insinuem lubricidade. É de um vigor que lembra o de um tronco robusto de árvore, o de raízes entranhadas na terra viva, energia anímica. E tudo isto no fantástico. Fantástico que é uma nossa verdade secreta, a verdade do sonho. E acontece que é exatamente a arte que meu coração anda pedindo.

Suas formas parecem em perpétua transmutação — como prestes a mover-se e constituir novas composições. (Nota: ando escrevendo particularmente mal atualmente — espero ultrapassar esse impasse — de modo que não estou sabendo usar as palavras certas para falar da obra do autodidata Lara, esse corajoso.) O traço é finamente depurado e no entanto o conjunto tem a crueza nua dos sonhos livres e das grandes realidades. Seu grafismo não parece conhecer a proibição. E de algum modo nos libera, essa arte plena que transborda. É todo intuitivo o seu trabalho. E tenho certeza de que ele nada planeja: as formas, elas próprias, inspiram a sequência de outras.

No convite vem impressa uma apresentação-poema de Nelson Xavier que diz muito mais do que eu conseguiria exprimir e que agora transcrevo por causa de sua verdade tão bela:

Criar é um ato de sobrevivência
da identidade

não tenho nada
além desta linguagem
essa imagem
única testemunha de mim mesmo
fiel de humanidade
certidão documento que eu me peço
se ingresso
na escuridão
nosso hoje de 3º ou 4º mundo
sem identificação

então
como um mistério
eu me decifro e abro
referências no espaço
num código refeito a
cada traço um passo
Perseguindo a identidade

e segue cega a pena
sábia por mim o que não sei, mas sou
nessa perseguição eu sobrevivo
que outra mágica lança espelho ou balança
pode manter-me vivo?

propor o enigma me salva
da condenação da esfinge

ah estoy flaco como um bordel banhado de vermelho
e o policial grita cogito ergo sum
e tudo o que tenho é esta linguagem para gritar meu horror
ah nada tenho a proclamar
que as verdades se acabaram
erro entre ruínas
mas as ervas já brotaram

parir o horror parir
parir o amor ah
se o medo da loucura fosse banido
como um feitiço banido
banido
todas as portas se abrindo como pernas no parto
e cada um

de suas flores roncos sonhos e venenos carregado
pelos rios rindo
por estradas indo
soltando da boca seus mundos
num carnaval de verdade
a loucura daria um novo mundo florido
esquecido
onde os monstros e vísceras são o mel de quentes favas
e a vida um pão cheiroso
que é comido

✦ ✦ ✦

AS IMAGINAÇÕES DEMONÍACAS

Através do alto cosmos as ondas musicais calmíssimas. A loucura da tranquilidade. Paisagem? Só ar, talos verdes, o mar estendido, silêncio de domingo de madrugada. Um homem fino de um pé só tem um grande olho transparente no meio da testa. Um ser feminino se aproxima engatinhando, diz com voz que vem de outro tempo, voz grave, esquerda, eufórica: "Quer tomar chá?" É o hábito, o hábito de uma vida anterior. Pega uma espiga delgada de oiro – talvez seja trigo – a põe entre as gengivas sem dentes e se afasta de gatinhas com os olhos bem abertos. Olhos imóveis como o nariz. Ela não tem pescoço. Precisa mover toda a cabeça sem ossos para fitar um objeto. Objeto? Que objeto? Não existem objetos. O homem fino adormeceu sobre o pé, adormeceu o olho sem fechá-lo: dormir trata-se de querer ou de não querer ver. Quando não vê, ele dorme. No olho silente se refletem planície e arco-íris. É olho ou asa de inseto. Acima de um certo vazio é a maravilha. As ondas musicais recomeçam. Alguém examina as unhas. Há um som que de longe faz: psiu, psiu!... Mas o homem-do-pé-só nunca poderia imaginar que o estão chamando. Inicia-se um som de lado que atravessa as ondas musicais sem tremor, e se repete tanto até cavar com a gota d'água a rocha. É um som elevadíssimo e sem frisos. Um lamento alegre? É a nota mais alta e feliz que uma vibração poderia dar. Nenhum homem da Terra poderia ouvi-lo sem enlouquecer e começar a sorrir. Mas o homem-do-pé-só dorme reto. E o ser feminino desdentado e rastejando está estendido na praia e pensa o vazio. Um novo personagem atravessa o deserto e desaparece mancando. Psiu! psiu! Mas ninguém responde. Quem chama? E quem chama quem?

ESCREVER PARA JORNAL E ESCREVER LIVRO

Hemingway e Camus foram bons jornalistas, sem prejuízo de sua literatura. Guardadíssimas as devidas e significativas proporções, era isto o que eu ambicionaria para mim também, se tivesse fôlego.

Mas tenho medo: escrever muito e sempre pode corromper a palavra. Seria para ela mais protetor vender ou fabricar sapatos: a palavra ficaria intata. Pena que não sei fazer sapatos.

Outro problema: num jornal nunca se pode esquecer o leitor, ao passo que no livro fala-se com maior liberdade, sem compromisso imediato com ninguém. Ou mesmo sem compromisso nenhum.

Um jornalista de Belo Horizonte disse-me que fizera uma constatação curiosa: certas pessoas achavam meus livros difíceis e no entanto achavam perfeitamente fácil entender-me no jornal, mesmo quando publico textos mais complicados. Há um texto meu sobre o estado de graça que, pelo próprio assunto, não seria tão comunicável e no entanto soube, para meu espanto, que foi parar até dentro de missal. Que coisa!

Respondi ao jornalista que a compreensão do leitor depende muito de sua atitude na abordagem do texto, de sua predisposição, de sua isenção de ideias preconcebidas. E o leitor de jornal, habituado a ler sem dificuldade o jornal, está predisposto a entender tudo. E isto simplesmente porque "jornal é para ser entendido". Não há dúvida, porém, de que eu valorizo muito mais o que escrevo em livros do que o que escrevo para jornais – isso sem, no entanto, deixar de escrever com gosto para o leitor de jornal e sem deixar de amá-lo.

✦ ✦ ✦

PARA ACABAR DE "FUNDIR A CUCA"

– Ninguém ignora que sal no fogo ou uma vassoura escondida atrás da porta ocasionam a partida imediata de visitas cacetes.

– Ninguém ignora que uma fita encarnada amarrada no corpo do doente impede o progresso da erisipela.

– Do mesmo modo, um pano vermelho pendurado no quarto de dormir faz brotar sarampo encruado.

– Para soluço, nada melhor que tomar nove golinhos de água, sem respirar. Ou então dobrar a manga. Para soluço em criança pequena não há nada como colocar sobre sua testa um pedacinho de algodão molhado.

– Chuchu enterrado de manhã bem cedo faz caírem verrugas.

– Quem derrubar açúcar na mesa, é só pôr uma pitadinha no seio que vem dinheiro na certa.

– E sal é má notícia quando derramado, a menos que se jogue um pouquinho dele por trás do ombro esquerdo.

– Tocar na madeira para "isolar", todo o mundo sabe.

– Pato para ficar saboroso tem que ser depenado num silêncio absoluto. E para que uma galinha fique bem mole, bem macia, a receita é pôr na panela três grãos-de-bico ou um prego.

– Enquanto isso, cavalo-marinho alivia asma.

– Para quem sua nas mãos é só segurar um sapo durante uns minutinhos que sara logo.

– Como todo o mundo sabe, faca cruzada é sinal de briga e que não se passa pelo mesmo motivo sal na mesa.

– Espelho quebrado se atira no mar.

– Não se bota chapéu em cima da cama e sapato em cima de cadeira.

– É sempre melhor calçar o pé direito antes do esquerdo.

– Deve-se esconder um fio de cabelo na barra dos vestidos de noiva.

– Para sair de um lugar nunca se deve tomar uma porta que não seja aquela por onde se entrou.

– Quem varre casa de noite jogando fora o lixo também joga fora a fortuna.

– Quando se vira por acaso a bainha do vestido é conveniente mordê-la para ganhar outro novo.

– Amarelo é cor de ano bissexto.

– Para garantir a boa saúde de criancinhas é ótimo pendurar-lhes no peito um saco pequeno cheio de rabinhos de lagartixas.

– Que um Santo Antônio roubado leva ao altar qualquer solteirona desanimada.

– Coceira na mão direita é dinheiro chegando.

– Que se deve pagar um tostão quando se ganha um lenço ou uma faca.

– Boa defesa para mau-olhado é um copo de água fresca com três pitadas de sal.

– Há olhares que secam pimenteiras.

– Quando se perde alguma coisa, amarra-se uma fita ou barbante no braço de uma cadeira, numa perna de mesa, num jarro, numa lâmpada, ou em qualquer lugar, deixando assim o *diabinho* bem amarrado até que apareça o que se perdeu.

– Riscar cruzes de giz nas solas dos sapatos tira a rinchação.

– Uma rolha na frigideira garante o dourado de qualquer fritura.

– Que não se abre guarda-chuva dentro de casa.

— Passarinho preto entrando pela janela é tristeza que vem.
— É bom ter espadas-de-são-jorge à direita da entrada da casa.

Bem, creio que a essa altura, e sobretudo com a prática dos preceitos acima citados – a *cuca está fundida* para sempre.

✦ ✦ ✦

A MÁGOA MORTAL

Os telhados sujos a sobrevoar, arrastas no voo a asa partida. Acima da igreja as ondas do sino te rejeitam ofegante até a areia da praia. O abraço consolador não podes mais suportar pois amor estreita asa doente. Sais gritando pelos ares em horror, sangue escoa pelos telhados. Foge, foge para o espanto da solidão, pousa na rocha, estende o ser ferido que em teu corpo se aninhou: tua asa mais inocente foi atingida. Mas a cidade te fascina. Insistes lúgubre em brancura carregando o que se tornou o mais precioso: a dor. Voas sobre os tetos em ronda de urubu. A asa pesa pálida na noite descida em pálido pavor. Sobrevoas persistente a cidade fortificada e escurecida – capela, ponte, cemitério, loja fechada, parque morto, floresta adormecida, folha de jornal voa em rua esquecida. Que silêncio na torre quadrada. Espreitas a fortaleza inalcançável. Não, não desças, não finjas que não dói mais – é inútil negar asa partida. Arcanjo abatido, não tens onde pousar. Foge, assombro, foge, ainda é tempo – desdobra com esforço a asa confrangida. Foge, dá à ferida a sua verdadeira medida e mergulha tua asa no mar.

A ROSA BRANCA

Corola alta: que extrema superfície. Catedral de vidro superfície da superfície, inatingível. Pelo teu talo duas vozes à terceira e à quinta e à nona se unem em coral – crianças sábias abrem bocas de manhã e entoam espírito, leve superfície de espírito, superfície intocável de uma rosa.

Estendo minha mão esquerda que é mais fraca e delicada, mão escura que logo recolho sorrindo de pudor: não te posso tocar. Meu rude pensamento quisera poder cantar teu entendimento de gelo e glória.

Tento liberar-me da memória, entender-te como te vê a aurora, como te vê uma cadeira, como te vê outra flor. (Não temas, não quero possuir-te.)

Alço-me, alço-me em direção de tua superfície que já é perfume. Alço-me até atingir minha própria tona, minha própria aparência – empalideço nessa região assustada e fina, quase alcanço tua superfície divina... Numa queda ridícula caí.

Não abaixo minha cabeça rosnante: quero ao menos sofrer tua vitória com o sofrimento angélico de tua harmonia, de tua alegria. Mas dói-me o coração grosseiro como em amor por um homem. E das mãos tão grandes saem as palavras envergonhadas.

✦ ✦ ✦

A FESTA DO TERMÔMETRO QUEBRADO

Sempre foi e será uma festa para mim quando se quebra em casa um termômetro e liberta-se a gota gorda e contida de mercúrio prateado, ali no chão, dando uma pequena corrida e depois imobilizando-se, imune. Tento pegá-la com cuidado, auxiliada pela agudez de uma folha de papel que passa deslizadoramente por baixo dela. Ou dele, o mercúrio. Que não se pode pegar: no momento em que eu penso que o peguei ele se estilhaça mudo nos meus dedos como mudos fogos de artifício, como o que dizem que nos acontece depois da morte – o espírito vivo se espalha em energia solta, pelo ar, pelo cosmo. Que impossibilidade de capturar a gota sensível. Ela simplesmente não deixa e guarda a sua integridade, mesmo quando repartida em inúmeras bolinhas esparsas: mas cada bolinha é um ser à parte, íntegro, separado. Basta porém que eu alcance ligeiramente uma delas e ela é atraída velozmente pela que está próxima e forma um conjunto mais cheio, mais redondo. Sonho tanto hoje que quebrei um termômetro como em criança, sonho com milhares de termômetros quebrados e muito mercúrio denso e lunar e frio se espalhando. E eu a brincar, toda séria e concentrada em alto grau, a brincar com a matéria viva de uma enorme quantidade do metal de prata. Imagino-me a mergulhar como num banho nesse vasto mercúrio que imagino saído dos termômetros: ao mergulhar milhares de bolas se soltariam, cada uma por si mesma, grossas, impassíveis. O mercúrio é uma substância isenta. Isenta de quê? Nada explico, recuso-me a explicar, recuso-me a ser discursiva: é isento e basta. Parece possuir um frio cérebro que comanda as suas reações. Sinto-me em relação a ele como se eu o amasse e ele nada sentisse por mim, nem sequer uma obediência de objeto. O mercúrio é um objeto que tem vida própria. Lidar com ele é uma experiência não substituível por outra qualquer. Ele não se cede a ninguém. E ninguém consegue pôr-lhe a mão. O espírito, através do corpo como meio, não se deixa contaminar pela vida, e esse pequeno e faiscante núcleo é o último reduto do ser humano. As feras também possuem esse núcleo irradiante, tanto que elas se conservam íntegras, indomesticáveis e vitais.

Noto que passei do mercúrio ao mistério das feras. É que o mercúrio – que constitui matéria lunar – faz meditar, leva-me, de uma verdade a outra, até o núcleo de pureza e integridade que está em cada um de nós. Quem? Quem não brincou com o termômetro quebrado?

DE VILA ISABEL PARA O BRASIL

Telefonaram-me pedindo que eu praticamente anunciasse, do meu canto no Caderno B ao mundo, vasto mundo, eu que não me chamo Raimundo, que anunciasse uma nova instituição apenas nascente: o Clube Nacional de Poesia.

Não acredito em poesia clubificada, acho que ela é, como todo trabalho criador, inclubificável. É apenas uma comunhão solitária com um leitor desconhecido que às vezes se manifesta e por um instante nos aquece o coração cansado pelo esforço de viver.

Mas acredito, de forma não clara e elaborada, no rapaz que me telefona e que tem 16 anos, residente em Vila Isabel. Sem maiores rodeios pede que eu anuncie na minha coluna o evento tão importante. Importante para ele, pelo menos. E através dele procuro em mim um pouco de ternura pelo ente de Vila Isabel que acredita numa união nacional com bases poéticas.

Anuncio, pois, esse gesto de desenvoltura súbita do rapaz tímido: fundou-se a poesia. Se já é um clube nacional, só não é mundial porque tanta audácia se assusta um pouco a si mesma. Inaugura-se a poesia como resposta estertorada talvez à mecanização nossa nesta chamada "sociedade de consumo". Sou poeta, eis o partido que me resta, eis em que resulta a minha luta – parece dizer o rapaz. E, não contente de se fundar a si mesmo na idade já algo experiente de 16 anos, envolve o Brasil inteiro na sua exclamação de tanta boa-fé e de ingenuidade. (Um dia culpei-me, diante de Carlos Drummond, por ter sido ingênua demais, e ele me consolou dizendo que ingenuidade não era defeito. Ouviu, moço? não se ofenda, pois.) Há algo de sadio e simpático no rapaz. Envergonho-me de nunca ter acreditado na eficácia de um clube de poesia. E arrependida de minha desistência prévia, procuro aderir embora sorrindo ao manifesto. Fundemos um movimento nacional poético como única solução para os nossos males. Com a poesia oficializada pelo moço de Vila Isabel instauramos o amor como remédio à solidão de quem ousa se individualizar na massa humana e compacta e transformada em robô. Por um decreto do rapaz, estamos livres. Está bem. Aceito a minha nova liberdade.

♦ ♦ ♦

BRASÍLIA DE ONTEM E DE HOJE

Tive uma conversa com um casal de arquitetos, Paulo e Gisela Magalhães, que viveram e trabalharam em Brasília. Pedi a ambos que falassem sobre o trabalho que haviam realizado na capital e de um modo geral sobre Brasília, que não revejo há anos.

— Se há um lugar hoje no mundo em que o arquiteto tem papel urgente e belo é em Brasília: mais de metade da cidade está por construir — disse Paulo Magalhães.

— Quando há anos estive lá, pareceu-me uma cidade desertada pelas gentes, comentei eu.

— Mas agora há uma comunidade bastante heterogênea, não somente por ter mais habitantes, como por ser formada de brasileiros de várias regiões do país, principalmente do Nordeste.

— Minha impressão primária, já bem antiga — disse eu — e que vi no começo de Brasília, foi a de uma cidade do faroeste dos filmes, com *saloons* e tiroteio.

— Este fenômeno existiu realmente no começo de Brasília, antes de sua inauguração.

— Gisela, que é que você construiu?

— Um centro de recepção e triagem do menor necessitado e abandonado.

— Pergunto a vocês dois qual parece ser o ideal dos habitantes da cidade? Em outras palavras, o que é que eles querem?

— A maior parte da população de Brasília tem espírito combativo, procurando, no seu âmbito, criticar e acertar, disse Gisela.

— Já está começando a haver uma mentalidade urbana como no Rio de Janeiro, disse Paulo.

– E as cidades-satélites?
– São cidades constituídas na maioria de trabalhadores emigrados das várias regiões do Brasil.
– Eu mesma, diz Gisela, trabalhei numa cidade-satélite. As cidades-satélites são verdadeiros desafios porque o único trabalho que conta é o trabalho na construção. Em Brasília há a Secretaria de Educação que desenvolve e experimenta os processos mais atualizados do ponto de vista educacional, isto é, a educação integral. Mas há dois pesos e duas medidas: as cidades-satélites carecem de recursos.
– Paulo, Brasília tocou você em relação a seu trabalho?
– Depois que passei a trabalhar lá, principalmente no período de elaboração dos planos de urbanização da cidade-satélite de Planaltina, pude compreender com mais nitidez e objetividade a função do arquiteto na sociedade contemporânea, especialmente num país em via de desenvolvimento como é o caso do nosso.
– E como seres humanos, vocês sentiram a influência da cidade na vida pessoal?
– A verdade – diz Gisela – é que a gente está sempre se modificando tanto. Aquela paisagem, aquele horizonte de 360 graus de algum modo nos transforma: você fica só mas ao mesmo tempo se sente menos só porque a gente vê mais, isto é, aprende a olhar.
– O espaço em Brasília me deu maior amplidão pessoal – diz Paulo.
– O que faz falta é o mar... – comenta Gisela.
– Em mim – diz Paulo – possibilitou uma vida mais tranquila, mais produtiva. Na verdade não penso mais em minha pessoa apenas. Meus pensamentos se aprofundaram. Eu amadureci.
O casal Magalhães tem cinco filhos.
– Queria saber como reagem as crianças a Brasília.
– Nossos filhos, por exemplo, adoraram a cidade – conta Gisela. – E tiveram conosco uma vida muito boa.

Paulo acrescenta:
— As crianças lá podem ter maior convívio com os pais. O traçado urbanístico da cidade transforma-a num enorme playground. Foi uma cidade tão bem concebida, tão bem dosada em seus espaços, que o medo de "coisa artificial" se transformou em paz.

✦ ✦ ✦

VERGONHA DE VIVER

Há pessoas que têm vergonha de viver: são os tímidos, entre os quais me incluo. Desculpem, por exemplo, estar tomando lugar no espaço. Desculpem eu ser eu. Quero ficar só! grita a alma do tímido que só se liberta na solidão. Contraditoriamente quer o quente aconchego das pessoas. Vai, Carlos, vai ser *gauche* na vida. (Não sei se estou citando Drummond do modo certo, escrevo de cor.)

E para pedir aumento de salário — a tortura. Como começar? Apresentar-se com fingida segurança de quem sabe quanto vale em dinheiro — ou apresentar-se como se é, desajeitado e excessivamente humilde.

O que faz então? Mas é que há a grande ousadia dos tímidos. E de repente cheio de audácia pelo aumento com um tom reivindicativo que parece contundente. Mas logo depois, espantado, sente-se mal, julga imerecido o aumento, fica todo infeliz.

Sempre fui uma tímida muito ousada. Lembro-me de quando há muitos anos fui passar férias numa grande fazenda. Ia-se de trem até uma pequeníssima estação deserta. Donde se telefonava para a fazenda que ficava a meia hora dali, num caminho perigosíssimo, rude e tosco, de terra batida e estreito, aberto à beira constante de precipícios. Telefonei para a fazenda e eles me perguntaram se queria carro ou cavalo. Eu disse logo cavalo. E nunca tinha montado na vida.

Foi tudo muito dramático. Caiu uma grande chuva de tempestade furiosa e fez-se subitamente noite fechada. Eu, montada no belo cavalo, nada enxergava à minha frente. Mas os relâmpagos revelavam-me verdadeiros abismos. O cavalo escorregava nos cascos molhados. E eu, ensopada, morria de medo: sabia que corria risco de vida. Quando finalmente cheguei à fazenda não tinha força de desmontar: deixei-me praticamente cair nos braços do fazendeiro.

Nessa fazenda que recebia hóspedes e que era maravilhosa com seus bichos, sofri horrores. Só depois de uns três dias é que comecei a conversar com os outros hóspedes e a me descontrair na hora das refeições, pois eu tinha vergonha de comer na frente de estranhos e muita fome.

Lá estava um japonês que me perguntou se eu jogava xadrez. Respondi audaciosamente que ele me ensinasse, que eu aprenderia logo e jogaria com ele. E de repente me vi tendo que enfrentar tantas regras de jogo e com vergonha de não aprender. Mas logo em seguida aprendi superficialmente a jogar. Acontece que, creio eu, por puro acaso dei um xeque-mate no japonês que não quis mais jogar comigo. Senti-me infeliz, achava que o japonês não me perdoaria e que não gostava de mim. Fiquei muito tímida com ele. Foi pois com enorme espanto que o ouvi me dizer na hora da despedida, com uma delicadeza toda oriental que não elogia na cara, o que seria sufocante para a minha timidez. E ele disse: "Agradeço aos seus pais por terem feito você."

De 12 para 13 anos mudamo-nos do Recife para o Rio, a bordo de um navio inglês. Eu não sabia ainda inglês. Mas escolhia no cardápio ousadamente os nomes de comida mais complicados. E me via tendo de comer, por exemplo, feijão-branco cozido na água e sal. Era o castigo de minha desenvoltura de tímida.

E quando eu era pequena em Recife meu encabulamento nunca me impediu de descer do sobrado, ir para a rua, e perguntar a moleques descalços: "Quer brincar comigo?" Às vezes me desprezavam como menina.

Com sete anos eu mandava histórias e histórias para a seção infantil que saía às quintas-feiras num diário. Nunca foram aceitas. E eu, teimosa, continuava escrevendo.

Aos nove anos escrevi uma peça de teatro em três atos, que coube dentro de quatro folhas de um caderno. E como eu já falava de amor, escondi a peça atrás de uma estante e depois, com medo de que a achassem e me revelasse, infelizmente rasguei o texto. Digo infelizmente porque tenho curiosidade do que eu achava do amor aos nove precoces anos.

✦ ✦ ✦

PREGUIÇA

Perguntaram à preguiça:
— Preguiça, você quer mingau?
Ela disse bem devagar:
— Queeeeero.
— Então vem buscar.
— Não quero mais nãããão...

Num dia de chuva dá muita preguiça. Quase não posso escrever. Foi na viagem para um fim de semana em Friburgo. Chovia e na Parada Modelo vi as preguiças. Era demais para mim e me deu um sono daqueles. Vi as preguiças ensopadas mas ali imóveis, morrendo de preguiça. Um cheiro bom de bicho vinha delas. Elas têm cor de pedra, quase cor de nada.

Friburgo é uma coisa. E a granja onde ficamos tem de tudo: cavalos, galinhas, jabuticabeiras, margaridas, bananeiras, limões, rosas. Tem forno onde se fazia pão. É um verdadeiro sítio. E a cidade tem um ar fino. Fui à rodoviária onde comprei o *Jornal do Brasil* e li Drummond. Comi *steak au poivre* feito em casa. Só que em vez de *steak* era pernil de porco. Isso no sábado que é o meu dia. De sexta para sábado sonhei tão verdadeiro que me levantei e me vesti e me pintei. Quando descobri que era sonho voltei para a cama, antes comendo porque estava com fome brava. Mas era homem com que sonhei, mulher que sou. Sonhei que tinha encontro marcado e não queria me atrasar. Estou a ver que quase conto o sonho, mas não posso. É íntimo demais.

Já vi vacas e um frango. De manhã comi ovos com bacon. Friburgo me fascina. Tem casas cor-de-rosa e azul. A natureza fica tão tranquila quando chove! Lembro-me das preguiças que continuam no mesmo lugar, imóveis e ensopadas só para não terem trabalho de mudar. Eu também. Hoje é meu dia de preguiça. Mas não vou dormir: quero usufruir da granja e dos animais. O tempo aqui parou. Eu queria que o fogão ainda funcionasse e se fizesse pão. Vi um cafeeiro e por isso tomei café. O mundo está louco: isso eu vi no *Jornal do Brasil*. E a Feira da Providência perdi por Friburgo. Esqueci de dizer que na casa tinha cachorro: cruza de galgo com vira-lata, muito manso e alegre. Vou interromper para tomar outro café. Volto já.

Voltei. Meu rádio de pilha está ligado para Mozart que é alegre. Vi um cavalo branco inteiramente nu. Parou de chover. É hora de trabalhar. Mas nada tenho a dizer. O que dizer, meu Deus? Vou falar que colhi uma margarida e coloquei-a no meu casaco de couro preto: oh, fiquei linda. Estou com vontade de rever as preguiças e sentir o cheiro morno delas. É outubro, mês neutro. Setembro é mês alegre como maio. O cavalo só volve para dormir e eu também: resolvi que depois do almoço vou dormir. Dormir é bom – que o digam as preguiças. Meio-dia vou almoçar e ler o *Complexo de Portnoy*, livro corajoso. E no meio adormeço.

Quando acordar vou à cidade de novo. Eu queria visitar a Faculdade de Letras. Mas não parece ter jeito não. Estou ligada a essa faculdade e a Marly; grande poeta e pessoa das mais cultas que conheço. Quero ir à cidade e estou com sono. Quero Coca-Cola para tirar o sono. Quem me ensinou que Coca-Cola com café tira o sono foi João Henrique. Diz que é chofer de caminhão que toma: João Henrique me ensinou muita coisa. Sou grata a ele. Agora me lembro que Míriam Bloch também me disse.

Fui à cidade. Tinha um ajuntamento grande de pessoas. Perguntei o que era. Informaram-me que estavam à procura de um esfaqueador que matou seis mulheres e estava fugido no morro. Tive medo. Não quero morrer. Morrer é ruim.

Fui não sei para que para a Faculdade de Letras. Não quis visitar a biblioteca. Não sou culta. A freira que me atendeu não sabia de nada. Tinha uma aula de História de Arte. Não quis assistir: Chega de arte, embora eu seja artista. Tenho vergonha de ser escritora – não *dá pé*. Parece demais com coisa mental e não intuitiva.

É lindo o anoitecer em Friburgo. Ouço também um batuque que vem de uma vendinha que vende cachaça e alegra os homens. Aqui tudo é alegre, menos o esfaqueamento. Será que a polícia já prendeu o esfaqueador de mulheres? Só tomara.

A natureza é tão preguiçosa. Os cavalos continuam comendo. Agora estão relinchando. Ouço também os grilos. Ouço flauta doce, não sei se Bach ou Vivaldi. São quatro horas da madrugada com silêncio. Só agora estou ouvindo os sapos coaxarem. Já tomei café. Estou fumando. Essa casa não tem quadros. Cabo Frio tinha: pudera: Scliar, João Henrique, José de Dome. Scliar gosta de ocre, João Henrique gosta de verde, José de Dome de amarelo. Mas aqui tem uma sopeira muito bonita. Faz-me falta a máquina de escrever. Tenho duas: uma Olivetti e uma Olympia. Prefiro a Olivetti que é mais dura e resiste aos dedos. Todos estão dormindo. Menos eu. Tem aqui uma ferradura para dar sorte. Os passarinhos com fome piando. Parece mentira de tão bom que está aqui. Tenho um livro de Simenon – sou doida por ele: o melhor é ler em francês, mas o que tenho aqui é português. Vou citar um trecho: "Um largo feixe de luz atravessava o quarto, iluminando uma fina poeira, como se de repente se descobrisse a vida íntima do ar." Não é bom?

♦ ♦ ♦

CONVERSA COM SCLIAR

Passei um fim de semana inesquecível em Cabo Frio, hospedada por Scliar, que pintou dois retratos meus. O sobrado de Scliar é uma beleza mesmo.

Cabo Frio inspira Scliar. Perguntei-lhe sobre tanta criatividade. Resposta:

— Acho que viver é um ato criativo. Tento fazer tudo aquilo que eu gosto e tento descobrir tudo aquilo que me inquieta. Creio que em Cabo Frio tenho essa possibilidade de concentração que me permite descobrir o fio da meada. Aí é só trabalhar. Não entendo viver sem trabalhar. A coisa que eu acho mais importante na vida de qualquer pessoa é descobrir naquilo que gostaria de trabalhar.

Scliar tem três cães e brinquei com amor com eles. Todo mundo em Cabo Frio conhece a casa de Scliar. Verifiquei isso quando de manhã bem cedo fui comprar o *Jornal do Brasil*, eu que não consigo começar o dia sem ler este jornal. Mas me perdi, pois sou muito desorientada. Eu pedia informações à medida que de novo me perdia – e todos sabiam onde Scliar morava. Visitei José de Dome, que me deu um quadro lindo e me trouxe selvagens pitangas. Scliar fez antes de pintar vários desenhos de meu rosto. Contei-lhe de quando posei para De Chirico. Ele disse que aparentemente é fácil me pintar: basta pôr maçãs salientes, olhos um pouco oblíquos e lábios cheios: sou caricaturável. Mas a expressão é difícil de pegar. Scliar retrucou: todo quadro é difícil.

— Quando começou a pintar?

— Desde que me conheço, desenho e pinto. Cabo Frio no inverno é tranquilo e me permite horas de solidão voluntária. É nessas horas que trabalho. Vai-se tecendo um processo aparentemente intuitivo ou aparentemente racional. As duas coisas são contraditórias, mas que elas existem, existem, e entrelaçadas. Aproveito essas horas para desencadear o tempo prático de trabalho, sempre acotovelado às horas de lazer em que escuto música e leio.

De repente tocou o telefone e Scliar foi atender. E, por incrível que pareça, o telefonema vinha da Espanha, Barcelona, e era do Farnese, com quem Scliar falou muito tempo.

— Que é que você sente quando pinta? Fica alvoroçado como eu quando escrevo um livro?

— Eu nem sei bem, porque o processo é tão diferente para cada quadro. Muitas vezes o quadro, apesar do desenho já estar estruturado, o quadro me parece estranho até desencadear-se. E isso começa pela descoberta de certos relacionamentos entre as cores, por um plano num tom definido que orienta a proposição num sentido diverso daquele inicialmente proposto. Outras vezes é um gesto que arma um valor, uma vibração não prevista. Ou uma observação através da vista de uma janela que me traz a cor de um barco que passa. Que sei eu? Tudo vale e o resultado é que conta.

Há também Dalila e Mercedes que cozinham muito bem. Mercedes está com Scliar há doze anos e ele a chama de mãe. Dalila faz um macarrão com palmito que eu vou te contar. Mercedes tem os cabelos inteiramente brancos e beija Scliar.

— Você gosta de natureza-morta, isso eu sei porque já vi as mais fantásticas.

— Como de tudo o mais que eu pinto. Talvez elas me permitam maior liberdade para sua organização e posterior destruição dessas procissões que vi e modificando até sua armadura de maneira que me surpreenda. É quando o trabalho realmente começa.

– Fale do silêncio de sua casa e do que ela lhe dá.

– Acho que o meu silêncio é estar cercado de todos os ruídos de som que eu gosto e que permitem o clima que eu busco para meu trabalho. Acho que a vida é tão rica e inesperada que todo instante preciso estar aberto ao que me rodeia para, se possível, não perder nada. Estás escutando esse ruído que vem da cozinha ou do rapaz que lá em cima mudou o vidro quebrado? São sinais vivos que provam que também o estamos. Acho isso importante para o meu trabalho, que tento refletir numa permanente reflexão e integração com tudo que acontece e me chega. Acho a vida uma coisa simples. Mas a dificuldade é transmiti-la. Quando gostamos das pessoas e para elas trabalhamos, estabelecemos uma relação da qual nem sempre temos imediata consciência que é essencial.

Quanto aos mutantes, conversando a respeito deles, Scliar disse:

– É o meu trabalho continuando. Finalmente, o que procuramos em cada trabalho senão essa possibilidade de ele se renovar permanentemente? Claro que isso acontece em cada pessoa nova que o observa e descobre. Feliz o trabalho que se renova constantemente para a mesma pessoa. Todo trabalho deve conter essa possibilidade de um permanente desdobrar-se. Meus instantes são jogos de três ou mais quadros, cada um com seu próprio equilíbrio, capaz de reestruturar-se em comunhão com os outros. Como cada quadro contém suas próprias proposições, eu multiplico essas descobertas em cada mutação proposta. Você vê, é o mesmo problema inicial ampliado.

– Você trabalha todos os dias?

– Sim, mesmo quando não trabalho.

O SILÊNCIO DOS PORTAIS

Na pintura de Gastão Manoel Henrique a surpresa de ver que ele começa por não recear inclusive a simetria. É preciso experiência ou coragem para revalorizá-la, quando facilmente se pode imitar o "falso assimétrico", uma das originalidades mais comuns. A simetria de Gastão Manoel Henrique é concentrada, conseguida. Mas não dogmática. É também hesitante, como a dos que passaram pela esperança de que duas assimetrias encontrar-se-ão na simetria. Esta como solução terceira: a síntese. Daí talvez o ar despojado, a delicadeza de coisa vivida e depois revivida, e não um certo arrojo dos que não sabem. Não é propriamente tranquilidade o que está ali.

Há uma dura luta de coisa que apesar de corroída se mantém de pé, e nas cores mais densas há uma lividez daquilo que mesmo torto está de pé. Suas cruzes são entortadas por séculos de mortificação. São altares? Pelo menos o silêncio de altar. O silêncio de portais. O esverdeamento toma um tom do que estivesse entre vida e morte, uma intensidade de crepúsculo.

Há bronze velho nas cores quietas e aço; e tudo ampliado por um silêncio de coisas encontradas na estrada. Sentem-se longa estrada e poeira antes de chegar ao pouso do quadro, de algum modo este é um pouso, enfim, e recebe. Mesmo que os portais de Gastão Manoel Henrique não se abram. Ou já é igreja o portal da igreja, e diante dele já se chegou?

Ainda há em Gastão Manoel Henrique a luta para não transpô-lo. E em nenhum quadro está dito: igreja. São muros de um Cristo que está ausente, mas os muros estão ali, e tudo é tocável: as mãos também a olham. Gastão Manoel Henrique cria o material antes de pintá-lo, e a madeira torna-se tão imprescindível para a sua pintura como o seria para um escultor de madeira. E o material criado é religioso: tem o peso de vigas de convento. É compacto, fechado como uma porta fechada. Mas nele foram esfoladas aberturas, rasgadas quase por unhas.

E é através dessas brechas que se vê o que está dentro de uma síntese. Cor coagulada, violência, martírio são as vigas que sustentam o silêncio de uma simetria religiosa.

ESPELHOS DE VERA MINDLIN

O que é um espelho? Não existe a palavra espelho, só espelhos, pois um único é uma infinidade de espelhos. Em algum lugar do mundo deve haver uma mina de espelhos? Não são precisos muitos para se ter a mina faiscante e sonambúlica; bastam dois, e um reflete o reflexo do que o outro refletiu, num tremor que se transmite em mensagem intensa e insistente *ad infinitum*, liquidez em que se pode mergulhar a mão fascinada e retirá-la escorrendo de reflexos dessa dura água. O que é um espelho? Como a bola de cristal dos videntes, ele me arrasta para o vazio que no vidente é o seu campo de meditação, e em mim o campo de silêncios e silêncios.

Este vazio cristalizado que tem dentro de si espaço para se ir para sempre em frente sem parar: pois espelho é o espaço mais fundo que existe. E é coisa mágica: quem tem um pedaço quebrado já poderia ir com ele meditar no deserto. De onde também voltaria vazio, iluminado e translúcido, e com o mesmo silêncio vibrante de um espelho. A sua forma não importa: nenhuma forma consegue circunscrevê-lo e alterá-lo, não existe espelho quadrangular ou circular: um pedaço mínimo é sempre o espelho todo: tire-se a sua moldura e ele cresce assim como água se derrama. O que é um espelho? É o único material inventado que é natural.

Quem olha um espelho conseguindo ao mesmo tempo isenção de si mesmo, quem consegue vê-lo sem se ver, quem entende que a sua profundidade é ele ser vazio, quem caminha para dentro de seu espaço transparente sem deixar nele o vestígio da própria imagem — então percebeu seu mistério. Para isso há de se surpreendê-lo sozinho, quando pendurado num quarto vazio, sem esquecer que a mais tênue agulha diante dele poderia transformá-lo em simples imagem de uma agulha.

Vera Mindlin deve ter precisado de sua própria delicadeza para não atravessá-lo com a própria imagem, pois espelho em que me veja sou eu, mas espelho vazio é que é o espelho vivo. Só uma pessoa muito delicada pode entrar no quarto vazio onde há um espelho vazio, e com tal leveza, com tal ausência de si mesma, que a imagem não marca. Como prêmio, essa pessoa delicada terá então penetrado num dos segredos invioláveis das coisas: viu o espelho propriamente dito.

E descobriu os enormes espaços gelados que ele tem em si, apenas interrompidos por um ou outro alto bloco de gelo. Em outro instante, este muito raro — e é preciso ficar de espreita dias e noites, em jejum de si mesmo, para captar este instante — neste instante conseguiu surpreender a sucessão de escuridões que há dentro dele. Depois, apenas com preto e branco, Vera recapturou sua luminosidade arco-irisada e trêmula. Com o mesmo preto e branco recapturou também, num arrepio de frio, uma de suas verdades mais difíceis: o seu gélido silêncio sem cor. É preciso entender a violenta ausência de cor de um espelho para poder recriá-lo, assim como se recriasse a violenta ausência de gosto da água.

✦ ✦ ✦

DOIS MENINOS

— Mas agora vamos brincar de outra coisa. Quero saber se o senhor é inteligente. Este quadro é concreto ou abstrato?

— Abstrato.

— Pois o senhor é burro. É concreto: fui eu que pintei, e pintei nele meus sentimentos e meus sentimentos são concretos.

— É, mas você não é todo concreto.
— Sou sim!
— Não é! Você não é todo concreto porque seu medo não é concreto. Você não é completamente concreto, só um pouco.
— Eu sou um gênio e acho que tudo é concreto.
— Ah, eu não sabia que o senhor é um pintor famoso.
— Sou. Meu nome é Bergman. Maurício Bergman, sou sueco e sou um gênio. Nota-se pela minha fisionomia, olhe: eu sofro! Agora quero saber se o senhor entende de pintura. Aquele quadro é concreto?
— É, porque se vê logo que é um mapa, pelas linhas.
— Ah, ééé? e aquele?
— Abstrato.
— Errado! Então aquele também tinha que ser concreto porque também tem linhas.
— Vou explicar ao senhor o que é concreto, é...
— ... está errado.
— Por quê?
— Porque eu não entendo. Quando eu não entendo, é porque você está errado. E agora quero saber: isto é *compreto*?
— O senhor quer dizer *concreto*.
— Não, é *compreto* mesmo. É porque sou um gênio e todo gênio tem que pelo menos inventar uma coisa. Eu inventei a palavra *compreto*. Música é *compreta*?
— Acho que é, porque a gente ouve, sente pelos ouvidos.
— Ah, mas o senhor não pode desenhar!
— O senhor acha que o teto é concreto?
— É.
— Mas se eu virasse essa parede e botasse ela na posição do teto, ela ia ficar uma parede-teto, e essa parede-teto ia ser concreta?
— Acho que talvez. Fantasma é concreto?
— Qual? O de lençóis?

– Não, o que existe.
– Bem... Bem, seria supostamente concreto.
– Mãe é concreto ou abstrato?
– Concreto, é claro, que burrice.

No quarto ao lado a mãe parou de coser, ficou com as mãos imóveis no colo, inclinando um coração que este batia todo concreto.

✦ ✦ ✦

ESCREVER

Não se *faz* uma frase. A frase nasce.

PRAZER NO TRABALHO

"Não gosto das pessoas que se gabam de trabalhar penosamente. Se o seu trabalho fosse assim tão penoso mais valia que fizessem outra coisa. A satisfação que o nosso trabalho nos proporciona é sinal de que soubemos escolhê-lo."

HORAS PARA GASTAR

Eu mesma me surpreendo ao perceber quantas horas por ano tenho para gastar. Capacito-me de que na realidade tenho mais tempo do que penso – e isso significa que vivo mais do que imaginei. Isso se fizermos as contas das horas do dia, da semana, do mês, do ano. Quem fez o cálculo foi um inglês, não sei seu nome.

Um ano tem 365 dias – ou seja, 8.760 horas. Não é enganoso não, são oito mil setecentas e sessenta horas.

Deduzam-se oito horas por dia de sono. Agora deduzam-se cinco dias de trabalho por semana, a oito horas por dia, durante 49 semanas (descontando, digamos, um mínimo de duas semanas de férias, e mais uns sete dias de feriado). Deduza duas horas diárias empregadas em condução, para quem mora longe do local de trabalho.

Nessa base sobram-lhe 1.930 horas por ano. Mil novecentas e trinta horas para se fazer o que se quiser, ou puder. A vida é mais longa do que a fazemos. Cada instante conta.

QUEBRAR OS HÁBITOS

Encontro numa folha de papel antiga umas frases em inglês, e de novo vejo que esqueci de anotar o nome do autor. Traduzo:

"Mas os grandes não podem guiar sua vida por você. Você precisará de um novo inventário de suas horas, de uma classificação mais severa do que vale a pena fazer e do que é simples passatempo. Precisará compreender que é frequentemente tão importante quebrar um bom hábito como quebrar um mau. Todos os hábitos são suspeitos."

✦ ✦ ✦

COMER GATO POR LEBRE

— Você já comeu gato por lebre? perguntaram-me devido a meu ar um pouco distraído.

Respondi:

— Como gato por lebre a toda hora. Por tolice, por distração, por ignorância. E até às vezes por delicadeza: me oferecem gato e agradeço a falsa lebre, e quando a lebre mia, finjo que não ouvi. Porque sei que a mentira foi para me agradar. Mas não perdoo muito quando o motivo é de má-fé.

Mas a variedade do assunto está exigindo uma enciclopédia. Por exemplo, quando o gato se imagina lebre. Já que se trata de gato profundamente insatisfeito com a sua condição, então lido com a lebre dele: é direito de gato querer ser lebre.

E há casos em que o gato até que quer ser gato mesmo, mas *lebresse oblige*, o que cansa muito.

Há também os que não querem admitir que gostam mesmo é de gato, obrigando-nos a achar que é lebre, e aceitamos só para poder comer em paz com tempos e costumes.

Num tratado sobre o assunto, um professor de melancolia diria que já serviu de lebre a muito gato ordinário. Um professor de irritação diria uma coisa que não se publica.

Tenho mesmo vergonha é quando não aceito lebre pensando que era gato. (Há um provérbio que diz: é melhor ser enganado por um amigo do que desconfiar dele.) É o preço da desconfiança.

Mas na verdade, quando aceito gato por lebre, o problema verdadeiro é de quem me ofereceu, pois meu erro foi apenas o de ser crédula.

Estou gostando de escrever isto. É que várias lebres andaram miando pelos telhados, e tive agora a oportunidade de miar de volta. Gato também é hidrófobo.

O QUE É ANGÚSTIA

Um rapaz fez-me essa pergunta difícil de ser respondida. Pois depende do angustiado. Para alguns incautos, inclusive, é palavra que se orgulham de pronunciar como se com ela subissem de categoria – o que também é uma forma de angústia.

Angústia pode ser não ter esperança na esperança. Ou conformar-se sem se resignar. Ou não se confessar nem a si próprio. Ou não ser o que realmente se é, e nunca se é. Angústia pode ser o desamparo de estar vivo. Pode ser também não ter coragem de ter angústia – e a fuga é outra angústia. Mas angústia faz parte: o que é vivo, por ser vivo, se contrai.

Esse mesmo rapaz perguntou-me: você não acha que há um vazio sinistro em tudo? Há sim. Enquanto se espera que o coração entenda.

LAVOISIER EXPLICOU MELHOR

A perecibilidade das coisas e dos entes. Mas a perecibilidade das coisas existentes, sendo substituída por outras perecíveis que são substituídas pela perecibilidade de outras – a essa constância se pode, querendo, chamar de perecibilidade eterna: que é a eternidade ao alcance de nós. Mas Lavoisier explicou melhor.

◆ ◆ ◆

"DESCULPEM, MAS NÃO SOU PROFUNDO"

Érico Veríssimo é um dos seres mais gostáveis que conheci: é pessoa humana de uma largueza extraordinária. Foi em Washington onde eu o conheci e a Mafalda, Érico trabalhando na OEA. Eu fazia ninho na casa e na vida deles. E disse ele que as melhores recordações que guarda de sua estada em Washington D. C. foram as horas que passaram em minha casa. Érico não conseguiu escrever uma linha durante esses três anos burocráticos.

Não se considera um escritor importante, inovador ou mesmo inteligente: acha que tem alguns talentos que usa bem, mas acontece serem menos apreciados pela chamada crítica séria como, por exemplo, o de contador de histórias. Os livros que lhe deram grande popularidade, como *Olhai os lírios do campo*, ele os considera romances medíocres. O que vem depois dessa primeira fase é bem melhor, mas os críticos apressados não se dão ao trabalho de revisar opiniões antigas e alheias. Agora há no Brasil vários críticos que o levam a sério, principalmente depois que publicou *O tempo e o vento*. Mas a ideia de ser querido, digamos amado, agrada-lhe mais do que a ideia de ser admirado. Não trocaria seu público que o adora por uma crítica que lhe fosse mais favorável. E há ainda os *grupos*. Os esquerdistas o consideram *acomodado*, os direitistas o consideram comunista.

Seu personagem mais importante é talvez o Capitão Rodrigo. Depois pensa em Floriano, seu sósia espiritual. Prefere dizer que seus personagens mais importantes são as mulheres de *O tempo e o vento*, como Bibiana e Maria Valéria. Quanto à ausência de profundidade de que alguns críticos o acusam, responde como um escritor francês que *"un pot de chambre est aussi profond".* Mas concorda com os críticos: "Não sou profundo. Espero que me desculpem."

Começou a escrever em menino, na escola, fazendo redações ótimas. Foi ainda em Cruz Alta, atrás dum balcão de farmácia, que escreveu o seu primeiro conto. Naquele tempo ainda pensava que podia ser pintor.

É péssimo homem de negócios, detesta discutir contratos e quando discute sai perdendo.

A fama de Érico é enorme. O ônibus de turistas tem que, como parte do programa, mostrar a casa onde vivem os Veríssimo. Para Érico a fama tem um lado positivo: a sensação de que se comunica com os outros. E sua fama é não só como autor, através dos personagens, mas também como uma espécie de figura mitológica. A história do ônibus o encabula muito. Mas ele cultiva a paciência. E detesta decepcionar os que o procuram, os que desejam conhecê-lo em carne e osso. Sua casa vive de portas abertas. Há noites em que os Veríssimo têm de dez a 20 visitantes inesperados. Todas as semanas recebe dezenas de estudantes que o querem entrevistar, e a gama vai do curso primário ao universitário. Pessoas com casos sentimentais o procuram para desabafar. Ele ouve, olha, e não raro dá uma afetuosa atenção. Às vezes consegue ajudar realmente um ou outro *paciente*, e isso o alegra.

Como escritor tem muitas alegrias. E, como homem, a sua maior alegria são os filhos, os netos.

Sobre inspiração, à falta de melhor palavra, não sabe de onde vem, e frequentemente pensa no assunto.

É sabido que Érico não entraria para a Academia Brasileira de Letras. Ele a respeita, e lá vê muito boa gente. Mas não tem, nunca teve, a menor vontade de fazer parte da ilustre companhia; é uma questão de temperamento.

Érico planeja de início a história, mas nunca obedece rigorosamente ao plano traçado. Os romances, diz ele, são *artes* do inconsciente. Quase que se considera mais um artesão – e com isto se explica talvez por que a crítica não o considera profundo.

Viajou com Mafalda a metade do mundo. E o que o impressionou mais foi Mafalda. Sua capacidade de compreendê-lo, ajudá-lo, acompanhá-lo e, de vez em quando, *dirigi-lo* sem que ele desse pela coisa. Érico herdou de seu avô, tropeiro, o gosto pelas andanças: quer sempre ver o que está pela frente. Mafalda tem alma calma, no melhor sentido da palavra; quer logo estabelecer-se, radicar-se. Mas Érico arrasta-a para dentro de trens, ônibus e aviões, e lá se vão eles. Gostou principalmente dos países latinos da Europa: França, Itália, Espanha, Portugal. Tem uma fascinação enorme pela área mediterrânea. A Grécia e Israel encantaram-no.

Gostaria de voltar a escrever para crianças; elas precisam livrar-se do *Superman*, do *Batman*. Mas que história poderia contar nesta hora desvairada? isto é assunto para discutir. Considera ainda muito pobre nossa literatura infantil.

O que é que ele mais quer no mundo? Primeiro, gente. A sua gente. A sua tribo. Os amigos. E depois vêm música, livros, quadros, viagens. Não nega que também gosta de si mesmo, embora não se admire.

1973

DESMATERIALIZAÇÃO DA CATEDRAL

Todos os domingos de noite (acho que sábado de noite também) acendiam o que me pareciam milhares de lâmpadas em volta do contorno da Catedral, gótica, dura, pura. O que acontecia então é que, a distância, tudo o que era pedra rugosa se transformava em lúcido desenho de luz. Esta desmaterializava o compacto. E por mais que a vista alerta quisesse continuar a enxergar o impacto de uma parede, sentia que a transpassava. Atingindo, não o outro da transparência, mas a própria transparência. Parecia a transparência do que se imagina deve ser uma noite de Natal.

AO QUE LEVA O AMOR

– (Eu te amo)
   – (É isso então o que sou?)
   – (Você é o amor que tenho por você)
   – (Sinto que vou me reconhecer... estou quase vendo... falta tão pouco)
   – (Eu te amo)
   – (Ah, agora sim. Estou me vendo. Esta sou eu, então. Que retrato de corpo inteiro.)

O ALISTAMENTO

Os passos estão se tornando mais nítidos. Um pouco mais próximos. Agora soam quase perto. Ainda mais. Agora mais perto do que poderiam estar de mim. No entanto continuam a se aproximar. Agora não estão mais perto, estão em mim. Vão me ultrapassar e prosseguir? Seria a minha esperança, a minha salvação. Não sei mais com que sentido percebo distância. É que os passos não estão próximos e pesados, já não estão apenas em mim: eu marcho com eles, eu me engajei.

SUBMISSÃO AO PROCESSO

O processo de viver é feito de erros – a maioria essenciais – de coragem e preguiça, desespero e esperança de vegetativa atenção, de sentimento constante (não pensamento) que não conduz a nada, não conduz a nada, e de repente aquilo que se pensou que era "nada" – era o próprio assustador contato com a tessitura do viver – e esse instante de reconhecimento (igual a uma revelação) precisa ser recebido com a maior inocência, com a inocência de que se é feito. O processo é difícil? Mas seria como chamar de difícil o modo extremamente caprichoso e natural como uma flor é feita. (Mamãe, disse o menino, o mar está lindo, verde e com azul e com ondas! está todo anaturezado! todo sem ninguém ter feito ele!) A impaciência enorme (ficar de pé junto da planta para vê-la crescer e não se vê nada) não é em relação à coisa propriamente dita, mas à paciência monstruosa que se tem (a planta cresce de noite). Como se se dissesse: "não suporto um minuto mais ser tão paciente", "essa paciência de relojoeiro me enerva" etc.: é uma impaciente paciência. Mas o que mais pesa é a paciência vegetativa, boi servindo ao arado.

✦ ✦ ✦

QUASE BRIGA ENTRE AMIGOS

Sou amiga de Carlinhos, ou melhor, de José Carlos Oliveira, há muitos anos. Já vimos muito jogo de futebol na nossa televisão, quando meus filhos eram pequenos. Vou reproduzir uma das muitas conversas nossas. Essa conversa está *eivada* (jamais pensei que um dia usaria essa horrível palavra), está eivada de várias palavras oficialmente impublicáveis. No entanto os leitores podem suprir as lacunas com os palavrões que acharem mais adequados.

– Quem é você, Carlinhos? E, por Deus, quem sou eu?

– Acho que você é Clarice. Mas não sei quem eu sou. E o mundo está completamente (palavrão) e sem saída. Mas nem você nem eu temos nada com isso.

– Isso você diz porque não tem filhos. Não me refiro aos meus dois meninos apenas e sim aos filhos dos homens.

– Os filhos dos homens formam a humanidade. Que há 4 (?) milhões de anos são mandados à morte. O problema é deles, quer dizer, nada posso fazer contra isto. Como dizem as crianças: tudo é violência e injustiça? então azar, azia, azeite.

– Carlinhos, nós dois escrevemos e não escolhemos propriamente essa função. Mas já que ela nos caiu nos braços, tenho remorso porque cada palavra nossa devia ser por assim dizer pão de se comer.

– Isso é absurdo. Por exemplo, eu digo (palavrão) e ninguém publica. Estamos condenados a guardar uma língua que é apenas uma coleção de palavras. Nós somos uns idiotas – você e eu. O resto é literatura. Agora eu lhe pergunto:

1) Clarice, por que é que você escreve?
2) Clarice, por que você não escreve?

– Escrevo porque não posso ficar muda, não escrevo porque sou profundamente muda e perplexa.

– Ora, deixe de *frescura*!

– Estou falando tão a sério que você não está suportando e sai pelos lados, não me enfrenta.

— Se você está falando a sério é que você pensa que falar a sério tem algum valor. Pois bem, eu não acho. Todas as pessoas que não compreendem a vida pensam que a vida é feita de sucessos. Essas mesmas pessoas adoram Van Gogh porque ele cortou a orelha; Toulouse-Lautrec porque era anão; Modigliani porque era tuberculoso; Rembrandt porque morreu de fome; James Dean porque morreu na estrada; Marilyn Monroe porque se suicidou. Todas essas pessoas acreditam na posteridade porque acreditam que são a posteridade. Pois bem: eu (palavrão) na cabeça da posteridade.

— Nós não nos entendemos: escrever não é sucesso, você até parece com aquele que escreveu que a literatura era o sorriso da sociedade. Falo de sem querer cortar a vida em dois e ver o sangue correr. Nós dois, Carlinhos, nós gostamos um do outro, mas falamos palavras diversas.

— Falamos linguagem diversa, é verdade. Eu prefiro ser feliz na rua a cortar a vida em dois.

— E eu prefiro tudo, entendeu? Não quero perder nada, não quero sequer a escolha.

— Você prefere inclusive ser uma grande escritora. Mas eu renunciei há muito tempo a essa vaidade. Quero comer, beber, fazer amor e morrer. Não me considero responsável pela literatura.

— Nem eu, meu caro! E estou vendo a hora em que começaremos, dentro de toda a amizade, a brigar. Também posso lhe dizer que se viver é beber, isso é pouco para mim: quero mais porque minha sede é maior que a sua.

— Evidentemente. Tudo nos humilha. Ninguém acredita em nós. Tudo está certo para eles, mas não nos pedem senão idiotices. O resto é literatura.

Uma quase briga entre dois amigos não é de se temer. E na amargura de Carlinhos vejo mesmo é a sua bondade profunda e sua revolta.

Falamos em morte.
— Vinícius de Morais e eu — o poetinha me deu autorização expressa para dizer isso — Vinícius e eu gostaríamos de ser cremados depois que tudo terminasse. O poeta, porque sofre de claustrofobia, e eu porque acho mais higiênico. Mas como só se cremam corpos em São Paulo, temos medo de morrer antes de pegar o avião que nos leve até lá.
E mais tarde:
— Sou um existencialista, Clarice. Aceito cada momento como se fosse o último. Resultado: sou um drama permanente. A cada minuto consulto o meu coração e ajo em consequência.

✦ ✦ ✦

O GRUPO

Tive um dia desses um almoço alegre e melancólico. Tratava-se do reencontro de três ex-colegas da Faculdade Nacional de Direito. A atmosfera lembra a do livro e do filme O grupo, menos as confidências que não fizemos. Reencontro alegre porque gostávamos umas das outras, porque a comida estava boa e tínhamos fome. Melancólico porque a vida trabalhara muito em nós, e ali estávamos sorridentes, firmes. E melancólico também porque nenhuma de nós terminara sendo advogada. Advogada, meu Deus. Era só o que me faltava, eu que me atrapalho em lidar burocraticamente com o mais simples papel.
Melancólico porque havíamos perdido tantos anos de estudo à toa. Estudo? Só uma de nós estudara mesmo, filha de famoso jurista que era. Quanto a mim, a escolha do curso superior não passou de um erro. Eu não tinha orientação, havia lido um livro sobre penitenciárias, e pretendia apenas isto: reformar um dia as penitenciárias do Brasil. San Tiago Dantas uma vez disse que não resistia à curiosidade e perguntou-me o que afinal eu fora fazer num curso de Direito. Respondi-lhe que Direito

Penal me interessava. Retrucou: "Ah bem, logo adivinhei. Você se interessou pela parte literária do Direito. Quem é jurista mesmo gosta é de Direito Civil." A saudade que tenho de San Tiago.

Voltando ao grupo: nós nos despedimos alegres ou tristes? Não sei. Em mim havia um certo estoicismo, em relação a ter tido uma parte de meu passado tão inútil. Ora, mas quantas outras coisas inúteis eu já havia vivido. Uma vida é curta: mas, se cortarmos os seus pedaços mortos, curtíssima fica ela. Transforma-se numa vida feita de alguns dias apenas? Bem, mas é preciso não esquecer que a parte inútil fora, na hora, vivida com tanto ardor (por Direito Penal). O que de algum modo paga a pena.

Saí da casa de minha amiga para um sol de três horas da tarde, e num bairro que raramente frequento, Urca. O que mais acresceu a minha perdição. Estranhei tudo. E, por me estranhar, vi-me por um instante como sou. Gostei ou não? Simplesmente aceitei. Tomei um táxi que me deixaria em casa, e refleti sem amargura: muita coisa inútil na vida da gente serve como esse táxi: para nos transportar de um ponto útil a outro. E eu nem quis conversar com o chofer.

◆ ◆ ◆

O PRIMEIRO LIVRO DE CADA UMA DE MINHAS VIDAS

Perguntaram-me uma vez qual fora o primeiro livro de minha vida. Prefiro falar do primeiro livro de cada uma de minhas vidas. Busco na memória e tenho a sensação quase física nas mãos ao segurar aquela preciosidade: um livro fininho que contava a história do patinho feio e da lâmpada de Aladim. Eu lia e relia as duas histórias, criança não tem disso de só ler uma vez: criança quase aprende de cor e, mesmo quase sabendo de cor, relê com muito da excitação da primeira vez. A história do patinho que era feio no meio dos outros bonitos, mas quando cresceu revelou o mistério: ele não era pato e sim um belo cisne. Essa história me fez meditar muito, e identifiquei-me com o sofrimento do patinho feio – quem sabe se eu era um cisne?

Quanto a Aladim, soltava minha imaginação para as lonjuras do impossível a que eu era crédula: o impossível naquela época estava ao meu alcance. A ideia do gênio que dizia: pede de mim o que quiseres, sou teu servo – isso me fazia cair em devaneio. Quieta no meu canto, eu pensava se algum dia um gênio me diria: "Pede de mim o que quiseres." Mas desde então revelava-se que sou daqueles que têm que usar os próprios recursos para terem o que querem, quando conseguem.

Tive várias vidas. Em outra de minhas vidas, o meu livro sagrado foi emprestado porque era muito caro: *Reinações de Narizinho*. Já contei o sacrifício de humilhações e perseveranças pelo qual passei, pois, já pronta para ler Monteiro Lobato, o livro grosso pertencia a uma menina cujo pai tinha uma livraria. A menina gorda e muito sardenta se vingara tornando-se sádica e, ao descobrir o que valeria para mim ler aquele livro, fez um jogo de "amanhã venha em casa que eu empresto". Quando eu ia, com o coração literalmente batendo de alegria, ela me dizia: "Hoje não posso emprestar, venha amanhã." Depois de cerca de um mês de venha amanhã, o que eu, embora altiva que era, recebia com humildade para que a menina não me cortasse de vez a esperança, a mãe daquele primeiro monstrinho de minha vida notou o que se passava e, um pouco horrorizada com a própria filha, deu-lhe ordens para que naquele mesmo momento me fosse emprestado o livro. Não o li de uma vez: li aos poucos, algumas páginas de cada vez para não gastar. Acho que foi o livro que me deu mais alegria naquela vida.

Em outra vida que tive, eu era sócia de uma biblioteca popular de aluguel. Sem guia, escolhia os livros pelo título. E eis que escolhi um dia um livro chamado *O lobo da estepe*, de Hermann Hesse. O título me agradou, pensei tratar-se de um livro de aventuras tipo Jack London. O livro, que li cada vez mais deslumbrada, era de aventura, sim, mas outras aventuras. E eu, que já escrevia pequenos contos, dos 13 aos 14 anos fui germinada por Hermann Hesse e comecei a escrever um longo conto imitando-o: a viagem interior me fascinava. Eu havia entrado em contato com a grande literatura.

Em outra vida que tive, aos 15 anos, com o primeiro dinheiro ganho por trabalho meu, entrei altiva porque tinha dinheiro, numa livraria, que me pareceu o mundo onde eu gostaria de morar. Folheei quase todos os livros dos balcões, lia algumas linhas e passava para outro. E de repente, um dos livros que abri continha frases tão diferentes que fiquei lendo, presa, ali mesmo. Emocionada, eu pensava: mas esse livro sou eu! E, contendo um estremecimento de profunda emoção, comprei-o. Só depois vim a saber que a autora não era anônima, sendo, ao contrário, considerada um dos melhores escritores de sua época: Katherine Mansfield.

✦ ✦ ✦

TRECHO

Era profundamente derrotado pelo mundo em que vivia. E separara-se das pessoas pela sua derrota e por sentir que os outros também eram derrotados. Ele não queria fazer parte de um mundo onde, por exemplo, o rico devorava o pobre. Como parecia-lhe um movimento apenas romântico, o seu, se se agregasse aos que lutavam contra o esmagamento da vida como esta era, então fechou-se numa individualização que, se não tomasse cuidado, podia se transformar em solidão histérica ou meramente contemplativa. Enquanto não viesse algo melhor, procurava relacionar-se com os outros derrotados por intermédio de uma espécie de amor torto, que atingia tanto os outros como, de algum modo, a si próprio.

MÁRIO CRAVO

Quando estive em Salvador entrevistei Mário Cravo, um dos nossos grandes escultores. Perguntei-lhe: como é que você descobriu em si mesmo o artista e, particularmente, o escultor. Ele respondeu:

— Eu terei que resumir primeiro a fase inicial e fundamental da descoberta da vocação, o que abrange uma média de cinco a oito anos. Essa fase de procura determinou as linhas básicas do temperamento e da maneira de ser. Esse ciclo fornece subsídios para a segunda fase, mais intensa e ativa, já compromissada profissionalmente. Mais outros dez anos, esse segundo ciclo. Finalmente, o ciclo de definição do estilo como artista, o que ocupa os restantes anos de vida. A resposta está situada em cada uma dessas etapas, porque eu não tenho uma definição ortodoxa de *o artista*. As primeiras experiências foram quando descobri que era capaz de criar, no sentido de fazer dimensionalmente um objeto. Foi uma intensa sensação porém de duração curta, pois o ato de criar aos poucos foi se dissolvendo na prática cotidiana da profissão. O escultor em mim foi cuidado através da prática sensorial, com materiais primeiro naturais, depois artificiais. Me senti escultor quando descobri um imenso amor pelos materiais e pelas formas. Tenho uma especial necessidade de contato com a matéria que será o instrumento de minha comunicação. Entre o escultor e a matéria tem que haver um diálogo, antes que a resultante venha a se transformar em mensagem.

✦ ✦ ✦

DAREL E A PSICANÁLISE

Vi os quadros de Darel. Parece-me que seus sonhos – sonhos mesmo, de quando se dorme – são transportados para a tela. As cidades inexistentes que ele cria e que parecem despovoadas, os seres humanos esmagados pela máquina – e tudo isso na atmosfera penumbrosa do sonho, um realismo que nós reconhecemos como se fosse o nosso sonho. Beleza e pesadelo marcam a obra de Darel. Como se podem unir estas duas palavras – só Darel sabe porque ele vive os seus sonhos, não como homem irreal, mas como um homem. Quem habita as enormes cidades, senão o próprio Darel que sonha e idealiza? Sonhar e realizar são o ideal de um homem, de uma mulher. Em Darel há uma preocupação com a totalidade do ser humano na sua plenitude. O choque impotente do indivíduo com a máquina. As cidades escuras onde uma ou outra janela de luz acesa atestam que elas são habitadas. Psicanalisado ou não, trata-se de um grande artista e, tenho que falar no resplandecente mistério de sua obra.

Quanto a Darel, ele próprio, trata-se de um homem moço que irradia a serena alegria dos que se realizam.

Eu sabia que ele tinha sido psicanalisado e que não se incomodava de falar no assunto. Ora, acontece que este assunto interessa a muitos, inclusive a mim. De modo que transmito aqui a nossa conversa a respeito.

Perguntei-lhe por que procurara um analista. Respondeu-me que tinha fortes dores de cabeça e, de um modo geral, sentia todos os seus órgãos afetados. Em suma, era hipocondríaco. Via-se dentro de um grande problema existencial: profunda angústia, por exemplo. Então recorreu a um tratamento analítico.

Depois de um tempo de análise obteve não só novo relacionamento com sua família, mas um relacionamento mais fluente com todas as pessoas e principalmente uma compreensão maior do próprio mecanismo interior.

Hoje, para mim, a coisa mais importante do mundo é me realizar plenamente como artista. Evidentemente, sem *vangoghismo*. Quanto ao amor, este tem uma infinidade de gamas. A pessoa que só conhece uma forma de amar tem um conhecimento limitado em relação ao amor.

– O que é que você esperava da análise?

– No fundo, eu esperava uma coisa e encontrei outra. Esperava que o analista resolvesse todos os meus problemas e hoje sinto que posso resolvê-los sozinho.

– Darel, dói muito quando o analista mexe em coisas já doloridas?

– O analista não mexe em coisas doloridas. A pessoa em análise é uma imensa chaga, e apenas o analista reflete, como num espelho, essa imagem que nós desconhecemos.

– A impressão do povo é que a análise trata sobretudo de sexo.

– A pessoa em análise está inteira e, evidentemente, analisa-se também a parte sexual.

– Você imagina que será, depois da análise, uma pessoa pronta a viver ou uma pessoa perfeita?

– Uma análise nunca para de ser feita. Quando já não se necessita de um analista, a pessoa tem o espírito da análise introjetado e a luta continua com uma diferença: a vida deixa de ser uma aventura incômoda.

– Todas as pessoas deviam fazer análise?

– Não. Existem pessoas com poderes de percepção que resolvem seus problemas sem ajuda de analista.

Darel, em seguida, falou-me do começo da análise. Relacionava-se malissimamente com todos. Um ano e oito meses depois, a possibilidade de ter afeto ampliou-se. Esse período de desajuste do início da análise pode destruir de forma irremediável certos tipos de relações implantadas com grande dose de conflito, mas a realidade é que não sabia viver de outra maneira.

– Você teve medo de, analisando-se, perder seu poder criador?

– Não, porque na verdade parece que é a parte sadia de uma pessoa que cria, a despeito de sua neurose.

– Você aconselharia análise para um artista, no sentido de libertá-lo da cruz que quase todos os artistas carregam?

– O artista não carrega uma cruz. O homem neurótico, artista ou não, sofre mais do que o necessário.

– Você acha, como alguns dizem, que todos os artistas são neuróticos?

– Não.

– O que é ser normal?

– Não creio em padrões de normalidade. Conheço verdadeiros construtores de impérios que, sem a menor dúvida, são grandes neuróticos. Sua pergunta me desconcerta um pouco, porque não sei se realmente a parte sadia de uma pessoa está separada da parte doente, do ato de criação. Acho que não.

✦ ✦ ✦

CONVERSINHA SOBRE CHOFER DE TÁXI

Será que uma pessoa é chofer de táxi por vocação? Às vezes acho que é, tão à vontade que eles de um modo geral estão. De repente, no silêncio, me perguntam ao acender um cigarro: quer fumar um dos meus cigarrinhos? Eu nunca recuso. E quantos filhos os choferes têm! Mas dizem que o dinheiro dá. E quantas perguntas indiscretas me fazem. Respondo a quase todas. Às vezes estou de mau humor e não respondo a nenhuma. O mais engraçado é que, com chofer, não sai conversa de pateta. Ainda não entendi por quê. Sai, por causa de minha mão, muita conversa de incêndio. Ao que vejo, todos já se queimaram um pouco, ou pelo menos os seus conhecidos. Dizem-me: dói muito. Eu sei. Aliás, depois que me incendiei, quanta gente encontrei que já se incendiou. Parece que é um hábito.

O MAR DE MANHÃ

O mar. Tenho deixado de ir ao mar por indolência. E também por impaciência com o ritual necessário: barraca, areia colada por toda a pele. E mesmo não sei ir ao mar sem molhar os cabelos. E, chegando em casa, tem-se que tirar o sal.

Mas um dia vou falar do mar de um modo melhor. Aliás, acho que vou começar um pouquinho agora. Vou falar do cheiro do mar que às vezes me deixa tonta.

Tenho uma conhecida que mora na Zona Norte, o que não justifica nunca ter entrado no mar. Fiquei pasma quando me contou. E prometi que ela viria em casa para entrarmos no mar às seis horas da manhã. Por quê? Porque é a hora da grande solidão do mar. Como explicar que o mar é o nosso berço materno, mas que seu cheiro seja todo masculino; no entanto berço materno? Talvez se trate da fusão perfeita do masculino com o feminino. Às seis horas da manhã as espumas são mais brancas.

JASMIM

Depois voltarei ao mar, sempre volto. Mas falei em perfume. Lembrei-me do jasmim. Jasmim é de noite. E me mata lentamente. Luto contra, desisto porque sinto que o perfume é mais forte do que eu, e morro. Quando acordo, sou uma iniciada.

✦ ✦ ✦

A MESA DE 13 COMENSAIS

Giorgio de Chirico, um dos primeiros pintores metafísicos, casou-se muito moço com uma arqueóloga. Uma noite, num jantar em sua casa, notaram os dois que haveria 13 pessoas à mesa. De Chirico não quis sentar-se enquanto não chegasse a décima quarta.

Sua esposa finalmente conseguiu à última hora arranjar uma amiga. Pois a décima quarta convidada deve ter preenchido todos os requisitos exigidos por De Chirico. Deve ter sido considerada a mulher ideal pois – depois daquela noite – ela não deixou a casa do pintor. Quem saiu foi a arqueóloga. Até hoje De Chirico vive com a décima quarta. E vive muito bem.

♦ ♦ ♦

LUCIDEZ DO ABSURDO

Não vou apresentar Millôr Fernandes: quem o conhece sabe que eu teria que escrever várias páginas para apresentar uma figura tão variada em atividades e talentos. Somos amigos de longa data.

Nossa conversa mais recente, já há algum tempo, decorreu fácil, sem incidentes de incompreensão: havia confiança mútua. Foi mais ou menos assim:

– Como vai você, Millôr, profundamente falando?

– Vou profundamente, como sempre. Não sei viver de outro modo. Pago o preço.

– Às vezes o preço é alto demais. Como é que lhe veio a ideia de arquitetar há anos *O homem do princípio ao fim*, que era um grande e comovente espetáculo? Eu, por exemplo, o veria de novo e certamente com a mesma emoção. Aliás, poderia e deveria ser encenado de novo.

– Foi a pedido dessa extraordinária amiga que é Fernanda Montenegro. Fixei-me num ponto de vista humanístico que é a qualidade essencial desse meu trabalho.

– Que é que você me diz de sua experiência como ator?

– Sensacional e inútil. Sensacional por causa da segurança que se ganha ao perceber uma possibilidade total de comunicação, e isso é emocionante. Inútil porque não tenho nada a fazer com o resultado dessa experiência. A comunicação que busco é toda outra, íntima e definitiva.

— Millôr, você já sentiu com toda a humildade a centelha de uma coisa que alguns chamam de graça, mas não é graça, é até bastante comum: é a visão instantânea das coisas do mundo como na realidade são?

— Se é assim que alguns chamam, então está pra mim. Só vejo isso. Tenho mesmo a impressão de que nada do que vejo é comum. A mim me faltam todas as noções das coisas do mundo tal como ele é. Mas essa espécie de lucidez de que você fala, a lucidez do absurdo, essa eu tenho mesmo no meio da maior paixão. Creio mesmo que um dia vou estourar de lucidez, isto é, ficar louco.

— Como foi sua infância?

— Dura! Dura! Linda! Linda! O Méier, naquela época, era praticamente rural. Aprendi a nadar em um pântano cheio de rãs. Aprendi a amar num quintal fazendo bonecos de tabatinga junto com as meninas. Essa infância durou até os dez anos. Aí, um dia, na morte de minha mãe, chorando horas embaixo de uma cama, consegui a paz da descrença. Aos dez anos, pois é.

— De que modo lhe vem a inspiração?

— Creio que exatamente de todos os modos. Mas não penso que seja precisamente inconsciente. Mesmo quando parece inconsciente acho que o núcleo da inspiração é uma vivência qualquer — imagem, som, dor, angústia — antes arquivada e de repente, por qualquer motivo, também exterior, ressuscitada. Mas meu caso é muito especial: não sou um escritor, sou um profissional de escrever.

Falamos sobre várias personalidades; em seguida perguntei-lhe:

— Quem você admira e por quê?

— Vou limitar a pergunta, no tempo e no espaço. E prefiro ter a coragem de escolher um homem de meu tempo e de meu espaço. Vinícius de Morais. Pelo muito que somos iguais, pelo imenso que nos separa, eu elejo o poetinha como o dono de uma visão da vida essencial.

De conversa puxa conversa, passamos, não sei como, a falar da morte.

— A morte é um problema constante para você?, indaguei.

— Acho o problema da morte fascinante — talvez porque eu não a sinta perto de mim. Gostaria mesmo de morrer já para, sem trocadilho, viver essa experiência. Desde que me fosse dado, depois, voltar apenas para contar como foi.

Voltamos a falar da vida e sobre o que mais nos importava.

— A relação humana — disse Millôr. — O amor. A paixão, nisso incluída. Também as paixões *condenadas*, de homem com homem e mulher com mulher. Como sou aquilo que a sociedade chama de *saudável* e *normal*, as paixões *anormais* merecem o meu maior respeito.

— Se você não fosse escritor, o que seria?

— Um atleta. Sou fundamentalmente um atleta frustrado. Aliás essa é a única frustração que me ficou de uma pré-juventude, de dez a 17 anos, excessivamente dura.

— Em matéria de escrever, você sente na sua trajetória um progresso?

— Acho que sim. Sobretudo se comparar o início com a fase atual, o que não é vantagem porque comecei a escrever em jornal aos 13 anos de idade. Só um debiloide não teria progredido. Continuo tentando me renovar, num gosto por buscar formas e visões novas, que ainda não perdi.

— E em matéria de vida, de maneira de viver, você sente um progresso que vem da experiência?

— Acho que sim. Mas será que os outros acham? Nada me surpreende mais, por exemplo, do que ouvir dizer que sou *agressivo*. Porque eu me sinto a flor da ternura humana. Mas será que sou? De qualquer forma, há dentro de minha mais profunda consciência a certeza de que o gênio do ser humano está na bondade. Isso eu procuro.

Concordei com ele sobre a bondade.

♦ ♦ ♦

PARA OS CASADOS

O número de pedidos de divórcio na Grã-Bretanha é atualmente apenas metade do que era em 1947 – ano recorde em matéria de separações. Deve ter tido grande influência nesse novo estado de coisas o Conselho de Orientação Matrimonial, fundado há mais de 20 anos. Trata-se de uma organização de voluntários, com 80 filiais espalhadas pelo país, e com 700 conselheiros matrimoniais dispostos a dar conselhos a todas as pessoas que apresentem problemas conjugais. O conselheiro procura fazer com que o cônjuge que pediu orientação aceite parte da responsabilidade pela situação. Uma esposa, se quiser, poderá desabafar durante meia hora; talvez esteja encontrando pela primeira vez na vida alguém que a ouve pacientemente, aceitando-a tal qual ela se apresenta, e sem tomar partido. Após várias entrevistas, a mulher vem a descobrir que a situação não é devida exclusivamente aos erros do marido, e que ela, a esposa, talvez tenha alguma responsabilidade pela conduta do homem. A teoria do Conselho de Orientação Matrimonial é a de que não existem casos nem pessoas irremediáveis. Cerca de metade dos 11 mil casos anuais é auxiliada pelas entrevistas. Todos os conselheiros devem ser casados; alguns são médicos ou psiquiatras. Todos têm de submeter-se a um período de treinamento e a um ano de experiência.

OS SEGREDOS

O que acontece às vezes com minha ignorância é que ela deixa de ser sentida como uma omissão e se torna quase palpável, assim como a escuridão, a gente às vezes parece que pode ser pega. Quando é sentida como uma omissão, pode dar uma sensação de mal-estar, uma sensação de não estar a par, enfim de ignorância mesmo. Quando ela se torna quase palpável como a escuridão, ela me ofende. O que ultimamente tem-me ofendido – e é uma ofensa mesmo porque dessa eu não tenho culpa, é uma ignorância que me é imposta – o que tem ultimamente me ofendido é sentir que em vários países há cientistas que mantêm em segredo coisas que revolucionariam meu modo de ver, de viver e de saber. Por que não contam o segredo? Porque precisam dele para criar novas coisas, e porque temem que a revelação cause pânico, por ser precoce ainda.

Então eu me sinto hoje mesmo como se estivesse na Idade Média. Sou roubada de minha própria época. Mas entenderia eu o segredo se me fosse revelado? Ah, haveria, tinha de haver um modo de eu me pôr em contato com ele.

Ao mesmo tempo estou cheia de esperanças no que o segredo encerra. Estão nos tratando como criança a quem não se assusta com verdades antes do tempo. Mas a criança sente que vem uma verdade por aí, sente como um rumor que não sabe de onde vem. E eu sinto um sussurro que promete. Pelo menos sei que há segredos, que o mundo físico e psíquico seria visto por mim de um modo totalmente novo – se ao menos eu soubesse. E tenho que ficar com a tênue alegria mínima do condicional "se eu soubesse". Mas tenho que ter modéstia com a alegria. Quanto mais tênue é a alegria, mais difícil e mais precioso de captá-la – e mais amado o fio quase invisível da esperança de vir a saber.

UM ADOLESCENTE: C. J.

Ele é grande, tem ombros de ossos largos, anda um pouco curvo: isto passa, é o peso da adolescência. Ele é lento, ele é profundo, ele semeia devagar. Na cara de camponês grosso a profundeza calada de camponês. Ele dormirá bem com uma mulher. Se não se enrolar demais nos largos e fundos meandros de suas pesadas hesitações. Ele é calado, não sabe ainda falar o que se costuma falar, e então não diz. Também não sabe que tem pernas retas, pesadas e bonitas. Uma vez falou: quero qualquer profissão que me baste para viver; pois enquanto isso teria tempo de fazer alguma coisa "concreta, muito objetiva". Ele é desastrado, quebra coisas sem querer, pede desculpas com um meio sorriso assustado. É preciso ter paciência com ele. É preciso ter paciência com os que são grandes como ele. Tanta paciência. Porque ele pode vir a ser esse silencioso desastrado a vida toda, e não passar disso. É um dos tipos de adolescência mais perigosos: aquele em que muito cedo já se é um homem um pouco curvo, e também nele se sente a grandeza sem palavras.

✦ ✦ ✦

ARTISTAS QUE NÃO FAZEM ARTE

B.D. tem o olhar agudo de fotógrafo que sabe que uma imagem nunca vem duas vezes. Na sua procura, ele não faz arte: procura como quem jamais vai contar o que viu. O tipo de coisas que ele vê, aliás, são dificilmente contáveis. Não organiza bem o que sente e o que vê num conjunto: isso faz dele um não artista. Mas todo homem tinha que ser pelo menos essa espécie de não artista para que o espírito possa sobreviver.

TARDE AMEAÇADORA

Antes o céu e o ar pesados, o céu tinha descido para mais perto da terra e era cor de chumbo. Clareiras enevoadas, pântanos inquietos, horizontes apagados pela grande chuva que virá, e em breve a folhagem estará pesada de água, terrenos negros e também lívidos. A palidez me toma e não é por medo: é que também eu estou sob a influência da tempestade que se forma. A intranquilidade do mundo. Os pássaros fogem.

QUE NOME DAR À ESPERANÇA?

Mas se através de tudo corre a esperança, então a coisa é atingida. No entanto a esperança não é para amanhã. A esperança é este instante. Precisa-se dar outro nome a certo tipo de esperança porque esta palavra significa sobretudo espera. E a esperança é já. Deve haver uma palavra que signifique o que quero dizer.

DIFICULDADE DE EXPRESSÃO

A dificuldade de encontrar, para poder exprimir, aquilo que no entanto está ali, dá uma impressão de cegueira. É quando, então, se pede um café. Não é que o café ajude a encontrar a palavra, mas representa um ato histérico-libertador, isto é, um ato gratuito que liberta.

MAIS DO QUE JOGO DE PALAVRAS

O que eu sinto eu não ajo. O que ajo não penso. O que penso não sinto. Do que sei sou ignorante. Do que sinto não ignoro. Não me entendo e ajo como se me entendesse.

✦ ✦ ✦

LIÇÃO DE MORAL

Um dia desses um chofer de táxi, e eu entrevisto muitos, foi quem se encarregou de me entrevistar. Fez-me várias perguntas indiscretas e, entre elas, uma bastante estranha: "A senhora se sente uma mulher igual a todo o mundo?" (Ele era tão nortista que não dizia *mulher*, dizia *muler*). Respondi sem saber ao certo ao que respondia: "Mais ou menos." "Pois eu", continuou ele, "me sinto igual a todo o mundo. Já fui mendigo, minha senhora. E hoje sou chofer. E, mesmo tendo sido mendigo, me sinto igual a todo o mundo. É por isso que lhe estou dando uma lição de moral." Merecia eu esta lição? Não sei por que despedimo-nos com a maior efusão, um desejando felicidade ao outro. Na certa estávamos precisados.

Uma conhecida minha ficou surpreendida, quando lhe contei: sempre pensara que, uma vez mendigo, último ponto de parada de uma pessoa, nunca mais se mudava. Mas aquele não só saiu, como está com dinheiro bem ganho num carro por ele comprado a prestações. E não só saiu da mendicância, mas estava pronto para dar lição de moral a uma *muler* que não a pediu. Lição de moral eu detesto. Quando percebo que a conversa está descambando para isso – outros, os moralistas, diriam "subindo para isso" – retraio-me toda, e uma rigidez muda me toma. Luto contra. E estou piorando neste sentido.

"NÃO SEI"

Vocês podem me dizer o que lhes interessa, sobre o que gostariam que eu escrevesse. Não prometo que sempre atenda o pedido: o assunto tem que *pegar* em mim, encontrar-me em disposição certa. Além do mais posso não saber escrever sobre o tema mencionado. Reservo-me o direito de dizer: não sei.

Uma vez que insistiram muito para eu fazer uma conferência na Universidade de Vitória, Espírito Santo, terminei aceitando, cativada por essa gente boa. Aceitei – também porque gosto de estudantes – sob a condição de que não fosse conferência: que se tratasse de perguntas e respostas, de conversa, tendo eu o direito sagrado de também responder "não sei". Deu certo.

Só que um estudante estava agressivo demais. Não só se sentou sozinho na última fila do auditório, quando ainda tinha lugar mais na frente, como falava em voz baixa, inconscientemente para eu não ouvir. Reclamei e ele bem que tinha voz forte. Terminou mudando de fila e dizendo claramente que não entendia uma palavra do que eu escrevia. Mas também com ele terminou dando certo. E Vitória é linda.

Aproveito o fato de ter falado em Vitória para pedir desculpas a um estudante de Filosofia: telefonara-me convidando para uma noite de autógrafos, prometi ir. Mas tinha compromisso em dia certo para voltar. E na data da noite de autógrafos não havia avião para o Espírito Santo. Telefonei para o rapaz, explicando-lhe por que não ia. Ele não estava e deixei um recado. Pelo visto, ele não o recebeu. Pois eu soube que no aeroporto de Vitória havia estudantes me esperando. Meu recado ao rapaz: estou disposta a fazer uma noite de autógrafos quando você quiser.

♦ ♦ ♦

UM ROMANCISTA

Marques Rebelo tem o mesmo cabelo cortado à escovinha do tempo em que eu o conheci, o olhar rápido e malicioso. Mas há uma coisa nova no seu rosto: mais bondade do que antes, o que certamente a vida lhe veio ensinando. Era conhecido como tendo uma língua venenosa que não poupava ninguém. Também isso o tempo e a experiência e um natural cansaço vieram amenizar.

Marques Rebelo é seu "nome de guerra". O verdadeiro é Eddy Dias da Cruz, nome que parece ter outra personalidade. Marques Rebelo achou que era necessária uma eufonia mínima para um nome literário, e rebatizou-se: acha que todo mundo devia batizar-se sozinho. Os dois nomes se fundiram e ele ficou uno. Começou a escrever quase menino. Escrevia, mas não se comunicava nem consigo próprio e rasgava os papéis. Aos 19 anos publicou poesias em revistas modernistas como *Antropofagia, Verde*. Mas envergonha-se desse seu passado poético. Aos 21 anos, em plena vida de soldado, escreveu *Oscarina* que lhe deu satisfação. Seguiram-se *Três caminhos, Marafa, A estrela so-*

be, *Stella me abriu a porta* e – depois de largo tempo longe da ficção – os volumes do *Espelho partido*, que é uma tentativa de painel da vida brasileira, feita de infinitos fragmentos. É produto de paciência, quase de obstinação. Trabalha por disciplina, sem esperar por inspiração: escreve sempre, mesmo que seja para jogar fora ou refazer 30 vezes. Para ele, reescrever é mais importante que escrever.

    E a madrugada é a sua hora. O silêncio é que convida. Descobriu a noite desde meninote, quando tinha durante o dia que trabalhar.

    O livro de literatura que gostaria de ter escrito e o deixaria plenamente satisfeito é *Nils Lyhne*, de Jacobs: acha-o apaixonante.

    Quanto aos novos escritores, opina que são ainda os mais velhos que estão conduzindo o barco: os moços ainda não deram seu depoimento, parece que um horizonte tão aberto os assusta. Acha que, bem ou mal, está dando o seu recado. Concorda que é o escritor mais carioca do Brasil, mas não acha isso uma qualidade e sim produto de circunstâncias.

    Quando perguntado sobre o que faz na Academia Brasileira de Letras responde sorrindo que marca passo para o mausoléu. Não se queixa dos críticos, às vezes se queixa de si mesmo. O momento mais decisivo de sua vida talvez tenha sido aquele em que decidiu ser escritor.

    Viveu sempre modestamente, de trabalhos extraliterários, de modo a que lhe sobrasse tempo para ler e escrever. É um grande leitor. E escrever, para ele, vale a pena: é o seu reduto de liberdade. Fora escrever, o que mais lhe agrada mesmo é viver.

    A literatura, segundo ele, nunca traz amigos, no máximo traz alguns simpáticos desafetos. Em literatura se sente muito sozinho; em vida se reparte bastante.

    Nasceu em Vila Isabel, morou na Tijuca, Botafogo e Laranjeiras, cada bairro com uma personalidade própria: o Rio é uma cidade com muitas cidades dentro.

Seu clube de futebol? América, única paixão de sua vida. Esse time o alucina. O América perde sempre... Gosta de cinema, mas prefere teatro.

Quanto ao preço alto que se paga na vida, ele acha que vale.

◆ ◆ ◆

DJANIRA

Como não amar Djanira, mesmo sem conhecê-la pessoalmente? Eu amava o seu trabalho, e quanto. Mas quando se abriu a porta e eu a vi – parei e disse: "Espere um pouco." E vi – vi mesmo – que ia ser minha amiga. Ela tem qualquer coisa nos olhos que dá a ideia de que o mistério é simples. Não estranhou o fato de eu ficar olhando para ela, até eu dizer: "Pronto, agora já conheço você e posso entrar."

Djanira tem a bondade no sorriso e no rosto, mas não uma bondade morna ou agressiva. Tem em si o que dá ao seu trabalho. É pouco? Nunca, isso é tudo: isso significa a veracidade do ser humano dignificado pela simplicidade profunda que existe em trabalhar. Sentamo-nos, eu sem tirar os olhos dela, ela me examinando com bondade, sem me estranhar nem um pouco. Seu marido, o Motinha, como é chamado, entrou. O que vou repetir são frases de que me lembro perfeitamente, por assim dizer palavra por palavra (pois saindo de lá, anotei várias, para uso próprio).

1º – A gente pinta como quem ama, ninguém sabe por que ama, a gente não sabe por que pinta.

2º – Minha infância foi muito sofrida, não vale a pena falar, não vale a pena relembrar.

3º – Fui uma menina criada no Sul do Brasil, entre Paraná e Santa Catarina. A maior parte do tempo vivi numa cidadezinha, em

Porto União, União da Vitória: são duas cidades juntas, metade é Paraná e a outra Santa Catarina. Aí meu pai teve consultório de dentista. Muito criança ainda, meus pais se separaram. Passei mais de 20 anos sem ver meu pai. E um dia publiquei um anúncio no jornal *A Noite* procurando meu pai. Apareceu um dentista que conhecia meu pai e esta foi a primeira notícia que tive dele. Ele era muito conhecido porque era dentista itinerante: nunca teve pouso, ia tratando de dentes de cidade em cidade. Quando foi embora, disse: vou viajar e depois venho buscar Djanira. E não veio. Então uma família tomou conta de mim. Mas nessa casa fiquei enjeitada, trabalhando. Comecei a pintar com 24 anos e foi a maior alegria quando encontrei a pintura. Nasceu de uma brincadeira quando eu estava internada no sanatório de tuberculosos. Eu disse que sabia fazer um quadro melhor do que o que estava pendurado na secretaria. Desenhei Cristo. Então o interesse acordou em mim. Quando eu fui para o Rio, cada vez eu desenhava mais, não parava: desenhava tudo, tudo. Até que conheci Marcier, que me descobriu e tornou-se meu professor. E então eu me vi num mundo que era novo para mim.

    Ficamos em grande silêncio. Provavelmente mergulhadas ambas nas nossas vidas mútuas. Como não posso transmitir aos leitores a profundidade de nosso silêncio, preencho-o reproduzindo um poema de Djanira. Chama-se "Viagem". É assim:

Eu vi nas cores de marfim
um elefante
selvagem
que viera das Índias
oferecendo-me caminhos
onde poderia
perigosamente
fechar meus olhos
e partir, partir...

Mas era pecado
e viajei no pecado.
Ao infinito viajei
e perdi-me no tempo
que era pecado.

4º – Quando uma pessoa se faz por ela própria é porque tem algo dentro de si que não se acomoda a uma vida comum, não é? Você diz que é para sobreviver. Mas para sobreviver naquilo que a gente quer. Uma criatura como eu, que sou autodidata em tudo, que tenho as minhas dificuldades e que toda a minha vida tem sido procurar superar a vida comum, na sociedade em que vivemos, procurar um meio de alcançar aquilo que é uma profissão e uma vocação. Porque tudo o que se faz, o que eu faço, não basta. O que quero alcançar é uma coisa ainda mais imponderável que está dentro da gente. Acho que vamos descobrir finalmente o que procurávamos. Se um dia a gente chegasse a ficar satisfeita com o que a gente produziu, seria o fim. A evolução da arte é muito lenta, todas as coisas do espírito são lentas. (Eu: Você quer dizer com isso que a procura dura o tempo de uma vida?)

5º – É. A época em que nós vivemos é dinâmica, já se vai à Lua. O mistério que existia na vida já não é mais mistério. (Eu: Discordo, Djanira. O ser humano nunca descobrirá o mistério, mesmo que chegue a morar na Lua.)

6º – O que você vê hoje em dia com todas essas descobertas científicas é um mundo que vive em grande insatisfação. Só se ouve falar em guerras. Politicamente os homens não se entendem. Sim, acho que você tem razão: o homem descobre essas coisas mas o mistério ele não descobre. (Eu: Como é o seu processo de elaboração do trabalho?)

7º – Minha pintura é cheia de Brasil, pelo menos é esse o meu propósito. E por isso, então, viajo muito pela nossa terra.

P.S.: Acho que esqueci de dizer que, quando Djanira quebrou a clavícula direita, ficou desesperada por não poder pintar. Mas de repente deu um grito que fez o marido correr para ela. É que, no desespero de querer pintar, experimentou usar a mão esquerda e, para sua surpresa e enorme alegria, havia descoberto que era uma perfeita ambidestra.

✦ ✦ ✦

TRAJETÓRIA DE UMA VOCAÇÃO

Isaac Karabtchevsky eletriza o público mais indiferente quando rege, tal a sua vibração. Além de ser uma experiência importante a de ouvi-lo, vê-lo reger é um espetáculo de beleza: ele se dá por inteiro. Percebe-se que está transportado, que perde a própria individualidade e vive intensamente a partitura. Logo após um concerto sente-se um trapo humano, consumido pelo suor e cansaço, mas se tudo foi como queria é o homem mais feliz do mundo.

Por incrível que pareça, o estudo de música no ginásio o aborrecia e entediava: nunca pensaria que com notas e pautas iria cristalizar uma vocação, definir seu futuro de artista. Mas gostava de, durante longas horas, ouvir uma fuga de Bach e ir criando simultaneamente novas linhas e vozes. Desde cedo, portanto, se apaixonara pela polifonia, pelos contrapontos mais densos e complexos: daí também, em estado embrionário, veio sua tendência a considerar a música como um todo, reflexo de várias vozes ou instrumentos, e não se interessar pelo gênero solista. Mas até então música era apenas um estímulo para suportar as horas tristes de sua adolescência: poucos amigos, pouca diversão, e obrigado a ajudar sua família, trabalhando como balconista numa loja de artigos para crianças, aos 15 anos. Como é de se supor, não vendia bem: quando queria convencer uma freguesa a levar algum vestidinho branco, argumentava: "Não descora, não." Mas assim como uma planta que cresce e não sente, assim foi-se desenvolvendo nele uma paixão sem limites pela música: fundou então um coro no colégio onde estudava, e ensaiava de ouvido, sem conhecer sequer uma só nota: improvisava os tenores, baixos e sopranos, e cada ensaio era uma revelação; regeu o seu primeiro concerto de cima de uma cadeira pois não havia pódio.

Aos 17 anos resolveu morar num kibutz em Israel. Lá se preparava para o seu futuro de camponês. Depois escolheu uma profissão onde pudesse ser útil no futuro: a eletrotécnica. Estudava no Mackenzie em São Paulo, às voltas com soldas e ferro fundido, voltímetros e amperímetros, um sem-fim de números e cálculos, e um sentimento de frustração que cada vez mais o dominava. Foi então que fundaram, atrás do cemitério da Consolação, a então Escola Livre de Música da Pró-Arte. O seu diretor, o alemão Koellreutter, pregava um sistema complicado baseado na técnica dos 12 sons, o dodecafonismo. Decidiu-se então, definitiva e irreversivelmente, pela música.

Com intensidade e firmeza dedicou-se aos estudos, de manhã à noite, sem descanso, e durante cinco anos assimilou o que normalmente seria feito em dez. Necessitava de novos ambientes, de sentir e viver as velhas tradições: partiu para a Europa em 1958, dois anos depois de ter fundado o conjunto que estabeleceria um verdadeiro marco no panorama musical brasileiro: o Madrigal Renascentista.

Sua vida tem sido um sem-fim de concertos aqui e no exterior, mas ainda se acha longe de realizado. Só sabe de uma coisa: está organicamente ligado à música, como uma ostra à sua casa.

Uma vez foi à revista *Manchete* falar com Adolfo Bloch sobre um plano destinado a levar a Sinfônica às diversas camadas da população ainda não atingidas pela música erudita. Ao que Adolfo replicou: por que pensar em 3 mil quando podemos atingir 30 mil? Reuniu seu staff e programou um espetáculo no Monumento dos Pracinhas, com a Orquestra Sinfônica Brasileira, três bandas militares, canhões e sinos: a peça principal era a *Abertura 1812*, de Tchaikovsky. A princípio não acreditou que desse certo, sempre tivera receio de aglomerações para ouvir música, de multidões. Mas nos acordes finais da 1812, onde o hino russo se impõe, ele viu o povo correr em sua direção. E à frente, quase chorando, Adolfo Bloch.

Para Karabtchevsky o que o Brasil precisa para atingir sua maioridade musical é uma reestruturação completa e radical no ensino da música, não com a intenção de formar músicos profissionais, mas sim de forjar as futuras gerações que ouvirão música com prazer e autenticidade.

Foi muito criticado por ocasião do concerto, com obras de Chico Buarque: houve reação dos puristas. Karabtchevsky não pretendia a simbiose da música popular com a erudita, mas a motivação que poderia atrair uma juventude, sequiosa de novos valores. O concerto do Chico foi uma tentativa, a abertura de um dos caminhos.

✦ ✦ ✦

O QUE PEDRO BLOCH ME DISSE

1 – O que as pessoas chamam de minha bondade talvez seja minha sintonia com o mundo. Sou coletivo. Tenho o mundo dentro de mim. Acho que todo ser humano tem uma dimensão universal, única, insubstituível. Por respeito a cada ser humano, em todos os cantos da Terra, e por gostar de gente, gostar de gostar, é que encontro em cada indivíduo o reflexo do universo. Desculpe, mas eu gosto até dos que não gostam de mim. Mas gosto dos que gostam.

2 – Não sei se sou grande médico, como você diz. Sou teatrólogo famoso, porque a estatística o afirma. Mas não sendo grande em nada, ajo como se o fosse. Quando atendo a um paciente, procuro ser o melhor que posso. Quando escrevo uma peça, acredito que estou fazendo a coisa mais importante do mundo. Mas não sou completo, não. Completo lembra realizado. Realizado é acabado. Acabado é o que não se renova a cada instante da vida e do mundo. Eu vivo me completando nos outros, mas falta um bocado.

3 – O mundo somos todos nós, responsáveis, um a um, um por um, pelo que fizemos do mundo. Só depois de me reconstruir é que eu me sentiria no direito de reconstruir o mundo.

4 – Para captar tantas coisas maravilhosas ditas pelas crianças é só ter ouvidos de ouvir criança. Confesso que tenho a vaidade de ser "o homem das historinhas de crianças". Elas afinam comigo. Tanto que a diferença de idade nem dói. Por isso é que saíram aquelas coisas como "o cor-de-rosa é um vermelho... mas muito devagar", "coitado do trenzinho do Pão de Açúcar... está pensando que é avião", "o gato morreu... porque o gato saiu do gato e ficou só o corpo do gato". Aprendo com as crianças tudo o que os sábios ainda não sabem.

5 – Não sou papa na reabilitação da voz. No mundo em que vivemos, de conhecimentos tão vastos e informação tão constante, ninguém é papa em nada. Só mesmo o próprio. Sinto uma permanente, grande responsabilidade. E é por isso que recomeço a cada dia, às cinco da manhã, estudando, duvidando e procurando aprender com quem sabe mais.

6 – Sim, todas as minhas peças teatrais, umas 30, foram levadas ao palco. Tive a alegria de saber que uma peça minha, no mesmo dia, era representada em todos os continentes.

7 – Que é que acho do amor? Não acho. Amo. Achei: Miriam. As pessoas chamam de amor ao amor-próprio. Chamam de amor ao sexo. Chamam de amor uma porção de coisas que não são

amor. Enquanto a humanidade não definir o amor, enquanto não perceber que o amor é algo que independe da posse, do egocentrismo, da planificação, do medo de perder, da necessidade de ser correspondido, o amor não será amor. O que faz o mundo se mover em sentido construtivo é a verdade. Ainda que provisória. Ainda que seja mais caminho que meta. As palavras afogam tudo: o amor, a verdade, o mundo. Enquanto o homem não marcar um encontro sério consigo mesmo, verá o mundo com prisma deformado e construirá um mundo em que a Lua terá prioridade, um mundo de mais Lua que luar.

8 – Já reparei que só quando a gente começa a perder a memória é que resolve escrever memórias. Eu ainda a tenho razoável. Quanto a um diário, ele estaria vazio de mim e cheio das pessoas que amo. Por isso prefiro escrever sobre elas, e não o meu diário.

9 – Fiz uma vez uma receita de viver que acho que me revela. Viver é expandir, é iluminar. Viver é derrubar barreiras entre os homens e o mundo. Compreender. Saber que, muitas vezes, nossa jaula somos nós mesmos, que vivemos polindo as grades em vez de libertar-nos. Procuro descobrir nos outros sua dimensão universal e única. Não podemos viver permanentemente grandes momentos, mas podemos cultivar sua expectativa. A gente só é o que faz aos outros. Somos consequência dessa ação. Talvez a coisa mais importante da vida seja não vencer na vida. Não se realizar. O homem deve viver se realizando. O realizado botou ponto final. Tenho um profundo respeito humano. Um enorme respeito à vida. Acredito nos homens. Até nos vigaristas. Procuro desenvolver um sentido de identificação com o resto da humanidade. Não nado em piscina se tenho mar. Gosto de gostar. Não fazer... me deixa extenuado. Acredito mais na verdade que na bondade. Acho que a verdade é a quintessência da bondade, a bondade a longo prazo. Tenho defeitos, mas procuro esquecê-los a meu modo. "*Saber olvidar lo malo también es tener memoria.*"

10 – Se eu acredito em milagre? Mas eu só acredito em milagre. Nada mais miraculosa que a realidade de cada instante. Acredito mais no sobrenatural. O sobrenatural seria o natural mal explicado, se o natural tivesse explicação. Gilberto Amado anotou essa frase minha. Deve ser boa.

11 – Não há mérito em eu amar Miriam, porque nela encontro todas as mulheres do mundo. Ela me acompanha em tudo. No trabalho – é a minha colaboradora melhor, na reabilitação da voz – na vida, em tudo. Ela é tão despida de egoísmo que chega às raias do desumano. Nunca vi de Miriam um gesto, uma palavra, uma atitude que não fosse para o bem dos outros. Quis casar com ela na mesma hora em que a conheci. Mas, agora que a conheço mais, gostaria de tornar a casar todos os dias.

12 – Minhas peças são primeiro sofridas, depois escritas e depois arquitetadas. A arquitetura vem em último lugar. Só escrevo o que vivi, senti e sofri, na própria pele ou transbordando dentro da corrente humana, mesmo quando meus problemas estão superados. A verdade é sempre o maior protesto.

13 – Eu poderia dizer que gosto de todo mundo... até de mim.

♦ ♦ ♦

ANÁLISE MEDIÚNICA

Tenho uma nova conhecida que se chama Maria Augusta, mas para efeitos de trabalho mediúnico tem o apelido de Eva. É médium, e nada entendo do assunto.

Eva esteve em minha casa trazida por uma amiga. Olhou muito tranquila a desordem de meus papéis, todos espalhados num canto, pois aquele canto da sala era só meu. Conversou comigo e me disse que sou "indisciplinada como um cavalo bravio". Perguntei-lhe como eu deveria lidar com esse cavalo impossível. Respondeu que a primeira providência era pôr-lhe rédeas, o que me desagradou. Disse-lhe que outra providência que não esta me seria mais fácil de tomar.

Como Eva tinha muita experiência da vida e da morte, ouvi-a atentamente me dizer que a primeira condição para eu ter paz era aceitar as inúmeras imperfeições que tenho, como todo mundo.

Eva falou com beleza expressional que não sei repetir. Aconselhou-me a, apesar dessas imperfeições, "tocar para a frente". Que me achava muito impressionável. "Você tem que ter a mente fria e o coração quente. Você tem um dinamismo interno que é um pouco violento e impulsivo." Que eu seria até capaz de fazer coisas ótimas mas eu mesma as arrasaria depois. E que só existia uma lei: a lei da causa e do efeito.

Tudo bem sério, eu curiosa. Ela, pacífica, límpida com seus grandes olhos úmidos.

Ainda acrescentou que a pessoa gasta muito da própria energia ao tentar ser igual a todo o mundo. Amém. Ela gostou do meu "amém".

Disse que às vezes sou impaciente com as pessoas. Tentei explicar a Eva que fico intolerante com as pessoas que não me entendem. Porque no fundo sou muito fácil de se entender. Bem, quer dizer, pelo menos é o que me parece.

AS "FUGIDAS" DA MÃE

Ela bem sabia que devia, e sem intervalo nenhum ter a extrema dignidade de mãe que filhos exigem. Era, é claro, uma mãe digna desse nome.

Mas às vezes, cavalo bravio, como Eva a chamaria, dava uma "fugida". A sua última "fugida" foi quando estava sozinha na rua e viu um homem vendendo pipocas. Então comprou um saco, e, andando em plena rua, comeu pipocas. O que provavelmente não lhe "ficaria bem". Como convencê-los de que além de mãe ela era ela. E essa pessoa que exigia a liberdade de comer pipocas na rua. Amém. (Hoje é o dia do amém, ao que parece.)

PROPAGANDA DE GRAÇA

Escrevendo praticamente a vida toda, a máquina de escrever ganha uma importância enorme. Irrito-me com esta auxiliar ou então agradeço-lhe fazer o papel de reproduzir bem o que sinto: humanizo-a.

Quando, há muito tempo, comecei a ser uma profissional de imprensa, tive uma máquina Underwood semiportátil. Essa máquina eu amei mesmo: ela durou tanto que aguentou eu escrever sete livros. Não esquecendo que tirei cópias e cópias do que escrevi. E que um livro meu, por exemplo, que deu em *datiloscrito* perto de 400 páginas, eu copiei 11 vezes porque, para esclarecer a mim mesma o que quero dizer, faço cópias e cópias. Ao final de sete livros, que valem 20 na máquina, esta começou a ter uma espécie de reumatismo. Comprei então uma Olympia portátil. Essa escreveu cinco livros, fora todas as muitas outras coisas que escrevi. Depois pareceu cansada e adoecia de vez em quando, precisando de um mecânico para auxiliá-la a continuar. Continuou bem mas me cansei de seu tipo pequeno demais.

Tive depois uma Remington portátil mas fazia ao bater dos dedos um barulho de lata velha que me cansava. Troquei-a com Tati de Morais por uma Olivetti que é uma beleza em matéria de som: abafado, leve, discreto. Posso bater máquina à noite porque ela não acorda ninguém. Não me ofende com um som agudo que outras máquinas têm. Acho que de agora em diante só vou escrever nela. E se ela se cansar, compro outra igual. Como máquina é parecida com uma pessoa e às vezes de puro cansaço enguiça, o ideal era comprar outra Olivetti como máquina suplente porque não posso me dar ao luxo de parar de escrever. Máquinas, qualquer uma, são um mistério para mim. Respeito-lhes o mistério.

E voltei, agora, não sei por quê, à velhinha Olympia portátil. Sou volúvel em matéria de máquinas.

♦ ♦ ♦

POR CAUSA DE UM BULE DE BICO RACHADO

Este caso aconteceu há bastante tempo, ao que me contaram. Afiançaram-me que era verídico.

É o seguinte:

Jane – 28 anos – e Bob Douglas, 32 anos, casados, havia quatro anos, viviam o que se chama de felizes no bairro de Soho, Londres.

Certa tardinha, quando Jane servia o chá para ambos, Bob, de repente, enfureceu-se:

– Fico doente de ver todos os dias esse bule velho de bico rachado! Não aguento mais!

Jane, em geral suave, retrucou também enraivecida:

– Pois vá você mesmo comprar um bule bem bonito, se tem dinheiro!

Bob – e ao que parece era a primeira "cena" entre ambos – Bob saiu batendo a porta. Foi visto num pub, certamente para se acalmar – e depois nunca mais foi visto por ninguém. Isto mesmo: desapareceu. Jane boquiaberta.

Muito tempo depois, Jane soube por um conhecido de ambos que vira Bob num bar em Paris. E que se alistara por cinco anos na Legião Estrangeira. O conhecido prometeu-lhe que, havendo meios, ele arranjaria seu endereço em Paris.

Como presente de Natal, ela ficou sabendo onde Bob morava e escreveu-lhe emocionada. E houve a resposta.

Bob lastimava-se inclusive de não lhe ter escrito: "Querida, quando recobrei o juízo, fiz tudo para não entrar mais na Legião. Querida, ajude-me a consegui-lo ou pelo menos venha ter comigo. Só desejo é estar perto de ti. Sinto saudades terríveis."

Jane trabalhou como louca – 15 horas por dia em dois empregos: de dia como garçonete de um pub, de noite no vestiário de um nightclub.

Até que juntou o dinheiro suficiente para ir a Paris. Mas não adiantou seu esforço (que consistia também em comer pouco): Bob já tinha sido removido para o Norte da África. Jane implorou a oficiais da Legião Estrangeira no Quai d'Orsay que licenciassem Bob. Chorava. Também chorava porque tinha vergonha de explicar que a causa não fora trágica: fora por causa de um bule de chá de bico rachado.

Mas quem acreditaria? Ouviram-na com polidez e depois disseram-lhe que, pelo regulamento, ela só teria o marido de volta para casa em cinco anos.

Restava à inglesinha retornar a Londres, trabalhar e trabalhar, economizando para financiar sua viagem marítima num cargueiro para Sidi-bel-Abbes.

A conta do banco começava já a crescer, quando Jane recebeu mais uma carta de Bob: "Querida, estou num abismo de desespero. Vou ser mandado para a Indochina."

Mas de tanto receio e desespero, Bob adoece, baixou ao hospital. Seus companheiros seguiram viagem, muitos deles morreram em Dien-Bien-Phu. Jane tentou engajar-se na Cruz Vermelha Internacional ou na Marinha Mercante. Mas sem êxito algum.

Um mês depois, julgado curado, embarcaram Bob para a Indochina. Ao passar o navio pelo Canal de Suez, ele e mais quatro italianos atiraram-se na água.

A polícia egípcia prendeu-os por entrada ilegal. Em Londres, Jane suplicou e suplicou ao Foreign Office que livrasse o marido das complicações. Tanto falou que terminou dizendo a verdade que parecia mentira mas não era:

– Tudo – explicou com pudor – aconteceu por causa de um velho bule de bico rachado.

Fico danada da vida por não saber o fim da história, e suponho que vocês também.

Jornais e Revistas

O Jornal

O LAR

São quatro cadeiras na sala de visitas. Quatro cadeiras escuras ao redor da mesa pequena. No centro da mesa o jarro. No terraço a toalha seca ao vento da noite. O relógio da praça bate Um. Dois. Quatro. Onze badaladas se alargam até a ponte abandonada. No canto da sala de visitas o móvel quadrado – é sombra? é móvel? – onde pousam diminutos os cigarros, o charuto apagado, o copo vazio, e em monumento o vidro de pílulas para os nervos. No corredor o linóleo gelado. O longo corredor. Na sala de jantar a mesa vazia. Os pratos luzentes em pilha. O vento pela janela aberta, que perigo. Embaixo a calçada seca, a curva do arvoredo. Na cristaleira as xícaras de chá. Duas fatias endurecidas de bolo. A mosca presa adormeceu contra o vidro. Ou está morta, que perigo. No alto a lâmpada exulta. A cozinha... O bule com café frio. O cheiro morno do lixo, o vento pelas persianas. A cabeça de uma galinha, que perigo. O fogão vazio – o que lembra? O pingo d'água na torneira da pia. A luz do poste aclara a panela, ah. O pingo d'água. A aspirina sobre a mesa da cozinha? que desordem, que desordem. No banheiro a escuridão e a pasta de dentes. E das trevas a banheira fantástica, que perigo. A calça na corda? a maçaneta brilha, dois copos grandes de metal e um pequeno, rolado? rolado... No corredor o urso e a boneca no quarto... na paz vertiginosa, a família dorme. O relógio da praça bate Um. Dois. Cinco. Nove. Doze badaladas. Afasto-me silenciosamente e atravesso a janela cuidadosamente fechada. A mulher suspira. O luar, que perigo. Ah.

O BALÉ DA VIRGEM

Toda cheia, boca redonda e severa e uma gravidade sensual. Pés descalços.

— Ela é muito extraordinária, às vezes chora de aborrecimento, diz a mãe humilde de tal pérola rara.

Mas não será por capricho. Será por larga extravagância por amplo desdobramento, grande sono no pasto, será chuva. Talvez ela seja preguiçosa e cruel, quem sabe, não sei. É um pouco ridícula — aliás único acesso à sua pessoa. Ouve falar de si olhando inexpressiva para o teto. Somos as visitas. Junto de outras mulheres finge um desprezo calmo que, ai de nós, é bem sincero. Depois olha com vasta e doce dureza, e espera. Espera. Espera. Que moleza. Que majestade. Que calor. Ei-la que estende a mão branca e mata uma mosca! com o sapateado brusco e final de espanhola. Passado um momento em que aterrorizadas a olhamos, não se contém mais — os dentes alvos e agudos se mostram alegríssimos num sorriso infantil, impiedoso, cheio de graça de madona — é neste instante que, pungente, pungente, ela é ridícula.

LIBERTINAGEM DO SÁBIO

Não chegou a acontecer.

A criança brincava no ar do quintal. Apareceu a janela o rosto trágico untado de creme, a mãe gritou: Catarina! A criança muda e delicada. Catarina! — Foi só um instante: sou eu Catarina? perguntou-se o sábio na sua janela. Catarina brincava ao vento rodando em torno de si. Pé ante pé ele se tornou Catarina, correu entrando em casa, descobriu a mulher deitada com o rosto cheio de creme, debruçou-se tanto sobre ela que o perfume sufocou-o, fê-lo dar uma pirueta de prazer e náusea, ele dançou no quarto levantando as abas do paletó austero. A mulher no divã agitou-se. Ele parou, endireitou os óculos, ofegante: pensou, correu, pensou, que vento! foi para o quarto da criança, o reinado no papel de parede, a boneca valsou com o homem, a perna da boneca dançava noutro movimento, e a macela se derramava do pé rasgado. Voltou nas pontas dos pés e ainda arfando soprou na mulher do creme que de olhos amargos esperava a beleza. Ficou mais sério, começou a brincar pensativo com os dedos magros da dama que suspirava de impaciência: ele separou o dedo mínimo da mulher, alisou-o com bom humor e tristeza. De repente ei-la à janela: Catarina! A criança parou de rodar atenta. Ele se sobressaltou, olhou estupefato o livro aberto sobre a mesa. A verdadeira Catarina corria em sombra leve para a casa. A mulher permanecera à janela, o rosto duro, essa grande ofendida. Alta, indevassável. O sábio riu baixinho se sacudindo e disse com malícia um pouco fatigado: bem te conheço.

A MÁGOA

 Os telhados sujos a sobrevoar
 Arrastas no voo a asa partida
 Acima da igreja as ondas do sino
 Te rejeitam ofegante na areia
 O abraço não podes mais suportar
 Amor estreita asa doente
 Sais gritando pelos ares em horror
 Sangue escoa pela chaminé
 Foge foge para o espanto da solidão
 Pousa na rocha
 Estende o ser ferido que em teu corpo se aninhou.
 Tua asa mais inocente foi atingida.
 Mas a Cidade te fascina.
 Insistes lúgubre em brancura

Carregando o que se tornou mais precioso
Voas sobre os tetos em ronda de urubu
Asa pesa pálida na noite descida
Em pálido pavor
Sobrevoas persistente a Cidade Fortificada escurecida
Capela ponte cemitério loja fechada
Parque morto floresta adormecida.
Folha de jornal voa em rua esquecida.
Que silêncio na torre quadrada.
Espreitas a fortaleza inalcançada.
Não desças
Não finjas que não dói mais
Inútil negar asa partida
Arcanjo abatido, não tens onde pousar
Foge, assombro, inda é tempo
Desdobra em esforço a ala confrangida
Foge! dá à ferida a sua medida
Mergulha tua asa no mar.

✦ ✦ ✦

O MENINO

Para além da orelha existe um som
À extremidade do olhar um aspecto
À orla do sopro exaurido o ar
Às pontas dos dedos um objeto
É para lá que eu vou.

À ponta do lápis o traço.

Onde expira o pensamento está uma ideia
Ao derradeiro hálito de alegria uma alegria
À beira das badaladas um silêncio

À ponta da espada a magia
É para lá que eu vou.

À ponta dos pés o salto.

Parece a história de um menino
Que foi e não voltou.
É para lá que eu vou.

A VELHA ALEGRE

A velha bem-vestida, com uma joia discreta. Das rugas que a disfarçavam sai a forma pura de um nariz perdido na idade, e de uma boca que outrora deve ter sido cheia e sensível. Mas que importa. Chega-se a um certo ponto – e o que não foi não importa. Começa uma nova raça. Uma velha não pode comunicar-se: sem que no vagão houvesse um centro, ela se colocara de lado. Ameaçada ou ameaçadora; dura, desapercebida. Quando a locomotiva se pôs em movimento, ela se surpreendeu um pouco; não esperava que o trem seguisse nessa direção e sentara-se de costas para o caminho. Percebo-lhe o movimento e pergunto:
— A senhora deseja trocar de lugar comigo?
Ela se espanta com a delicadeza, diz que não, obrigada, para ela dá no mesmo. Mas parece ter-se perturbado. Alterou-se imperceptivelmente como a luz do vagão que agora entrava no largo. Passa a mão sobre o broche, tira-a, leva-a ao chapéu, retira-a. Seca. Ofendida? Pergunta-me afinal se é por causa de mim que desejo trocar. Digo que não, me surpreendo, ela se surpreende pelo mesmo motivo – não se recebe favor de uma velhinha. Ela sorri um pouco demais e os lábios cobertos de talco se partem em sulcos secos: ela está encantada. E um pouco agitada:
— Que amabilidade a sua, me diz, que gentileza também e ela continua a rir.

– Que amabilidade! repete.

Recompõe-se um pouco depressa, cruza as mãos sobre a bolsa. As rugas, enquanto ela rira, haviam tomado um sentido. Agora estavam de novo incompreensíveis, superpostas num rosto de novo imodelável. Mas eu lhe tirara a tranquilidade. Via-se que ela sorriria a qualquer momento, o que também me tirava a tranquilidade. Já vi muita moça nervosa que se diz: se eu rir um pouco mais estrago tudo, vai ser ridículo, tenho que parar – e é impossível. Essa situação é muito triste. E eu pusera a velha nas pontas dos pés. Agora ela era uma dessas velhinhas que parecem pensar que estão sempre atrasadas, que passaram da hora. Daqui a um segundo não se conteve, ergueu-se e espiou pela janela, como se fosse intolerável estar sentada.

– A senhora está querendo levantar o vidro? diz um rapaz se aproximando.

– Ah! exclama ela aterrorizada.

Oh não, não pensei, estava-se estragando tudo, o rapaz não deveria ter dito isso, era demais, não se devia tocá-la de novo, pensei olhando-a com atenção. Porque a velha, quase a ponto de perder a atitude de que vivia, quase a ponto de perder a amargura, tremia entre o sorriso e o extremo encanto:

– Não, não, não, disse ela, com falsa autoridade, de modo algum, obrigada, só queria olhar.

Sentou-se imediatamente como se a nossa delicadeza a vigiasse. Mas estava extraordinariamente agitada e sorridente. Parecia enfraquecida. No riso ela se revelava uma dessas velhinhas cheias de dentes. A crueldade deslocada dos dentes. O rapaz afastou-se. Ela abria e fechava as pálpebras. De repente bateu com os dedos na minha perna, com extrema rapidez e suavidade:

– Hoje todos estão verdadeiramente, mas verdadeiramente amáveis! que gentileza, que gentileza, que gentileza.

Eu ri. Ela ficou sorrindo sem tirar os olhos profundos e vazios dos meus. Vamos, vamos, chicoteavam-na de todos os lados e ela espiava para cá e para lá como se fosse escolher. Vamos, vamos! empurravam-na rindo de todos os lados e ela se sacudia, ridente, delicada.

– Como todos são amáveis neste trem, disse.

Subitamente procurou se recompor, pigarreou falsamente, se conteve toda. Devia ser difícil. Ela receava ter chegado a um ponto de não poder interromper-se. Manteve-se com severidade e tremor, fechou a boca sobre os inúmeros dentes. Mas não podia enganar a ninguém: seu rosto tinha uma tal esperança que perturbava os olhos que a viam. Tenho um amigo que teria vergonha. Mas ela já não dependia de ninguém: Uma vez que a tinham tocado, podia-se ir embora – ela sozinha se irradiava magra. Ainda quereria dizer qualquer coisa e já preparava um gesto social da cabeça cheio de graça prévia. Eu me perguntava se ela saberia se exprimir. Ela pareceu pensar, pensar, e achar com ternura um pensamento já todo feito onde mal e mal poderia aconchegar seu sentimento. Disse com cuidado e sabedoria de ancião, como se precisasse tomar esse ar para falar como velha:

– A juventude. A juventude amável...

Riu um pouco fingida. Ia ter uma crise de nervos? porque ela estava tão maravilhosa. Mas pigarreou de novo com austeridade, deu no banco uma batidinha com as pontas dos dedos como se ordenasse à orquestra uma nova partitura. Abriu a bolsa, tirou um quadrinho de jornal, desdobrou-o até torná-lo um jornal grande e normal datado da semana atrás. Pôs-se a ler.

Quando eu ia saltar do trem olhei-a entre duas malas. No intervalo do chapéu do carregador e o nariz de uma jovem, ela estava dormindo, inflexível, a cabeça empertigada, um punho fechado sobre o jornal. O broche em forma de flor. Desci do trem.

Naturalmente isso não tem a menor importância: há pessoas que são sempre levadas a se arrepender; é um traço de certas naturezas culpadas. Mas durante horas, na nova cidade, ficou-me perturbando a visão da velha ao acordar, a imagem de seu rosto espantado diante de meu banco vazio. Afinal ninguém sabe se ela adormecera por confiança.

À MARGEM DA BEATITUDE

Quando se vê, o ato de ver não tem forma – o que se vê é que tem forma. É assim certa espécie de pensamento "superior". Ele mesmo – enquanto ato de pensamento – não tem forma. É como o verdadeiro pensamento pensa a si mesmo, esta espécie de pensamento atinge seu objetivo no próprio ato de pensar. Não se quer dizer com isso que, nesse caso de "pensamento superior", se pense vagamente ou gratuitamente. Acontece que o pensamento primário – enquanto ato de pensamento – já tem forma e é mais facilmente transmissível a si mesmo, ou melhor, à própria pessoa que o está pensando; e tem por isso (por ter forma) um alcance limitado. Enquanto que o pensamento dito "superior", como algo de pensamento, é livre. (O que é diferente de "vago" ou "gratuito".) É livre a um ponto que ao próprio pensador esse pensamento parece sem autor. A beatitude tem essa mesma marca. Ou melhor, esse pensamento livre superior leva à beatitude. A beatitude começa no momento em que o ato de pensar liberou-se da necessidade de forma. A beatitude começa no momento em que o pensamento ultrapassou a necessidade de pensar do autor, e em que este se viu perto da "grandeza do nada". Poder-se-ia dizer: do tudo. Mas "tudo" é quantidade, e quantidade tem limite no seu próprio começo; e observar "tudo" leva a pensar num objeto determinado; a verdadeira grandeza é o nada, que não tem barreiras e é onde o homem pode espraiar seu pensamento. Espraiar seu pensamento até este se perder de sua vista, e até o homem ser diante de seu próprio pensamento – o olhar, o olhar que olha. E que nem chega a ver. Espraiar seu pensamento até o homem ser diante de seu próprio pensamento um "objeto", "incapaz de pensar". Essa beatitude diante do nada se pode dizer diante de Deus. Deus começa a um certo ponto do pensamento. Esta asserção não é em si leiga ou religiosa. Um místico pode reconhecê-la. E tudo isso não implica o problema de Deus, propriamente. Está se falando do pensamento do homem, e do modo que esse pensamento pode chegar a um grau extremo de incomunicabilidade — que, ao mesmo tempo, para esse homem, é o ponto de comunicabilidade maior.

(Dormir nos aproxima muito desse pensamento. Não se está falando do sonho que, no caso, seria um pensamento primário; fala-se de "dormir". Dormir é de algum modo abstrair-se.)

Senhor

"A ARTE DE NÃO SER VORAZ"

– *Moi, madame, j'aime manger juste avant la faim. Ça fait plus distingué.*

SILENT NIGHT, HOLY NIGHT

Em Natal, Rio Grande do Norte, acordei no meio da noite, tranquila como se estivesse despertando de uma tranquila insônia. E ouvi aquela música de ar que uma vez antes já tinha ouvido. É extremamente doce e sem melodia, mas feita de sons que poderiam se organizar em melodia. É flutuante, ininterrupta. Os sons como quinze mil estrelas. Tive a certeza de que estava captando a mais primária vibração do ar, como se o silêncio falasse. O silêncio falava. Era de um agudo suave, constante, sem arestas, tudo atravessado por sons horizontais e oblíquos. Milhares de ressonâncias que tinham a mesma altura e a mesma intensidade, a mesma ausência de pressa, noite feliz. Parecia um longo véu de som, com variação apenas de sombra e luz, às vezes de espessura (quando, ao esvoaçar, um pedaço de véu dobrava-se sobre o mesmo véu). É de uma beleza incrível, impossível de ser descrita pois não existe palavra que seja silêncio. Não se sente presença de autor; anjos em grupos incontáveis, impessoais como anjos, anônimos como anjos. Quando o silêncio se manifesta, ele não diz: manifesta-se em silêncio mesmo. Como se: "o que é o número 1357217?" Então esse número dá um passo para frente e se manifesta todo desabrochado em 1357217. Ele pode exatamente o máximo; evidenciar-se. Pois o quarto do hotel estava todo cheio do canto coral do silêncio que se evidenciava. E eu abençoada desse jeito. Mas não quero nunca mais.

❖ ❖ ❖

UMA TENTATIVA DE SENTIR

Não é para nós que o leite da vaca brota, mas nós o bebemos. A flor não foi feita para ser olhada por nós nem para que sintamos o seu cheiro, e nós a olhamos e cheiramos. A Via Láctea não existe para que saibamos da existência dela, mas nós sabemos. E nós sabemos Deus. E o que precisamos d'Ele extraímos. (Não sei o que se chama Deus, mas assim pode ser chamado.) Se só sabemos muito pouco de Deus, é porque precisamos pouco: só temos d'Ele o que fatalmente nos basta, só temos de Deus o que cabe em nós. (A nostalgia não é do Deus que nos falte, é nostalgia de nós mesmos que não somos bastante; sentimos falta de nossa grandeza impossível – meu futuro inalcançável é meu paraíso perdido.) Sofremos por ter tão pouca fome, embora nossa pouca fome já dê para sentirmos uma profunda falta do prazer que teríamos se fôssemos de fome maior. O leite a gente só bebe o quanto basta ao corpo, e da flor só vemos até onde vão os olhos e sua saciedade rasa. Quanto mais precisarmos, mais Deus existe. Quanto mais pudermos, mais Deus teremos. E Ele deixa. (Ele não nasceu para nós, nem nós nascemos para Ele, nós e Ele somos ao mesmo tempo.) Ele está ininterruptamente ocupado em ser, assim como todas as coisas estão sendo, mas não impede que a gente se junte a Ele e, com Ele, fique ocupado em ser, numa intertroca tão fluida e constante – como a de viver. Ele, por exemplo, Ele nos usa totalmente porque não há nada em cada um de nós de que Ele, cuja necessidade é absolutamente infinita, não precise. Ele nos usa, e não impede que a gente faça uso d'Ele. O minério que está na terra não é responsável por não ser usado. Nós somos muito atrasados, e não temos ideia de como se aproveita Deus numa intertroca – como se ainda não tivéssemos descoberto que o leite se bebe. Daí a alguns séculos ou daí a alguns minutos talvez digamos espantados: e dizer que Deus sempre esteve! quem esteve pouco fui eu – assim como diríamos do petróleo que finalmente precisou a ponto de saber como tirá-lo da terra, assim como um dia lamentaremos os que morreram de câncer sem usar o remédio que está. (Certamente ainda não **precisamos** não morrer de câncer.) Tudo está. (Talvez seres de um outro planeta já saibam das coisas, e vivam numa intertroca para eles natural; para nós, por enquanto, isso seria "santidade" e atrapalharia completamente a nossa vida.)

O leite da vaca, nós o bebemos. E se a vaca não deixa, usamos de violência. (Na vida e na morte tudo é lícito.) Com Deus a gente também pode abrir caminho pela violência. Ele mesmo, quando precisa mais especialmente de um de nós, Ele nos escolhe e nos violenta. Só que minha violência para com Deus tem que ser comigo mesma. Tenho que me violentar para precisar mais. Para que eu me torne tão desesperadamente maior que eu fique vazia e necessitada. Assim terei tocado na raiz do precisar. O grande vazio em mim será o meu lugar de existir; minha pobreza extrema será uma grande vontade. Tenho que me violentar até não ter nada, e precisar de tudo; quando eu precisar, então eu terei, porque sei que é de justiça dar mais a quem pede mais, minha exigência é o meu tamanho, meu vazio é minha medida. – Também se pode violentar Deus diretamente, através de um amor cheio de raiva. E Ele compreenderá que essa nossa avidez colérica e assassina é na verdade a nossa cólera sagrada e vital, a nossa tentativa de violentação de nós mesmos, a tentativa de comer mais do que podemos para aumentarmos artificialmente a nossa fome – na exigência de vida tudo é lícito, mesmo o artificial, e o artificial é às vezes o grande sacrifício que se faz para se ter o essencial. – Mas, já que somos pouco e portanto só precisamos de pouco, por que então não nos basta o pouco? É que adivinhamos o prazer. Como cegos que tateiam, nós pressentimos o intenso prazer de viver. E se pressentimos, é também porque nós nos sentimos inquietantemente usados por Deus, sentimos inquietantemente que estamos sendo usados com um prazer intenso e ininterrupto — aliás a nossa salvação por enquanto tem sido a de pelo menos sermos usados, não somos inúteis, somos intensamente aproveitados por Deus; corpo e alma e vida são para isso: para a intertroca e o êxtase de alguém. Inquietos sentimos que estamos sendo usados a cada instante — mas isso acorda em nós o inquietante desejo de também usar. E Ele não só deixa, como necessita ser usado, ser usado é um modo de ser compreendido. (Em todas as religiões Deus exige ser amado.) Para termos, falta-nos apenas precisar. Precisar é sempre o momento supremo. Assim como a mais arriscada alegria entre um homem e uma mulher vem quando a grandeza de precisar é tanta que se sente agonia e espanto: sem ti eu não poderia viver. A revelação do amor é uma revelação de carência — bem-aventurados os pobres de espírito porque deles é o dilacerante reino da vida.

✦ ✦ ✦

LEMBRANÇA DE UM VERÃO DIFÍCIL

A insônia levitava a cidade mal iluminada. Não havia porta fechada e toda janela tinha sua quente luz. Em torno dos lampiões as larvas voavam. À margem do rio as mesas, as poucas conversas cansadas, crianças adormecidas no colo. A desperta leveza da noite não nos deixava ir dormir; como andarilhos, devagar andávamos. Fazíamos parte do velório amarelado dos lampiões, e das larvas aladas, e de redondas alturas suspensas, e da vigília de toda uma abóbada celeste. Fazíamos parte da grande espera que, por si mesma e em si mesma, é o que o universo inteiro faz. Desde as outras enormes larvas que haviam outrora bebido lentamente da água daquele rio.

Mas dentro da grande espera total, que era o modo de se estar sendo, eu pedia trégua. Aquela noite de verão em agosto era do mais fino tecido, para sempre inquebrável, de se estar esperando. Eu queria que a noite começasse enfim a tremer em fino espasmo, principiando a sua agonia; para que também eu pudesse dormir. Mas eu sabia que a noite de estio não se esgarça nem amanhece, ela apenas se sudoriza na morna febre da madrugada. E sempre sou eu quem tem ido dormir, sempre sou eu quem tem entrado em agonia, enquanto ela permanece como um olho sem pálpebra. É sob o grande olho acordado do mundo que tenho arrumado o meu sono, enrolando em mil panos de múmia o meu grão de insônia, que é o diamante que me coube. Eu estava na esquina e sabia que nada jamais entrará em agonia. É um mundo eterno. E eu sabia que sou eu que tenho de morrer.

Mas não queria sozinha, queria um lugar que se parecesse com o que eu precisava, queria que recebessem minha agonia necessária. Minhas mortes não são por tristeza – são um dos modos do mundo inspirar e expirar, a sucessão de vidas é a respiração da espera infinita, e eu mesma, que também sou o mundo, preciso do ritmo de minhas agonias. Mas se eu, como mundo, concordo com a minha morte, eu, como a outra coisa que extremamente também sou, preciso que as mãos da misericórdia recebam o corpo morto. Eu, que também sou a esperança da redenção da espera, preciso que a piedade do amor me salve e ao espírito de meu sangue. O sangue que está tão negro na poeira negra de minhas sandálias, e minha testa estava rodeada de mosquitos como uma fruta. Onde poderia eu me refugiar e livrar-me da vibrante noite de verão que me acorrentara à sua grandeza? Meu pequeno diamante se tornara tão maior que eu, e eu via que também as estrelas são duras e brilhantes, e eu precisava ser o fruto que apodrece e rola. Eu precisava do abismo.

Vi então, toda de pé, a Catedral de Berna.

Mas também a catedral estava quente e alerta. Cheia de vespas.

APROXIMAÇÃO GRADATIVA

Se eu tivesse que dar um título à minha vida seria: à procura da própria coisa.

◆ ◆ ◆

EM DIREÇÃO AO CAMINHO INVERSO

A despersonalização como a destituição do individual inútil – a perda de tudo o que se possa perder e, ainda assim, ser. Pouco a pouco tirar de si, com um esforço tão atento que não se sente a dor, tirar de si, como quem se livra da própria pele, as características. Tudo o que me caracteriza é apenas o modo como sou mais facilmente visível aos outros e como termino sendo superficialmente reconhecível por mim mesma. Assim como há um momento em que M. vê que a vaca é a vaca de todas as vacas, assim ele quer de si mesmo encontrar em si o homem de todos os homens. A despersonalização como a grande objetivação de si mesmo. A maior exteriorização a que se chega. Quem se atinge pela despersonalização reconhecerá o outro sob qualquer disfarce: o primeiro passo em relação ao outro é achar em si mesmo o homem de todos os homens. Toda mulher é a mulher de todas as mulheres, todo homem é o homem de todos os homens, e cada um deles poderia se apresentar onde quer que se julgue um homem. Mas apenas em imanência, porque só alguns atingem o ponto de, em nós, se reconhecerem. E pela simples presença da existência deles, revelarem a nossa.

Aquilo que se vive — e por não ter nome só a mudez pronuncia — é disso que me aproximo através da grande largueza de deixar de me ser. Não porque eu então encontre o nome do nome e torne concreto o impalpável — mas designo o impalpável como impalpável, e o sopro recrudesce como na chama de uma vela.

A gradual des-heroização é o verdadeiro trabalho que se labora sob o aparente trabalho, a vida é uma missão secreta. Tão secreta é a verdadeira vida que nem a mim, que morro dela, me pode ser confiada a senha, morro sem saber de quê. E o segredo é tal que somente se a missão chegar a se cumprir é que, por um relance, percebo que nasci incumbida — toda vida é uma missão secreta. A des-heroização de mim mesma está minando subterraneamente o meu edifício, cumprindo-se à minha revelia como uma vocação ignorada. Até que me seja enfim revelado que a vida em mim não tem o meu nome.

E eu também não tenho nome, e este é o meu nome. E porque eu me despersonalizo a ponto de não ter o meu nome, respondo cada vez que alguém disser: eu.

A des-heroização é o grande fracasso de uma vida. Nem todos chegam a fracassar porque é tão trabalhoso, é preciso antes subir penosamente até enfim atingir a altura de poder cair — só posso alcançar a despersonalidade da mudez se eu antes tiver construído toda uma voz. É exatamente através do malogro da voz que se vai pela primeira vez ouvir a própria mudez e a dos outros, e aceitá-la como a possível linguagem. Só então minha natureza é aceita, aceita com o seu suplício espantado, onde a dor não é alguma coisa que nos acontece, mas o que somos. E é aceita a nossa condição como a única possível, já que ela é a que existe, e não outra. E já que vivê-la é a nossa paixão. A condição humana é a paixão de Cristo.

Ah, mas para se chegar à mudez, que grande esforço da voz. Minha voz é o modo como vou buscar a realidade; a realidade, antes de minha linguagem, existe como um pensamento que não se pensa, e por fatalidade sou impelida a precisar saber o que o pensamento pensa. A realidade antecede a voz que a procura, mas como a terra antecede a árvore, mas como o mundo antecede o homem, mas como o mar antecede a visão do mar, a vida antecede o amor, a matéria do corpo antecede o corpo, e por sua vez a linguagem um dia terá antecedido a posse do silêncio. Eu tenho à medida que designo – e este é o esplendor de ter uma linguagem. Mas eu tenho muito mais à medida que não consigo designar. A realidade é a matéria-prima, a linguagem é o modo como vou buscá-la – e como não acho. Mas é do buscar e não achar que nasce o que eu não conhecia e que instantaneamente reconheço. A linguagem é o meu esforço humano. Por destino tenho que ir buscar e por destino volto com as mãos vazias. Mas – volto com o indizível. O indizível só me poderá ser dado através do fracasso de minha linguagem. Só quando falha a palavra, é que obtenho o que ela não conseguiu.

E é inútil procurar encurtar caminho e querer começar já sabendo que a voz diz pouco, já começando por ser despessoal. Pois existe a trajetória, e a trajetória não é apenas um modo. A trajetória somos nós mesmos. Em matéria de viver, nunca se pode chegar antes. A via-crúcis não é um descaminho, é a passagem única, não se chega senão através dela e com ela. A insistência é o nosso esforço, a desistência é o prêmio. A ela só se chega quando se experimentou o poder da voz e, apesar do gosto de poder, prefere-se a desistência. A desistência tem que ser uma escolha. Desistir é a escolha mais sagrada de uma vida. Desistir é o próprio instante humano. E só esta, é a glória própria de minha condição.

A desistência é uma revelação.

Desisto, e terei sido a pessoa humana – é só no pior de minha condição que ela é assumida como meu destino. Existir exige de mim o grande sacrifício de não ter força, desisto, e eis que na mão fraca o mundo cabe. Desisto, e para a minha pobreza humana abre-se a única alegria que me é dado ter, a alegria humana. Sei e estremeço – viver me deixa tão impressionada, viver me tira o sono. Chego à altura de poder cair, escolho, estremeço e desisto, e finalmente me votando à minha queda, despessoal, sem voz própria, finalmente sem mim – eis que tudo o que não tenho é meu. Desisto e quanto menos sou mais vivo, quanto mais perco o meu nome mais me chamam, minha missão secreta é a minha condição, desisto e quanto mais ignoro a senha mais cumpro o meu segredo, quanto menos sei mais a doçura do abismo é o meu destino. E então eu adoro.

Joia

TRADUZIR PROCURANDO NÃO TRAIR

Tati Moraes e eu traduzimos uma peça de Lillian Hellman para Tônia Carrero levar. Fizemos a tradução com o maior prazer, se bem que de início eu tivesse que ser fustigada por Tati que é a minha inexorável feitora em vários terrenos, de trabalho ou não. Mas Tônia, você não imagina o trabalho de minúcias que dá traduzir uma peça. Ou melhor, você, que andou nos dando sugestões inteligentes, imagina sim. Primeiro, traduzir corre o risco de não parar nunca: quanto mais se revê, mais se tem que mexer e remexer nos diálogos. Sem falar na necessária fidelidade ao texto do autor, enquanto ao mesmo tempo há a língua portuguesa que não traduz facilmente certas expressões americanas típicas, o que exige uma adaptação mais livre.

E a exaustiva leitura da peça em voz alta para podermos sentir como soam os diálogos? Estes têm que ser coloquiais: de acordo com as circunstâncias, ora mais ou menos cerimoniosos, ora mais ou menos relaxados.

Como se não bastasse, cada personagem tem uma "entonação" própria e para isso precisamos das palavras e do tom apropriados. Por falar em entonação, aconteceu-me uma coisa desagradável, enquanto durou a tradução. De tanto lidar com personagens americanos, "peguei" uma entoação inteiramente americana nas inflexões de voz. Passei a cantar as palavras, exatamente como um americano que fala português. Queixei-me a Tati, pois já estava enjoada de me ouvir, e ela respondeu com a maior ironia: "Quem manda você ser uma atriz inata?" Mas acho que todo escritor é um ator inato. Em primeiro lugar ele representa profundamente o papel de si mesmo. Escritor é uma pessoa que se cansa muito, e que termina com um pouco de náusea de si, já que o contato íntimo consigo próprio é por força prolongado demais.

Esta peça para Tônia foi ótima de se traduzir. Mas – e quando nos caiu em mãos uma peça de Tchekhov? Veio numa fase em que eu estava meio deprimida. Depois eu soube que Tati andou consultando amigos para saber se me convinha lidar com o personagem principal, já que este se parecia demais comigo. A conclusão era que eu trabalhasse de qualquer maneira porque me faria bem agir, e porque seria bom eu ver, como num espelho, a minha própria fisionomia. Que me faria bem lidar com um personagem cujo senso trágico da vida termina levando-o ao desespero. Traduzimos Tchekhov, eu com um esforço tremendo, pois me parecia estar me descrevendo. Depois por motivos externos, a peça passou para as mãos de outras pessoas, e perdemo-la de vista. Um dos motivos externos consistia no fato do diretor querer interferir demais na nossa tradução. Não nos incomodamos com a interferência justa de um diretor, tantas vezes esclarecedora, mas as divergências eram muito mais sérias. Entre outras, ele achava que, em vez de "angústia", usássemos a palavra "fossa". Ora, nós duas discordávamos: um personagem russo, ainda mais daquela época e ambiente, não falaria em fossa. Falaria em angústia e em tédio destruidor.

Mas, para falar a verdade, em termos atuais, ele estava na fossa mesmo.

Em compensação, traduzimos *Hedda Gabler*, que não só foi logo encenada em São Paulo, como nos fez ganhar, com justo orgulho profissional, o prêmio da melhor tradução do ano. Uma medalha, meu Deus!

Prazer engraçado tive eu ao traduzir um livro condensado de Agatha Christie, encomendado por Tito Leite, diretor de *Seleções*. Em vez de lê-lo antes no original, como sempre faço, fui lendo à medida que ia traduzindo. Era um romance policial, eu não sabia quem era o criminoso, e traduzi com a maior pressa, pois não suportava a tensão da curiosidade. O livro esgotou-se rapidamente.

 Traduzo, sim, mas fico cheia de medo de ler traduções que fazem de livros meus. Além de ter bastante enjoo de reler coisas minhas, fico também com medo do que o tradutor possa ter feito com um texto meu. Uma tradução de dois livros meus que fizeram para o alemão, não me causou problemas: não entendo uma palavra de alemão, e a coisa ficou aliviadoramente, por isso mesmo nem as críticas e comentários que a editora me mandou eu pude ler. Mas quando um livro meu foi traduzido para o inglês, nos Estados Unidos, pela Knopf — o livro saiu fisicamente lindo, bom até de se tocar com as mãos — então o problema foi outro. Eu sabia que o tradutor, Gregory Rabassa, era de primeira água — ganhou o National Book Award do ano, nos Estados Unidos — e inglês eu podia ler. Chamei-me então severamente à ordem, e comecei a cumprir o dever de ler a mim mesma. A tradução me pareceu muito boa. Mas parei, pois o que venceu mesmo foi a náusea de me reler. O tradutor, professor de literatura portuguesa e brasileira numa universidade, fez um longo prefácio ao livro sobre literatura brasileira. Chegou à conclusão estranha de que eu era ainda mais difícil de traduzir que Guimarães Rosa, por causa de minha sintaxe. Não se assustem, nesta coluna esforço-me por não usar uma sintaxe que me é íntima e natural. Com um pouco de vergonha, já tinha esquecido o que quer dizer sintaxe. Perguntei a um amigo, que me explicou: sintaxe é o modo como a frase se coloca dentro do período. Fiquei um pouco na mesma e desconfiada de que não podia se tratar apenas disso: uma palavra tão grave como sintaxe não podia significar simplesmente isso. Tenho o maior respeito por gramática, e pretendo nunca lidar conscientemente com ela. Em matéria de escrever certo, escrevo mais ou menos certo de ouvido, por intuição, pois o certo sempre soa melhor.

✦ ✦ ✦

O ETERNO AMAMENTADO

No gênero asilo de velhos, o que existe ainda não serve para a maioria das pessoas. Por enquanto, ao que sei, a escolha se limita a uma alternativa: ou o asilo de favor, mendicância e caridade, ou, segundo me dizem, o de luxo, bem pago. Mas onde caberá o velho pequeno-burguês? Ser velho é ficar com dois ou três hábitos, depuração de uma vida inteira, e não vejo muito como uma pessoa que se fez e foi feita de um jeito vá de súbito espaventar-se com coisa nova. Achar-se, por exemplo, entre os velhinhos que foram os grandes aventureiros das ruas e cujas histórias naturais inquietam o velhinho acomodado que agora só quer da vida mastigar o que é seu: na hora de ser velho não é mais hora de se receber lição de coisas, já é tarde para outras verdades. E é o que aconteceria com o velho pequeno-burguês se entrasse no asilo de pobres.

Ou então, como imaginá-lo no abrigo de luxo? Entre as velhas que sustentam o pescoço com presilhas de brilhante e tomam o chá que tomaram em criança? Ser velho também não é hora de ser humilhado, de ficar como barata tonta entre etiquetas e faustos mortos. O nosso velho ia se sentir garoto desajeitado, sempre cometendo gafes, fazendo barulho ao mastigar, alegrezinho na hora errada.

Devia haver várias espécies de abrigos para a velhice.

A pessoa, em plena vitalidade, iria visitando uns e outros, se familiarizando, passando mesmo uns fins de semana ora numa casa ora noutra. Mesmo porque em plena vitalidade, não se pode adivinhar que espécie de velho se vai ser. O homem ainda moço de hoje – como saberá ele desde já se não vai se transformar num velho que só se dignifica se tiver bengala e uma campainha para chamar? Como é que a tranquila senhora de hoje, cumpridora de seus deveres, respeitadora de tudo o que é ordem, como sabe ela se, na velhice, de repente não lhe dará uma liberdade irônica, um modo de sorrir que intriga os moços, e não vai virar uma velha que não penteia o cabelo, que deixa o cigarro no canto da boca, e constrange a família toda com sua nova sabedoria?

Quem diz que o austero senhor de hoje não precisará dizer sem-vergonhices para manter seu interesse pela vida?

Velhice é a última chance das reivindicações, e estas, quase sempre mantidas secretas, desabrocham como surpresa. Ninguém sabe, pois, de que tipo de asilo precisará.

Sem contar que, mesmo com asilo bem escolhido, ainda restam tantas incertezas. Arruma-se bagagem para uma instalação de dez anos na velhice, e um ano depois talvez não se precise mais.

Ou então é o oposto, como me contaram um dia desses de uma velhinha. Entrou no asilo de pobres com cento e sete anos. O tempo foi passando. Ela o enchia, ao tempo, vivendo. Não tinha outra coisa mais a fazer. E lá está ainda hoje – com cento e quinze anos. Cada vez menor, cada vez mais sucinta. Cento e quinze era muita idade: "tem certeza de que ela não está enganando ou mentindo ou que já não pensa bem?", indaguei. A pessoa disse que também tivera dúvidas, mas lhe haviam afiançado que, embora sem documentos, era isso mesmo. E uma das provas estava no fato da presença, neste mesmo asilo, de um velho de oitenta e dois anos, conterrâneo da velhinha de cento e quinze. E que fora por ela amamentado... A mãe do velhinho não tivera leite, ele fora nutrido pela velhinha, então farta e jovem. E ali, no mesmo asilo, está o amamentado que não me deixa mentir.

Se velhice é retorno à infância, pelo menos este caso conheço de real retorno ao ponto de partida. Se o velho de oitenta e dois anos ficou feliz com o encontro, é o que não se pode adivinhar. Pois contaram que a velhinha de cento e quinze se considera com direitos adquiridos, ralha com ele à toa. Inesperadamente, num asilo de pobres, voltou ele a um ambiente de família. Resta saber se família era o que ele queria. Quem sabe uma velhice solitária e despreocupada era o seu ideal, quem sabe se ele estava querendo sua liberdadezinha, seus — amamentado e dominado a vida toda — resmungos sem palavras, uma vida de pardal pousado em banco de praça.

✦ ✦ ✦

AO CORRER DOS DIAS, DA MÁQUINA

Eu que dei para mentir. E com isso estou dizendo uma verdade. Mas mentir já não era sem tempo. Engano a quem devo enganar e, como sei que estou enganando, digo por dentro verdades duras. Não engano meus filhos, senão o necessário protetor. E o necessário protetor vale uma verdade. Os outros também me enganam. Ou mentem simplesmente, ou prometem e esquecem. Um amigo prometeu-me dar-me o busto esculpido de uma amiga mútua já morta: ele vai esquecer. E isso também é uma forma de mentir. Ou não? Não.

Houve um sábado em que Elsie Lessa deu em casa dela um vatapá. Cheguei tão tarde, por motivos exteriores à minha vontade, que quase todo mundo já tinha ido embora, mas ainda comi vatapá. Depois cuscuz, que minha cozinheira não sabe fazer e que não posso recusar. E assim é a vida, assim correm os dias. Depois fui logo embora porque uma amiga me esperava para ir ver Fernanda Montenegro. Essa, que não faz outra coisa a não ser representar no palco o que não é, essa não mente. A minha amiga, aquela com quem fui ao teatro, também não mente.

O que eu queria agora saber é por que estou tão interessada em mentiras e verdades.

Fiquei tonta com o teatro. Era *A volta ao lar*, de Harold Pinter. Os palavrões, que nem digo nem sei dizer, não me impressionaram. Mas me desfiz tanto por dentro a ponto de ter de pentear os cabelos no primeiro intervalo. Dizem que os homens aguentam menos o enredo da peça que as mulheres. No entanto tudo gira em torno da volta sórdida ao lar de uma mulher que é de todos. Eu na hora nem sabia se teria coragem de voltar para assistir de novo. Fui dormir impressionada. E acordei toda volta ao lar.

As palmas, no fim do espetáculo, eram assustadas. Dizem que um homem levantou-se no meio, não suportou. E que sua esposa retrucou zangada: se quiser, me espere lá fora. E ficou. Não sei por quê, hoje eu queria escrever uma coisa bem forte mas estou fraca, um pouco lânguida. Escrevo de manhã. Hoje é tão sábado. Vou dormir depois do almoço. Ao correr da máquina: vem uma amiga almoçar comigo. Eu não sou engraçada mas ela acha graça em tudo o que eu digo. Vai ficar contente quando souber que hoje tem coco, nem sei de que forma: a cozinheira quer me fazer uma surpresa. E assim se passam os dias. Cadê minha força de hoje? Será que vai vir nos sonhos que terei quando dormir depois do almoço? Sou muito forte nos sonhos. Ah isto não é crônica nem coluna, bem sei. Por uma vez acho que não importa: os dias correm, a máquina corre. Mas se eu fosse cronista, ah não me faltariam assuntos!

Meu cronista anda muito manso. Aliás ele é de certo modo um manso, um manso extremamente firme, mas manso. Foi comigo à casa de Elsie Lessa e depois me deixaria de carro na casa da amiga, aquela com quem fui ao teatro. E eu apressando-o. Até que ele avisou que se eu falasse demais, ele me atrasaria tomando mais um uísque. Que eu só podia sorrir. Então sorri. Ele não me enganou, não demoramos muito. Ele, aliás, é o meu conselheiro. Quando não sei o que resolver, telefono para ele e ele diz. Sempre tem razão. A última vez que pedi conselho foi sobre um contrato com editora estrangeira. Talvez ele seja o único poeta com senso prático que eu conheço.

O busto daquela minha amiga já morta, o que eu vou ou não ganhar, foi feito por Ceschiatti. Ele tentou "fazer" a minha cabeça, quando esteve hospedado lá em casa, em Berna. Eu me diverti muito em posar porque, atrás da cabeça que ele esculpia, pedi licença para esculpir uma mulher. Mas Ceschiatti não estava gostando da cabeça que fazia de mim, e ele é um dos que precisam ficar satisfeitos com o seu trabalho. Na Suíça nós tínhamos um terraço com lugar para amontoar o carvão destinado a aquecer a casa no aquecedor não elétrico que esta tinha. E Ceschiatti terminou jogando minha cabeça no meio daquele carvão preto. Só perdoei porque ficou bonito e a cabeça semirrachada entre pedaços de carvão rachado. A cabeça ficou lá muito tempo com os olhos de estátua olhando para o céu. Depois veio a neve forte, e o resultado era carvão preto, neve alva e cabeça rachada. Ficou para sempre em mim essa imagem. Obrigada, Ceschiatti, pela cabeça de que você não gostou, pelo carvão negro e áspero, pela neve que caía em flocos silenciosos. Não sei quem dos três era mais eu. A cabeça rachada de olhos fixos na neve que caía do céu. Não, acho que era o carvão negro e preto e friável. Friável tem ou não tem acento? Acho que tem.

No domingo que se seguiu ao sábado do teatro apareceu em casa por uns minutos José Américo Pessanha, professor de Filosofia. Uma aluna dele pedira-lhe que me trouxesse duas páginas de perguntas sobre mim. Não sei sequer tanto sobre mim, e além do mais estava de saída. Por que fazem perguntas? Por que querem saber? Eu, por exemplo, não quero mais.

Vou terminar aqui porque hoje é sábado e estou, como disse, muito fraca. Ser fraca também não é mau. Como vou ser muito falada por causa dessa minha crônica. Mas não importa mais, sinceramente. E não é por desprezo da opinião alheia. É porque talvez sábado de manhã as coisas tenham uma importância extremamente relativa.

❖ ❖ ❖

É PRECISO SUBIR A MONTANHA

Transviada

É mocinha, frequenta uma universidade. Não direi seu nome, mas poderia ser o equivalente de Angela. Dela disseram que era mais para feia. O pai disse que era bonitinha. Imagino-a bem: deve ser desse feio moderno que se chama agora bonito. Bem que andava esquisita. Até que os pais encontraram-na fora de si de tão embriagada. E descobriram no seu quarto uma garrafa de cachaça já consumida pela metade. Tinha dado para beber. Por quê? Não explica. Às vezes fica excitadíssima, o que faz supor que ande tomando drogas. Foram inúteis as conversas de seus pais, gente esclarecida, com Angela. Ela bebia, e quando lhe tiraram a cachaça, bebeu álcool de farmácia.

Um dia o pai voltou do trabalho e encontrou-a inteiramente bêbada, perdeu a cabeça e, de desespero, bateu tanto na filha "quase a ponto de matá-la". E ele próprio se assustou, depois disse: "E ela é tão frágil, tão magrinha."

Levaram-na ao psiquiatra, este aconselhou um internamento para desintoxicação. A menina aceitou. Só na hora de comprar os pijaminhas para levar para o hospício é que teve o pânico de sua extrema solidão no mundo, onde não adiantava mais nem pai nem mãe: quem vai se internar comigo?, perguntou. E a mãe com dor: o médico quer que você se afaste da família e fique sozinha.

Por enquanto a situação: ela implorou ao psiquiatra que não a internasse, ele concordou sob a promessa de que ela se comportaria de um modo mais razoável. Sejamos razoáveis nós também. Transviar-se significa sair do caminho. De que caminho os transviados estão querendo sair? Obviamente do caminho que o mundo atual e os pais lhes dão. E quem pode censurá-los? A vontade é de supersensação, a sensação não basta. O que não é apenas atual: sempre se quis a supersensação, a aventura humana aspira ao cume e à degradação. Mas era-se controlado pelo ambiente, pela família. E agora como controlar os adolescentes? Nós mesmos somos de alma boêmia, quando não boêmios de fato, mas queremos, para o nosso conforto e a nossa paz, filhos burgueses.

Confissões de Teilhard

Henry de Monfreid, escritor e aventureiro que por si só mereceria um longo estudo, esteve durante suas viagens com Teilhard de Chardin, encontrando-se com ele várias vezes na Etiópia.

Mas mantém segredo sobre as confidências que Chardin lhe fez. "Não posso repeti-las porque dei a ele a minha palavra de honra de não passá-las adiante."

No entanto, insistido pelo seu entrevistador, Monfreid disse que alguma coisa podia contar. Que uma vez Teilhard estava pensando alto, a modo de dizer. E ao que dissera, acrescentara:

"Falei com Deus, não falei aos homens, porque as ideias que hoje tenho não devem ser divulgadas, já que a humanidade ainda não está madura para recebê-las. Quanto a mim, cheguei ao alto da montanha e agora vejo um horizonte que os outros, aqueles que atrás de mim continuam a subir, não veem. E se eu lhes revelar o que vi, eles se arriscam a perder a fé simples e ingênua que os sustenta nesse momento e que lhes permite subir a montanha que eu mesmo subi. Eis por que é preciso silenciar sobre minhas ideias, e que elas só venham à luz quando a humanidade tiver evoluído o bastante para recebê-las."

O verbo e o tempo

Wilson Alvarenga Borges me foi apresentado numa das agências do Banco Nacional de Minas Gerais, que é o meu banco. Não entendo muito de bancos, mas ao ver Wilson trabalhando pareceu-me que lá tem altos encargos, e que age com muita precisão. Trabalhar em banco e ser poeta? Pois é perfeitamente possível. Wilson Alvarenga Borges me parece um dos homens mais gentis e educados, e tudo vem de sua alma mesmo, tanto quanto a sua timidez quando me fala. (No trabalho, quando não me vê observá-lo, não é nada tímido.) Lembro-me de que uma vez fui jantar na sua casa e de sua esposa, Yolanda. E eles tinham um passarinho e flores, e tudo ali era de uma timidez de quem é delicado, não de quem tem receios. Walmir Ayala também estava nesse jantar, e ainda não usava a barba de hoje, que o deixa com ar de profeta.

Agora recebi de Wilson seu novo livro de poemas, *O verbo e o tempo*, edições Porta de Livraria. Queria aqui mesmo dar uma amostra de sua poesia:

> Na passagem das horas vai meu rosto
> configurando as formas de silêncios
> que em mim se vão gravando,
> para as claras imagens que me apuram o pensamento.
> Por conservar-me firme no meu posto
> consagro todo o esforço no meu tempo
> e toda essa harmonia é que me aclara

o verbo, nesse grato entendimento
Deixei-me repensar por estas horas
na vida, todo o tempo conquistado
nas lides prolongadas cada dia.
Deixai-me conquistar a minha aurora
nascida dos silêncios, cultivada
no amor que dirigiu-me como um guia.

❖ ❖ ❖

COMO FLORES PARA UMA AMIGA

Tenho alguns amigos, poucos, mas todos muito diferentes uns dos outros. A variedade de personalidade deles me encanta e me enriquece. Várias qualidades, porém, todos têm em comum: lealdade e franqueza, por exemplo. E de quase todos já recebi compreensão, irmandade, perdão.

Mas e eu? O que dou a eles? Não sei, e sinto-me incapaz de calcular. Embora imagine que alguma coisa eu certamente lhes tenha dado em troca; e se imagino isso é por saber que amizade é um intercâmbio. Acho, porém, que sem sentir andei falhando com uma das amigas. Pois ela me disse ao telefone: "Você já me deu muito e no entanto eu tenho um pedido para fazer." E, bastante sem jeito, como uma menina, perguntou se eu não poderia escrever algumas linhas para ela, só para ela, como lembrança minha, e que nem sequer mostraria a alguém. O que me surpreendeu foi o tom embaraçado: o mesmo que algumas pessoas muito jovens usam para me pedir que eu autografe um livro. Nossa intimidade prescindia desse tom. Imediatamente depois de ter falado, ela se arrependeu com muita sinceridade e com voz aflita quis retirar o pedido. Mas eu respondi que era inútil: o pedido já tinha sido ouvido e eu estava alegre em poder lhe dar alguma coisa. Ela se despediu com o ar de criança que errou. O que escrever para você, Rosa? A ajuda que você, como amiga, sempre me deu nunca foi em público. Quando precisei de você sempre recebi palavras, presença, consolo, amizade – e tudo de graça, tudo dado só para ser dado. Eu deveria escrever algumas linhas para você em particular? No entanto fiquei tão encantada com o que você tem de criança, com esse tom de pedir autógrafo que os tímidos às vezes tomam, você que tinha direito de pedir sem nenhuma timidez. Não me leve a mal se, em vez de lhe dar particularmente as linhas, eu as dê em público: não faz mal, é tão natural que você queira uma lembrança minha. Assim, Rosa, como se eu lhe mandasse flores, dou a você estas linhas, e são só para você. Pena que não sejam bonitas como flores. Mas a intenção era, a amizade é.

✦ ✦ ✦

RITUAL BRASILEIRO DO CAFÉ.
A CRIAÇÃO DE UM PERSONAGEM

O título é enorme, mas como cortar desta conversa a expressão ritual brasileiro do café? Se com orgulho temos um ritual, assim como os chineses fazem todo um mistério em torno de se servir de uma chávena de chá? Nós não temos a civilização antiga da China mas temos uns "modos" que são nossos.

E toda essa introdução para dizer que não consigo "criar", ou mesmo escrever apenas, nem meia página, sem tomar uma xícara de café. E tenho observado que o mesmo acontece com um grande número de artistas e intelectuais. E mais: todas as vezes em que um homem ou uma mulher vão se dar a uma tarefa mais difícil, mesmo que não seja estritamente criadora, preparam-se antes com uma xícara de café bem quente. Também observei que, ao acabarmos uma tarefa, e sentindo-nos cansados, pedimos como "recompensa" um cafezinho lentamente bebido.

Uma vez falei com professores de uma universidade de Roma e eles disseram que durante a guerra não era pouca comida o que lhes doía e traumatizava, e sim a falta de café com o subsequente cigarrinho. Por quê? Que existe nesta bebida que apesar de comum é extraordinária e indispensável?

    O fato é que eu estava desgostosa com o café: experimentava todas as marcas e nenhuma me dava o "despertar" mental que eu esperava. Infelizmente sou pessoa impulsiva, o que se às vezes dá certo, nem sempre dá. E eis que, sem que nem para quê, vi-me a telefonar para o Instituto Brasileiro do Café, indignada. Fui com delicadeza encaminhada a falar com a Sra. Maria Helena Unzer que ouviu minhas queixas e ao fim perguntou-me com voz suave: a senhora sabe fazer café? Perdi um pouco o jeito e disse com falso desembaraço: como todo mundo. E eis: vou lhe mandar um rapaz para ensinar-lhe o melhor modo de aproveitar o café.

    E às nove horas do dia seguinte toca a campainha e entra pela porta um personagem de blusão de lã elegantíssimo, bem-vestido e bem aprumado: motivo de humilhação para mim que ainda estava de robe de chambre. Tratava-se do Sr. José Barbosa de Oliveira, que tem dois apelidos: "seu" Zé ou "general". Este último apelido vem da roupa que ele usa nas feiras internacionais quando dá aulas de como fazer café ou quando serve café a majestades e pessoas de alta importância: usa então um casaco com platinas douradas nos ombros ou põe um smoking. Imagino, de corte perfeito. Então ele é o general. Viaja para o exterior e nas mostras internacionais o café é feito por ele e deixa doidos de alegria os estrangeiros que gostam de café como nós. Já serviu café ao rei da Suécia, ao presidente do Peru, ao presidente Lyndon Johnson, a grandes personalidades como a falecida Elsa Maxwell, para quem inventou um coquetel de café.

    O modo de fazer café é tão simples que dá até vergonha de não saber:

    Para um litro de água, quatro colheres das de sopa bem cheias de café (se este for escuro demais, o que quer dizer que foi queimado, pôr menos quantidade). Enquanto a água para o café ferve, derrama-se água fervendo no coador e nas xícaras. Quando a água para o café estiver fervendo, joguem-se nela as colheres de café, mexendo sempre sem deixar ferver muito: uma só fervura. Joga-se fora a água que esquentava o coador e as xícaras, derrama-se o café no coador, e do coador nas xícaras.

Então bebe-se: e eis renascido o estímulo para viver, para sentir, para pensar, para calcular, para repousar, para gostar de estar fazendo exatamente o que se está fazendo – bebendo um café bem-feito.

O "general" deu-me em particular – mas permitindo com graciosidade a publicação quando eu a pedi – o coquetel de café. Este coquetel foi considerado *hors-concours* numa promoção de concurso de todos os *barmen* italianos. O que francamente quer dizer alguma coisa, porque os *barmen* italianos são inventivos, rápidos, inteligentes.

O coquetel é assim: um quarto de vodca, um quarto de *sherry brandy*, um quarto de Martíni, meio quarto de café forte. Açúcar a gosto e uma azeitona. Serve-se bem gelado. Obrigada, general. Obrigada, Maria Helena Unzer. Certamente de agora em diante não digo que escreverei obras-primas, mas trabalhos dignos de um bom café.

MISTÉRIOS DA ALMA HUMANA

O que vou contar continua ainda um mistério para mim. Só sei mesmo que aconteceu porque foi comigo que aconteceu. E até hoje mal entendo.

Eu sofrera um grave acidente de incêndio e, como a área de queimadura fora muito extensa, eu ainda estava dentro dos três dias que estive entre a vida e a morte. As dores eram tais que a enfermeira me disse: "Sei que são tão fortes que justificariam morfina, mas a senhora não pode se intoxicar, tem que suportar praticamente a frio." Foi nessa espécie de atmosfera que o telefone tocou, a enfermeira atendeu e me perguntou alto se eu podia falar com a Senhora X. Eu nem tinha força, mas como a Senhora X devia ter ouvido a enfermeira fazer a pergunta, eu não podia mais dizer que não estava em condições de querer falar. A enfermeira segurou o telefone junto de meu ouvido – minhas duas mãos também estavam enfaixadas – e eu disse "alô" à Senhora X.

O que se seguiu é que me deixa estupefata. Esta senhora, que sempre havia me tratado especialmente bem, tendo inclusive me convidado para jantar em sua casa – essa senhora, ao meu "alô", teve, imediatamente, uma verdadeira explosão de voz que nem parecia lhe pertencer, e foi com essa voz gritante que disse:

– E eu que pensei que você só pegava fogo nos outros! E não sabia que você também pega fogo! Espero, ouviu? espero que arda bastante!

Atônita e, no entanto, não sei por quê, tranquila, respondi como para acalmar um louco:

– Não se preocupe. Está ardendo bastante.

Isso pareceu realmente acalmar a Senhora X. E, como se assegurada de que eu estava sofrendo, mudou de tom de voz e com naturalidade disse que seu marido me mandava um abraço, que ambos me desejavam uma recuperação rápida. Civilizadamente agradeci.

Mas estava surpreendida. Por que aquela manifestação súbita de um ódio profundo do qual eu nunca sequer havia suspeitado? Devia ser um ódio inconsciente, ela própria não sabia que me odiava, tanto que me convidava e demonstrava claramente sinais de agrado com minha presença.

Falei desse telefonema a uma pessoa que entende muito de alma humana, e me foi explicado que frequentemente, diante de uma desgraça súbita, acontece de vir à tona de uma pessoa o que ela tem de melhor ou o que ela tem de pior. Sinceramente perdoei a Senhora X, não por bondade minha, mas como quem perdoa uma pessoa que não sabe o que faz.

Jamais, porém, esquecerei o timbre terrível daquela voz ao me desejar sofrimento: aquela, pois, era também uma das vozes humanas...

DEDICATÓRIA

Este é o mês das crianças. Dedico-o a uma mãe que conheço que corajosamente cria um filho subnormal, dando-lhe todo o amor que qualquer criança precisa para florescer. Às vezes penso que o Dia da Criança devia também ser o Dia das Mães.

✦ ✦ ✦

MINHA SECRETÁRIA

Não tenho a menor preguiça em escrever. Mas copiar, mesmo o que eu escrevi, me deixa impaciente. Enquanto escrevo, por mais longo que seja o que estou escrevendo, fico tão tomada que não sinto dor nas costas. Mas na hora de copiar acho tão enfadonho que passo a ter dor nas costas, e mesmo eu, que ao escrever quase não erro na datilografia, erro tudo quando se trata de cópia.

Ando ultimamente tão assoberbada de serviço que já não dava conta. Então resolvi fazer o seguinte: pôr um anúncio no *Jornal do Brasil* pedindo um secretário ou secretária para trabalhar para um escritor. No anúncio eu disse que daria preferência a estudante de nível superior. Isso porque é o emprego ideal para quem estuda: são poucas as horas que a secretária está comigo, e tem o resto do tempo para estudar, frequentar as aulas, namorar.

Pois vocês também se surpreenderiam. Pelo ordenado que dou pode-se chamar esse emprego de "micha". Mas meu telefone não parava e tive entrevista pessoal com cerca de quarenta moços e moças que mesmo ao saber quanto eu pagava, me imploravam, com os olhos e com palavras, para ficar. Passei uma manhã e uma tarde terríveis. Selecionar era dificílimo porque todos os quarenta candidatos eram capazes, inteligentes e ativos. Como escolher, meu Deus?

Terminei escolhendo Maria Teresa, cujo apelido é Tetê. Por que eu escolhi Tetê? Primeiro, porque ela era tão capaz como as outras. Segundo, porque, pelo fato de já ter lido romances meus, ela estava familiarizada com meu modo de escrever e na certa iria fazer o que eu peço: na hora da cópia, não acrescentar nem diminuir nada, e respeitar minha pontuação, pois tenho certo ritmo interior que faz com que eu seja obrigada a respirar segundo esse ritmo. Ora, o ritmo se faz através da pontuação. O dever da secretária seria o de não mexer em uma vírgula, sem antes me consultar.

Em terceiro lugar, escolhi Tetê porque ela veio de minissaia. Bem representante da juventude moderna. Foi a única de minissaia. Em quarto lugar, escolhi-a pela voz dela que me agrada. Há vozes que me deixam literalmente cansada. A minha Tetê tem voz agradável.

Depois que a sala enfim esvaziou, fiquei sozinha com Tetê, caí sentada na poltrona, exausta e espantada. E disse para Tetê:

— Por que vocês lutam tão encarniçadamente por um empreguinho à toa desses?

Tetê me disse que havia uma enorme falta de empregos e quase todos os estudantes queriam trabalhar. Ela me perguntou ainda espantada com a sorte de ter sido a escolhida por que fora selecionada no meio de tanta gente jovem, capaz e inteligente. Não lhe falei da minissaia, nem na sua inteligência que é óbvia, nem na sua voz, nem do modo tão carinhoso que ela usou para chamar "Clarice, como vai?"

Bem, Tetê começou a trabalhar comigo. No fundo ela só gasta comigo a manhã. Ainda não tem prática em geral, nem prática de trabalhar para mim. Mas vou com paciência ensinar-lhe coisas que facilitarão o seu trabalho. E facilitarão minha primeira e segunda revisões. Por enquanto ela não sabe que importância, por exemplo, dou às vírgulas e aos pontos: como eu disse, a pontuação é a minha respiração dentro da frase.

Tetê tem sido pontual. No primeiro dia convidei-a a jantar conosco para eu conhecê-la melhor. Estava um pouco nervosa mas minha voz foi acalmando-a e tranquilizando-a quanto à estabilidade do emprego. Isso porque eu disse aos outros candidatos que ia experimentar o trabalho da Tetê, e que me telefonassem ao fim de três dias para saberem se fico ou não com essa moça. Tranquilizei Tetê ao lhe dizer que ela agora era dona do cargo, e não por três dias. Expliquei-lhe a minha mentira: eu estava dando "uma colher de chá" de esperança aos outros, simplesmente porque me faltou força para despedi-los de uma vez, eles estavam tão ávidos por trabalho e dinheiro.

Vou ficar com Tetê e, se eu tiver dinheiro, ela continuará a trabalhar comigo mesmo depois de casada: está noiva e casa em breve.

Meus filhos não me disseram nada, mas Tetê é um raio de sol que entrou aqui, com sua minissaia e sua graça: é impossível que eles não gostem dela, e como são dois adolescentes eles reparam muito bem em quem entra e sai de casa. Minhas duas empregadas passaram a chamar minha secretária de "você" e de Tetê, tão à vontade ela ficou, tomando de vez em quando um cafezinho. Estuda filosofia na Faculdade Nacional de Filosofia, já trabalhou dois anos como professora numa escola de crianças excepcionais. E sua vontade de me agradar através do serviço é óbvia.

Na noite do dia que contratei Tetê encontrei-me por acaso, no Antonio's, com Carlinhos Oliveira. Contei-lhe sobre o número de desempregados, contei-lhe tudo, e até perguntei se ele queria assunto para desenvolver uma crônica. Mas ele disse que o assunto era meu mesmo.

Então vou lhe dizer aqui a impressão que me ficou desses quarenta estudantes.

Tive simplesmente esperança no Brasil. Nunca esquecerei aquelas caras jovens e ansiosas e delicadas e tenazes. Num futuro bem próximo poderão ser chamados de: homens brasileiros e mulheres brasileiras. Pois bem: o Brasil precisa dessa juventude límpida e corajosa. Mas, para que ela se desenvolva e se transforme completamente em gente valorosa, é preciso que o Brasil cresça mais e lhes dê agasalho. Tive fé na minha terra que por enquanto é subdesenvolvida mesmo, mas que vai crescer um dia até se transformar no Brasil que queremos e amamos. Quero vê-lo saindo da miséria e da morte, alcançando o tamanho real que o país tem. Eu preciso de um Brasil maior para me ajudar a entender o mundo e amá-lo. Fora do Brasil não há esperança para mim. Experimentei, como mulher de diplomata que fui até há pouco tempo, viver em outros países. E é indubitável que só posso viver e morar no Brasil. Este me deu a língua portuguesa que é linda para se trabalhar e escrever. Inclusive, apesar de nossos grandes escritores do passado, a língua continua quase virgem, esperando por quem se aposse dela e a torne ainda mais maleável.

Obrigada, Carlinhos Oliveira, o assunto é mesmo meu. Como você, eu amo e respeito a juventude brasileira. Quanto à minha Tetê, preciso de sua alegria pois sou um pouco triste. E é tão bom, depois de uma noite tão maldormida quanto as minhas, ver Tetê às sete da manhã. Quanto tempo eu perdi sem Tetê. Minha alegria, através dela, vai voltar. É bom viver, é bom amar.

... Bem. Fui realmente precipitada nesta coluna de hoje. Escrevia enquanto Tetê estava comigo. Depois aconteceram duas coisas: ela não tinha o mínimo de prática necessária para trabalhar e terminava fazendo com meus papéis mais bagunça do que eu. Resolvi trocá-la, mas nem precisei avisar a Tetê, ela fugiu com medo do falso amontoado dos meus papéis.

Mas agora tenho uma verdadeira secretária. Isto é, uma pessoa que, além de ser uma companhia humana que eu quero, é competentíssima. Ela não quer que eu diga aqui o seu nome. Respeitarei o seu pedido.

◆ ◆ ◆

CARTAS

Madre Maria Xavier, do Colégio Santa Úrsula Universidade Rural do Estado de Minas Gerais: não precisa me agradecer o trabalho de participar do Concurso Literário da escola. Sendo para a senhora, considerei um não trabalho, sobretudo por sua delicadeza de me pedir licença para reproduzir trechos meus: os outros em geral só faltam reproduzir livros inteiros meus, sem pedir licença. Permita-me apenas considerar o tema que foi dado às alunas um pouco vago: não é fácil escrever sobre "lágrimas" e sobre "nuvens".

Às atividades da SBTC, Sociedade Brasileira de Teilhard de Chardin, agradeço o convite para o curso. Agora já não posso, mas Teilhard de Chardin me fascina e ainda hei de seguir um dos cursos. Fica na Rua da Cascata 119, Tijuca, Rio, GB e o nome do presidente é Severino Sombra.

Veio um envelope da INTERMEET, Ruas 19 e H. N. W., Washington, D.C., USA. Mas esqueceram de pôr a carta dentro e o envelope bem fechadinho veio vazio.

Foi impossível eu ir ao chá da Revista Feminina do *Diário de Notícias*: teria sido um prazer. E nem me lembrei, mal-educada que às vezes sou, de avisar que não podia ir por ter um compromisso anterior.

Obrigada pelo emblema de *O homem ao zero*: "no inverno ou no veron prefiro sempre o leon". Acontece que o emblema não combina com nenhuma roupa minha.

Obrigada ao Conselheiro Cultural da Embaixada da França por me convidar para a *avant-première* do *Bourgeois Gentillomme*, com meu amigo que tanto admiro Paulo Autran: foi impossível ir.

Leon Eliachar me convida para uma manhã de autógrafos em plena praia. Leon, gosto muito de você, mas estava fora do Rio no dia da manhã de autógrafos, o que é uma pena, pois até o sol me faria bem.

José Nunes, Rio: "amei sua crônica de hoje... sempre me comovo com o que você escreve... os olhos cheios de água quando você diz 'para salvar esta madrugada de lua cheia eu vos digo que vos amo...'" "e eu estou aqui também para lhe dizer 'eu vos amo'", não posso lhe dar aqui uma lista de meus livros pois esta coluna não é de propaganda. Dê-me seu endereço pessoal.

"Luciano", você pede para não publicar seu nome inteiro e me dá em particular nome e endereço. Mas não posso responder pessoalmente porque sou muito ocupada. Você diz que eu devo receber muitas cartas (recebo) e queria que a sua fosse diferente e que eu dissesse: "uma vez recebi uma carta de um estudante... mas acho que não vou conseguir." Conseguiu, Luciano, viu? Espero que você tenha passado no vestibular de Medicina. Não, você não comete erros ortográficos. Dou-lhe minha palavra de honra que me seria impossível arranjar-lhe um emprego. Sugestão: procure nos anúncios do *Jornal do Brasil*, alguma coisa há de haver lá para você. Obrigada pela flor que vai me mandar com um beijo.

Areovaldo Costa Oliveira, Vitória, Espírito Santo: você diz que recusou um milhão de coisas boas na esperança de um dia estar com Drummond e comigo. Diz que nós dois somos tristes e que você aceita "resignado a tristeza" nossa e a "loucura do mundo". E de antemão pede: "guarde um lugarzinho para mim e outro para o Drummond no seu foguete. Quero viajar com vocês." Mas que foguete, Areovaldo? Sou bicho da terra. E você me dá um presente lindo: "o ar gostoso do Convento da Penha e a surpresa de ver uma estrela cair lá longe e sozinha dentro do mar. Você pode não aceitar, Clarice, mas não posso ficar com tudo isso só para mim... fiz um poema para você. Fico aqui esperando umas palavras de você." Desculpe a demora da palavra minha, e quero não só a estrela no mar como o seu poema. Sou irmã da Lua e você não precisa se assustar, não uivo nas estepes. Quando eu tiver um foguete, falo com Drummond e com você. Obrigada por me chamar de "adorada". Você é extremamente simpático, e só tomara que Drummond também leia e ache você amorável.

L. de A., de Cabo Frio. Não é a primeira vez que você me escreve, e escreve muito bem. Só não lhe respondi porque, em primeiro lugar, sou péssima correspondente. Em segundo lugar, ou talvez seja o primeiro, não sei como dar esperança a uma mulher tão cheia de vida que se desesperou por não ter bastante motivos de vida, mesmo tendo cinco filhos, mesmo tendo vindo "parar em Cabo Frio, inesperadamente" porque o marido, general do Exército, há cinco anos trabalha lá como engenheiro.

Pense, L., de quanto você tem. E o que você não tem ninguém tem: a explicação da vida. Obrigada pela reprodução da "Mãe Amável" de Rafael, tendo imprimido atrás o poema de sua amiga filha de ucranianos. É muito bonita a prece, L., vê se aguenta viver pois para isso nascemos. E nem todos inesperadamente param em um lugar tão belo quanto Cabo Frio.

E tem a carta da noviça que "nasceu para amar aos outros" e para isso entrou para o convento: "eu nunca conseguiria limitar-me a uma família somente, por mais numerosa que fosse." "Toda vez que me dou, me recebo novinha, esta renovação de mim mesma dá-me uma alegria inenarrável e uma ternura sem-fim para distribuir." Termina pedindo o nome de alguns livros meus e uma fotografia minha. Quanto aos livros, o melhor é ver se acha em livrarias. E, acredite, não tenho um só retrato meu recente. Obrigada, e seja feliz também, como eu sei ser. Sei ser tão, tão feliz, minha doce noviça!

E a carta anônima que diz que é fácil me adorar? E nem sequer me conhece. Em resposta, anonimamente silêncio.

Outra carta de meu já amigo Élcio Ferreira dos Santos que me dá o prazer de dizer: "Como custa chegar o sábado." E me dá a alegria de escrever: "Que dom maravilhoso Deus lhe deu, o de saber fazer tanta gente feliz." Ele diz, nesta carta cheia do mais brilhante sol que me aquece toda, que desejaria oferecer-me "um imenso jardim de rosas". Ah Élcio, morro de alegria com tanto perfume.

✦ ✦ ✦

RESPIRAÇÃO

Muita gente, pelo fato de minha vida ser escrever, me pergunta como escrevo. E pelo rosto expressivo dessas pessoas adivinho que secretamente estão escrevendo alguma coisa, e com dificuldade. Eu não posso dar *lição sobre escrever* pois em mim o processo e a elaboração se fazem inconscientemente até que tudo amadureça e venha à tona.

Nem sei bem como se escreve. Escrever é saber respirar dentro da frase. É pôr algum silêncio tanto nas linhas como nas entrelinhas para que o leitor possa respirar comigo, sem pressa, adaptando-se não só ao seu ritmo como ao meu, numa espécie de contraponto indispensável.

Para se chegar pelo menos a esse ponto, o de respirar dentro da frase, adestrei-me desde os sete anos de idade. Sem ter planejado nada antes, aos quinze anos comecei a ser uma profissional paga pelo que escreve.

Não estou dizendo que a preparação tem que ser tão longa: em algumas pessoas talvez as elaborações se façam mais depressa. Minha preparação consistiu em aprender a respirar, em não trair eu mesma o meu modo de escrever que alguns chamam de estilo e eu chamo de: estilo natural. Por isso fico muito grata ao meu revisor que nunca me alterou em nada, nem em palavras, nem em pontuação. Meu revisor se limita em pôr os acentos, pois vivo esquecendo. Um rapaz de Brasília veio ao Rio, e entre as coisas que anotou para fazer, era a de me visitar e, segundo entendi pelo telefone, queria me ver para eu lhe dizer se se pode viver como escritor. No dia em que ele marcou comigo para vir, depois do almoço num domingo, eu infelizmente adormeci, e o rapaz foi embora. Desculpe. Um dia me procure de novo. Mas desde já posso lhe dizer que é praticamente impossível, no Brasil, viver com o que se ganha por livro. O remédio é ser jornalista e ter mais outro empreguinho: acumulando empreguinhos você junta o dinheiro necessário para ter uma vida apenas razoável, financeiramente falando. No meio desse trabalho todo, tem que achar tempo para pesquisar um pouco na sua literatura.

UM HOMEM DIFERENTE E CALMO

Oliveira é pintor, sobretudo muralista, e vive e ensina em Brasília, parece-me. Ouvi dizer que Djanira gostou muito de seus murais.

Aqui no Rio por duas semanas, pediu-me que posasse para ele. Quando o conheci tomei um ligeiro susto: era o primeiro pintor que conheci que usava boina de pintor. Trata-se de um homem de aparência tranquila mas a quem nada parece escapar. Eu já posei várias vezes na minha vida e, não sei por quê, gosto muito de posar para pintores, enquanto simplesmente odeio tirar retratos. Cada pintor me interpreta à moda dele e descobre através de meu rosto outra face de minha alma. Tanto que lamento muito o que aconteceu comigo em relação a um artista que admiro profundamente. Ele disse que estava interessadíssimo em me pintar, eu disse que sim, mas não o procurei, esperei que ele me telefonasse. Ele não me telefonou e disse a uma amiga minha que eu não me mostrara interessada. Em Paris encontrou-se comigo no hall do hotel e de novo renasceu nele a vontade de me pintar, e de novo eu disse que sim, que era uma honra para mim e fiquei esperando. Mas ele não me chama, e tratando-se de um retrato não pago, não tenho jeito de fazer o que ele quer: que eu lhe peça. Já posei tantas vezes na vida e nunca paguei, pois os pintores é que me pediam para posar. Muitas e muitas vezes os pintores ficaram com os quadros, outros me deram: é preciso que ele saiba que, se ele quiser, pode ficar com o quadro. Mesmo eu querendo tanto ter um dele em minha casa, ao lado do retrato que fez de mim o italiano De Chirico. Inclusive, eu queria um retrato de grande valor para juntar ao De Chirico, pois tenho dois filhos e quando eu morrer um filho fica com De Chirico, outro filho com outro.

Voltemos ao pintor Oliveira. Examinou longamente meu rosto e eu senti que ele de algum modo, através do olhar, estava perscrutando a minha alma. Afinal ele disse: "Pintar você é aparentemente fácil, mas é um desafio para um pintor. De início parece fácil, pois é suficiente fazer um rosto de maçãs salientes, de olhos amendoados, de boca um pouco saliente. Mas se eu pintar isso, o resultado na tela vai ser o retrato de uma 'vamp'. E você não é uma 'vamp'. Vou ter que pintar alguma coisa interior sua."

Enquanto eu posava, deixou-me conversar à vontade com amigos. Só uma coisa não permitia: enquanto nós dois descansávamos uns instantes, eu quis ver o quadro e ele não deixou. Entendi por que: também faço assim com o meu trabalho de escritor: enquanto escrevo não quero mostrar a ninguém, e só mostro quando está acabado. No fim de três horas e pouco, terminou e fui olhar.

E tomei um verdadeiro susto. Esse homem positivamente fora tão longe na minha alma que captou uma expressão que eu tinha quando era pré-adolescente. E mais: ele não só pegara a pureza e o susto contido que eu tinha tido quando pré-adolescente, como misturava esse ar infantil com um ar de mulher sofrida. Minha boca é de criança ofendida na sua meninice: é inocente e ligeiramente entreaberta. O resultado foi um retrato por assim dizer eterno em datas. A menos que eu mude tanto que faça desaparecer de mim o que ele viu e interpretou. Meus amigos, ao verem o retrato, dizem que o pintor realmente viu uma parte minha. Através de meu rosto, estudado fisicamente por ele, o milagre se fez de novo: fui realmente pintada.

✦ ✦ ✦

ESTATÍSTICA MINHA E TALVEZ SUPERFICIAL

O chofer de táxi tem de sete a nove filhos.

Se o carro não é seu, ganha mensalmente em média de duzentos e cinquenta a trezentos mil cruzeiros antigos.

Tem filhos estudando no clássico ou científico, e muitas vezes já na universidade.

Os filhos maiores também trabalham para ajudar na manutenção da casa.

Tem tendência a desejar felicidades ao passageiro no fim da linha, o que é muito agradável.

Fica com vontade de fumar, então fuma, mal o passageiro acende um cigarro.

Fala mal dos colegas irresponsáveis, aos quais não chama mais de barbeiros, se bem que tenha muitos amigos entre eles; é comum um chofer de táxi sorrir de alegria quando passa por outro táxi com chofer amigo.

Os choferes de táxis velhos e grandes, eles próprios velhos, sentem-se humilhados pelos carros pequenos, talvez pela velocidade com que estes correm, talvez pelo fato de serem guiados por jovens.

Arredondam o troco em favor do passageiro, de modo que este na verdade está recebendo uma pequena gorjeta.

Muitos não trabalham de noite com medo de serem assaltados pelo passageiro.

TUDO ESTRANHO

Um homem, cujo nome não posso citar, contou sobre sua infância extraordinária e infeliz. Seu pai era diretor de uma pequena penitenciária e lá morava com sua família, ao lado das celas. O menino viveu entre ladrões, vigaristas e assassinos dos cinco anos aos dezesseis. Hoje é um homem realizado, com função pública preeminente. Mas como deve ter sido difícil para ele reconstruir-se depois de um passado tão marcante. Contou vários casos de prisioneiros, um inclusive que é aterrador. Um assassino de três pessoas tinha tal bom comportamento na cadeia que o diretor chamou-o e disse-lhe que se ele continuasse a não dar alteração, teria liberdade condicional. O assassino disse que sim. Mas um dia apareceu no refeitório, encarregado que era de servir a comida, todo talhado de sangue, do rosto aos pés. Várias testemunhas narraram o que havia sucedido. Outro prisioneiro reclamara qualquer coisa, e, embora o assassino não tivesse respondido, o outro continuou, e terminou tirando uma gilete enfiada num sabonete e retalhando-o todo, sem que o outro reagisse com um só gesto de defesa. O diretor perguntou por que não se defendera. Respondeu que havia prometido não dar alteração, e que se fosse se defender poderia ter machucado o agressor. Diante disso, pouco depois recebeu liberdade condicional, na qual está até hoje.

Outro caso era de um ladrão, também de bom comportamento, que cumpriu sua pena. Anos depois, o menino que se tornara homem feito, encontrou-o no Largo da Carioca, todo bem-vestido. Reconheceu-o e disse: Flávio! O outro sussurrou: não Flávio, agora é Mário. E contou que voltara a roubar como antes e mudara de nome. A penitenciária não o transformara em nada. Sei que os malfeitores têm que ser presos. Mas não haveria um jeito de terem nas prisões assistentes sociais ou psicólogos que os entendessem e os ajudassem a se reformar? Como as penitenciárias estão, não é mais possível. É preciso fazer alguma coisa em bem dos presos: quem se encarregaria disso? Ah, pudesse eu fazer um apelo a quem de direito. Sem falar que presos, homens mesmo, por força das circunstâncias terríveis, saem de lá homossexuais. Já que a prostituição é um fato real, não haveria um modo de introduzir periodicamente nas prisões algumas mulheres? Não sei a solução, mas os juristas deveriam saber.

✦ ✦ ✦

A VIOLÊNCIA DE UM CORAÇÃO

Uma escritora inglesa, Virginia Woolf, querendo provar que mulher nenhuma, na época de Shakespeare, poderia ter escrito as peças de Shakespeare, inventou para este último uma irmã que se chamaria Judith.

Judith teria o mesmo temperamento que seu irmãozinho William, e a mesma vocação.

Na verdade, seria outro Shakespeare, só que, por delicada fatalidade da natureza, seria mulher.

Antes, em poucas palavras, Virginia Woolf descreveu a vida do próprio William:

Frequentara escolas, estudara em latim Ovídio, Virgílio, Horácio, além de absorver os outros princípios de cultura de sua época.

Em menino, caçara coelhos, perambulara pelas vizinhanças, espiara bem o que queria espiar, armazenando infância (isso digo eu).

Como rapazinho, foi obrigado a casar-se, por questão de honra, um pouco apressadamente demais.

O casamento forçado e prematuro fez nascer nele uma grande vontade de escapar.

E ei-lo a caminho de Londres, em busca da sorte.

Como depois foi posteriormente bem provado, William tinha gosto por teatro. Começou então por empregar-se como "olheiro" de cavalos, à porta de um teatro. Passou a imiscuir-se entre os atores. Conseguiu ser um deles. Frequentou o mundo, aguçou a experiência e as palavras ao ter contato com as ruas e o povo, ganhou acesso ao palácio da rainha e terminou sendo aquele que pelos séculos se chamará sempre William Shakespeare.

E Judith?

Para começo de conversa, Judith não seria mandada para a escola, pois era menina.

E ninguém lê latim sem ao menos ter aprendido as declinações. É verdade que, tendo tanta avidez por aprender, às vezes pegava nos livros do irmão. Os pais intervinham: mandavam-na cerzir meias ou vigiar o assado.

Não era por mal, mas adoravam-na e queriam que ela se tornasse no futuro uma verdadeira mulher. Eis que chega a época de casar. Judith ainda não queria. E, igual ao irmão, sonhava com o amplo mundo. Negou-se a casar-se. Então apanhou do pai, que era bom pai e queria a sua felicidade, e viu correrem as lágrimas da mãe, que era suave e sofria pelo destino da filha.

Em luta contra tudo – pois é preciso não esquecer que Judith tinha o mesmo ímpeto de seu irmão William – em luta contra tudo, ela arrumou uma trouxa de roupa e fugiu para Londres.

Também Judith gostava de teatro. Parou à porta de um, disse que queria trabalhar com os artistas, ser um deles. Foi uma risada geral, todos logicamente imaginaram outra coisa diante daquela mocinha inexperiente e ingênua.

Sem dinheiro, sem comida, sem emprego, restava-lhe andar pelas ruas.

Finalmente alguém – e era um homem – teve pena dela. Através da qual, quero dizer, da pena, em breve Judith esperava um filho.

Até que, numa noite de inverno, ela se matou.

E assim acaba a história que não existiu.

"Quem", diz Virginia Woolf, "poderá calcular o calor e a violência de um coração de poeta quando preso no corpo de uma mulher?"

✦ ✦ ✦

MINHAS PÁGINAS FEMININAS

Há já bastante tempo, precisando de dinheiro, combinei com um jornal carioca que eu faria a página feminina: só que ela não seria assinada por mim, e sim por Ilka Soares. Além da vantagem para o jornal, convinha a ambas. Encarregaram-me pois da seção culinária, de beleza, de modas, e de conselhos destinados exclusivamente para a mulher, mulher de classe média.

Um dia destes, mexendo em papéis, encontrei algumas dessas páginas, e reli, por curiosidade, a parte de conselhos. E eis que de repente perguntei-me: por que não dar pelo menos em uma de minhas colunas aqui o endereço da mulher de classe média? Ela, suponho, também me lê às vezes.

Vejamos:

O título deste conselho era: "Você é mais bonita do que pensa". E seguia-se assim: "Uma amiga disse brincando que é rara a mulher para quem esse título se adapta – na sua opinião a maioria das mulheres se acha linda, e que eu lhes faria um benefício se lhes dissesse: você é *menos* bonita do que pensa. Mas tenho certeza do contrário. Tenho visto que mesmo a mulher que tem, em matéria de beleza, o que se chama de *sucesso*, é uma mulher insegura. As outras, então, disfarçam como podem um sentimento que vai desde um mal-estar declarado e que as leva a um recolhimento de timidez e falta de alegria natural – até formas menos óbvias de insegurança. Não, não é fácil ser mulher." E assim continuava eu, a grande conselheira.

Outro conselho tinha o título de "Acordar-se":

"Sonhar é bom, é como voar suspensa por balões. O problema é que um simples bodoque de criança, e os balões estouram. Se é verdade que do chão não se passa, também é verdade que quanto mais alto se está maior é a queda.

"Não é por ser grande a queda que se evitará o grande gosto de subir. Mas subir em balões? Voar assim em autoenganos é muitas vezes melancólico.

"Há vários modos de alçar-se em balões. Um destes consiste em cair em devaneios que levam longe e levam mal. E para voltar? A aterrissagem é difícil. Quando se dorme fora de hora, o despertar é meio ruim.

"Outra variedade de subir em balões é a de não enfrentar os fatos e mentir-se sem cessar e já sem mesmo sentir. É bom mentir? Não encarar os fatos? Talvez, mas você nunca poderá enganar totalmente a si mesma. E em geral a mentira só fará evadir-se alguns centímetros.

"Por que não tentar subir pelas escadas? É menos bonito, menos rápido. (Não falo da escada da Penha, que é caso raro.) Mas cada degrau alcançado ainda é a boa terra da realidade. Às vezes não 'boa', bem sei, mas é chão, é realidade. Em cada degrau alcançado se pode, inclusive, parar um pouco para descansar, sem por isso perder terreno ou bater com a cabeça no chão. 'Também da escada se pode cair', dirá você que não gosta de ser acordada. Bom, cair pode-se cair, todos sabem disso, sobretudo as crianças que nem por isso deixam de andar. Mas levante-se, então; as crianças também sabem disso."

A um conselho dei o título de "Conselho bom, mas preguiçoso": "Manter uma conversação? Não é tão difícil quanto parece. Se você souber ouvir, metade da tarefa estará feita. Não é somente esta a vantagem de saber ouvir. Tem-se além disso a oportunidade de aprender alguma coisa interessante.

"E se o interlocutor for desinteressante? Bem, nesse caso, *desligue*. Sempre há um modo de ouvir sem escutar, e enquanto isso pensar em algo melhor. Este conselho, na verdade pouco educado, só pode ser aplicado por pessoas *espertíssimas na arte de dissimular*. Exige grande prática, certa arte de manter um sorriso leve de quem ouve com prazer, mas ao mesmo tempo a capacidade de captar no ar, pela entonação de quem fala, a hora de parar de sorrir e tomar um ar compungido. Pensando melhor, este conselho é contraindicado para a maioria das pessoas."

Bem, vou terminar aqui senão termino invadindo as seções das colegas. Para o que não fui contratada.

♦ ♦ ♦

MEU TREM PARTIU

Ao ver, ali dobrado, um pequeno jornal da província, de repente sinto o enorme cansaço da grande cidade.

O jornalzinho dobrado me traz o cheiro de café com leite e pão com manteiga, ruas estreitas com chão de terra, armarinhos onde comprarei todo o pouco de que preciso, grupo escolar com sineta chamando e para onde se vai a pé mesmo. E bem perto das lojinhas o começo da grande, grande estrada onde é descortesia não cumprimentar estranhos. Até que mais além ainda – campo, capim alto, e, se Deus ajudar, algumas vacas.

Lá está, ao alcance da mão, como um bilhete de trem, a minha volta. Abrirei o jornal e saberei enfim de notícias que importam: se andou chovendo muito, se o armazém recebeu nova remessa de goiabada cascão, que vizinho pediu a mão ao pai de que vizinha, em que dia da semana tem matinê de cinema, se na domingueira há distribuição grátis de chocolate Falchi para senhorinhas e crianças.

Abro o jornal, meu trem partiu. Às primeiras linhas, porém, recuo com o susto de quem fosse tocar em pão e sentisse a dureza do ouro.

É que esse pão duro não posso comer: "A reunião prolongou-se por muito tempo, sempre no meio de uma verdadeira apoteose de cordialidade e distinção."

Não me afobo ainda, trata-se na certa de um equívoco, pois caí no pior de uma cidade, na apoteose do que eu teria de chamar de "urbe". Não é certamente nessa notícia que encontrarei o "bom dia, dona" que procuro.

Vai ver que é nesta aqui, sobre a agremiação local, e é claro que vou já saber em que dia é o chá dançante. Leio: "Solicitamos a colaboração dos vates que não residem, bem como pedimos retratos aos aedos da terra de Bicudo Leme."

Bem, mas neste artigo assinado por um médico vou encontrar o bom doutor com sua maleta. O doutor diz no entanto que "no veículo do beijo viajam gostosamente os micróbios". Não faz mal, errei de consultório e, como na cidade, caí num especialista.

Sim, mas pelo menos nessa coluna de reclamações ficarei sabendo das agruras ocultas, do que o político prometeu, do que Deus mandou falecer antes do tempo, da chuva que inundou as ruas e alagou os campos. Leio: "Pedimos providências enérgicas para minorar o sofrimento dos que, além de serem os baluartes da procriação, ainda o são da grandeza da Pátria!" E, herméticos, não me contam qual é o sofrimento, não me explicam sequer se baluartes da procriação são as mães e os pais ou os criadores de gado.

Vejo o retrato de um figurão que visitou o Rio, uma das pessoas "que elaboram planos para vir a inspirar o aroma sedutor que propaga por todo o mundo a Cidade Maravilhosa". Para ele, então, quem está no lugar certo sou eu? O bondinho do Pão de Açúcar, "esse veículo aéreo áptero de locomoção suspensa". Dessa até gostei, só que era inútil a redundância de "aéreo", qualquer um "sente" que "áptero" só poderia ser coisa que voa, mesmo que o dicionário defina como "sem asas".

O Cristo do Corcovado é o "mausoléu brasileiro", na Quinta da Boa Vista o museu "entorna relíquias". "Sim, meus leitores, se apreciarmos o Rio de Janeiro, em pleno palco, quando iniciado o espetáculo, é apresentado este cenário deslumbrante, onde os espectadores, extasiados pela vaidade natural do homem moderno, deixam-se frustrar pelas maquilagens das coristas, como também, pelas plásticas suscitantes das vedetas, com cuja graça e humorismo dissimulados procuram elas envolver a grande plateia, em busca de atrações e renomes."

Como se divertiu no Rio, esse aí, e só está contanto metade da história. "Frustrado", não diria eu; "suscitado", nem tem dúvida. Tento sorrir, procuro corresponder com uma apoteose de cordialidade.

Mas a verdade triste é que "fui no Tororó beber água e não achei", como a gente cantava em Recife.

Pior ainda, é que me pergunto: e quando de fato estive em Tororó, havia mesmo água? Recordo-me de um conto de Graham Greene: o homem cansado e vivido de repente lembra-se de que uma vez, quando menino, apaixonara-se por uma menina loura e frágil, e lhe escrevera um bilhete de amor. Como devia ser límpido aquele amor primeiro, de um menino cândido e ardente. A única vez em que ele fora puro na vida! Com nostalgia da pureza perdida, procura o bilhete que nunca tivera a coragem de entregar. Acha-o enfim, com emoção desdobra o papelzinho já amarelado. Era o bilhete de amor, sim. Onde, com horror, ele descobre que escrevera apenas as mais ardentes pornografias.

Minha província primeira existiu jamais? Ou, quem sabe, o que sempre existiu foi a nostalgia da província.

Última Hora

O COSMOS DA BAHIA NA VISÃO DO MEU AMOR

Foi tão longamente e pacientemente esperado o dia em que eu iria à Bahia, que mal acreditei. Já estava sem esperança e mesmo conformada em futuramente morrer sem ter ido uma só vez àquele lugar que eu então elegera. Este dia veio inesperadamente – como muitas vezes acontece quando fazemos um pedido a nós mesmos, e o pedido só é atendido anos depois.

Eu estava tão *excited* que no próprio avião, um segundo depois que este decolara enfim, já me sentia de algum modo baiana, tendo como meu remoto passado o Rio.

Também foi com *excitement* que me dei conta de que eu estava no – cosmos. Não é sequer necessário voar além ou relativamente aquém da altura de nove mil metros. O importante era atravessar as nuvens e já nem ver a terra através da palidez com que as nuvens fofas encobrem o nosso planeta. Descobri mais do que isso: que mesmo sem voar eu estava sempre *vivendo* no cosmos o ar da Terra, o ar que vem da brisa, não é esse ar que vem dos espaços ilimitados?

Já era tarde da noite quando cheguei a Salvador e a contragosto tive que dormir.

Há uma semana que chovia dia e noite, informaram-me no hotel. Mas no dia seguinte, sábado, fez um tempo extraordinariamente puro, seco, nem frio nem quente.

Domingo a chuva voltou com uma diferença: entremeada de estiadas que imediatamente davam lugar para um sol claríssimo, para a luz particular que a Bahia tem, para o céu nu, o mar perigoso, para a luminosidade também particular do cair do sol em Salvador, um mar de fogo no horizonte.

Cheguei a uma sensação inexplicável em Salvador: a de que Bahia não era um estado e sim um país brasileiro. E não era pelo seu aspecto turístico. Vinha de alguma coisa indefinível mas nem por isso menos real.

Um amigo meu pusera um carro à minha disposição, camioneta Chevrolet e um chofer. Por isso é que no meio das chuvas quase tempestuosas eu podia ver o que me aprouvesse.

Sim, a igreja de São Francisco é belíssima. Sim, é toda de ouro. Vi igrejas pobres mas ainda bonitas. Assisti a um casamento: a noiva de véu e grinalda com um vestido quase de usar-se em casa, os convidados muito pobres, a igreja por eles escolhida despojada, sem nenhum luxo desnecessário pois amor dispensa o aparato.

Em viagem alguma deixei em qualquer cidade de visitar o mercado local. Em Salvador o melhor mercado e o mais antigo é o Municipal. Lá entramos com dificuldade de depois sair porque não havia como ver tudo, desde as frutas locais e os colares até o primeiro andar onde, num restaurante simples, de mesas cobertas de toalhas pobres, Maria de São Pedro fazia o melhor vatapá da cidade, e um prato menos conhecido fora da Bahia: o de siris moles. Passei ao todo quatro dias em Salvador, sempre à base do dendê.

Visitei três personagens que, de comum, só tinham a arte: Mário Cravo, um dos nossos grandes escultores, então em plena saúde, Genaro, tapeceiro e pintor, e Jorge Amado, o criador de tipos populares. Só não vi a já célebre casa de Jorge e Zélia Amado que já se tornou *open house* para quem quiser. Fui ver Jorge no sítio do falecido Genaro, a uns quarenta minutos de distância, aonde o escritor levara consigo apenas Zélia e uma máquina de escrever: é que ele estava escrevendo um novo romance e precisava de tranquilidade em torno de si, não recebia visitas e apenas trabalhava. Foi uma alegre exceção sobre a questão de visitas: a mim ele me recebeu. O sítio que Genaro deixou toca o coração não só dos artistas mas de quem quer que tenha alguma sensibilidade: nos seus arranjos, Genaro e Nair tinham conseguido erguer uma casa que é exatamente a que se gostaria de ter em um sítio.

Vi a pobreza também, em Alagados, bairro-cidade. Meninos e meninas nus, oitenta mil habitantes, cheiro permanente de podridão. Mas mesmo nas casas montadas sobre frágeis palafitas havia sempre uma flor na janela, ou uma roupa vermelha secando ao sol ao lado de trapos velhos.

Na hora de minha partida para o Rio, deu uma estiada de chuva e eis que vejo um dos mais ricos arco-íris de minha vida. Interpretei-o magicamente assim: é sinal de que um dia vou voltar.

◆ ◆ ◆

SERÁ INTOLERÂNCIA MINHA
OU FOI UMA BOFETADA?

(Desculpem o título tão comprido mas era necessário)

Trata-se de dona Maria Eglantina — amorosíssima avó de muitos netos — e que vivia indo ao que ela chamava, como se mastigasse um suculento morango, "ao meu médico". A esse médico ela telefonava ao primeiro sinal de alguma cor mais acentuada na face, sugerindo um exame de sangue que, evidentemente, lhe era negado. Não é necessário dizer: o médico já não aguentava mais e engolia a profissão de médico bastante dificilmente. Uma vez dona Eglantina teve lá o seu embaraço gástrico e pôs em alarme toda a enorme família, incluindo genros e noras e crianças assustadas. Resultado perfeito: tirar uma radiografia do estômago e radiografia significava-lhe o máximo do esforço médico. Diante da radiografia perfeita, o médico — cheio até a garganta — se revelou um diabólico: nada lhe receitou. E ela?

— Mas nem ao menos uma pilulazinha, meu doutor?

Ele severo, causticante e inapelável:

— Nada, minha senhora, hoje não lhe dou nada! Com perdão da palavra, arrume-se como puder.

Diante daquele inesperado mau humor, dona Eglantina pensou e pensou e pensou até finalmente resolver: neste dia o médico devia certamente ter brigado com a própria mulher. Não desconfiava nem de longe que era ela mesma que havia bafejado o médico com sua poderosa força maléfica. Aliás, fora disso, era uma pessoa boníssima.

No dia seguinte sentia-se tão bem como qualquer um de nós e confundiu tudo: achava que ficara boa por ter sido radiografada. Guardou a radiografia com carinho e de quando em quando espiava-a com um prazer todo inexplicável por palavras: então era assim bonitinha que ela era por dentro? Mas que riqueza oculta, a dela, que riqueza profunda! Pena que somente a família inteira tivesse visto. Telefonou para o médico a fim de agradecer-lhe. Quanto ao médico, bem, todo ser humano tem dentro de si essa abundância que, ai de nós, às vezes apodrece. Ele quase apodreceu.

(Eu, mera escrivã, devo acrescentar que a história de dona Maria Eglantina está sendo acompanhada pela urgente orquestração de vários violinos finíssimos, entrecortados aqui e acolá por um "piu, piu, piu". É que, enquanto moça, costumava cantar modinhas para as visitas e agora quando abre a boca sai o inopinado: piu, piu, piu.)

Também porque a cara senhora tinha no corpo o feitio de um pinto: pernas extremamente finas que se emendavam numa total ausência de quadril e esse é que aos poucos tomava volume inusitado no peito. Quanto a braços — eram braços magros de quem nunca voou. E trinava "piu, piu, piu" enquanto fazia uma imperdoavelmente malfeita omelete para o seu resignado marido. Sem falar que fazia omelete murcha e triste, mantendo os cabelos enrolados em "bigudis" e com a cara toda coberta de Hipoglós. O marido, este, só comia nessas tétricas circunstâncias porque tinha muita fome e com fome de homem não se brinca. Senão, amargurado, passaria necessidade. Devo informar que a pomada Hipoglós é matéria engorduradíssima, altamente brilhante e que algumas senhoras a usam para lubrificar a pele, só que não na frente dos maridos.

O marido – tipo taurino – era corretor da Bolsa de Valores e vivia atormentado pelas mesmas idênticas perguntas até de quase estranhos: "Diga-me aqui, como é? Está na alta ou na baixa?"

Quanto a dona Maria Eglantina estava sempre na altíssima. E na "alta" era-lhe o marido aguentar suas imaginosas, flutuantes e farfalhantes doenças. Também a mim ela me fazia viver na altíssima, de tanta delicadeza incomodativa:

– Coma um pouquinho de pudinzinho com gelatininha!
– Não quero não, senhora, obrigada.
– Quer sim senhora! Você está negando só por fazer cerimônia!
– Olha, dona Maria Eglantina, eu disse que não-quero-não-obrigada. Muito o-bri-ga-da.
– Como não?!

Eu prometi para mim mesma: morro e não como o tal pudinzinho. Mas além de ser de marcha a ré ela era ainda por cima contramão e avisou-me enviesadamente de través:

– Vou lhe dar umas frutinhas para você levar para sua casa!
– Obrigada, detesto frutas.
– Então umas tangerinazinhas!
– Desculpe, mas eu as abomino.

Qual é o fim deste contundente diálogo? Levei cabisbaixa o embrulho de tangerinas que lá estão na minha copa me olhando, vítimas inocentes da bondade de dona Eglantina.

Lá um dia – perdido entre mil outros – me contou uma coisa que não era de doença nem de pudinzinho: era uma coisa muito antiga. Disse-me que quando era pequena não se chamava álcool de álcool: chamavam-no lindamente de "espírito de vinho". Como eram delicados os antigos.

Ela me achava tão agudamente encantadora que tornava a minha vida insuportável. Por exemplo: acontece que eu não gosto, quando falam comigo, que me peguem. Pois ela pegava: e não havia como fugir. Tive que pagar caro pela novidade tão bonita do espírito de vinho. Acertaram: comi um pouco de pudinzinho. Que aliás, tinha gosto de papelão ou de borracha macia ou de meia suja de homem, embora eu não tenha jamais experimentado tais estranhos sabores. Eu mal pude comer, tão vigiada era pelos olhos faruscantes dessa poderosa madame.

As circunstâncias faziam com que me fosse impossível não vê-la. O que fazer? Resolvi submeter-me a só dar a cada dia uma chegada na sua casa, para satisfazê-la da necessidade que sentia por mim. Então ela me pega e me despega, ela me torce, ela me contorce, e de mim, fruto esmagado, escorre um líquido grosso como sangue meloso. Este meu sangue meloso que ela bebe.

Bem...

Mas houve um dia especial quando aconteceu algo extraordinário que me vingou – com a vantagem de não me dar sentimento de culpa pois não participei do evento.

A situação foi a seguinte: dona Maria Eglantina Tavares Pires Cordeiro estava de pé, na calçada da rua, perto de um poste, à espera que abrisse o sinal verde que lhe permitisse atravessar a rua. Junto a ela, um rapaz distraído, que sinal demorado aquele.

Ninguém sabe como aconteceu. Tenho vontade de rir e de me dolorir ao mesmo tempo. É que o rapaz resolveu pegar alguma coisa no bolso e, não se sabe por quê – talvez para mandar parar um táxi – retirou a mão muito bruscamente. Tão bruscamente que, com o dorso da mão, ele esbofeteou violentamente a face esquerda da surpreendidíssima senhora. O tapa foi um só, mas valeu. Uma grossa e plena bofetada. Como se fosse fatídica.

O rapaz e dona Eglantina ficaram se olhando, ambos aterrorizados. Ela de olhos esbugalhados e ele, passados o susto e a surpresa, começou a desculpar-se completamente canhestro:

— Mas... mas eu lhe juro, minha senhora! Eu lhe juro que foi sem querer! Eu ia apenas chamar o táxi! Não compreendo o que aconteceu. Pelo amor de Deus, me perdoe!... Não sei explicar.

É.

Mas eu sei explicar o que aconteceu.

E não foi sem querer. Tenho a única explicação possível. É que o anjo da guarda de dona Eglantina se enjoou dela de súbito e deu-lhe uma bofetada memorável usando como instrumento a mão inocente do rapaz. Como uma palmada lascada no traseiro macio de uma criança. Ela — que era bondosa — gaguejou o seu perdão para o rapaz. Não sei o que lhe disse. Mas resume-se em: piu, piu, piu.

Sem comentários.

Não, um comentário, sim. O anjo da guarda se arrependeu porque ninguém tem culpa de ser chata. E, por intermédio de uma brisa fresca que veio do mar, esse anjo com a mão de veludo acariciou a face magoada. E eu digo amém. Porque eu lhe perdoei: só quem é extremamente carente é que se transforma numa dona Eglantina. E digo com ela docemente: piu, piu, piu.

✦ ✦ ✦

ANÁLISE DO HOMEM

Em relação à *Análise do homem*, de Erich Fromm, o comentário mais do que nunca terá que girar em torno de "talvez" e "quem sabe". A irresponsável por este texto — não se trata de erro, a palavra é mesmo irresponsável – se não entende de crítica de literatura, que dirá de livro de ciência. Se bem que em se tratando de psicanálise, ética, situação humana, relações de si para consigo, e com os outros, todo mundo crê entender alguma coisa provavelmente com o argumento implícito de que, se somos personagens vivos deste gênero de estudo, a nós cabe acareá-lo com o nosso testemunho, esquecidos de que também nossos ossos são personagens principais de livros de anatomia e no entanto... De antemão, ao iniciar essa conversa, sentimos que o "talvez" dominará pouco a pouco, e que o futuro leitor de Erich Fromm é quem se encarregará de positivar alguma coisa, se não lhe ocorrer acrescentar ainda outras dúvidas. A menos que no decorrer da máquina de escrever, o tom inteiro mude, e que algum vago entusiasmo de polêmica-em-solilóquio inspire afirmações quase categóricas. Enfim, não se perde por esperar muito, pois seguem-se apenas algumas laudas em espaço dois, onde o remédio é adotar um falso ar de desenvoltura.

As interrogações começaram até antes de abrirmos o livro. Quando folheamos, lembramo-nos vagamente de que já o havíamos lido sob o título de *Man for Himself*, que é melhor que *Análise do homem*, mas realmente muito difícil de traduzir. É que, de passagem, numa conversa sobre Fromm, alguém se indagara alto, sem pedir resposta: não será um vigarista? Não nos tinha ocorrido, inclusive porque havíamos gostado muito de *Escape from Fredom*, do mesmo autor. Mas a indagação despertou ecos, provocou vários outros, concernentes ao vigarismo em matéria de livro científico. Uma das interrogações, por exemplo; até que ponto um leigo – nós – desconfia de um livro científico quando este não é difícil? Quem passa por escolas habituou-se a que o mais respeitado e elogiado é tão ininteligível e sonolento que um dos critérios mais garantidos parece ser o da nobre caceteação ou o do não entendimento total. Sério é aquilo de que não se gosta; e daí também, o de que não se gosta não será ruim? E daí o cuidado de não gostar "errado".

Talvez não seja totalmente absurdo que, sob a genuína vontade de consultar o próprio gosto individual, esteja todo esse passado de receio, de sentir que o rei está nu, não ter coragem de denunciá-lo; ou mais angustiante ainda, o receio de que todos tenham concordado em que o rei está nu, e ninguém tenha se lembrado de nos avisar para concordarmos também. Esta hipótese geral pôs, assim, em dúvida a nossa dúvida sobre o vigarismo.

De onde pode vir a ideia de vigarismo a respeito de um homem sério como Fromm? Pegue-se qualquer livro dele. Será sempre o estudo de um homem devotado à sua tarefa. Mas acontece que se trata também de um escritor, no sentido em que ele gosta de escrever, o que ele escreve nada tem de seco relatório, sente-se que ele ama o ser humano de quem fala, e não só não tem receio de gostar, como não cuida de que de vez em quando a compreensão-compaixão não escape pelas frestas. Cita Kant, Sófocles, Spinoza, Aristóteles, Platão, em vez de casos patológicos. Virá daí a nossa leve desconfiança? Mas é que não é incomum um psicanalista ligar-se a coisas de arte e imaginação, o que se explica: pois um homem entender outro homem, que é isto? Senão criação artística também senão o grande uso da imaginação? Assim, portanto, mais uma dúvida quanto à dúvida do vigarismo.

E também a questão do perigo de popularizar-se. Até que ponto o que se torna conhecido provoca algum descrédito? Suspeita-se daquilo de que todos gostam, e do sucesso. Verdade é que, pelas muitas vezes em que essa desconfiança acerta, há muitas vezes em que não. Mas, à parte o natural esnobismo a que temos direito – por termos tantas vezes sido vítimas de nossos próprios enganos – à parte isso, a verdade, que nem por ser imponderável deixa de ser real, é que a popularização afeta a coisa escrita. O desvirtuamento feito pela interpretação de muitos agrega-se à obra como um pó, e a partir de certo ponto ninguém mais tem oportunidade de ler o livro no seu original. O que X entende de um livro altera dele intimamente o sentido quando chega a vez de Y. Minimamente é condição inescapável, e a adulteração vem até de mais longe, vem do autor já alterando o que quis dizer, por exemplo. Mas multiplicai minimamente por um número alto, e tereis um livro escrito pelos leitores. Fromm é muito comprado, e a verdade é que Harry Stack Sullivan não se encontra tão à mão nas livrarias, resguarda-se nas estantes especializadas. O que suscita a pergunta: será que, a essa altura, Erich Fromm já foi reescrito por nós? Ou será que ele é mais um muito bom divulgador que, portanto, atrai?

Mas veja-se o capítulo "Egoísmo, Amor-próprio e interesse próprio", deste livro de Fromm. É uma beleza de estudo, de cuidar em diferenciar coisas sutis de um modo preciso. Esse capítulo foi publicado pela primeira vez na revista *Psychiatry*, o que vale como argumento de autoridade, e já o vimos reproduzido nas antologias mais sérias, como a organizada por Carla Thompson, ao lado de Ernest Jones, Michael Balint, Mabel Blake Cohen etc. Será que nossa desconfiança vem do fato de que o tom de Fromm é o de um humanista, sua terminologia não é estritamente psicanalítica, em vez de documentar casos clínicos, prova com citações? Bom, mas também é verdade que se trata mais de um livro de ensaísta e pensador, que de consulta médica.

Até que ponto exigimos que letra de médico só seja legível por farmacêuticos? Até que ponto perdemos o respeito pela magia que deveria pertencer apenas aos iniciados? E deveria mesmo. A verdade é que a "ciência ao alcance de todos" só não terminaria fazendo mal se se mantivesse em campo estritamente informativo, o que é impossível. Mas é que saber pouco, em matéria de ciência, atrapalha muito, é pior do que não saber. Inclusive, numa sadia ignorância, numa ignorância inteligente, ainda podemos contar com a intuição agindo e com uma sensatez natural. E de mais do que isso, para viver, não precisamos. Se de mais precisamos, não será de leitura científica, pois um leigo nem está equipado para compreender que um estudo sobre o ser humano não é um apanhado de normas rígidas, onde ele tem que caber por perplexidade, mas o estudo de um processo em ação, cuja fluidez só é plenamente vivenciada pelos que se dedicam a entender.

Acontece também que a suspeita de vigarismo vem também de que certo tom de ensinamento tem sido inesgotável mina de ouro: em jornais e livros aprende-se a viver, salvar-se, a ajustar-se – não importa a que, mas ajustar-se é a vaga ordem do dia. E esse tom – que vem da descoberta de que a insegurança das pessoas é comercialmente explorável nos vacina até contra o verdadeiro ensinamento, aquele que é um ensinamento em profundidade, e não fórmula ou simples consolo. Esse novo ensinamento também nos encontra de ouvidos rebeldes. No primeiro capítulo, por exemplo, Fromm se propõe a esse tipo de pesquisa: "Procurarei patentear que a estrutura do caráter da personalidade amadurecida e integrada, o caráter produtivo, constitua a fonte e a base da 'virtude', e que o 'vício', em última instância, vem a ser a indiferença para com o próprio eu, uma automutilação."

Este, aliás, é o "enredo" do livro de Erich Fromm, enredo intenso, vasto, atentamente debruçado sobre esta coisa desconfiada demais ou excessivamente confiante – uma pessoa.

Não, ele não é um vigarista. Nem eu.

✦ ✦ ✦

OS ENCONTROS

Quando alguém me diz: em tal livro encontrei uma coisa tão semelhante ao que você escreveu, que parecia escrito por você. Eu poderia ficar triste? Ah, tão pelo contrário: encontrei no mundo alguém que é eu. A confirmação de minhas suspeitas, meus pensamentos nunca passaram de fortes ou fracas e enviesadas suspeitas, nascidos de uma desconfiança de quem olha para um lado e para outro antes de tentar entrar. E eis que alguém num livro está me dizendo: pois é verdade, criatura pois se eu também...

O MEDO DO ENCONTRO TAMBÉM

Embora só tenha lido trechos de Fernando Pessoa, quando comecei tão tarde a ser introduzida no seu mundo por uma amiga, assustei-me deveras: não quero saber mais, senão para sempre sairei de meu mundo, encantado e tortuoso de suspeitas, e entrarei por uma claridade que temo – pois, sem saber explicar, parece-me que a claridade nega a si mesma.

Não tenha medo, diz a amiga compassiva, sem saber você já tem Fernando Pessoa dentro de você. Com isso ela não queria dizer que me "pareço" com ele. Mas o medo do mundo me ser revelado de chofre me fez adiar um encontro maior até hoje. Pelo que minha amiga já me recitou dele, receio nunca mais poder prosseguir nas minhas penumbrosas e cruéis e deliciosas adivinhações que me matam de incerteza, me fazem me aprofundar em mim mesma.

E se souber que alguém, ou muitos alguéns não adivinharem apenas: souberam... que farei de mim sem meus passos incertos que é o meu modo de andar, de retroceder, de avançar? A tortura de escrever – nos livros – tem sido também o meu prazer.

"CULTURA"

Uma amiga erudita, mas que não foi afetada pela erudição, me conta um boato, em leve censura por eu não corresponder ao boato que deveria ser mais certo que a realidade: muitos pensam que eu sou altamente intelectualizada e que tenho grande cultura. "Mas você", diz ela com carinho, "devia pelo menos, só para não se envergonhar diante dos outros, dar um jeito melhor na sua estante, é uma biblioteca muito desfalcada demais." Conto-lhe então que um homem de letras me disse: "Gostaria de ver sua biblioteca para entender finalmente onde você se inspira para as suas coisas." Diz minha amiga: "Você vê que tenho razão."

Mas realmente *je m'en fiche*. Brinco toda secreta de deixar que pensem o que quiserem. Como não tenho remorsos de ser realmente uma "desfalcada" – em outras coisas me dói – estou pura para sentir o gosto do logro. É que também é muito bom enganar, conquanto que a pessoa não engane a si mesma. Só a poucos conto a verdade. No começo tentei dizer a verdade: mas tomavam como modéstia, mentira ou "esquisitice". E desse tipo de contar a verdade não gostei. De modo que passei a me calar. Só a poucos digo a verdade. Essa minha amiga já me diz hoje tranquila: "O escritor tal, no seu livro...", interrompe-se e sem escândalo me pergunta: "Você já ouviu falar nele?"

Mas bem queria deixar um testamentozinho exatamente para as pessoas involuntariamente logradas por mim: Deixo-lhe minha incultividade que em si não me deu nenhum gosto e até muita falta me fez, mas deixo-a [para o senhor], pois foi tão bom que o senhor não a supusesse: deixo-a intacta, pronta para ser transmitida. A cultura não se lega porque a pessoa mesma tem que trabalhá-la, mas a vantagem de uma relativa incultura é que se pode entregá-la toda a outra pessoa... eu bem sei que triste legado.

Para não esquecer

O SEGREDO

Há uma palavra que pertence a um reino que me deixa muda de horror. Não espantes o nosso mundo, não empurres com a palavra incauta o nosso barco para sempre ao mar. Temo que depois da palavra tocada fiquemos puros demais. Que faríamos de nossa vida pura? Deixa o céu à esperança apenas, com os dedos trêmulos cerro os teus lábios, não a digas. Há tanto tempo eu de medo a escondo que esqueci que a desconheço, e dela fiz meu segredo mortal.

MUITO MAIS SIMPLES

Pois se em vida é um calado, por que havia de escrever falando? Os calados só dizem o que precisam; e isso impede os outros de ouvirem? Trata-se de pessoa silenciosa; daí o ar hermético.

A VEZ DA MISSIONÁRIA

Quando o fantasma de pessoa viva me toma. Sei que por vários dias serei essa mulher do missionário. A magreza e a delicadeza dela já me tomaram. É com algum deslumbramento, e prévio cansaço, que sucumbo ao que vou experimentar viver. E com alguma apreensão, do ponto de vista prático: ando agora ocupada demais com os meus deveres para poder arcar com o peso dessa vida nova que não conheço, mas cuja tensão evangelical já começo a sentir. Percebo que no avião mesmo já comecei a andar com esse passo de santa leiga. Quando saltar em terra, provavelmente já terei esse ar de sofrimento físico e de esperança moral. No entanto quando entrei no avião estava tão forte. Estava, não, estou. É que toda a minha força está sendo usada para eu conseguir ser fraca. Sou uma missionária ao vento. Entendo, entendo, entendo. Não entendo é nada: só que "não entendo" com o mesmo fanatismo depurado dessa mulher pálida. Já sei que só daí a uns dias conseguirei recomeçar a minha própria vida, que nunca foi própria, senão quando meu fantasma me toma.

LITERATURA E JUSTIÇA

Hoje, de repente, como num verdadeiro achado, minha tolerância para com os outros sobrou um pouco para mim também (por quanto tempo?). Aproveitei a crista da onda, para me pôr em dia com o perdão. Por exemplo, minha tolerância em relação a mim, como pessoa que escreve, é perdoar eu não saber como me aproximar de um modo "literário" (isto é, transformado na veemência da arte) da "coisa social". Desde que me conheço o fato social teve em mim importância maior que qualquer outro: em Recife os mocambos foram a primeira verdade para mim. Muito antes de sentir "arte", senti a beleza profunda da luta. Mas é que tenho um modo simplório de me aproximar do fato social: eu queria era "fazer" alguma coisa, como se escrever não fosse fazer. O que não consigo é usar escrever para isso, por mais que a incapacidade me doa e me humilhe. O problema de justiça é em mim um sentimento tão óbvio e tão básico que não consigo me surpreender com ele – e, sem me surpreender, não consigo escrever. E também porque para mim escrever é procurar. O sentimento de justiça nunca foi procura em mim, nunca chegou a ser descoberta, e o que me espanta é que ele não seja igualmente óbvio em todos. Tenho consciência de estar simplificando primariamente o problema. Mas, por tolerância hoje para comigo, não estou me envergonhando totalmente de não contribuir para nada humano e social por meio do escrever. É que não se trata de querer, é questão de não poder. Do que me envergonho, sim, é de não "fazer", de não contribuir com ações. (Se bem que a luta pela justiça leva à política, e eu ignorantemente me perderia nos meandros dela.) Disso me envergonharei sempre. E nem sequer pretendo me penitenciar. Não quero, por meios indiretos e escusos, conseguir de mim a minha absolvição. Disso quero continuar envergonhada. Mas, de escrever o que escrevo, não me envergonho: sinto que, se eu me envergonhasse, estaria pecando por orgulho.

MAL-ESTAR DE UM ANJO

Ao sair do edifício, o inesperado me tomou. O que antes fora apenas chuva na vidraça, abafado de cortina e aconchego, era na rua a tempestade e a noite. Tudo isso se fizera enquanto eu descera pelo elevador? Dilúvio carioca, sem refúgio possível, Copacabana com água entrando pelas lojas rasas e fechadas, águas grossas de lama até o meio da perna, o pé tateando para encontrar calçadas invisíveis. Até o movimento de maré já tinha, onde se juntasse o bastante de água começava a atuar a secreta influência da Lua: já havia fluxo e refluxo de maré. E o pior era o temor ancestral gravado na carne: estou sem abrigo, o mundo me expulsou para o próprio mundo, e eu que só caibo numa casa nunca mais terei casa na vida, esse vestido ensopado sou eu, os cabelos escorridos nunca secarão, e sei que não serei dos escolhidos para a Arca, pois já selecionaram o melhor casal da minha espécie.

Pelas esquinas os carros de motor paralisado, e nem sombra de táxi. E a alegria feroz de vários homens finalmente impossibilitados de voltar para casa. A alegria demoníaca dos homens livres ainda mais ameaçava quem só queria casa própria. Andei sem rumo pela ruas e ruas, mais me arrastava que andava, parar é que era o perigo. De minha desmedida desolação eu só conseguia que ela fosse disfarçada. Alguém, radiante sob uma marquise, disse: que coragem, hein, dona! Não era coragem, era exatamente o medo. Porque tudo estava paralisado, eu que tenho medo do instante em que tudo pare tinha que andar.

E eis que nas águas vejo um táxi. Avançava cuidadosamente, quase centímetro por centímetro, tateando o chão com as rodas. Como é que eu me apoderaria daquele táxi? Aproximei-me. Não podia me dar ao luxo de pedir, lembrei-me de todas as vezes em que, por ter tido a doçura de pedir, não me deram. Contendo o desespero, o que sempre dá uma aparência de força, disse ao chofer: "o senhor vai me levar para casa! é de noite! tenho filhos pequenos que devem estar assustados com minha demora, é de noite, ouviu?!" Para minha grande surpresa, vai o homem e simplesmente diz que sim. Ainda sem entender, entrei. O carro mal se movia nas ondas lamacentas, mas movia-se – e chegaria. Eu só pensava: eu não valho tanto. Daí a pouco já estava pensando: e eu que não sabia que valia tanto. E daí a pouco era a dona de casa de meu táxi, já tomara posse do direito do que gratuitamente me fora dado, e energicamente tomava medidas úteis: torcia cabelos e roupas, tirava os sapatos amolecidos, enxugava o rosto que mais parecia ter chorado. A verdade, sem pudor, é que eu tinha chorado. Muito pouco, e misturando motivos, mas chorado. Depois de arrumar minha casa, encostei-me bem confortável no que era meu, e de minha Arca assisti ao mundo acabar-se.

Uma senhora aproximou-se então do carro. Devagar como este avançava, ela pôde acompanhá-lo agarrada em aflição ao trinco da porta. E literalmente me implorava para compartilhar do táxi. Era tarde demais para mim, e seu itinerário me desviaria do meu caminho. Lembrei-me, porém, de meu desespero de havia cinco minutos, e resolvi que ela não teria o mesmo. Quando eu lhe disse que sim, seu tom de imploração imediatamente cessou, substituído por uma voz extremamente prática: "É, mas espere um pouco, vou até aquela transversal buscar na casa da costureira o embrulho do vestido que deixei lá para não molhar." "Estará ela se aproveitando de mim?", indaguei-me na velha dúvida se devo ou não deixar que se aproveitem de mim. Terminei cedendo. Ela demorou à vontade. E voltou com um enorme embrulho pousado nas mãos estendidas, como se até seu próprio corpo pudesse macular o vestido. Instalou-se totalmente, o que me deixou tímida na minha própria casa.

E começou o meu calvário de anjo – pois a mulher, com sua voz autoritária, já tinha começado a me chamar de anjo. Não poderia ser menos comovente o seu caso: aquela era a noite de uma première e, se não fosse eu, o vestido se estragaria na chuva ou ela se atrasaria e perderia a première. Eu já tivera as minhas premières, e nem as minhas tinham me comovido. "A senhora não sabe o milagre que me aconteceu", contou-me com firmeza. "Comecei a rezar na rua, a rezar para que Deus me mandasse um anjo que me salvasse, fiz promessa de não comer quase nada amanhã. E Deus me mandou a senhora." Constrangida, remexi-me no banco. Eu era um anjo destinado a proteger premières? a ironia divina me encabulava. Mas a senhora, com toda a força de sua fé prática, e tratava-se de mulher forte, continuava impositivamente a reconhecer o anjo em mim, o que só pouquíssimas pessoas até hoje reconheceram, e sempre com a maior discrição. Tentei sem jeito a leveza de um sarcasmo: "Não me supervalorize, sou apenas um meio de transporte." Enquanto que a ela nem sequer ocorreu compreender-me, eu a contragosto percebia que o argumento na verdade não me isentava: anjos também são meios de transporte. Intimidada, calei-me. Fico muito impressionada com quem grita comigo: a mulher não gritava, mas claramente mandava em mim. Impossibilitada de confrontá-la, refugiei-me num doce cinismo: aquela senhora, que tratava com tanto vigor do próprio êxtase, devia ser mulher habituada a comprar com dinheiro, e na certa terminaria por agradecer ao anjo com um cheque, também levando em conta que a chuva já devia ter lavado toda a minha distinção. Com um pouco mais de confortável cinismo, em silêncio, declarei-lhe que dinheiro seria um meio tão legítimo quanto outro de agradecer, já que a moeda dela era mesmo moeda. Ou então – diverti-me eu – bem poderia dar-me em agradecimento o vestido da première, pois o que ela realmente deveria agradecer não era ter um vestido seco, e sim ter sido atingida pela graça, isto é, por mim. Dentro de um cinismo cada vez melhor, pensei: "Cada um tem o anjo que merece, veja que anjo lhe coube: estou cobiçando por pura curiosidade um vestido que nem sequer vi. Agora quero ver como é que sua alma vai se arrumar com a ideia de um anjo interessado em roupas." Parece-me que, no meu orgulho, eu não queria ter sido escolhida para servir de anjo à tolice ardente de uma senhora.

A verdade é que ser anjo estava começando a me pesar. Conheço bem esse processo do mundo: chamam-me de bondosa, e pelo menos durante algum tempo fico atrapalhada para ser ruim. Comecei também a compreender como os anjos se chateiam: eles servem a tudo. Isso nunca me ocorrera. A menos que eu fosse um anjo muito embaixo na escala dos anjos. Quem sabe, até, eu era só aprendiz de anjo. A alegria satisfeitona daquela senhora começava a me deixar sombria: ela fizera uso exorbitante de mim. Fizera de minha natureza indecisa uma profissão definida, transformara minha espontaneidade em dever, acorrentava-me, a mim, que era anjo, o que a essa altura já não podia mais negar, mas anjo livre. Quem sabe, porém, eu só fora mandada ao mundo para aquele instante de utilidade. Era isso, pois, o que eu valia. No táxi, eu não era um anjo decaído: era um anjo que caía em si. Caí em mim e fechei a cara. Um pouco mais e teria dito àquela de quem eu era com tanta revolta anjo da guarda: faça o obséquio de descer já e imediatamente deste táxi! Mas fiquei calada, aguentando o peso de minhas asas cada vez mais contritas pelo seu enorme embrulho. Ela, a minha protegida, continuava a falar de mim, ou melhor, de minha função. Emburrei. A senhora sentiu e calou-se um pouco desarvorada. Já na altura da Viveiros de Castro a hostilidade se declarara muda entre nós.

— Escute, disse-lhe eu de repente, pois minha espontaneidade é faca de dois gumes também para os outros, o táxi vai antes me deixar em casa e depois é que segue com a senhora.

— Mas, disse ela surpreendida e em começo de indignação, depois eu vou ter que dar uma volta enorme e vou me atrasar! É só um pequeno desvio para me deixar em casa!

— Pois é, respondi seca. Mas eu não posso entrar pelo desvio.

— Eu pago tudo! Insultou-me ela com a mesma moeda com que teria se lembrado de me agradecer.

— Eu é que pago tudo, insultei-a.

Ao saltar do táxi assim como quem não quer nada, tive o cuidado de esquecer no banco as minhas asas dobradas. Saltei com a profunda falta de educação que me tem salvo dos abismos angelicais. Livre de asas, com a grande rabanada de uma cauda invisível e com a altivez que só tenho quando para de chover, atravessei como uma rainha os largos umbrais do edifício Visconde de Pelotas.

CONVERSA COM FILHO

— Sabe, eu tinha vontade, mamãe, de experimentar às vezes ficar doido.

— Mas para quê? (Eu sei, eu sei o que você vai dizer, sei porque em mim o meu bisavô deve ter dito o mesmo, eu sei que é através de quinze gerações que uma só pessoa se forma, e que essa pessoa futura me usou para me atravessar como a uma ponte e está usando meu filho e usará o filho de meu filho, assim como um pássaro pousado numa seta que vagarosamente avança.)

— Pra me libertar, assim eu ficava livre...

(Mas haverá a liberdade sem a prévia permissão da loucura. Nós ainda não podemos: somos apenas os gradativos passos dela, dessa pessoa que vem.)

UM HOMEM DISCRETO

Deus lhe deu inúmeros pequenos dons que ele não usou nem desenvolveu por receio de ser um homem terminado e sem pudor.

NÃO SOLTAR OS CAVALOS

Como em tudo, no escrever também tenho uma espécie de receio de ir longe demais. Que será isso? Por quê? Retenho-me, como se retivesse as rédeas de um cavalo que poderia galopar e me levar Deus sabe onde. Eu me guardo. Por que e para quê? para o que estou me poupando? Eu já tive clara consciência disso quando uma vez escrevi: "é preciso ter medo de criar." Por que o medo? Medo de conhecer os limites de minha capacidade? ou medo de aprendiz de feiticeiro que não sabia como parar? Quem sabe, assim como uma mulher se guarda intocada para dar-se um dia ao amor, talvez eu queira morrer toda inteira para que Deus me tenha toda.

BOA NOTÍCIA PARA UMA CRIANÇA

Em tudo, em tudo você terá a seu favor o corpo. O corpo está sempre ao lado da gente. É o único que, até o fim, não nos abandona.

RECONHECENDO O AMOR

— Este aqui, disse ela apontando o filho menor com um sorriso de carinho, eu só tive porque descobri tarde demais e já não havia mais jeito de tirar fora.

O menino abaixou os olhos e sorriu com modéstia.

UMA PORTA ABSTRATA

Sob certo ponto de vista, considero fazer coisas abstratas como o menos literário. Certas páginas, vazias de acontecimentos, me dão a sensação de estar tocando na própria coisa, e é a maior sinceridade. É como se eu esculpisse – qual é a mais verdadeira escultura de um corpo? o corpo, a forma do corpo, a expressão da própria forma do corpo – e não a expressão "dada" ao corpo. Uma Vênus nua, em pé, "inexpressiva", é muito mais do que uma ideia literária de Vênus. Estou chamando "ideia literária de Vênus", uma Vênus, por exemplo, que tivesse no rosto um sorriso de Vênus, um olhar de Vênus, como um título. A Vênus de Milo – é uma mulher abstrata. (Se eu desenhar num papel, minuciosamente, uma porta, e se eu não lhe acrescentar nada meu, estarei desenhando muito objetivamente uma porta abstrata.)

BERNA

O forasteiro, tendo diante dos olhos essa beleza perfeita, não saberá talvez elucidar o seu mistério: a cena suíça tem um excesso de evidência da beleza. Após a primeira sensação de facilidade, segue-se a ideia do indevassável. Cartão-postal, sim. Mas aos poucos a imobilidade e o equilíbrio começam a inquietar.

Olha-se para as montanhas ao longe, e é o tonto e tranquilo espaço. Mas na pequena cidade alta, de casas e igrejas apertadas por muros que já tombaram, há uma concentração íntima e severa. Na cidade de torres, becos, ogivas e silêncio, o Demônio terá sido expulso para além dos Alpes. Sem o Demônio, restou uma paz perturbadora, marcas de uma vida que se formou com dureza, o punho da Reforma, sinais de conquista lenta, aperfeiçoamento obstinado e penoso.

Obstinação de manter afastado o Demônio? Obstinação que se trabalha nessa ânsia tão suíça de limpeza, vontade de copiar em terra a clareza do ar, obediência à lei de nitidez que a montanha, na sua implacável fronteira, dita. Vontade de imolar a coisa humana, fatalmente impura e desordenada, à límpida abstração dessa natureza. A ordem não é mais um meio, é necessidade em si mesma moral. A ordem é o único ambiente onde um homem suíço pode, na Suíça, respirar. Fora da Suíça, ele se espanta, encantado com aquele Demônio que ele mesmo expulsou.

Nas ruas, os rostos ascéticos, economia de expressão. E nessa expressão pacífica e pesada, uma força silenciosa que lembra a do fanatismo. Disse alguém que o suíço não é soldado, é guerreiro. Pois se o suíço é guerreiro, a mulher suíça é mulher de guerreiro. É um ser severo e duro, votado para algum sacrifício. Ei-la no concerto da Catedral, o rosto sem pintura, impassível, banhando-se, com um prazer que mal manifesta, nos sons do órgão e nas vozes altas do coro, música purificada que responde à alegria austera desse povo. A mulher não se encostará completamente à cadeira, manter-se-á um pouco solene e indecifrável, sem o encanto da moleza, mas com alguma graça puritana que reponta não sei de onde, vencendo um modo de se vestir que tem pudor da vaidade.

Esse pudor é vencido na primavera, e timidamente ousa. Aparecem blusas claras, pequenas golas brancas surgem nos vestidos escuros, delicada contribuição feminina à luz. Os velhos se sentam sérios nos jardins: essa é a terra dos velhos respeitáveis. Dos bancos eles contemplam os lagos brilhantes, os Alpes nevados, o ar de apressada alegria em cada ramo. Depois virá o estio, e no morno perfume as linhas se tornam mais ásperas, as flores mais urgentes e violentas, o vento finalmente traz alguma poeira. Esporte, esporte, esporte – que é um desabrochamento sem demônios. O outono vem e escurece águas; não se ouvem sons de caçadas, mas compra-se caça; montanhas, superfícies, pequenas formas, tudo tomará, sob o vento mais frio e uma luz sem sol, uma intimidade de lar. Então vem o inverno: esporte, esporte, esporte.

Mas por enquanto é de novo a primeira primavera e mal se tem tempo de manter-se nela um pouco mais: sob as pontes de Berna o rio frígido corre ligeiro. Claridade, silêncio, mistério: é o que vejo de uma janela de Berna.

"AS APARÊNCIAS ENGANAM"

Minha aparência me engana.

"NEM TUDO O QUE RELUZ É OURO"

Então não apanhei no chão o que reluzia. Era ouro, meu Deus. Era ouro, talvez.

UM HOMEM ESPANHOL

Não era Pepe apenas, não era guia apenas. No calor do verão, o rosto intumescido pela bebida que mal se evaporava era substituída por outra, o homem parou no meio de uma ruela branca e sombria de Córdoba, olhou-nos e disse bem lento para que a frase penetrasse a nossa lentidão.

– *Ustedes no tienen un guía. Ustedes tienem – Pepe El Guía!*

Paramos, atentos ao que deveria ser uma coincidência singular. Qual? Pepe El Guía imobilizara-se com os olhos úmidos de emoção, vinho, calor e desespero. Devia ser extraordinário e pesado ser Pepe El Guía. Ainda parado, o rosto escorrendo suor, com a roupa escura da elegância a que era obrigado, ele esperava que através de seu próprio silêncio intenso compreendêssemos. Olhávamos com os olhos franzidos pelo sol. Até que fraca brisa passou por nós. A coincidência seria a de ser ele Pepe El Guía, a de uma pessoa ser ela mesma, a de ser espanhol entre tantas outras possibilidades, a de estar sob o céu tão nu de Córdoba quando no mesmo instante chovia em Londres: o milagre das coincidências passou por nós em fraca brisa, enxugamos a testa com o lenço.

Em torno a cidade se estendia doce e quente. Insuportavelmente doce, cheia de cegos indecisos e de mulheres mais indecisas ainda. Havia no entanto uma aspereza. De onde vinha? procuramos com os olhos franzidos. Vinha dos sonhos destemidos daqueles rapazes que sonolentavam à porta dos cafés. Vinha da vontade de escapar que se adivinhava como uma emboscada na calmaria. Cidade perigosa, aquela.

E no meio da devastação do calor, fonte de uma aspereza, erguia-se o nosso homem, embriagado pela própria altura: *soy Pepe El Guía*, repetiu de braços abertos, e a crucificação o exaltava. Como se Pepe El Guía fosse uma abstração preexistente, e ele, um simples pepe, um simples guia, se tivesse encarnado no símbolo. Diante da nossa mudez, que não vinha do respeito, mas da absoluta falta de saber o que replicar, ele nos confortou:

— *Pero ustedes tienen un amigo en Pepe El Guía.*

Por que o dizia com tristeza? Triste, valoroso, bêbado, a dominar melancolicamente o que só ele via nas casas brancas e modestas de Córdoba, e nós também, por um instante de graça perturbada. Intimidados, agradecemos, repetimos várias vezes atropeladas o mesmo agradecimento. Era um amigo, sim. Amizade paga, mas com todo o desespero da amizade: éramos amigos, e no entanto que poderíamos dar um ao outro? Senão reconhecermo-nos. Nós reconhecíamos nele Pepe El Guía. Em nós ele reconhecia aqueles que o reconheciam.

Amigo suscetível, o daquela tarde. Uma palavra descuidada nossa ofendia-o, um gesto de dúvida apenas esboçado feria-o – ele imediatamente parava, recuava, dando espaço ao desembainhar de alguma espada. Apressados, explicávamos a falta de intenção de ofendê-lo. Sobretudo assegurávamos-lhe nossa confiança irrestrita nas suas informações de datas vaguíssimas, onde a História da Espanha se entremeava à de turistas ingleses, "amigos seus para sempre". Ele ouvia as desculpas, examinava-as antes de aceitá-las, hesitava longamente, ainda ameaçador. Aguardávamos ansiosos e bastante enjoados. Afinal, num repente, Pepe El Guía se reconciliava conosco e prosseguia ainda mais ardente na amizade fortificada pelo desentendimento.

Verdade é que de Córdoba soubemos pouco mais do que sabíamos. Por nossa conta sabíamos que as noites cheiravam a nardo e a jasmim, sabíamos do que víamos e pressentíamos. Mas de dom Pepe soubemos que não havia alma viva em Córdoba que não o louvasse. Nem perguntávamos por quê, nem ele dizia. "Em Córdoba apenas?", perguntava-nos insultado. "Não!", respondia ele próprio de braços abertos, "na Espanha inteira!" "Na Espanha apenas?", perguntava-nos de novo. Fazia uma pausa quase de dor. Nós sabíamos que ele mesmo responderia. De repente ele cedia: "Marrocos, Argel, Egito..." Os estranhos comércios que aquele homem já fizera. Trocara cavalos, decerto alheios, por tâmaras e azeitonas, vendera uma caravana de camelos a alguém cujo nome "infelizmente não poderia ser mencionado". Comércio de muita antiguidade, mais aventura que comércio, mais viagem que proveito, mais vida que dinheiro. Infelizmente não se poderia mencionar que vida, mas sempre aureolada pela sua irrealizada tragédia, a mesma que ainda o fazia desafiar de peito nu o inimigo que jamais vinha, pois ele era apenas um amado. Não fora por falta de se expor. Via-se que se dispusera a morrer aos vinte anos, mas o seu próprio destino trágico, aquele que por direito lhe pertencia, fora-lhe espoliado. A tragédia que não se realizara fazia de dom Pepe um ser flechado, um rei de sessenta anos. Porque era um rei aquele ladrão.

Quanto à família de dom Pepe, não era somente a mulher aciganada, e os inúmeros filhos de sua prodigalidade. Sustentava também esposa e os filhos de seu irmão morto na guerra civil, sustentava também a esposa e os filhos do cunhado morto na guerra civil e mais duas parentas de preto pela guerra civil – e tudo amontoado sob o mesmo teto e tudo fazendo sesta na mesma casa, tudo abandonado às moscas. Ele nos obrigou a visitá-los, à sua família, e à porta mostrou-nos com um gesto largo que não se sabia de orgulho ou acusação: aquela gente era a sua chaga aberta. E quem diz família que veja bandos de mulheres que de tão doces já haviam açucarado, abanando-se no pátio com os olhos entrefechados, as criminosas. Que veja meninos e rapazes de quadris estreitos, todos sonambulizados para o trabalho pela esperança de tourear. Ou pela esperança. E que calcule o preço das grandes comidas que são necessárias para alimentar tanto sonho.

O que não impediu que dom Pepe por um triz não puxasse da espada quando tentamos pagar o "xerez especial que só Pepe El Guía conhece e oferece". Ofendido na raça, trêmulo no hábito secular da indignação: "*ustedes me matan!*"

Uma vez consolado pela própria revolta, sem dificuldade deixou-nos pagar o xerez, e com galantaria aceitou nossa gratidão por ter nos dado a oportunidade de conhecer bebida tão rara que qualquer venda espanhola servia. Nunca homem nenhum nos tapeou tanto, mas nossa contribuição a seu senso de tragédia era deixarmo-nos tapear. O jogo porém era intenso e nós já definhávamos. Enquanto isso, dom Pepe, ainda emocionado com o drama de uma amizade quase desfeita por mera questão de dinheiro, dom Pepe, em sinal de magnanimidade, com a mão no peito, disse-nos que provaria o seu perdão aceitando mais dois *copitos*. Para a nossa confusão e vergonha, havíamos esquecido de lhe oferecer, o que ele também perdoava – e isso mesmo só porque não éramos espanhóis, o que não era culpa nossa. Muito sabido e triste, aquele homem. Exaurida pela vida de dom Pepe, fui para o hotel dormir a sesta entre as moscas de Córdoba.

POSFÁCIO

Making of

É muito difícil descrever o que era o Rio de Janeiro na segunda metade da década de 1960, era um lugar muito agradável para se morar. Os graves problemas que existiam não pareciam tão sérios ou talvez nós não tivéssemos a consciência que temos hoje.

Uma referência marcante que eu tenho, embora de trinta anos antes, é da biografia de Luís Carlos Prestes, o mais importante líder comunista do Brasil. Após ser treinado na União Soviética, antes de vir ao Brasil em 1935 para tentar o golpe, "casou-se" com Olga Benário, também revolucionária instruída, e ambos se instalaram no bairro de Ipanema como falsos representantes comerciais de uma empresa suíça. Prestes e Olga usufruíram da praia, do ambiente calmo do bairro, fizeram amigos e costumavam passear na linda Praça Paris, no centro da cidade, a tal ponto que quase esqueceram, inebriados, de fazer a revolução em novembro de 1935 – que acabou frustrada. Assim era a percepção de como era bom morar no Rio de Janeiro.

Imagine todos os sábados de manhã chegar à porta de sua casa um exemplar do centenário *Jornal do Brasil* e o seu Caderno B. Também é muito difícil descrever o que era o *JB* naquela época, já que havia passado por uma recente reforma gráfica sob a liderança do genial Alberto Dines, que acabou ficando como diretor-geral. O *Jornal do Brasil* tinha um design único para a época, era elegante e intimista ao mesmo tempo e tinha um espaçamento que facilitava a leitura; o que se dirá ainda da seleção de cronistas como a própria Clarice, passando por José Carlos de Oliveira, até chegar a Carlos Drummond de Andrade, então o maior poeta vivo brasileiro (ou, quem sabe, até mesmo de todos os tempos). Era realmente um jornal que tinha a visão de oferecer essa equipe aos leitores; na parte de esportes, tínhamos Armando Nogueira, que era amigo de Clarice e que um dia chegou a desafiá-la: caso Clarice fizesse uma crônica sobre futebol, ele faria uma crônica "sobre a vida", o que aconteceu*. Os cronistas passavam recados entre si publicamente, o que era muito engraçado.

As crônicas de Clarice no *Jornal do Brasil* eram também uma forma de continuação do que ela escrevia mensalmente na revista *Senhor*, também muito bem desenhada e diagramada, na qual ela publicava pequenas crônicas, pensamentos e até os contos que depois se tornaram clássicos. Sua coluna na *Senhor* se chamava "Children's Corner", título inspirado na composição de Claude Debussy, que tinha um tema infantil, e que descrevia o quarto de brincadeiras das crianças; era com essa despretensão que Clarice se colocava.

Os escritores desta época viviam de forma similar a de diversas pessoas que hoje procuram trabalho, e, pelos seus contatos mútuos, um ajudava o outro. Assim, Clarice acabou sendo indicada para fazer essa coluna.

Aí vem a grande questão: se Clarice gostava de escrever a crônica do *Jornal do Brasil* ou era só uma forma de ganha-pão; pagava-se razoavelmente bem pelo trabalho, mas ela mesmo dizia, em alguns textos, que não gostava de fazer crônica. Contudo, eu tenho uma grande dúvida a esse respeito: primeiro porque o resultado do trabalho era excelente e tocava as pessoas de uma forma inesperada. A crônica chegava no sábado de manhã, o primeiro dia de lazer do fim de semana, mas ainda com o comércio aberto. Era um dia especial, e, na crônica de 11 de julho de 1970, Clarice escreveu:

SÁBADO

Acho que sábado é a rosa da semana; sábado de tarde a casa é feita de cortinas ao vento, e alguém despeja um balde de água no terraço: sábado ao vento é a rosa da semana. Sábado de manhã é quintal, uma abelha esvoaça, e o vento: uma picada da abelha, o rosto inchado, sangue e mel, aguilhão em mim perdido: outras abelhas farejarão e no outro sábado de manhã vou ver se o quintal vai estar cheio de abelhas. Nos quintais da infância no sábado é que as formigas subiam em fila pela pedra. Foi num sábado que vi um homem sentado na sombra da calçada comendo de uma cuia carne-seca e pirão: era sábado de tarde e nós já tínhamos tomado banho. Às duas horas da tarde a campainha inaugurava ao vento a matinê de cinema: e ao vento sábado era a rosa de nossa insípida semana. Se chovia, só eu sabia que era sábado: uma rosa molhada, não? No Rio de Janeiro, quando se pensa que a semana exausta vai morrer, ela com grande esforço metálico se abre em rosa: na Avenida Atlântica o carro freia de súbito com estridência e, de súbito, antes do vento espantado poder recomeçar, sinto que é sábado de tarde. Tem sido sábado mas já não é o mesmo. Então eu não digo nada, aparentemente submissa: mas na verdade já peguei as minhas coisas e fui para domingo de manhã. Domingo de manhã também é a rosa da semana. Embora sábado seja muito mais. Nunca vou saber por quê.

Sábado acabou sendo o dia em que os leitores podiam encontrar Clarice sempre com alguma surpresa, com um texto ora leve, ora noticioso, ora lírico ou fazendo um protesto contra a situação dos estudantes no Brasil. Foi um espaço livre e eu não tenho registro de que tenha sido censurado naqueles anos de chumbo da ditadura.

Era muito comum na imprensa, ou entre os leitores, alguém dizer que Clarice precisava, para sobreviver, escrever como jornalista ou era uma visão machista usada nos anos 1960 de que mulher não podia trabalhar; mas, para uma pessoa que tinha dois filhos para criar, mesmo que sempre com a ajuda à distância do pai das crianças, que regularmente enviava o pagamentos para o sustento dos filhos, escrever para o jornal dava mais equilíbrio ao seu orçamento.

Alguém talvez pudesse imaginar que um autor pudesse viver só de seus livros, o que no Brasil daquela época, ou até mesmo hoje, continua muito difícil. Naquela época, se dizia que os únicos autores que conseguiam ter um sustento pela publicação de livros eram Erico Verissimo e Jorge Amado. Erico Verissimo também tinha o cargo de diretor da editora Globo, então eu acho que a sua remuneração vinha de mais de uma atividade; não conheço tão bem a biografia de Jorge Amado, mas posso imaginar que, pela enorme popularidade que tinha, os resultados das vendas dos livros deviam ser suficientes para o orçamento da família.

É a partir desse contexto que nos deparamos com a questão de Clarice ser obrigada a trabalhar em jornal para se sustentar, abandonando assim, temporariamente, sua escrita ficcional. Com as crônicas, ela conquistou tal popularidade que é difícil imaginar que de fato não gostasse, até mesmo pelos textos que são, a meu ver, muito bem-sucedidos.

Ler Clarice, em alguns momentos, para mim, era como observar um colibri em pleno voo com as batidas das asas muito rápidas no ar, sustentando-se e se alimentando das flores de modo fugaz. Ela fazia as crônicas por inspiração, não sentava para escrever uma crônica porque era obrigação, mas para isso ela fazia crônicas com antecedência, tendo, pelo menos, cinco crônicas já prontas para não ser forçada a escrever sem inspiração – era sua "poupança".

Isso a tranquilizava pois tirava dela a obrigação de fazer alguma coisa de última hora, pressionada. Clarice recebia muitas cartas e volta e meia tirava um sábado para respondê-las na própria coluna – também se nota o prazer dela nessas respostas, a curiosidade de contato com o público. Nestes anos 1960, apesar de certa notoriedade, ela continuava atendendo ao telefone diretamente e tinha alguns pequenos truques: se alguém ligasse e não fosse de seu interesse, ela diria simplesmente que Clarice não estava, "quem falava" era a secretária dela e que deixasse recado; mas o que ficava, para uma pessoa um pouco familiarizada, é uma explicação que não cabia, porque o tom de voz de Clarice, com "erre" preso e ainda mais um certo cantar pernambucano, era inconfundível, de modo que era um disfarce risível.

O momento que ela começou a escrever as crônicas coincide com o retorno ao hospital por conta do incêndio que sofreu no seu apartamento, deixando a mão direita e suas pernas marcadas para sempre. Ela contratou uma enfermeira para ajudá-la nessa temporada, Sileia Marchi, que já estava se aposentando; de fato, ela se aposentara como enfermeira. Descobriu-se então que Clarice já precisava de um pequeno *staff* em casa, em virtude dos muitos compromissos e telefonemas; e, naquela época, levar uma crônica para o *Jornal do Brasil* ao centro da cidade significava uma pequena viagem. Clarice dirigia automóvel em Washington, mas no Rio de Janeiro resolveu que não ia dirigir, e dizia que seu único luxo era não pegar ônibus e andar de táxi. Sileia era então a encarregada de ir ao *JB* levar aquela produção, sempre com a recomendação de que o jornal a guardasse muito bem porque ela não tinha cópia; naquela época, não havia ainda a possibilidade de fotografar com o celular, e ter uma máquina copiadora em casa era impensável – não havia o computador, então a preocupação de não perder o trabalho fazia sentido.

Sobre essa questão da "poupança das crônicas", não era tão assim inusitado para os cronistas: Fernando Sabino, além de amigo pessoal, foi um escritor que manteve diálogos com ela sobre manuscritos de seus livros, fazia recomendações que eram aceitas praticamente de maneira integral. Consta que Fernando um dia chega para Rubem Braga, outro grande cronista da época, e diz: "Rubem, me empresta uma crônica, pois eu estou com compromisso e não tenho tempo de escrevê-la." Quem percorre as crônicas vai constatar que ali tem muita coisa que foi escrita com esse objetivo de crônica, outras vezes, eram parte de um livro em gestação. Não é difícil de identificar nos livros que eram escritos naqueles períodos, e, além disso, pelo longo período de publicação, Clarice às vezes reaproveitava crônicas antigas, trocava o título, dava uma melhorada sabendo que em uma crônica publicada, por exemplo, em 1967 e revista em 1972, o leitor possivelmente não perceberia repetição. É claro que ela jamais pensou em publicar as crônicas, talvez se censurasse e achasse que não era um trabalho digno de publicação, mas assim eram as coisas nas décadas de 1960 e 1970.

Como eu tive a ousadia de publicar as crônicas? Plínio Doyle, o renomado bibliófilo, primeiro diretor do Arquivo-Museu de Literatura, da Casa de de Rui Barbosa, convidou-me a participar do colóquio chamado Sabadoyle, onde diversos intelectuais se reuniam em sua biblioteca, aos sábados à tarde, para trocar ideias, comer pão de queijo e tomar chá – uma Academia de Letras informal. Fui especialmente neste dia, pois Plínio queria me apresentar a Carlos Drummond de Andrade, ocasião especial. Ao percorrer sua biblioteca, ele me mostrou a coleção completa de recortes das colunas do *Jornal do Brasil*, e eu pensei que se tratava de um um livro pronto. Levei o material para a editora que, juntamente comigo, fez uma edição que foi indicada pela *Folha de S. Paulo* como a melhor publicação de 1984, o que deu uma dimensão do acerto. Afinal, era uma publicação póstuma sem o aval da autora.

Por que Clarice parou de escrever no *Jornal do Brasil* é uma história triste, ainda para ser esclarecida. O primeiro choque do petróleo teve início em outubro de 1973, quando os países árabes membros da OPEP embargaram o fornecimento de petróleo para os Estados Unidos, Japão e Europa Ocidental, em represália à ocupação de territórios palestinos pelos israelenses durante a Guerra do Yom Kippur. No Brasil não foi diferente, os petrodólares entravam no país com a influência árabe, dinheiro com ideologia; de repente foram demitidos os colaboradores judeus do *Jornal do Brasil*, a começar por Alberto Dines, que era o cabeça do projeto, até chegar à Clarice.

Ao fazer esses pequenos comentários, lembro-me de um filósofo, suponho grego, que dizia que uma pessoa nunca se via de fato. O máximo que uma pessoa pode fazer é ver a imagem de seu reflexo no espelho; isso foi consagrado por um de meus pintores prediletos, René Magritte, que pintou um quadro com uma reprodução perfeita de um cachimbo, onde ele escreveu com grandes letras "isto não é um cachimbo". O admirador do quadro concluía que não era mesmo um cachimbo, era apenas a imagem de um cachimbo.

Neste entendimento de que a gente às vezes não conhece as coisas por si, mas conhece as imagens, pensei que essas poucas linhas poderiam contribuir um pouco para o conhecimento da história das crônicas de Clarice.

Aproveitem, não conheço nada igual.

Paulo Gurgel Valente
Abril de 2022

POSFÁCIO

Crônica de Todas as crônicas

Ao apresentar mais de 120 textos inéditos em formato livro, *Todas as crônicas* permite uma apreciação completa da atividade de Clarice Lispector como cronista, que se desdobrou de 1946 até o ano de sua morte, 1977.

A presente coletânea – tal como pode ser verificado no índice –, está dividida em três partes: a primeira, correspondendo ao período em que Clarice colaborou com o *Jornal do Brasil* (sua mais contínua experiência como cronista, entre agosto de 1967 e dezembro de 1973); a segunda parte, correspondendo às colaborações com outros veículos de imprensa (jornais e revistas); e a terceira parte sendo relativa às crônicas reunidas no livro *Para não esquecer* que, conforme se verá mais adiante, teve sua primeira publicação como a segunda parte do livro *A legião estrangeira*, sob o título de "Fundo de gaveta". A primeira parte chamava-se simplesmente "Contos" e o livro foi lançado pela Editora do Autor em 1964.

O cotejo entre o livro *A descoberta do mundo* e a reprodução integral das crônicas publicadas no *Jornal do Brasil* para a localização das crônicas faltantes exigiu extrema atenção. Isso porque a supressão das crônicas não se deu de forma uniforme, eliminando as publicações de alguns sábados em favor das restantes. Muito ao contrário, com frequência foram as notas e os pequenos textos, integrantes de uma mesma edição, que foram excluídos, deixando um ou mais textos do mesmo dia. Foi o caso, por exemplo, de "Doçura" e "A perigosa aventura de escrever", eliminados da coluna de 12 de maio de 1973, remanescendo, em *A descoberta do mundo*, apenas o terceiro texto deste dia:

"Futuro improvável". Da mesma forma que "Anúncio classificado" já havia sido cortado da edição do dia 7 de abril do mesmo ano, em favor de: "Conversinha sobre chofer de táxi", "O mar de manhã" e "Jasmim". Assim, grande atenção foi necessária para não deixar escapar nem um único fragmento sequer dos textos originalmente publicados no *Jornal do Brasil*, na presente edição dedicada ao conjunto integral das crônicas de Clarice Lispector.

Ao recuperar cerca de 60 textos (entre crônicas e notas) publicados no *Jornal do Brasil* que não foram incluídos em *A descoberta do mundo*, *Todas as crônicas* possibilita uma apreensão abrangente do universo clariceano, ao revelar, por exemplo, a opinião de Clarice sobre importantíssimos escritores, tanto nacionais quanto estrangeiros. Entre os primeiros se inscrevem Nélida Piñon, Rose Marie Muraro, Rubem Braga, Nelson Rodrigues, Antonio Callado, Dinah Silveira de Queiroz e Lúcio Cardoso, entre os últimos, Jorge Luis Borges, Alberto Moravia e Gabriel García Márquez.

Haviam sido suprimidos perfis e notas sobre personalidades diversas da vida brasileira, como o então jogador de futebol (depois, técnico e dirigente esportivo) Zagallo, o matemático Leopoldo Nachbin, o físico, escritor e crítico de arte Mário Schenberg, o psicanalista e escritor Hélio Pellegrino, o ator Paulo Autran. No campo das artes plásticas, os cortes foram numerosos, incidindo sobre os seguintes artistas nacionais: o pintor e gravador plástico Iberê Camargo, o tapeceiro e pintor Genaro de Carvalho, a gravurista Maria Bonomi, o desenhista Lara, o pintor e gravador Abelardo Zaluar, o escultor Mário Cravo, o paisagista e pintor Roberto Burle Marx, o pintor Gastão Manoel Henrique, a artista multimídia Vera Mindlin, o pintor e gravador Darel, as pintoras Grauben e Djanira. Outra reintegração significativa no campo das artes plásticas foi a da crônica "Paul Klee e o processo de criação", datada de 22 de julho de 1972. Assim como uma pequena nota sobre uma tela de Giorgio de Chirico, "A mesa de 13 comensais" (21 de abril de 1973), pois é interessante ter um comentário de Clarice a respeito de um dos raros pintores que a retratou, sobretudo por ser De Chirico um dos grandes nomes da arte moderna italiana.

Um aspecto importante que também é evidenciado pelos textos incluídos no presente *Todas as crônicas* é o problema das queimaduras sofridas por Clarice no incêndio de sua residência, assunto ao qual ela pouco se referiu, quer por escrito, quer nas entrevistas que concedeu. Em "Rispidez necessária" (16 de maio de 1970) ela relata a repreensão que recebeu do médico por não seguir à risca suas recomendações na fase inicial da recuperação, o que poderia ter consequências graves, inclusive em sua capacidade de locomoção. Mais tarde, em "Vocês se lembram de Glória Magadan?" (10 de abril de 1971), ela confidencia à precursora das telenovelas no Brasil que, durante os três meses em que permaneceu internada após o incêndio que a deixou seriamente queimada, a única coisa que aliviava a dor contínua que sentia era assistir à novela *O Sheik de Agadir*. E que, naquela época em que os televisores ainda eram raros nos hospitais, as enfermeiras costumavam se reunir no quarto dela para acompanhar a trama da novela.

A segunda parte deste livro é particularmente importante pelo fato de coligir um importante conjunto de textos que são aqui publicados pela primeira vez em livro. Isso só foi possível graças ao empenho da jornalista e pesquisadora Larissa Vaz, que se beneficiou da orientação de um dos biógrafos de Clarice, Benjamin Moser, para efetuar uma busca ampla e criteriosa em arquivos públicos – como os da Fundação Casa de Rui Barbosa, da Biblioteca Nacional e do Instituto Moreira Salles – e bibliotecas particulares. Assim, Larissa conseguiu localizar textos publicados nos jornais *A Manhã*, *O Jornal* e *Última Hora* e nas revistas *Joia*, *Senhor* e *Mais*. Contudo, não existem no presente volume seções consagradas ao jornal *A Manhã* e à revista *Mais*, pois todas as crônicas publicadas nestes veículos ou já haviam sido previamente utilizadas, ou foram reaproveitadas e classificadas como contos, figurando, portanto, em *Todos os contos*. Ao todo figuram aqui 64 textos inéditos em livro extraídos destas publicações, assim divididos: revista *Joia*, 20 textos; revista *Senhor*, seis textos; jornal *Última Hora*, seis textos; *O Jornal*, sete textos; livro *Para não esquecer*, 15 textos. Fruto desse garimpo foram os poemas, "A Mágoa" e "O Menino" (páginas 581 e 582 do presente volume), publicados na década de 1940 em *O Jornal* e posteriormente transfigurados em prosa poética, integrando, respectivamente, a crônica "A mágoa imortal" (página 517) e o conto "É para lá que eu vou" (página 508 de *Todos os contos*). A destacar que os poemas referidos são os únicos conhecidos publicados pela autora e aqui reproduzidos pela primeira vez em livro.

A terceira e última parte deste livro é composta, como foi dito, pelas crônicas extraídas do livro *Para não esquecer*, nascido como parte de *A legião estrangeira*, sob o título nada atraente de "Fundo de gaveta". Em *Todos os contos*, o organizador Benjamin Moser clarifica a questão e reproduz a nota explicativa inserida por Clarice na primeira edição de *A legião estrangeira*, em 1964, que também julgamos oportuno reproduzir aqui pelo fato de oferecer a visão da própria escritora sobre os textos em questão:

> Esta segunda parte se chamará, como uma vez me sugeriu o nunca assaz citado Otto Lara Resende, "Fundo de gaveta". Mas por que livrar-se do que se amontoa como [em] todas as casas, no fundo das gavetas? Vide Manuel Bandeira: para que ela me encontre com "a casa limpa, a mesa posta, com cada coisa em seu lugar". Por que tirar do fundo da gaveta, por exemplo, "A pecadora queimada", escrita apenas por diversão, enquanto esperava o nascimento do meu primeiro filho? Por

que publicar o que não presta? Porque o que presta também não presta. Além do mais, o que obviamente não presta sempre me interessou muito. Gosto de um modo carinhoso do inacabado, do malfeito, daquilo que desajeitadamente tenta um pequeno voo e cai sem graça no chão.[1]

Em primeiro lugar, temos que discordar do julgamento demasiadamente duro da autora em relação às crônicas reproduzidas em "Fundo de gaveta", mesmo porque a posteridade já as consagrou por intermédio de *Para não esquecer*. É bem sabido o fato de que Clarice Lispector estabelecia uma hierarquia bastante nítida entre seus livros e os textos de circunstância produzidos para a imprensa, que ela considerava em segundo plano. Ocorre, no entanto, que o autor com frequência não é o melhor juiz de seu trabalho, ou, no mínimo, tem um gosto discrepante daquele do seu público. Essa curiosa discordância pode ser verificada em numerosas entrevistas de escritores, cineastas e músicos, que quase sempre apontam como suas obras preferidas aquelas desdenhadas pelo sucesso popular.

Uma comprovação cabal da qualidade das crônicas incluídas em "Fundo de Gaveta" (*Para não esquecer*) é o fato de que Clarice tenha utilizado boa parte delas no *Jornal do Brasil*. O que fez com que estas tenham sido reproduzidas depois na seleta *A descoberta do mundo*. As que não foram são agora publicadas aqui, em um total de 15 textos inéditos.

CRITÉRIOS EDITORIAIS

A organização de uma coletânea deveria ser uma tarefa simples, muito embora trabalhosa, já que implica a reunião – total ou

---

[1] LISPECTOR, Clarice. *Todos os contos*, organização de Benjamin Moser. Rio de Janeiro: Editora Rocco, 2016, p. 651.

parcial, com um recorte temático ou temporal –, de todos os textos de mesma natureza de determinado autor, tais como: contos, crônicas, reportagens ou ensaios. Uma empreitada pertencente ao domínio da pesquisa acadêmica ou da indústria editorial e não da investigação detetivesca. Isso, naturalmente, se o autor em questão não for Clarice Lispector, caso contrário tudo se complica, com as pistas se embaralhando em um emaranhado difícil de deslindar.

O novelo clariceano foi urdido pelo seu hábito de reutilizar certos textos mais de uma vez (em veículos diferentes ou não), bem como por sua indiferença às questões de gênero literário, o que a levava a reaproveitar crônicas como contos ou vice-versa, com frequência com títulos diferentes, donde a confusão. Por outro lado, costumava também aproveitar fragmentos dos textos veiculados na imprensa em seus romances, em uma prática tão constante de reúso que chegou a inspirar uma tese de mestrado, a excelente *Clarice Lispector, uma plagiadora de si mesma: republicação nas crônicas do Jornal do Brasil (1967-1973)*, defendida em 2008 por Thais Torres de Souza na Faculdade de Filosofia, Letras e Ciências Humanas da Universidade de São Paulo. Valendo lembrar que a reciclagem de textos por parte de Clarice Lispector não ficou restrita a este período, sendo uma constante em toda sua colaboração com a imprensa e se prolongando até a data de sua morte, em 1977. Em muitos casos, os títulos eram tão diferentes entre a primeira e a segunda publicação que fica difícil detectar essas repetições. Como perceber de imediato, por exemplo, que "Mulher com um passado", publicado na revista *Senhor* em outubro de 1962, nada mais é do que o conto "Macacos", do livro *Felicidade clandestina*, de 1971? Ou que "A vingança e a reconciliação penosa" (*Senhor*, setembro de 1963) é "Perdoando Deus", publicada no *Jornal do Brasil* em 19 de setembro de 1970? Em certos casos, a republicação se dava com intervalos de tempo muito prolongados, de modo que o público nem sequer se dava conta disso. É o caso, por exemplo, de "O medo de errar", publicado no jornal *A Manhã* em 2 de julho de 1950, e que vai reaparecer na edição de 13 de setembro de 1969 do *Jornal do Brasil*, quase duas décadas mais tarde!

O jornal *Última Hora* foi o último veículo a publicar crônicas de Clarice Lispector, porém diversas delas já haviam sido impressas em outros jornais e revistas. "Tempestade mental", por exemplo, foi o último texto que Clarice publicou em vida, na edição de 5 e 6 de novembro de 1977, na mesma semana em que faleceu. Todavia, esse texto nada mais era que "Brain Storm", editado no *Jornal do Brasil* em 22 de novembro de 1969. "Tentação em Grajaú", que saiu no *Última Hora* em 6 de fevereiro de 1977, teve destino mais curioso, pois foi utilizado como crônica no *Jornal do Brasil* em duas outras ocasiões distintas: 25 de outubro de 1969 (com o título: "O intransponível"), e depois em 11 de dezembro de 1971 (como: "Destino"). Mas muito antes de sua primeira utilização como crônica, já havia saído como conto, sob o título de "Tentação", em 1964, no livro *A legião estrangeira*. Não figura aqui porque foi incluído, com esse último título, em *Todos os contos*. O mesmo acontecendo com "Uma história verdadeira", publicado em *Última Hora*, em 15 de junho de 1977, mas que já havia figurado como conto, sob o título de "Felicidade clandestina", no livro de mesmo título, lançado em 1971.

De modo geral, eram as crônicas que eram reaproveitadas posteriormente como contos. Contudo, conforme demonstrado nos dois casos citados, o contrário também acontecia: contos eram publicados na imprensa como crônicas. Outros exemplos na mesma linha são os de "Os desastres de Sofia", que aparece pela primeira vez como conto na revista *Senhor* de agosto de 1963, é aproveitado com o mesmo título no ano seguinte no livro *A legião estrangeira*, mas se transforma na crônica "Travessuras de uma menina", no *Jornal do Brasil*, nas edições de 3, 10 e 17 de janeiro de 1970. Na decantada revista *Senhor*, Clarice publicou quase que exclusivamente contos, posteriormente republicados com os mesmos títulos, ou com pequenas variantes destes, nas suas seletas de contos. Esse foi o caso, por exemplo, de "A galinha" (*Senhor*, dezembro de 1959), que reaparece como "Uma galinha" em *Laços de família*, no ano seguinte. Assim como de "Brasília: cinco dias" (*Senhor*, fevereiro de 1963), que reaparece em *A legião estrangeira* (1964) com o mesmo título, antes de ser retomado em 1975 em *Visões do esplendor: impressões leves*. Outros contos publicados na revista *Senhor* foram: "O búfalo" (junho de 1960), depois incluído, neste mesmo ano, em *Laços de família*; "O crime do professor de matemática" (junho de 1959), que também figura em *Laços de família*, em que são aproveitados outros contos da revista *Senhor*, tais como: "A menor mulher do mundo" (março de 1959), "A imitação da rosa" (março de 1960) e "Feliz aniversário" (outubro de 1959). Ao passo que "Come meu filho" (maio de 1962) foi incluído, em 1971, no livro *Felicidade clandestina*.

Assim sendo, tornou-se imperativo suprimir do presente *Todas as crônicas* os textos que figuram em *Todos os contos*, de acordo com a lista a seguir. O número de página é referente a *Todos os contos*:

- **Os desastres de Sofia** (p. 261) – publicado no *Jornal do Brasil*, nos dias 3, 10 e 17 de janeiro de 1970, sob o título de: "Travessuras de uma menina".
- **A repartição dos pães** (p. 280) – publicado no *Jornal do Brasil*, em 21 de junho de 1969, sob o título de: "Olhava longe sem rancor".
- **O ovo e a galinha** (p. 303) – publicado no *Jornal do Brasil*, nos dias 5, 12 e 19 de julho de 1969, sob o título de: "A atualidade do ovo e da galinha".

Tentação (p. 314) – publicado no *Jornal do Brasil*, em 25 de outubro de 1969, sob o título de: "O intransponível", e no dia 11 de dezembro de 1971 sob o título de: "Destino".

Evolução de uma miopia (p. 328) – publicado no *Jornal do Brasil*, nos dias 1º e 8 de agosto de 1970, sob o título de: "Miopia progressiva".

A quinta história (p. 335) – publicado no *Jornal do Brasil*, em 26 de julho de 1969, sob o título de: "Cinco relatos e um tema".

Uma amizade sincera (p. 338) – publicado no *Jornal do Brasil*, em 10 de março de 1973, sob o título de: "Grandes amigos".

Os obedientes (p. 342) – publicado com o mesmo título no *Jornal do Brasil*, nos dias 2 e 9 de dezembro de 1973.

A legião estrangeira (p. 349) – publicado nos dias 3, 9, 16, 23 e 30 de agosto de 1969, no *Jornal do Brasil*, sob o título de: "A Princesa (Noveleta)".

Perfil de seres eleitos (p. 378) – publicado no dia 13 de novembro de 1971, no *Jornal do Brasil*, sob o título de: "Perfil de um ser eleito".

Felicidade clandestina (p. 393) – publicado no dia 2 de setembro de 1967, no *Jornal do Brasil*, sob o título de: "Tortura e glória".

Restos do carnaval (p. 397) – publicado com o mesmo título no *Jornal do Brasil*, no dia 23 de março de 1968.

Perdoando Deus (p. 403) – publicado com o mesmo título no *Jornal do Brasil*, em 19 de setembro de 1970.

Cem anos de perdão (p. 408) – publicado com o mesmo título no *Jornal do Brasil*, em 25 de julho de 1970.

Uma esperança (p. 411) – publicado com o mesmo título no *Jornal do Brasil*, em 10 de março de 1969.

A criada (p. 414) – publicado no *Jornal do Brasil*, em 27 de janeiro de 1968, sob o título de: "Como uma corça".

Menino a bico de pena (p. 417) – publicado com o mesmo título no *Jornal do Brasil*, em 18 de outubro de 1969.

Uma história de tanto amor (p. 421) – publicado com o mesmo título no *Jornal do Brasil*, em 10 de agosto de 1968.

As águas do mundo (p. 425) – publicado no *Jornal do Brasil* em 27 de julho de 1968 sob o título de: "Ritual – trecho", e no dia 13 de outubro de 1973, sob o título de: "As águas do mar".

Encarnação involuntária (p. 428) – publicado com o mesmo título no *Jornal do Brasil*, em 4 de julho de 1970.

Duas histórias a meu modo (p. 431) – publicado com o mesmo título no *Jornal do Brasil*, em 9 de janeiro de 1971.

O primeiro beijo (p. 434) – publicado com o mesmo título no *Jornal do Brasil*, em 27 de fevereiro de 1971.

Seco estudo de cavalos (p. 470) – publicado no *Jornal do Brasil*, nos dias 4, 11 e 18 de agosto de 1973, sob o título de: "Estudo de cavalos".

O relatório da coisa (p. 494) – publicado no *Jornal do Brasil*, nos dias 19 e 26 de agosto e 2 de setembro de 1972, sob o título de: "Um anticonto – objeto".

Silêncio (p. 512) – publicado no *Jornal do Brasil*, em 24 de agosto de 1968, sob o título de: "Noite na montanha".

Tanta mansidão (p. 518) – publicado no *Jornal do Brasil*, em 4 de maio de 1968, sob o título de: "A alegria mansa – trecho".

Tempestade de almas (p. 520) – publicado no *Jornal do Brasil*, em 22 de novembro de 1969, sob o título de: "Brain Storm".

Vida ao natural (p. 523) – publicado no *Jornal do Brasil*, em 4 de maio de 1968, sob o título de: "A volta ao natural – trecho".

Antes da ponte Rio-Niterói (p. 569) – publicado no *Jornal do Brasil*, em 3 de fevereiro de 1973, sob o título de: "Um caso para Nelson Rodrigues".

Brasília (p. 591) – a primeira parte corresponde a "Nos começos de Brasília", texto publicado no *Jornal do Brasil*, em 20 de junho de 1970.

Por outro lado, também foram suprimidos do presente volume os textos de outros autores que Clarice Lispector costumava publicar no *Jornal do Brasil*, como Jorge Luis Borges, por exemplo. Em uma das últimas colunas, a de 22 de setembro de 1973, ela chega a oferecer aos leitores o que intitulou "Caleidoscópio de traduções", com uma miscelânea de excertos verdadeiramente caleidoscópica, pois vai de Martin Buber, Kafka, José Zorrilla, Plutarco, Suárez Miranda, Ibn Abd Rabbih a uma lenda hindu coligida por Sir William Jones. O mesmo sistema de mosaico ela já empregara em 15 de março de 1969, em "Histórias curtas selecionadas por Jorge Luis Borges", divididas em sete pequenas partes.

Às vezes Clarice complicava ainda mais as coisas, como ao reproduzir um texto de Khalil Gibran traduzido por Rubem Braga, pois como o tradutor também é autor daquilo que traduz existe nesse caso dupla não autoria por parte de Clarice. Sua admiração por Braga, a quem ela não hesita em qualificar de "o inventor da crônica", a levou a reproduzir certa vez uma crônica inteira do mestre capixaba no *Jornal do Brasil*, 26 de setembro de 1970. Clarice justificou o procedimento incomum com certa candura, alegando ser esta "uma crônica que eu gostaria de ter escrito". O que é bastante ilustrativo de sua admiração pela escrita de Rubem Braga, porém não justifica a inclusão da crônica em questão na presente coletânea.

Tais textos foram, naturalmente, excluídos pelo simples fato de não serem de sua autoria. Todavia, em certos casos foi necessário deixar algumas poucas passagens de outros autores por razões óbvias, como no caso de "As grandes indagações", carta (de um missivista mineiro não identificado) reproduzida por ela no *JB* em 5 de setembro de 1970. Isso porque esse texto irá provocar reações de outros leitores que motivarão a escritora a retornar à discussão de seu conteúdo em 24 de outubro do mesmo ano, em "Sobre o sentido da vida" e as considerações feitas então por Clarice careceriam de nexo sem a presença do texto ao qual ela se refere. O mesmo raciocínio se aplicou em algumas citações extraídas de catálogos de arte, pois a compreensão do comentário clariceano sobre os artistas em questão passa forçosamente pelo direcionamento ao texto original.

UMA CRONISTA RELUTANTE

Clarice Lispector admitiu ter pedido conselhos a Rubem Braga, pois sentia-se insegura ao assumir a função de cronista no *Jornal do Brasil*. Não poderia ter escolhido melhor professor, pois Braga era dono de um estilo límpido, envolvente e extremamente preciso, com domínio da narrativa curta e com textos de dimensão sempre equivalente, como se tivessem sido calibrados por instrumentos de precisão. Mas, evidentemente, Clarice não teve a menor paciência de se ajustar à camisa de força tipográfica do cronista experiente, produzindo textos de tamanho variável de sábado a sábado, ou mesmo no interior de uma edição, que, com frequência, era dividida em duas ou três partes com pouca ou nenhuma conexão entre si.

A crônica "Viajando por mar", publicada em 5 de junho de 1971, evidencia bem os impasses de Clarice com sua condição de cronista:

> Nota: um dia telefonei para Rubem Braga, o criador da crônica, e disse-lhe desesperada: "Rubem, não sou cronista, e o que escrevo está se tornando excessivamente pessoal. O que é que eu faço?" Ele disse: "É impossível, na crônica, deixar de ser pessoal." Mas eu não quero contar minha vida para ninguém: minha vida é rica em experiências e emoções vivas, mas não pretendo jamais publicar uma autobiografia.[2]

---

[2] LISPECTOR, Clarice. *A descoberta do mundo*. Rio de Janeiro: Editora Rocco, 1999, p. 349.

Clarice já manifestara incômodo com sua impossibilidade ou falta de vontade de produzir crônicas dentro do padrão convencional do gênero em um estilo tradicional desde 1968. No dia 9 de março, por exemplo, ela comenta em "O grito", no *Jornal do Brasil*: "Sei que o que escrevo aqui não se pode chamar de crônica nem de coluna nem de artigo. Mas sei que hoje é um grito." Em 22 de junho, ela retoma a questão em "Ser cronista" e, em julho do mesmo ano, admite em "Ao correr dos dias, da máquina", publicado na revista *Joia* não ser cronista e se reportar sempre aos conselhos de Rubem Braga, muito embora não consiga segui-los à risca. Clarice não só não se assume como cronista como também não emprega o termo crônica para qualificar sua colaboração com o *Jornal do Brasil*, prefere fórmulas tais como: "a seção dos sábados", "este espaço", "esta coluna".

O prefácio de Marina Colasanti evidencia a determinação de Clarice de aproveitar as crônicas publicadas no *Jornal do Brasil* em ocasiões futuras, pois ela pede expressamente a Marina que guardasse com todo cuidado os textos, pois não dispunha de cópias dos mesmos. Isso porque ela não gostava de usar papel carbono e – devemos lembrar – quando ela começou a colaborar com o *JB*, em meados de 1967, ainda era raro o uso de fotocópias, praticamente restrito ao mundo corporativo.

Fortalecida com a boa receptividade do público à sua coluna semanal, Clarice Lispector se afasta sem hesitar do perfil do cronista tradicional, ao qual ela não ambiciona. Assim, passou a incluir excertos de textos ficcionais, que ela identificava entre parêntese com a menção "Trecho"; publicou entrevistas em partes, como a "Entrevista-relâmpago com Pablo Neruda", reproduzida em sua coluna do *Jornal do Brasil* nos sábados 12 e 19 de abril de 1969. Mais tarde, nos dias 3, 10 e 17 de julho de 1971, publicou uma "Conversa meio a sério com Tom Jobim", na mesma linha. Depois, foi mais longe, chegando a emular o exemplo dos velhos folhetinistas, com a publicação da "Noveleta"; "A princesa", que teve que ser dividida em cinco partes, nos sábados 3, 9, 16, 23 e 30 de agosto de 1969. Outro exemplo semelhante foi o da noveleta "Travessuras de uma menina", publicada nos dias 3, 10 e 17 de janeiro de 1970.

Clarice publicou também aquele que viria a ser um dos seus livros infantis mais conhecidos, *O mistério do coelho pensante*, em partes, nos dias 11, 18 e 25 de março de 1972, apresentando-o no primeiro destes dias como "Uma história policial para crianças". Outro afastamento assumido do formato crônica se deu com a publicação, nos dias 17 e 26 de agosto e 2 de setembro, de "Objecto", classificado pela própria Clarice de "anticonto" e assumidamente repescado de publicação anterior na revista *Senhor*.

Clarice costuma abordar o tema da escrita com frequência em suas crônicas, fazendo reflexões sobre o ato de escrever, sobre a importância da literatura na vida das pessoas ou sobre os motivos que a levaram a produzir esse ou aquele romance ou conto. Oferece-nos assim preciosas informações, não para a decifração de seus textos, pois ela não estava interessada neste tipo de "explicação que não explica", mas sim sobre seu fazer literário e, em paralelo, sobre sua própria personalidade, já que nela não existe separação nem paralaxe entre escrita e vida. Tal é o caso, por exemplo, do texto "Lembrança da feitura de um romance", publicado em 2 de maio de 1970, no qual ela rememora a dificuldade encontrada na redação de um romance (de título não indicado), que ela copiou no mínimo seis vezes, já que diz ter encontrado a solução para alguns impasses apenas no momento em que datilografava a quinta versão. Esse texto é seguido por outro, menor, intitulado "Escrever", no qual ela estabelece uma distinção entre a escrita de livros e de textos para a imprensa, que vale a pena transcrever aqui:

Escrever para jornal não é tão impossível: é leve, tem que ser leve, e até mesmo superficial: o leitor, em relação a jornal, não tem nem vontade nem tempo de se aprofundar.

Mas escrever o que se tornará depois um livro exige às vezes mais força do que aparentemente se tem.

Sobretudo quando se teve que inventar o próprio método de trabalho, como eu e muitos outros. Quando conscientemente, aos 13 anos de idade, tomei posse da vontade de escrever – eu escrevia quando era criança, mas não tomara posse de um destino – quando tomei posse da vontade de escrever, vi-me de repente num vácuo. E nesse vácuo não havia quem pudesse me ajudar.[3]

PARA CONCLUIR

Resta dizer apenas que, de início, pensou-se em incluir na presente coletânea uma série de notas, oferecendo breves perfis das personalidades citadas ou entrevistados por Clarice, mas logo se abandonou essa ideia diante da constatação de que tais adendos são totalmente supérfluos em tempos digitais. Isso porque o leitor pode hoje, com uma ferramenta de pesquisa, ter de imediato acesso a um amplo leque de informações sobre qualquer pessoa ou qualquer assunto a respeito do qual deseje alguma informação suplementar. Tal estado de coisas fará, inclusive, que em breve não existam mais notas de rodapé, salvo aquelas feitas pelo próprio autor, apresentando conteúdo ou pontos de vista inéditos e não encontráveis na internet.

PEDRO KARP VASQUEZ

---

[3] Idem, ibidem, p. 286.

Índice

Prefácio
Nem uma vírgula (Marina Colasanti) 5

Jornal do Brasil
1967
19 DE AGOSTO
As crianças chatas 11
A surpresa 11
Brincar de pensar 12
Cosmonauta na Terra 13
26 DE AGOSTO
Vitória nossa 15
Tanto esforço 16
O processo 17
9 DE SETEMBRO
Amor imorredouro 17
16 DE SETEMBRO
Prece por um padre 21
Não sentir 22
Ir para 22
Daqui a vinte e cinco anos 22
23 DE SETEMBRO
Primavera ao correr da máquina 23
30 DE SETEMBRO
Para os ricos que também são bons 25
7 DE OUTUBRO
Dos palavrões no teatro 27
Chacrinha?! 28
14 DE OUTUBRO
Dies irae 29
21 DE OUTUBRO
Potência e fragilidade 31

Sim 32
Um fato inusitado e um pedido 32
O livro de meu vizinho 33

28 DE OUTUBRO
Suíte da primavera suíça 34

4 DE NOVEMBRO
As grandes punições 35

11 DE NOVEMBRO
A favor do medo 38

18 DE NOVEMBRO
Um encontro perfeito 41

25 DE NOVEMBRO
Quando chorar 44
A mineira calada 45
A vidente 45
Agradecimento? 46
"A coisa" 46

2 DE DEZEMBRO
Por detrás da devoção 46

9 DE DEZEMBRO
Uma coisa 50
Lição de piano 50
Bolinhas 51

16 DE DEZEMBRO
Das doçuras de Deus 52
De outras doçuras de Deus 55

23 DE DEZEMBRO
O caso da caneta de ouro 56

30 DE DEZEMBRO
A entrevista alegre 59

1968

6 DE JANEIRO
San Tiago 65

13 DE JANEIRO
Calor humano 68

20 DE JANEIRO
Insônia infeliz e feliz 70
Gratidão à máquina 71

4 DE FEVEREIRO
Que me ensinem 72
Um telefonema 73
Chico Buarque de Holanda 73
Ao linotipista 74

10 DE FEVEREIRO
Um pedido 74
Deus 75
Um sonho 75
Um pintinho 76
Anonimato 76
Chico Buarque de Holanda 76

17 DE FEVEREIRO
Carta ao Ministro da Educação 77

24 DE FEVEREIRO
Sentir-se útil 79
Outra carta 79
Hermética? 80

2 DE MARÇO
Persona 81

9 DE MARÇO
O grito 83
O maior elogio que já recebi 84
O vestido branco 84

23 DE MARÇO
Oi, Chico! 85
Ana Luísa, Luciana e um polvo 86
Maria chorando ao telefone 88
Outra Maria, essa ingênua, e Carlota 89

30 DE MARÇO
Armando Nogueira, futebol e eu, coitada 90

6 DE ABRIL
Estado de graça – trecho 93

20 DE ABRIL
Adeus, vou-me embora! 96

27 DE ABRIL
Escândalo inútil 100

11 DE MAIO
Declaração de amor 103
As três experiências 104

18 DE MAIO
A matança de seres humanos: os índios 106
Enquanto vocês dormem 108
25 DE MAIO
Estritamente feminino 108
"Rosas silvestres" 109
27 DE MAIO
Saudade 110
1º DE JUNHO
Frase misteriosa, sonho estranho 110
8 DE JUNHO
E amanhã é domingo 113
Ideal burguês 113
15 DE JUNHO
Pertencer 115
22 DE JUNHO
Ainda sem resposta 117
Uma experiência 118
Ser cronista 118
29 DE JUNHO
Correspondência 119
6 DE JULHO
A descoberta do mundo 123
13 DE JULHO
Cérebro eletrônico: o que sei é que é tão pouco 125
O meu próprio mistério 127
A opinião de um analista sobre mim 127
20 DE JULHO
O arranjo 128
De uma conferência no Texas 129
Em busca do outro 130
3 DE AGOSTO
Como tratar o que se tem 130
Desafio aos analistas 131
Palavras de uma amiga 131
O suéter 131
O embaixador escritor 132
17 DE AGOSTO
Morte de uma baleia 133
31 DE AGOSTO
A perseguida feliz 136

7 DE SETEMBRO
    Os perfumes da terra 140
    Familiaridade 140
    Dormir 141
    Uma tarde feliz como embandeirada 142
14 DE SETEMBRO
    Escrever 143
    Fartura e carência 144
    Conversas 145
21 DE SETEMBRO
    Fernando Pessoa me ajudando 147
    Os prazeres de uma vida normal 147
    É preciso também não perdoar 148
    Lição de filho 148
28 DE SETEMBRO
    Lembrança de filho pequeno 149
    A fome 150
    Mistérios de um sono 151
    Seguir a força maior 151
    Só como processo 151
    As dores da sobrevivência: Sérgio Porto 151
5 DE OUTUBRO
    Eu sei o que é primavera 152
    O terror 153
12 DE OUTUBRO
    Talvez assim seja 153
    Fidelidade 154
    Estilo 154
    Delicadeza 154
    Amor a ele 155
    Mãe-gentil 155
19 DE OUTUBRO
    Faz de conta 156
    "Precisa-se" 156
    São Paulo 157
26 DE OUTUBRO
    A bravata 159
2 DE NOVEMBRO
    Sensibilidade inteligente 161
    Intelectual? Não. 162
    O que eu queria ter sido 163

9 DE NOVEMBRO
  Trecho 164
  O sonho 164
  Um conto se faz ao largo 165
  Uma revolta 166
16 DE NOVEMBRO
  Aprofundamento das horas 166
  Comer, comer 166
  Dor de museu 167
  Mário Quintana e sua admiradora 167
23 DE NOVEMBRO
  O ritual 168
  O terremoto 169
  A perfeição 170
  O nascimento do prazer (trecho) 170
30 DE NOVEMBRO
  Angina pectoris da alma 171
  Se eu fosse eu 171
  Como é que se escreve? 172
  Um diálogo 173
  Conversa telefônica 173
7 DE DEZEMBRO
  De uma conferência no Texas 174
14 DE DEZEMBRO
  O livro como o melhor presente 177
  Inquietações de um feto 177
  Grandes enigmas da humanidade 178
21 DE DEZEMBRO
  Anunciação 179
  A Virgem em todas as mulheres 180
  Ele seria alegre 180
  A humildade de São José 181
  Meu Natal 181
28 DE DEZEMBRO
  Aprendendo a viver 182

1969

4 DE JANEIRO
  Condição humana 187
  O milagre das folhas 187

11 DE JANEIRO
Lúcio Cardoso 188
18 DE JANEIRO
Quase 190
25 DE JANEIRO
Banhos de mar 193
1º DE FEVEREIRO
A proteção pungente 195
Doçura da terra 196
Não entender 197
8 DE FEVEREIRO
Alceu Amoroso Lima (I) 197
15 DE FEVEREIRO
Alceu Amoroso Lima (II) 199
22 DE FEVEREIRO
Alceu Amoroso Lima (Final) 201
1º DE MARÇO
A trama 204
Quem escreveu isto? 205
8 DE MARÇO
Augusto Rodrigues, também poeta 206
29 DE MARÇO
Nascerá um livro novo 208
Perguntas grandes 209
Um homem feliz 209
O impulso 210
5 DE ABRIL
Corças negras 211
A perigosa aventura de escrever 212
12 DE ABRIL
Entrevista-relâmpago com Pablo Neruda 213
19 DE ABRIL
Entrevista-relâmpago com Pablo Neruda (Final) 215
26 DE ABRIL
Liberdade 217
Na Grécia 218
Charlatões 218
Enigma 219
3 DE MAIO
Crônica social 220

10 DE MAIO
A revolta 224
17 DE MAIO
Fios de seda 224
A não aceitação 225
Facilidade repentina 225
24 DE MAIO
Temas que morrem 227
31 DE MAIO
Medo da libertação 229
Esboço do sonho do líder 230
7 DE JUNHO
A noite mais perigosa 231
Do modo como não se quer a bondade ... 232
Mas já que se há de escrever... 232
Amor à terra 232
14 DE JUNHO
Autocrítica no entanto benévola 232
Solidão e falsa solidão 233
28 DE JUNHO
A vida é sobrenatural 235
Sem nosso sentido humano 235
Espera impaciente 235
Engrenagem 235
Trecho 236
Aprender a viver 236
6 DE SETEMBRO
O artista perfeito 237
Hindemith 238
13 DE SETEMBRO
O medo de errar 239
20 DE SETEMBRO
Ao correr da máquina 241
O livro desconhecido 242
O erudito 243
27 DE SETEMBRO
A sala assombrada 243
4 DE OUTUBRO
Aventura 247
Humildade e técnica 248

Os heróis 248
Primavera se abrindo 248
11 DE OUTUBRO
A explicação que não explica 249
1º DE NOVEMBRO
Um laboratório de criatividade 252
8 DE NOVEMBRO
Maura 255
15 DE NOVEMBRO
Cem anos de solidão 256
Um encontro com o futuro 257
29 DE NOVEMBRO
Da natureza de um impulso ou entre os números um
ou computador eletrônico 259
6 DE DEZEMBRO
As caridades odiosas 262
13 DE DEZEMBRO
Teosofia 265
Liberdade 266
Uma pergunta 266
Nossa truculência 266
O homem imortal 267
20 DE DEZEMBRO
Entre aspas 267
Um momento de desânimo 268
Os recursos de um ser primitivo 268
Forma e conteúdo 269

1970
14 DE FEVEREIRO
A comunicação muda 273
Lembrança de uma fonte, de uma cidade 273
Ficção ou não 274
21 DE FEVEREIRO
O morto irônico 275
Descoberta 275
Carta atrasada 276
28 DE FEVEREIRO
Futuro improvável 278
Sábado, com sua luz 279

Marly de Oliveira 280
4 DE MARÇO
A máquina está crescendo 280
Eu tomo conta do mundo 281
7 DE MARÇO
O lanche 283
14 DE MARÇO
Escrever ao sabor da pena 284
Variação do homem distraído 285
O futuro já começou 285
Sim e não 286
Evolução 286
Chorando de manso 286
28 DE MARÇO
Zagallo 287
4 DE ABRIL
A italiana 291
11 DE ABRIL
Um homem 294
25 DE ABRIL
Tradução atrasada 294
Gostos arcaicos 295
Vietcongue 295
Ir contra uma maré 296
2 DE MAIO
Lembrança da feitura de um romance 297
Escrever 298
9 DE MAIO
A inspiração 299
Menino 300
Quando chegar a hora de partir 300
Que viva hoje 301
16 DE MAIO
As maravilhas de cada mundo 301
Rispidez necessária 302
Conversa puxa conversa à toa 303
23 DE MAIO
Para uma frase soar melhor 304
30 DE MAIO
Só para mulheres 305

6 DE JUNHO
Medo da eternidade 307
13 DE JUNHO
Divagando sobre tolices 309
27 DE JUNHO
Humberto Franceschi 311
11 DE JULHO
Sábado 313
A crise 314
15 DE AGOSTO
Doar a si próprio 315
Loucura diferente 316
Uma experiência ao vivo 317
22 DE AGOSTO
O "verdadeiro" romance 318
29 DE AGOSTO
Perguntas e respostas para um caderno escolar 320
5 DE SETEMBRO
As grandes indagações 322
12 DE SETEMBRO
Das vantagens de ser bobo 324
26 DE SETEMBRO
A posteridade nos julgará 326
Teu segredo 327
Domingo 327
Dez anos 327
3 DE OUTUBRO
Um reino cheio de mistério 328
10 DE OUTUBRO
Lembrança de uma primavera suíça 330
O pequeno monstro 330
Poesia 331
Abstrato é o figurativo 331
17 DE OUTUBRO
Scliar: Trinta anos de pintura 331
24 DE OUTUBRO
Sobre o sentido da vida 334
31 DE OUTUBRO
Nada mais que um inseto 337
Dois modos 338

7 DE NOVEMBRO
    Antes da Copa... 339
14 DE NOVEMBRO
    Esclarecimentos – Aos leitores que me escrevem.......... 341
    Recado a Drummond... 342
    Explicação de uma vez por todas 342
21 DE NOVEMBRO
    Finalmente chegou o dia – *ad aeternitatem* 344
    Aviso silente... 344
    Um ser chamado Regina 344
    Fui absolvida!... 345
28 DE NOVEMBRO
    Espanha 346
5 DE DEZEMBRO
    "A indulgência" mais produtiva..................................... 349
12 DE DEZEMBRO
    Palavras apenas fisicamente 352
    O cetro 352
    Por não estarem distraídos 352

1971

16 DE JANEIRO
    Um presente para vocês... 357
23 DE JANEIRO
    O óbvio ululante 359
6 DE FEVEREIRO
    Carnaval.. 362
13 DE FEVEREIRO
    Um brasileiro pouco conhecido: Leopoldo Nachbin..... 365
20 DE FEVEREIRO
    A pesca milagrosa 367
    Lembrar-se.. 368
    Crônica social 368
    A Academia Brasileira de Letras 369
6 DE MARÇO
    Um poeta mulher.. 370
13 DE MARÇO
    Bichos (I) 373
20 DE MARÇO
    Bichos (Conclusão) 376

27 DE MARÇO
"Criar um quadro é criar um mundo novo"... 380
3 DE ABRIL
De Natura Florum 384
Dicionário... 384
10 DE ABRIL
Vocês se lembram de Glória Magadan?.. 387
17 DE ABRIL
Ao correr da máquina.. 390
24 DE ABRIL
O passeio da família 393
Enciclopédia para mulheres... 394
Rio São Francisco 395
Por falar em banho 395
1º DE MAIO
Uma novidade, uma grandeza 396
8 DE MAIO
Dia da mãe inventada 399
22 DE MAIO
Antes de o homem aparecer na Terra... 400
Desculpem, mas se morre 402
Mas há a vida.. 402
A tempestade de 28 de março, domingo.. 402
29 DE MAIO
Máquina escrevendo 404
5 DE JUNHO
Viajando por mar (1ª parte).. 406
Viagem de trem.. 408
12 DE JUNHO
Já andei de camelo, a esfinge, a dança do ventre
    (Conclusão)... 409
Falando em viagens.. 410
Estive na Groenlândia.. 411
Estive em Bolama, África 412
19 DE JUNHO
Sem título 412
26 DE JUNHO
Xico Buark me visita 415
3 DE JULHO
Conversa meio a sério com Tom Jobim (I).. 418

10 DE JULHO
Conversando a sério com Tom Jobim (II) 420
17 DE JULHO
Conversa meio a sério com Tom Jobim (III) 422
24 DE JULHO
Um fenômeno de parapsicologia 425
Salmo de Davi, nº 4 426
Desencontro 427
Viver 427
É preciso parar 427
31 DE JULHO
Genaro 427
7 DE AGOSTO
Você é um número 430
Mistério: céu 431
14 DE AGOSTO
Sou uma pergunta 432
21 DE AGOSTO
Perdão, explicação e mansidão 435
Três encontros que são quatro 438
28 DE AGOSTO
Um instante fugaz 438
4 DE SETEMBRO
Um homem chamado Hélio Pellegrino 440
11 DE SETEMBRO
Amor 443
18 DE SETEMBRO
Trechos 445
25 DE SETEMBRO
Dies irae 448
2 DE OUTUBRO
Carta sobre Maria Bonomi 452
9 DE OUTUBRO
Amor, quati, cão, feminino e masculino 455
16 DE OUTUBRO
De como evitar um homem nu 457
6 DE NOVEMBRO
O uso do intelecto 460
A experiência maior 460
Mentir, pensar 461

20 DE NOVEMBRO
  As pontes de Londres 461
27 DE NOVEMBRO
  A antiga dama 463
  Cisne 464
  Domingo de tarde 464
  O erro dos inteligentes 465
4 DE DEZEMBRO
  Fugir com o circo 465
18 DE DEZEMBRO
  Estudo de um guarda-roupa 467
  Reconstituição histórica de uma dama nobre 468
  Lembrança de um homem que desistiu 468
24 DE DEZEMBRO
  Hoje nasce um menino 469

1972

8 DE JANEIRO
  Conversa descontraída: 1972 473
15 DE JANEIRO
  O estado atingido 475
  Caderno de notas 475
  Exercício 476
  Supondo o certo 476
  Supondo o errado 476
22 DE JANEIRO
  Tentativa de descrever sutilezas 477
29 DE JANEIRO
  A geleia viva como placenta 479
5 DE FEVEREIRO
  A lucidez perigosa 481
  Como adormecer 481
  Em busca do prazer 482
  Eu me arranjaria 482
  Até a máquina? 482
19 DE FEVEREIRO
  O pianista 483
  Por quê? 484
  Ainda impossível 484

4 DE MARÇO
Verão no baile ... 485
Aldeia nas montanhas da Itália ... 485
Saguão na Tijuca ... 486
A cozinheira feliz ... 486
Antes era perfeito ... 487
As negociatas ... 487
Por discrição ... 487

1º DE ABRIL
Minha próxima e excitante viagem pelo mundo ... 487

8 DE ABRIL
O ato gratuito ... 490

15 DE ABRIL
Taquicardia a dois ... 492
Assim também não ... 493

22 DE ABRIL
Refúgio ... 494
Estilo ... 495
Um degrau acima: o silêncio ... 495

6 DE MAIO
Diálogo do desconhecido ... 495

13 DE MAIO
Dia das Mães ... 496

20 DE MAIO
Sem aviso ... 498

27 DE MAIO
O pouco que se pede ... 499
Moravia ... 499

3 DE JUNHO
Por medo do desconhecido (Trecho) ... 500
Sobre escrever ... 501

10 DE JUNHO
Energia atômica e o Brasil ... 501

17 DE JUNHO
Uma lição de escultura ... 503

1º DE JULHO
Brownea grandiceps: rosa-da-montanha ... 506

8 DE JULHO
O presente ... 508
Comer ... 508

Homem se ajoelhar.. 509
Dar-se enfim.. 510
15 DE JULHO
Um nome a não esquecer: Lara... 510
29 DE JULHO
As imaginações demoníacas 513
Escrever para jornal e escrever livro................................... 514
12 DE AGOSTO
Para acabar de "fundir a cuca".. 515
23 DE SETEMBRO
A mágoa mortal 517
A rosa branca.. 517
30 DE SETEMBRO
A festa do termômetro quebrado....................................... 518
De Vila Isabel para o Brasil 520
7 DE OUTUBRO
Brasília de ontem e de hoje 521
14 DE OUTUBRO
Vergonha de viver 523
21 DE OUTUBRO
Preguiça 525
28 DE OUTUBRO DE 1972
Conversa com Scliar 528
4 DE NOVEMBRO
O silêncio dos portais... 531
Espelhos de Vera Mindlin 532
11 DE NOVEMBRO
Dois meninos 533
18 DE NOVEMBRO
Escrever... 535
Prazer no trabalho 535
Horas para gastar... 535
Quebrar os hábitos 536
25 DE NOVEMBRO
Comer gato por lebre.. 536
O que é angústia 537
Lavoisier explicou melhor 538
16 DE DEZEMBRO
"Desculpem, mas não sou profundo".................................. 538

1973

20 DE JANEIRO
Desmaterialização da catedral 543
Ao que leva o amor 543
O alistamento 543
Submissão ao processo 544

27 DE JANEIRO
Quase briga entre amigos 544

17 DE FEVEREIRO
O grupo 547

24 DE FEVEREIRO
O primeiro livro de cada uma de minhas vidas 548

3 DE MARÇO
Trecho 550
Mário Cravo 551

17 DE MARÇO
Darel e a psicanálise 552

7 DE ABRIL
Conversinha sobre chofer de táxi 554
O mar de manhã 555
Jasmim 555

21 DE ABRIL
A mesa de 13 comensais 555

28 DE ABRIL
Lucidez do absurdo 556

19 DE MAIO
Para os casados 559
Os segredos 559
Um adolescente: C. J. 560

26 DE MAIO
Artistas que não fazem arte 561
Tarde ameaçadora 561
Que nome dar à esperança? 562
Dificuldade de expressão 562
Mais do que jogo de palavras 562

23 DE JUNHO
Lição de moral 562
"Não sei" 563

30 DE JUNHO
Um romancista 564

25 DE AGOSTO
Djanira 566
29 DE SETEMBRO
Trajetória de uma vocação 569
17 DE NOVEMBRO
O que Pedro Bloch me disse 571
15 DE DEZEMBRO
Análise mediúnica 574
As "fugidas" da mãe 575
Propaganda de graça 576
29 DE DEZEMBRO
Por causa de um bule de bico rachado 577

O Jornal

29 DE DEZEMBRO DE 1946
O lar 581
O balé da virgem 582
Libertinagem do sábio 582
A mágoa 583
2 DE FEVEREIRO DE 1947
O menino 584
A velha alegre 585
À margem da beatitude 588

Senhor

DEZEMBRO DE 1961
"A arte de não ser voraz" 591
Silent Night, Holy Night 591
AGOSTO DE 1962
Uma tentativa de sentir 592
NOVEMBRO DE 1962
Lembrança de um verão difícil 594
Aproximação gradativa 596
DEZEMBRO DE 1962
Em direção ao caminho inverso 596

Joia

MAIO DE 1968
Traduzir procurando não trair 601
JUNHO DE 1968

O eterno amamentado 604
JULHO DE 1968
Ao correr dos dias, da máquina 606
AGOSTO DE 1968
É preciso subir a montanha 609
   Transviada 609
   Confissões de Teilhard 610
   O verbo e o tempo 611
SETEMBRO DE 1968
Como flores para uma amiga 612
OUTUBRO DE 1968
Ritual brasileiro do café. A criação de um personagem 613
Mistérios da alma humana 615
Dedicatória 617
DEZEMBRO DE 1968
Minha secretária 617
JANEIRO DE 1969
Cartas 621
FEVEREIRO DE 1969
Respiração 624
Um homem diferente e calmo 626
MARÇO DE 1969
Estatística minha e talvez superficial 627
Tudo estranho 628
MAIO DE 1969
A violência de um coração 630
JULHO DE 1969
Minhas páginas femininas 631
AGOSTO DE 1969
Meu trem partiu 634

Última Hora

8 DE MAIO DE 1977
O cosmos da Bahia na visão do meu amor 637
29 DE MAIO DE 1977
Será intolerância minha ou foi uma bofetada? 639
2 DE JULHO DE 1977
Análise do homem 643
22 E 23 DE OUTUBRO DE 1977
Os encontros 648

O medo do encontro também 648
"Cultura" 649

Para não esquecer
(DATAS NÃO INDICADAS)

O segredo 651
Muito mais simples 651
A vez da missionária 651
Literatura e Justiça 652
Mal-estar de um anjo 653
Conversa com filho 657
Um homem discreto 658
Não soltar os cavalos 658
Boa notícia para uma criança 658
Reconhecendo o amor 659
Uma porta abstrata 659
Berna 659
"As aparências enganam" 661
"Nem tudo o que reluz é ouro" 661
Um homem espanhol 661

Posfácio

Making of (Paulo Gurgel Valente) 667

Posfácio

Crônica de *Todas as crônicas* (Pedro Karp Vasquez) 675
    Critérios editoriais 679
    Uma cronista relutante 686
    Para concluir 689